El catalejo lacado

Philip Pullman

El catalejo lacado

EDICIONES B
GRUPO ZETA

Barcelona • Bogotá • Buenos Aires • Caracas • Madrid • México D.F. • Montevideo • Quito • Santiago de Chile

EL CATALEJO LACADO
Título original: *The Amber Spyglass*
Traducción: Dolors Gallart y Camila Batlles
1.ª edición: marzo, 2001
Publicado por acuerdo con Scholastic, Inc.
© 2000, Philip Pullman
© 2001, Ediciones B, S.A.
en español para todo el mundo
Bailén, 84 - 08009 Barcelona (España)

Impreso en Argentina-Printed in Argentine
ISBN: 84-666-1863-5

Supervisión de Producción: Carolina Di Bella
Impreso en papel obra Copybond de Massuh.
Impreso por Printing Books, Mario Bravo 837,
Avellaneda, Buenos Aires, en el mes de octubre de 2004.

La escritura desatada
destos libros da lugar
a que el autor pueda mostrarse épico,
lírico, trágico, cómico, con todas
aquellas partes que encierran en sí las
dulcísimas y agradables ciencias
de la poesía y de la oratoria;
que la épica tan bien puede escribirse
en prosa como en verso.

MIGUEL DE CERVANTES
El Quijote I, 47

Proclamad su poder, cantad su gracia,
cuya túnica es la luz y su pabellón el espacio;
sus carros de ira forman densos nubarrones
y su recorrido sobre las alas de la tormenta es oscuro.

ROBERT GRANT (1779-1838)
De *Hymns Ancient and Moderns*

Oh estrellas,
¿no brota de vosotras el deseo del amante de contemplar
el rostro de su amada? ¿No proviene de las puras conste-
laciones la íntima percepción de los rasgos puros de su
amada?

RAINER MARIA RILKE
De *Duineser Elegien*

Unos sutiles vahos escapan de lo que hicieren los vivos.
La noche es fría, delicada y llena de ángeles
que golpean a los vivos. Las fábricas están iluminadas,
el carrillón suena en lo alto.
Por fin estamos juntos, aunque lejos uno de otro.

JOHN ASHBERY
De *The Ecclesiast*

1

La niña encantada

… MIENTRAS
BESTIAS SURGIDAS
DE PROFUNDAS
«CAVERNAS»
CONTEMPLAN A
LA DONCELLA
DORMIDA…
WILLIAM BLAKE

En un valle situado a la sombra de unos rododendros, cerca del límite de la nieve, por el que discurría un arroyo de espumosa agua de deshielo y por el que revoloteaban las palomas y los pardillos entre los inmensos pinos, había una cueva, semioculta por un risco que se alzaba sobre ella y las abundantes hojas que se arracimaban abajo.

En el bosque se oía multitud de sonidos: el arroyo que saltaba entre las rocas, el viento que se abría paso entre las agujas de pino, el zumbido de los insectos y los gritos de los pequeños mamíferos arbóreos, además de los trinos de los pájaros; y de vez en cuando, una fuerte ráfaga de viento producía un roce en las ramas de un cedro o un abeto, que emitían un gemido como el de un violonchelo.

Era un lugar dominado por una brillante luz solar, nunca ensombrecida; los rayos de un tono dorado claro se filtraban hasta el suelo del bosque entre franjas y motas de sombra verde pardusca. La luz nunca permanecía inmóvil, nunca era la misma, porque sobre las copas de los árboles solía flotar una neblina que filtraba la luz del sol, transformándola en un resplandor perlado que barnizaba todas las piñas con una humedad reluciente cuando se levantaba la niebla. En ocasiones el agua de las nubes se condensaba en diminutas gotas, medio bruma y medio lluvia, que más que caer descendían flotando y producían un suave repiqueteo entre los millones de agujas de pino.

Junto al arroyo, un estrecho sendero conducía a una aldea —apenas un puñado de viviendas de pastores— situada al pie del valle, con un santuario medio derruido, próximo al glaciar que lo coronaba, un lugar donde ondeaban unas descoloridas banderas de seda agitadas por los vientos perpetuos de las altas montañas y donde los piadosos aldeanos depositaban unas ofrendas de tortas de cebada y té seco. Debido a un curioso efecto producido por la luz, el hielo y la bruma, la cabecera del valle aparecía adornada por un perenne arco iris.

La cueva quedaba un poco más arriba del sendero. Muchos años atrás había vivido allí un hombre santo, entregado al ayuno, la meditación y la oración. Los aldeanos la veneraban en memoria suya. La cueva medía unos diez metros de profundidad y tenía el suelo seco: una guarida ideal para un lobo o un oso, aunque los pájaros y murciélagos eran los únicos animales que la habían habitado durante años.

Pero la criatura que se hallaba agazapada junto a la entrada, con sus negros ojos vigilantes y las puntiagudas orejas enhiestas, no era un pájaro ni un murciélago. La luz del sol iluminaba su lustroso pelaje dorado mientras el extraño ser hacía girar con sus manos simiescas una piña en un sentido y en otro, arrancando con sus fuertes dedos las escamas y los dulces piñones.

Tras él, justo más allá de la línea donde alcanzaba el sol, la señora Coulter calentaba agua en un cazo sobre un fogón de queroseno. En éstas su daimonion murmuró una advertencia, y la señora Coulter alzó la vista.

Una niña aldeana se acercaba por el sendero. La señora Coulter la conocía. Era Ama, que desde hacía unos días le llevaba comida. La señora Coulter se había apresurado a informar a la pequeña que ella era una mujer santa entregada a la meditación y la oración, y que había jurado no hablar jamás con un ser humano. Ama era la única persona cuyas visitas aceptaba.

Pero esta vez la niña no estaba sola. La acompañaba su padre. Mientras Ama trepaba hacia la cueva, el hombre aguardó a una distancia prudencial.

Al entrar en la cueva, Ama se inclinó y dijo:

—Me envía mi padre y le ruega que nos dispense su buena voluntad.

—Bienvenida —respondió la señora Coulter.

La niña llevaba un hatillo de tela de algodón desteñida, que depositó a los pies de la señora Coulter. Luego le ofreció un ramillete de flores silvestres, una docena de anémonas atadas con un cordel también de algodón, y se puso a hablar rápidamente, con voz nerviosa. La señora Coulter comprendía algo de la lengua de aquellas gentes de la montaña, pero no quería que supieran hasta qué punto. De modo que indicó sonriente a la muchacha que cerrara la boca y observara a los dos daimonions. El mono dorado tendió su manita negra y el daimonion mariposa de Ama se fue aproximando a él hasta posarse en su calloso dedo.

El mono lo acercó lentamente a su oreja, y la señora Coulter notó que en su mente penetraba un flujo de entendimiento que clarificó las palabras de la niña. Los aldeanos se alegraban de que una mujer santa como ella se hubiera refugiado en la cueva, pero corrían rumores de que tenía una compañera tan peligrosa como poderosa.

Eso era lo que había infundido miedo a los aldeanos. ¿Era aquel otro ser el ama o la sirvienta de la señora Coulter? ¿Albergaba malas intenciones? ¿Para qué había ido allí? ¿Pensaban quedarse mucho tiempo? Ama, muy azorada, transmitió esas preguntas a la señora Coulter.

Mientras la comprensión del daimonion penetraba en ella, a la señora Coulter se le ocurrió una idea novedosa. Podía decir la verdad. No toda, por supuesto, pero sí una parte. La ocurrencia le produjo un pequeño estremecimiento de hilaridad, pero reprimió la risa al responder.

—Sí, una persona vive conmigo, pero no hay nada que temer. Es mi hija, que está bajo los efectos de un hechizo que la tiene dormida. Hemos venido aquí para ocultarnos del mago que la hechizó, mientras yo trato de curarla y procuro que no sufra ningún daño. Puedes entrar a verla si quieres.

La suave voz de la señora Coulter produjo una mezcla de sosiego y temor a Ama, impresionada al oír hablar de hechizos y magos. Pero el mono dorado sostenía a su daimonion con suma delicadeza y ella sentía curiosidad, por lo que siguió a la señora Coulter al interior de la cueva.

El padre de Ama, que la esperaba en el sendero, avanzó un paso. Su daimonion cuervo desplegó las alas un par de veces, pero permaneció donde estaba.

La señora Coulter encendió una vela, porque la luz menguaba con rapidez, y condujo a Ama hacia la parte posterior de la cueva. Los ojos de la niña, abiertos como platos, resplandecían en la oscuridad al tiempo que juntaba el índice y el pulgar en un gesto repetitivo destinado a confundir a los espíritus malévolos y ahuyentar cualquier peligro.

—¿Lo ves? —dijo la señora Coulter—. No puede causar ningún daño. No hay nada que temer.

Ama se arrodilló junto a la figura acostada en el saco de dormir. Era una niña de unos tres o cuatro años más que ella, con el pelo de un color que Ama jamás había visto, un rubio castaño como la melena de un león. Tenía los labios apretados y estaba profundamente dormida, de eso no cabía duda, pues su daimonion yacía enrollado e inconsciente sobre su cuello. Parecía una mangosta pero era de color dorado rojizo y más pequeño. El mono dorado alisó con ternura el pelo de la frente del daimonion dormido, el cual se agitó exhalando un breve y ronco maullido. El daimonion de Ama, semejante a un ratón, se pegó al cuello de ésta y se asomó temeroso por entre sus cabellos.

—Puedes contarle a tu padre lo que has visto —prosiguió la señora Coulter—. No hay ningún espíritu malévolo. Sólo mi hija, dormida a causa de un hechizo, la cual está a mi cuidado. Pero pídele a tu padre, por favor, que me guardéis este secreto. Sólo vosotros debéis saber dónde se encuentra Lyra. Si el hechicero llega a enterarse de que está aquí, vendrá para destruirla a ella, a mí y a todo lo que pille. De modo que debéis ser discretos. Cuéntaselo a tu padre, pero a nadie más.

La señora Coulter se arrodilló junto a su hija Lyra y le apartó el pelo húmedo de la cara antes de inclinarse para besarla en la mejilla. Luego alzó los ojos llenos de tristeza y amor y sonrió a Ama con una expresión tan valerosa, sabia y compasiva, que a la niña se le inundaron los ojos de lágrimas.

La señora Coulter tomó a la pequeña de la mano para regresar a la entrada de la cueva, donde vio al padre que las observaba ansioso desde el sendero. Entonces juntó las manos e hizo una reverencia, a la que el hombre respondió con un suspiro de alivio mientras su hija, tras despedirse de la mujer y de la niña encantada con otra reverencia, daba media vuelta y bajaba corriendo la cuesta iluminada por la luz crepuscular. Padre e hija inclinaron de nuevo la cabeza en dirección a la cueva y desaparecieron entre las sombras de los frondosos rododendros.

La señora Coulter observó el líquido que había comenzado a hervir sobre el fogón.

La mujer se agachó para echar unas ramas secas en el cazo, dos pellizcos de una bolsa, otro de otra, y añadió tres gotas de un aceite dorado pálido. Removió el líquido con brío y contó mentalmente hasta que hubieron transcurrido cinco minutos. Luego retiró el cazo del fuego y se sentó para esperar a que se enfriara.

A su alrededor había parte del material procedente del campamento situado junto al lago azul, donde había muerto sir Charles Latrom: un saco de dormir, una mochila con unas mudas y artículos de aseo y otros objetos de uso personal. Había también una bolsa de lona con un armazón de madera, forrada de miraguano, que contenía diversos instrumentos, y una pistola en su funda.

La decocción se enfrió con rapidez, y en cuanto alcanzó la tibieza de la sangre la mujer la vertió con cuidado en un cubilete de metal y la llevó al fondo de la cueva. El daimonion mono dejó caer la piña y corrió a su lado.

Tras depositar el cubilete sobre una piedra, se arrodilló junto a Lyra, que seguía profundamente dormida. El mono dorado se agachó al otro lado de la muchacha, dispuesto a atrapar a Pantalaimon en cuanto se despertara.

Lyra tenía el cabello húmedo y movió los ojos bajo los párpados cerrados. Empezaba a volver en sí. La señora Coulter había notado al besarla el leve movimiento de sus párpados, y dedujo que Lyra no tardaría en despertar.

La señora Coulter deslizó una mano bajo la cabeza de la niña y con la otra le apartó los húmedos mechones de la frente. Lyra entreabrió los labios y exhaló un suave gemido; Pantalaimon se instaló más cerca de su pecho. El mono dorado, que no quitaba ojo al daimonion de Lyra, crispó sus deditos negros que reposaban junto al saco de dormir.

Bastó una mirada de la señora Coulter para que el mono apartara un poco la mano. La mujer levantó con delicadeza a su hija por los hombros y ésta, con la cabeza inclinada hacia atrás, suspiró y entreabrió los ojos despacio, pestañeando repetidamente.

—Roger... —musitó la niña—. ¿Dónde estás, Roger...? No te veo...

—Chsss —le susurró su madre—. Bébete esto, cariño.

La señora Coulter acercó el cubilete a la boca de Lyra, inclinándolo para dejar que una gota le humedeciera los labios. Cuando Lyra la hubo lamido, la señora Coulter le vertió un chorrito del líquido en la boca, con mucho cuidado, esperando a que la niña ingiriera cada sorbo antes de darle otro.

La operación duró varios minutos, pero al final el cubilete quedó vacío y la señora Coulter acostó de nuevo a su hija. Tan pronto como ésta apoyó la cabeza en el suelo, Pantalaimon volvió a enroscarse sobre su cuello. Su pelo dorado rojizo estaba tan húmedo como el cabello de la niña. Al poco ambos volvieron a quedar profundamente dormidos.

El mono dorado se dirigió con paso vivo hasta la boca de la cueva, donde se instaló para vigilar el sendero. La señora Coulter sumergió un trapo en una palangana de agua fría y lo aplicó al rostro de Lyra. Acto seguido abrió el saco de dormir y le lavó los brazos, el cuello y los hombros, pues hacía calor. Por último le desenredó con delicadeza el cabello y se lo peinó hacia atrás, trazando una nítida raya en medio.

Tras dejar el saco abierto para que la niña se refrescara, abrió el hatillo que le había entregado Ama, en el que había unas hogazas de pan, un taco de té comprimido y un pegajoso pastel de arroz envuelto en una enorme hoja. Había llegado el momento de encender fuego. El aire de la montaña era helado. De forma metódica, la señora Coulter partió unas ramas secas y encendió una cerilla. Otra cosa que tener en cuenta: escaseaban las cerillas y apenas quedaba queroseno para el fogón. A partir de ahora tendría que mantener el fuego encendido día y noche.

Su daimonion estaba descontento. No le gustaba lo que ella hacía, y cuando intentó expresar su descontento, ella le apartó a un lado. Él dio media vuelta, demostrando su desdén con cada línea de su cuerpo mientras arrancaba las escamas de su piña y las arrojaba en la oscuridad. La señora Coulter no le hizo caso y siguió trabajando con maña para encender el fuego y luego puso el cazo para calentar agua y preparar el té.

No obstante la afectó el escepticismo de su daimonion, como era lógico. La señora Coulter se preguntó qué diablos estaba haciendo y si se había vuelto loca, y qué ocurriría cuando se enteraran en la iglesia. El mono dorado tenía razón. Ella no sólo ocultaba a Lyra, sino que se estaba engañando a sí misma.

El niño salió de la oscuridad, esperanzado y temeroso al mismo tiempo, murmurando sin cesar:

—Lyra... Lyra... Lyra

A su espalda había otras figuras, aún más imprecisas y silenciosas que él. Parecían formar parte del mismo grupo y de la misma raza, pero sus rostros no eran visibles ni se oían sus voces. La voz del niño era un mero murmullo, y su rostro estaba en sombras y borroso, como un recuerdo casi olvidado.

—Lyra... Lyra...

¿Dónde se encontraban?

En una inmensa planicie donde no brillaba luz alguna proveniente del cielo gris plomizo, y donde una espesa bruma ocultaba el horizonte por todos los costados. El suelo era de tierra, aplastada por la presión de millones de pies, aunque esos pies pesaran menos que plumas. De modo que debía de ser el tiempo el que había comprimido la tierra, pero el tiempo permanecía inmóvil en ese lugar. Así eran las cosas. Ése era el fin de todos los lugares y el último de todos los mundos.

—Lyra...

¿Por qué se encontraban allí?

Estaban apresados. Alguien había cometido un crimen, aunque nadie sabía qué era, quién lo había cometido ni qué autoridad había juzgado a los culpables.

¿Por qué pronunciaba el niño continuamente el nombre de Lyra?

Porque no había perdido la esperanza.

¿Quiénes eran?

Fantasmas.

Y Lyra no podía tocarlos, por más que lo intentara. Sus manos se agitaban desordenada, incesantemente, mientras el niño seguía invocando su nombre.

—Roger —dijo Lyra, pero su voz apenas era un murmullo—. Oh, Roger, ¿dónde estás? ¿Qué lugar es éste?

—Es el mundo de los muertos —respondió él—. No sé qué hacer, no sé si voy a quedarme aquí para siempre, no sé si he cometido una mala acción o qué, porque he tratado de ser bueno, pero lo odio, tengo miedo, lo odio...

Y Lyra dijo:

—Yo...

2

Balthamos y Baruch

—Silencio —dijo Will—. Callaos. No me molestéis.

Hacía poco que se habían llevado a Lyra, que Will había descendido de la cima de la montaña y que la bruja había matado a su padre. Will encendió la pequeña linterna de hojalata que había sacado de la mochila de su padre, utilizando las cerillas secas que había hallado en su interior, y se acurrucó al abrigo de la roca para abrir la mochila de Lyra.

Con la mano sana fue palpando el interior hasta localizar el pesado aletiómetro envuelto en terciopelo. Alumbrado con el resplandor de la linterna, lo mostró a las dos formas que permanecían a su lado, las formas que se autodenominaban ángeles.

—¿Sabéis leer esto? —les preguntó.

—No —contestó una voz—. Ven con nosotros. Acompáñanos hasta donde se encuentra lord Asriel.

—¿Quién os hizo seguir a mi padre? Dijisteis que él no sabía que lo seguíais. Pero lo sabía —afirmó Will con vehemencia—. Me dijo que os esperase. Sabía más de lo que vosotros creíais. ¿Quién os envió?

—Nadie nos envió. Tan sólo nosotros —respondió la voz—. Deseamos servir a lord Asriel. ¿Qué quería hacer el muerto con la daga?

Will titubeó unos instantes.

—Me dijo que se la llevara a lord Asriel.

—Entonces ven con nosotros.

—No. Antes debo encontrar a Lyra.

Will envolvió de nuevo el aletiómetro con el terciopelo y lo guardó en la mochila. Después se puso la pesada capa de su padre para resguardarse de la lluvia y, todavía en cuclillas, observó fijamente a las dos sombras.

—¿Decís la verdad? —preguntó.

—Sí.

—¿Entonces sois más fuertes o más débiles que los seres humanos?

—Más débiles. Vosotros sois de carne y hueso, nosotros no. De todas formas, tienes que acompañarnos.

—No. Si yo soy más fuerte, debéis obedecerme. Además, yo tengo la daga. De modo que os lo ordeno: ayudadme a encontrar a Lyra. No importa cuánto tiempo nos lleve. Cuando la halle, os acompañaré a donde está lord Asriel.

Las dos figuras guardaron silencio unos instantes. Luego se apartaron flotando para parlamentar, aunque Will no alcanzaba a oír nada de lo que decían.

Por fin se acercaron.

—De acuerdo —dijeron—. Cometes un error, pero no nos dejas elección. Te ayudaremos a buscar a esa niña.

Will entornó los ojos para discernirlos con más claridad en la oscuridad, pero la lluvia le nublaba la vista.

—Acercaos más para que pueda veros —pidió.

Los dos ángeles se aproximaron, pero aún parecían más borrosos.

—¿Os veré mejor a la luz del día?

—No, peor. No pertenecemos a un orden elevado entre los ángeles.

—Bueno, si yo no os veo, tampoco os verá nadie más, de modo que pasaréis inadvertidos. Id a averiguar dónde se encuentra Lyra. No debe de andar muy lejos. Había una mujer... estará con ella... La mujer se la llevó. Id a buscarla y volved para decirme lo que hayáis averiguado.

Los ángeles se elevaron en el aire preñado de tormenta y desaparecieron. Will se sintió invadido por un intenso cansancio. Le habían quedado pocas fuerzas antes del forcejeo con su padre, y en ese momento estaba rendido. Lo único que deseaba era dormir. Los párpados le pesaban y los ojos le escocían debido al llanto.

Se cubrió la cabeza con la capa, apretó la mochila contra su pecho y se quedó dormido al instante.

—En ningún sitio —dijo una voz.

Will la oyó desde las profundidades del sueño y trató de despertarse. Por fin logró abrir los ojos (tardó más de un minuto pues estaba profundamente dormido) y contempló la luminosa mañana que se abría ante él.

—¿Dónde estáis? —preguntó.

—A tu lado —respondió el ángel—. Aquí.

El sol acababa de salir, y las rocas, los líquenes y musgos que crecían entre ellas aparecían tersos y resplandecientes, pero Will no vio a nadie.

—Ya te advertí que de día te costaría más vernos —prosiguió la voz—. Nos verás mejor en la penumbra, al amanecer o al atardecer, y al cabo de un tiempo mejor aún en la oscuridad. De día te resultará más difícil. Mi compañero y yo hemos registrado las laderas, pero no hemos dado ni con la mujer ni con la niña. Sin embargo, hay un lago de aguas azules junto al que han debido de acampar. Hay un hombre muerto allí, y una bruja devorada por un Espectro.

—¿Un hombre muerto? ¿Qué aspecto tiene?

—Debía de tener más de sesenta años. Más bien gordo, con la piel lisa y el pelo plateado. Viste ropa cara y exhala un intenso perfume.

—Sir Charles —dijo Will—. Era él. La señora Coulter debió de asesinarlo. Bueno, al menos ésa no es una mala noticia.

—La mujer dejó unas huellas. Mi compañero las ha seguido y regresará en cuanto haya averiguado dónde está. Yo me quedaré contigo.

Will se puso en pie y miró alrededor. La tormenta había limpiado el aire y la mañana era fresca y diáfana, lo cual acentuaba el horror del panorama circundante. No lejos de allí yacían los cadáveres de varias de las brujas que lo habían acompañado a él y a Lyra al encuentro con su padre. Un cuervo carroñero con un pico feroz había comenzado a desgarrar la cara de una de ellas, y Will vio un ave de gran tamaño que trazaba unos círculos en lo alto, como si estuviera seleccionando el bocado más suculento.

Will examinó uno por uno los cadáveres, pero ninguno correspondía a Serafina Pekkala, la reina del clan de las brujas y amiga de Lyra. Entonces se acordó. ¿No se había ido de pronto a ocuparse de otro asunto, poco antes del anochecer?

Quizás estuviera viva. Animado por la idea, Will escrutó el horizonte en busca de alguna señal de ella, pero no vio más que el aire azul y las afiladas rocas.

—¿Dónde estás? —preguntó al ángel.

—A tu lado —respondió la voz—, como siempre.

Will miró a su izquierda, donde sonaba la voz, en vano.

—De modo que nadie te ve. ¿Puede oírte alguien, aparte de mí?

—No si hablo en susurros —contestó el ángel con aspereza.

—¿Cómo te llamas? ¿Tenéis nombres?

—Sí. Yo me llamo Balthamos, y mi compañero, Baruch.

Will se planteó qué le convenía hacer. Cuando uno elige una opción entre varias, todas las vías que no toma se apagan como velas, como si nunca hubieran existido. De momento todas las alternativas que se le ofrecían existían a la vez, pero mantenerlas así suponía renunciar a la acción. No tenía más remedio que elegir.

—Descenderemos de nuevo la montaña —declaró—. Iremos a ese lago. Quizás allí encuentre algo que me sirva. De todas formas tengo sed. Tomaré el camino que me parezca el indicado. Si me equivoco, guíame tú.

Cuando llevaba varios minutos caminando por la rocosa ladera, en la que no había ningún sendero señalizado, Will cayó en la cuenta de que ya no le dolía la mano. De hecho, desde que se había despertado no había vuelto a acordarse de la herida.

Se detuvo para mirar la tosca tela con que su padre se la había vendado después de la pelea. Estaba grasienta debido al ungüento que le había aplicado, pero no advirtió ni rastro de sangre. Después de la hemorragia que había sufrido tras perder los dedos, aquello resultaba tan fantástico que el corazón le daba brincos de alegría.

Movió todos los dedos para comprobar si estaban agarrotados. Las heridas aún le dolían un poco, pero era un dolor distinto, más atenuado que el insoportable dolor que había experimentado la víspera. Daba la sensación de que sus heridas sanaban, cosa que debía a su padre. El hechizo de las brujas había fallado, pero su padre le había curado.

Will siguió bajando por la ladera, más animado, sin importarle lo que pudiera pensar el ángel.

Tardó tres horas, con algunos consejos orientativos por parte del ángel, en llegar al pequeño lago azul. Cuando lo alcanzó, Will estaba muerto de sed. Hacía un calor sofocante y la capa le molestaba, pero al quitársela echó de menos su protección, pues el ardiente sol le abrasaba los brazos y el cuello. Cuando faltaban pocos metros para alcanzar el lago, Will dejó la capa y la mochila en el suelo y echó a correr hacia él. Al llegar a la orilla se arrojó de bruces y bebió con avidez. El agua estaba tan fría que le dolieron los dientes y el cráneo, pero tenía tanta sed que no le importó.

Cuando hubo saciado la sed, se incorporó y miró alrededor. El día anterior no había estado en condiciones de fijarse en nada, pero en aquellos momentos advirtió con más nitidez el intenso color del agua y los estridentes sonidos de los insectos que pululaban por allí.

—¿Balthamos?

—Sigo aquí.

—¿Dónde está el muerto?

—Más allá de esa elevada roca, a la derecha.

—¿Hay algún Espectro por aquí?

—No.

Will recogió la mochila y la capa y echó a andar junto al borde del lago hacia la roca que le había indicado Balthamos.

Al otro lado vio un pequeño campamento de cinco o seis tiendas y los restos de fuegos para cocinar. Will prosiguió con cautela por si todavía quedaba alguien con vida acechando.

El silencio era profundo, sólo interrumpido levemente por el sonido de los insectos. En torno a las tiendas reinaba la quietud, y las plácidas aguas del lago sólo mostraban las ondas que él había producido. Un pequeño movimiento, un breve destello verde junto a su pie sobresaltó a Will, pero sólo se trataba de un diminuto lagarto.

Las tiendas, de material de camuflaje, resaltaban entre el monótono colorido rojo de las rocas. Will miró en la primera y comprobó que estaba vacía, al igual que la segunda, pero en la tercera encontró dos cosas muy útiles: una lata de potaje y una caja de cerillas. También vio una barra de una sustancia oscura, larga y gruesa como su antebrazo. Al principio creyó que era cuero, pero a la luz del sol descubrió que se trataba de carne seca.

Bueno, al menos tenía un cuchillo. Will cortó una loncha fina de carne, que le pareció un tanto correosa y salada, pero estaba rica. Luego guardó la carne, las cerillas y la lata en la mochila y miró en las otras tiendas, pero estaban vacías.

Sólo le quedaba revisar la más grande.

—¿Es allí dónde está el muerto? —preguntó al aire.

—Sí —respondió Balthamos—. Lo han envenenado.

Will se encaminó con precaución hacia la entrada, que daba al lago. Junto a una silla de lona volcada yacía el cadáver del hombre conocido como sir Charles Latrom en el mundo de Will, y como lord Boreal en el de Lyra, el individuo que había robado a ésta el aletiómetro, lo cual había conducido a Will hasta la daga. Sir Charles había sido un tipo astuto, influyente y poderoso, y ahora estaba muerto. A Will le repelía contemplar su rostro desfigurado, pero al comprobar a simple vista que había muchas cosas que robar dentro de la tienda, sorteó el cadáver para inspeccionarla más detenidamente.

Su padre, el soldado, el explorador, habría sabido con exactitud qué llevarse. Will no lo tenía tan claro. Al fin se decidió por una pequeña lupa metida en un estuche de acero, porque le serviría para encender fuego y ahorrar cerillas; un carrete de cordel; una cantimplora metálica para el agua, más ligera que el pellejo de cabra que había llevado, y una tacita de latón; unos pequeños prismáticos; un cartucho de monedas de oro del tamaño del pulgar de un hombre, envueltas en papel; un botiquín de primeros auxilios; unas pastillas para esterilizar el agua; un paquete de café; tres paquetes de fruta seca comprimida; una bolsa de galletas de avena; seis barritas de cereales; un paquete de anzuelos y seda de nailon; y, por último, un bloc, un par de lápices y una pequeña linterna eléctrica.

Will lo guardó todo en la mochila, cortó otra loncha de carne, llenó el buche y la cantimplora con agua del lago y preguntó a Balthamos:

—¿Crees que necesito algo más?

—No te vendría mal un poco de sentido común —respondió el ángel—. La facultad de reconocer, respetar y obedecer la voz de la sabiduría.

—¿Te consideras sabio?

—Bastante más que tú.

—Vaya, pues no lo diría. ¿Eres un hombre? Te expresas como un hombre.

—Baruch era un hombre. Yo no. Ahora es un ser angelical.

—Así que... —Will dejó lo que estaba haciendo, concretamente distribuir los objetos en su mochila según el peso de los mismos, y se esforzó en vano por ver al ángel—. Así que Baruch fue un hombre... —continuó—, y después... ¿Las personas se convierten en ángeles cuando mueren? ¿Es eso lo que ocurre?

—No siempre. En la inmensa mayoría de los casos no... Sucede muy pocas veces.

—¿Cuándo vivió Baruch?

—Hace cuatro mil años, más o menos. Yo soy mayor que él.

—¿Vivió en mi mundo, en el de Lyra o en éste?

—En el tuyo. Pero existen infinidad de mundos, ya lo sabes.

—¿Y cómo se convierten las personas en ángeles?

—¿A qué vienen estas cábalas metafísicas?

—Quisiera saberlo.

—Más vale que te centres en tu tarea. Ahora que has despojado a ese hombre de todas sus pertenencias y tienes todos los juguetes que necesitas para seguir con vida, ¿podemos seguir nuestro camino?

—Cuando sepa qué camino elegir.

—Cualquiera que escojamos, Baruch dará con nosotros.

—En ese caso también nos encontrará si nos quedamos aquí. Aún tengo que hacer un par de cosas.

Will se sentó en un lugar desde el que no tuviera que ver el cadáver de sir Charles y se comió tres barritas de cereales. A medida que la comida empezaba a hacerle provecho, notó que recuperaba las fuerzas. Luego contempló de nuevo el aletiómetro. Las treinta y seis pequeñas imágenes pintadas en el marfil eran muy nítidas: una correspondía sin duda a un niño, otra a una marioneta, otra a una hogaza de pan, y así sucesivamente. Lo que no estaba tan claro era su significado.

—¿Cómo aprendió Lyra a interpretarlas? —preguntó Will a Balthamos.

—Seguramente se inventó su significado. Los que utilizan estos instrumentos llevan muchos años estudiándolos, y sólo son capaces de interpretarlos con ayuda de unos libros de consulta.

—Lyra no se inventó el significado de estas imágenes. Sabía interpretarlas. Me dijo cosas que no podía saberlas de otro modo.

—Pues para mí representa un misterio tan impenetrable como para ti, te lo aseguro —afirmó el ángel.

Al contemplar el aletiómetro, Will recordó algo que le había dicho Lyra acerca de la forma de interpretarlo, sobre el estado de ánimo en que uno debía estar para que funcionara, lo cual le había ayudado a él a percibir la sutileza de la hoja de plata de la daga.

Empujado por la curiosidad, Will sacó la daga y practicó un corte en forma de ventanita delante de él. A través del recuadro no vio nada salvo el aire azul, pero abajo, mucho más abajo, contempló un paisaje de árboles y campos: su propio mundo, sin duda.

De modo que las montañas de ese mundo no se correspondían con las del suyo. Will cerró la ventana, utilizando la mano izquierda por primera vez desde que se había herido. ¡Qué maravilla poder usarla de nuevo!

De pronto se le ocurrió una idea tan repentina que le produjo una especie de sacudida eléctrica.

Si había infinidad de mundos, ¿por qué la daga sólo abría ventanas entre ese mundo y el suyo?

Tenía que ser posible acceder a cualquiera de ellos.

Will alzó de nuevo la daga, dejando que su mente fluyera hasta la punta de la hoja, tal como le había enseñado Giacomo Paradisi, hasta que su conciencia se alojó entre los mismos átomos y él sintió cada pequeño obstáculo y onda en el aire.

En lugar de traspasarlo en cuanto notó el primer tropiezo, como solía hacer, Will dejó que la daga siguiera avanzando hasta topar con otros obstáculos. Era como seguir el recorrido de una serie de puntadas ejerciendo una presión tan leve que ninguna resultaba dañada.

—¿Qué haces? —inquirió la voz en el aire, interrumpiendo sus reflexiones.

—Explorar —respondió Will—. Silencio, no me molestes. Si te acercas a la daga te cortarás, y como no te veo no podré esquivarte.

Balthamos emitió un sonido de callado descontento. Will volvió a empuñar la daga para tantear los leves impedimentos y resistencias que notaba en el aire. Había más de los previstos. Mientras los tanteaba sin traspasar ninguno de inmediato, advirtió que todos poseían una característica distinta: éste era duro y contundente, aquél vaporoso, el tercero resbaladizo, el cuarto quebradizo y frágil...

Will se concentró de nuevo en la punta de la daga. Algunos de los pequeños obstáculos que percibía en el aire se detectaban con mayor facilidad que otros y, conociendo de antemano la respuesta, hundió la hoja en uno para cerciorarse: de nuevo apareció su mundo.

Tras cerrar la ventana, Will tanteó con la punta de la hoja hasta hallar un obstáculo distinto. Por fin encontró uno elástico y resistente y lo atravesó con la daga.

¡Sí! El mundo que contempló a través de aquella ventana no era el suyo: el suelo estaba más cerca y el paisaje no se componía de verdes campos y setos sino de un desierto de dunas.

Will cerró la ventana y abrió otra: percibió el aire cargado de humo de una ciudad industrial, con una fila de obreros que se dirigían con aire sombrío a una fábrica.

Will cerró también esa ventana y regresó al punto de partida. Sentía un poco de vértigo. Tras haberse formado una idea del auténtico poder de la daga, la depositó cuidadosamente en la roca frente a él.

—¿Piensas quedarte aquí todo el día? —preguntó Balthamos.

—Estoy pensando. Sólo podemos trasladarnos con facilidad de un mundo a otro cuando el suelo está al mismo nivel. Puede que en algunos sitios ocurra eso y se produzcan muchos tránsitos... Quizá sea preciso tantear tu mundo con la punta de la daga para hacerte una idea del tacto que tiene y poder regresar. De otro modo corres el riesgo de quedarte perdido para siempre.

—Es verdad. Pero quizá nosotros...

—Y habría que saber qué mundo tiene el suelo al mismo nivel, porque de lo contrario no podrías esconderte en él —dijo Will, más para sí que para informar al ángel—. Así que no es tan sencillo como creía. Es posible que lo de Oxford y Cittàgazze sólo fuera una cuestión de suerte. Veamos si...

Will tomó de nuevo la daga. Se le había ocurrido una nueva idea. Aparte de la evidente y clara sensación que notaba al tocar una punta que franqueaba la entrada a su propio mundo, había otra sensación que había percibido más de una vez: una cualidad de resonancia, como cuando uno golpea un pesado tambor de madera, salvo que se producía, como todos los demás obstáculos, en forma de un minúsculo movimiento a través del aire.

Allí estaba. Will se apartó y tentó el aire en otro lugar: allí estaba de nuevo.

Will hundió la daga en aquel punto y comprobó que su suposición era acertada. La resonancia significaba que el suelo del mundo que había abierto estaba a la misma altura que el mundo en el que él se encontraba. Contempló un altiplano cubierto de frondosa hierba sobre el que se cernía un cielo encapotado, en el que aparecía un rebaño de animales que pacían tranquilamente, unos animales que él jamás había visto, del tamaño de un bisonte, con grandes cuernos, un espeso pelaje azul y una crin de pelos tiesos en el lomo.

Will se adentró en aquel mundo. El animal más próximo lo observó sin inmutarse y siguió paciendo. Sin cerrar la ventana, Will tanteó con el cuchillo, desde el prado del otro mundo, en busca de los acostumbrados obstáculos.

Sí, podía abrir su mundo desde éste, y seguía situado sobre las granjas y los setos; y sí, podía localizar sin mayores problemas la sólida resonancia que representaba el mundo de Cittàgazze que acababa de abandonar.

Con una profunda sensación de alivio, Will regresó al campamento junto al lago y cerró todas las ventanas. Ahora podría hallar el camino de regreso a su hogar sin temor a perderse; podría ocultarse en caso necesario y moverse a sus anchas, sin correr ningún peligro.

A medida que se percataba de todas esas cosas, sintió que recuperaba las fuerzas. Envainó la daga en el cinturón y se echó la mochila al hombro.

—¿Estás listo? —preguntó la voz con tono sarcástico.

—Sí. Te lo explico si quieres, pero no pareces muy interesado.

—Todo lo que haces me resulta fascinante. Pero no te preocupes por mí. ¿Qué vas a decirle a toda esa gente que se acerca?

Will miró sobresaltado en derredor. En el sendero divisó a lo lejos unos viajeros con mulos de carga que se dirigían hacia el lago. Ellos aún no lo habían visto, pero si se quedaba allí como un pasmarote no tardarían en advertir su presencia.

Will tomó la capa de su padre, que había puesto a secar sobre una roca. Pesaba mucho menos que antes. Acto seguido echó un vistazo alrededor: no podía llevarse nada más.

—Sigamos adelante —dijo.

Le hubiera gustado colocarse de nuevo la venda, pero decidió hacerlo más tarde. Echó a andar por la orilla del lago, en dirección opuesta a los viajeros, y el ángel lo siguió, invisible en la límpida atmósfera.

Al cabo de varias horas llegaron a una estribación en la pelada montaña, cubierta tan sólo de hierba y rododendros enanos. Ansioso por descansar, Will decidió hacer pronto un alto en el camino.

Apenas había oído al ángel. De vez en cuando Balthamos le advertía: «Por aquí no», o «Hay un sendero más practicable a la izquierda», y Will aceptaba sus consejos. En realidad se movía simplemente por moverse y alejarse de aquellos viajeros, porque hasta que regresara el otro ángel con más noticias, nada le impedía quedarse allí.

Cuando se puso el sol, Will creyó ver a su extraño compañero. Observó la silueta de un hombre que temblaba al trasluz, en cuyo interior el aire era más denso.

—¿Balthamos? Busco un arroyo. ¿Hay alguno cerca? —preguntó.

—Hay un manantial a mitad de la cuesta —respondió el ángel—, sobre aquellos árboles.

—Gracias —dijo Will.

No tardó en dar con el manantial. Bebió con avidez y llenó la cantimplora. Cuando se disponía a emprender el descenso hacia el bosquecillo oyó una exclamación. Al volverse vio la silueta de Balthamos que se desplazaba rauda por la ladera hacia... ¿Qué ocurría? El ángel sólo era visible como un atisbo de movimiento, y Will lo percibía con más nitidez cuando no lo miraba directamente. El ángel parecía haberse detenido a escuchar, y luego se propulsó a través del aire para regresar a toda velocidad junto a Will.

—¡Aquí! —exclamó con una voz exenta por primera vez de sarcasmo y censura—. ¡Baruch ha pasado por aquí! Y hay una de tus ventanas, casi invisible. Acércate... Ven enseguida.

Will lo siguió impaciente, olvidándose por completo de su cansancio. La ventana, según comprobó al acercarse, daba a un desolado paisaje parecido a la tundra, más llano que las montañas del mundo de Cittàgazze y también más frío, cubierto por un cielo nublado. Will lo atravesó, y Balthamos se apresuró a seguirle.

—¿Qué mundo es éste? —preguntó Will.

—El de la niña. Pasaron por aquí. Baruch se ha adelantado para seguirlos. Se dirigen hacia el sur y están muy lejos.

—¿Cómo lo sabes? ¿Acaso adivinas su pensamiento?

—Desde luego. Dondequiera que vaya Baruch, mi corazón va con él; aunque somos dos seres, es como si fuéramos uno solo.

Will miró alrededor. No había ni rastro de seres humanos, y el frío aumentaba a medida que menguaba la luz.

—No me apetece dormir aquí —declaró Will—. Pasaremos la noche en Cittàgazze y volveremos por la mañana. Al menos allí tenemos leña con que encender el fuego. Ahora que sé qué tacto tiene el mundo de Lyra, puedo hallarlo con la daga... Eh, Balthamos, ¿puedes adoptar otra forma?

—¿Y para qué habría de hacerlo?

—En este mundo los seres humanos tienen daimonions, y si me paseo por ahí sin uno despertaré sospechas. Al principio Lyra me temía debido a eso. De modo que si vamos a través de su mundo, debes fingir que eres mi daimonion y asumir la forma de un animal. Un ave, por ejemplo. Así podrás volar.

—¡Menudo aburrimiento!

—¿Puedes hacerlo?

—Podría...

—Pues hazlo. Anda, quiero verlo.

La forma del ángel se condensó en un pequeño torbellino del que surgió un mirlo, que se posó en la hierba a los pies de Will.

—Colócate sobre mi hombro —le indicó éste.

El pájaro obedeció, tras lo cual habló con el tono áspero que solía emplear el ángel.

—Sólo haré esto cuando sea estrictamente necesario. Es de lo más humillante.

—Lo siento por ti —replicó Will—. Cada vez que nos topemos con una persona, en este mundo, transfórmate en un pájaro. No te molestes en discutir ni protestar. Lo haces y punto.

El mirlo remontó el vuelo en la penumbra y se esfumó en el aire. Al cabo de unos segundos apareció de nuevo el ángel, con una expresión de disgusto. Antes de volver a trasponer la ventana, Will observó el paisaje y olfateó el aire para formarse una idea del mundo en el que Lyra estaba cautiva.

—¿Dónde se encuentra ahora tu compañero? —preguntó.

—Siguiendo a la mujer hacia el sur.

—Por la mañana también nosotros marcharemos en esa dirección.

Al día siguiente, Will anduvo durante varias horas sin tropezarse con un alma. El paisaje consistía en general en unas pequeñas colinas cubiertas de hierba corta y seca. Cada vez que llegaba a un punto elevado miraba alrededor en busca de alguna señal de presencia humana, pero no halló ninguna. La única variación en aquella polvorienta soledad de color verde pardusco era una lejana mancha de un verde más intenso, hacia la cual se dirigió porque Balthamos le informó de que era un bosque en el que había un río que discurría hacia el sur.

—Vamos muy despacio —se quejó Balthamos.

—No puedo evitarlo —replicó Will—. Si no eres capaz de decir algo útil, será mejor que te calles.

Al llegar al límite del bosque el sol rozaba el horizonte y el aire estaba cargado de polen; estornudó varias veces, asustando a un pájaro que remontó el vuelo con un sonoro graznido.

—Es el primer ser vivo que he visto hoy —comentó Will—. El primero que veo en este mundo.

—¿Dónde piensas acampar? —preguntó Balthamos.

El ángel aparecía de vez en cuando entre las alargadas sombras de los árboles. Will reparó en su expresión petulante.

—Tendré que parar por aquí —dijo Will—. Podrías ayudarme a encontrar un lugar apropiado. Oigo el murmullo de un arroyo... Ve a ver si lo localizas.

El ángel desapareció. Will siguió avanzando a través de las matas de brezo y mirto, deseoso de hallar un sendero que pudiera seguir, mientras observaba la luz con aprensión; tenía que elegir un sitio donde detenerse, pues de lo contrario la oscuridad le obligaría a hacerlo sin posibilidad de elección.

—A la izquierda —le informó Balthamos, que se hallaba a unos pasos de distancia—. Un arroyo y un árbol seco para encender fuego. Por aquí...

Will siguió la voz del ángel y no tardó en localizar el paraje que éste había descrito. Un caudaloso arroyo fluía entre las rocas cubiertas de musgo y desaparecía sobre un saliente para sumergirse en una estrecha sima cubierta por las copas de los árboles. La herbosa ribera se extendía junto al arroyo hasta los matorrales y el sotobosque.

Antes de concederse un merecido descanso, Will fue a recoger leña y vio un círculo de piedras chamuscadas entre la hierba, donde alguien había encendido recientemente una fogata. Tras reunir una pila de ramas de distintos tamaños, Will las cortó con la daga a una medida adecuada antes de encender el fuego. Como no sabía hacerlo, tuvo que utilizar varias cerillas antes de conseguirlo.

El ángel lo observó con una expresión entre enojada y paciente.

Una vez que hubo encendido el fuego, Will comió dos galletas de avena, unas lonchas de carne seca y una barrita de cereales, acompañadas por un trago de agua fresca. Balthamos se hallaba sentado junto a él, en silencio.

—¿Es que vas a estar todo el rato vigilándome? —dijo finalmente Will—. No pienso ir a ninguna parte.

—Espero a Baruch, que no tardará en volver. Si lo prefieres, no te prestaré la menor atención.

—¿Te apetece comer algo? —Balthamos se movió un poco, picado por la tentación—. No sé si sueles comer —prosiguió Will—, pero si te apetece algo, sírvete.

—¿Qué es eso? —preguntó el ángel, receloso, señalando una barrita de cereales.

—Más azúcar que otra cosa, me parece, y cereales. Toma.

Will partió un pedazo y se lo ofreció. Balthamos inclinó la cabeza para olisquearlo. Luego lo tomó, y Will notó el frío tacto de sus dedos en la palma de la mano.

—Creo que esto me alimentará —comentó el ángel—. Con un trocito tengo suficiente, gracias.

Mientras Balthamos mordisqueaba la barrita, Will observó que si miraba el fuego cuando el ángel estaba situado en su campo visual, veía a éste con mayor nitidez.

—¿Dónde está Baruch? —preguntó.

—Presiento que cerca. No tardará en aparecer. Cuando regrese, hablaremos. Es mejor hablar.

Efectivamente, apenas había transcurrido un minuto cuando percibieron el suave batir de unas alas. Balthamos se levantó de un salto. Unos instantes después los dos ángeles se abrazaron. Sin apartar la vista del fuego, Will observó el afecto que se profesaban. Era más que afecto: se querían con pasión.

Baruch tomó asiento junto a su compañero. Will atizó el fuego, levantando una nube de humo que se alejó flotando tras ellos. La nube realzó la silueta de los dos ángeles, y Will consiguió verlos por primera vez con claridad. Balthamos era delgado, con una expresión en la que se aunaban un altivo desdén y una tierna y ardiente simpatía, como si estuviera predispuesto a amar todas las cosas siempre y cuando su naturaleza le permitiera olvidar sus defectos. Will no percibió en Baruch defecto alguno. Parecía más joven, como había afirmado Balthamos, y era de complexión recia, con unas alas inmensas y blancas como la nieve. Tenía un carácter más ingenuo. Miraba a Balthamos como si éste fuera la fuente de todo conocimiento y amor. Will se sintió intrigado y conmovido por el amor que ambos se profesaban.

—¿Has averiguado dónde se encuentra Lyra? —inquirió, impaciente por conocer las novedades.

—Sí —respondió Baruch—. Hay un valle semejante al Himalaya, muy alto, cercano a un glaciar donde el hielo transforma la luz en un arco iris. Te dibujaré un mapa en el suelo, para que no te extravíes. La niña está cautiva en una cueva entre los árboles, con una mujer que la mantiene dormida.

—¿Dormida? ¿Y la mujer está sola? ¿No hay soldados con ella?

—Sola, sí. Escondida.

—¿Y Lyra está bien?

—Sí. Sólo está dormida, y sueña. Te mostraré dónde se halla.

Con un pálido dedo, Baruch trazó un mapa en la tierra junto a la hoguera, que Will copió con exactitud en su bloc. El centro era un glaciar que presentaba una curiosa forma y serpenteaba entre tres picos casi idénticos.

—Mira —dijo el ángel—, nos estamos acercando. El valle donde se encuentra la cueva arranca por la parte izquierda del glaciar, surcado por un río de agua de deshielo. La cabecera está aquí.

El ángel dibujó otro mapa, que Will copió también, y luego otro, acotando cada vez más la zona. Will calculó que no le resultaría difícil dar con aquel lugar..., después de haber recorrido los seis o siete mil kilómetros que mediaban entre la tundra y las montañas. La daga constituía un atajo para trasladarse de un mundo a otro, pero no para eliminar la distancia entre ellos.

—Cerca del glaciar hay un santuario —continuó Baruch—, con unas banderas de seda rojas medio desgarradas por el viento. Una muchacha lleva comida a la cueva. Todos creen que la mujer es una santa que les prodigará toda suerte de bendiciones si atienden sus necesidades.

—¿De veras? —preguntó Will maravillado—. Pero esa mujer permanece escondida... No lo entiendo. ¿Acaso se oculta de la iglesia?

—Eso parece.

Will plegó y guardó con cuidado los mapas. Vertió un poco de café en polvo en la taza de hojalata en la que había puesto a calentar agua sobre las piedras junto al fuego, lo removió con un palito y se envolvió la mano con un pañuelo antes de tomar la taza.

Una rama cayó en la hoguera; se oyó el graznido de un ave nocturna.

—Apaga el fuego —murmuró Balthamos.

Will agarró un puñado de tierra con su mano sana y la arrojó sobre las llamas. Sintió que el frío le calaba los huesos y comenzó a tiritar.

De pronto se fijó en algo que le llamó la atención: sobre las nubes resplandecía una forma, y no era la luna.

—¿La Carroza? ¿Cómo es posible? —murmuró Baruch.

—¿Qué? —preguntó Will en voz baja.

—Saben que estamos aquí —susurró Baruch, inclinándose hacia Will—. Han dado con nuestro paradero. Toma tu daga, Will, y...

Antes de que terminara la frase, una forma cayó del cielo sobre Balthamos. Baruch se abalanzó al instante sobre ella, mientras Balthamos se retorcía para liberarse de su agresor. Los tres seres pelearon en la penumbra, como gigantescas avispas atrapadas en la tela de una descomunal araña, sin hacer el menor ruido. Lo único que Will percibió fue el ruido de las ramas al partirse y el murmullo de las hojas al rozar unas con otras.

Will no podía utilizar la daga, pues sus compañeros se movían con tal rapidez que temía lastimarlos. Entonces sacó la linterna de la mochila y la enfocó hacia los contendientes.

Nadie se esperaba aquello. El agresor alzó sus alas y Balthamos se tapó los ojos con el brazo. Sólo Baruch tuvo la presencia de ánimo para no moverse. No obstante, Will logró ver a aquel enemigo: otro ángel, mucho más voluminoso y fuerte que ellos. Baruch le tapaba la boca con la mano.

—¡Will! —exclamó Balthamos—. ¡Agarra la daga y corta con ella una vía de escape!

En aquel preciso momento el agresor consiguió liberarse y gritó:

—¡Los he atrapado, señor Regente!

Su voz resonó en la cabeza de Will; jamás había oído a nadie gritar de aquel modo. Cuando el ángel se disponía a remontar el vuelo, Will soltó la linterna y se arrojó sobre él. Había matado a un espectro del acantilado, pero esgrimir la daga contra un ser que tenía una forma tan parecida a la suya no era tan fácil. No obstante, Will aferró al ser alado y comenzó a descargar puñaladas sobre él hasta que el aire se inundó de plumas blancas, como si estuviera nevando. Entonces, en aquel torbellino de sensaciones, recordó las palabras de Balthamos: «Vosotros sois de carne y hueso, nosotros no.» Cierto. Los seres humanos eran más fuertes que los ángeles, y Will consiguió derribar al ángel al suelo.

El agresor siguió chillando como un descosido.

—¡Socorro, señor Regente, a mí!

Will alzó los ojos y vio las nubes girando y deslizándose por el cielo, y aquel inmenso resplandor que se hacía cada vez más potente, como si las nubes estuvieran cargadas de una energía como plasma y adquirieran una intensa luminosidad.

—Apártate, Will, y corta antes de que él...

Pero el ángel se debatía con ímpetu y por fin consiguió liberar una de sus alas. Acto seguido se levantó del suelo y Will lo sujetó con fuerza para que no se soltara. Baruch se apresuró a ayudarle, empujando la cabeza del agresor hacia atrás.

—¡No! —gritó Balthamos—. ¡No! ¡No!

Se arrojó sobre Will, agarrándole del brazo, del hombro, de las manos. A todo esto, el agresor intentó lanzar otro estridente grito, pero Baruch le tapó la boca con la mano. De pronto se produjo en lo alto un intenso temblor, como una potente dínamo, casi inaudible de tan grave, pero sacudió los átomos del aire y provocó un soberano sobresalto a Will.

—Está a punto de aparecer —dijo Balthamos casi sollozando. Will captó el temor que encerraba su voz—. Te lo ruego, Will...

Will alzó la vista.

Las nubes se separaron, y a través del sombrío espacio apareció una figura que descendió a toda velocidad hacia ellos. Al principio era una forma menuda, pero a medida que fue aproximándose se hizo cada vez más grande e imponente. Se dirigía hacia ellos, con inconfundible saña. A Will incluso le pareció ver sus ojos.

—Debes hacerlo, Will —le instó Baruch.

Will se levantó y abrió la boca para decir «mantenedlo bien sujeto», pero antes de que pudiera pronunciar estas palabras el ángel se desplomó en el suelo, disolviéndose y dispersándose como la niebla, hasta desaparecer. Will miró en torno suyo, sintiéndose mareado y estúpido.

—¿Lo he matado? —preguntó temblando.

—No te quedó más remedio —contestó Baruch—. Pero ahora...

—Odio esto —dijo Will con vehemencia—, de verdad, odio esta matanza. ¿Es que nunca va a terminar?

—Debemos irnos —dijo Balthamos suavemente—. Apresúrate, Will, te lo ruego...

Ambos sentían un miedo mortal.

Will tentó el aire con la punta de la daga, dispuesto a adentrarse en cualquier mundo con tal de salir de aquél. Cortó con rapidez y alzó la vista: el otro ángel que había caído del cielo se hallaba a unos segundos de distancia, observándolos con una expresión aterradora. Incluso a aquella distancia, en aquella fracción de segundo, Will notó que un intelecto inmenso, brutal e implacable le examinaba y analizaba minuciosamente.

Y lo más grave era que empuñaba una lanza, que alzó para arrojarla...

En el momento que tardó el ángel en disponer el arma y estirar el brazo hacia atrás para lanzarla, Will siguió a Baruch y a Balthamos a través de la ventana y la cerró tras de sí. Mientras sus dedos terminaban de cerrarla, Will sintió una violenta ráfaga de aire... pero enseguida se desvaneció. Estaba a salvo. La ráfaga la había producido la lanza, que de haber permanecido Will en el otro mundo le hubiera traspasado con toda seguridad.

Se hallaban en una playa arenosa, bajo una refulgente luna. Hacia el interior crecían unos gigantescos helechos; unas suaves dunas se extendían por la orilla a lo largo de kilómetros. Hacía calor y humedad.

—¿Quién era ése? —preguntó Will a los ángeles, sin cesar de temblar.

—Metatron —respondió Balthamos—. Debiste de...

—¿Metatron? ¿Quién es? ¿Por qué nos atacó? No me mintáis.

—Debemos decírselo —dijo Baruch a su compañero—. Debiste haberle informado.

—Sí, de acuerdo —reconoció Balthamos—, pero estaba enojado con él y preocupado por ti.

—Decídmelo ahora mismo —insistió Will—. Y tened presente que de nada sirve decirme que debería hacer esto, lo otro o lo de más allá. A mí todo eso me tiene sin cuidado. Lo único que cuenta es Lyra y mi madre. Ahí radican precisamente todas esas cábalas metafísicas, como tú las has llamado —añadió dirigiéndose a Balthamos.

—Pienso que debemos informarte de lo que hemos averiguado —dijo Baruch—. Por eso te buscábamos, Will, y por eso debemos conducirte ante lord Asriel. Hemos descubierto un secreto del Reino, del mundo de la Autoridad, y debemos comunicárselo. —De pronto miró alrededor y preguntó—: ¿Estamos a salvo en este lugar? ¿Nuestros enemigos no pueden penetrar aquí?

—Éste es un mundo distinto. Otro universo.

La arena que pisaban era suave y mullida y la ladera de una duna cercana invitaba a reposar en ella. A la luz de la luna veían a muchos kilómetros de distancia; estaban completamente solos.

—Habladme de Metatron y de ese secreto que habéis descubierto —dijo Will—. ¿Por qué lo llamó Regente ese ángel? ¿Y ese ser a quien llamáis Autoridad es Dios?

Will se sentó, y los dos ángeles, cuya forma veía con toda claridad a la luz de la luna, se sentaron junto a él.

—La Autoridad, Dios, el Señor, Yahvé, El, Adonai, el Rey, el Padre, el Todopoderoso —dijo Balthamos suavemente—, son unos nombres que él mismo se impuso. No fue el creador. Era un ángel como nosotros, el primero, cierto, el más poderoso, pero estaba formado a partir del Polvo, al igual que nosotros, y Polvo es el único nombre aplicable a lo que ocurre cuando la materia comienza a entenderse a sí misma. A la materia le encanta la materia. Desea conocer más sobre sí misma, y se forma el Polvo. Los primeros ángeles se condensaron a partir del Polvo, y la Autoridad fue la primera de todos ellos. Explicó a los que le siguieron que él los había creado, pero era mentira. Uno de los que le siguieron, una entidad femenina, era más sabia que él y averiguó la verdad, y entonces él la desterró. Nosotros aún la servimos. La Autoridad sigue reinando en el Reino; y Metatron es su Regente. Pero con respecto a lo que descubrimos en la Montaña Nublada, no podemos revelarte la esencia de ello. Nos juramos uno a otro que el primero en ser informado sería el propio lord Asriel.

—Entonces contadme lo que podáis. Me tenéis sobre ascuas.

—Hallamos la Montaña Nublada —respondió Baruch, y se apresuró a añadir—: Lo siento, utilizamos estos términos con demasiada facilidad. En ocasiones la llaman la Carroza. No está fija, ¿comprendes?, sino que se desplaza de un lugar a otro. Vaya donde vaya, se convierte en el centro del Reino, en su ciudadela, su palacio. Cuando la Autoridad era joven, no estaba rodeada de nubes, pero con el transcurso del tiempo ella las reunió alrededor de sí hasta quedar envuelta por una densa capa de nubes. Nadie ha visto la cima desde hace muchos años. Por eso su ciudadela es conocida como la Montaña Nublada.

—¿Qué encontrasteis allí?

—La Autoridad habita en una cámara situada en el corazón de la montaña. La vimos, aunque no pudimos aproximarnos. Su poder...

—Ha delegado gran parte de su poder en Metatron —terció Balthamos—, como te he dicho. Ya has visto qué aspecto tiene. Antes escapamos de él, pero nos ha visto de nuevo, y también te ha visto a ti, y la daga, de modo que...

—No te burles de Will, Balthamos —le reprendió Baruch suavemente—. Necesitamos su ayuda. No puedes censurarle por no saber por qué tardamos tanto en averiguar esas cosas.

Balthamos apartó la vista.

—¿Así que no vais a revelarme vuestro secreto? —dijo Will—. De acuerdo, pero al menos decidme qué ocurre cuando nos morimos.

Balthamos lo miró sorprendido.

—Bueno, existe el mundo de los muertos —respondió Baruch—. Nadie sabe dónde se encuentra ni qué ocurre allí. Mi fantasma, gracias a Balthamos, no acabó allí; yo soy lo que antes era el fantasma de Baruch. El mundo de los muertos es demasiado tenebroso para nosotros.

—Es un campo de prisioneros —terció Balthamos—. La Autoridad lo estableció en los primeros tiempos de la historia. ¿Por qué te interesa tanto? Ya lo verás cuando llegue tu hora.

—Mi padre acaba de ir allí, por eso me interesa. De no haber sido asesinado, él me habría contado todo lo que sabía. Decís que es un mundo..., ¿pero un mundo como éste, otro universo?

Balthamos miró a Baruch, que se encogió de hombros.

—¿Y qué ocurre en el mundo de los muertos? —siguió preguntando Will.

—Es imposible saberlo —contestó Baruch—. Todo lo referente a ese mundo es secreto. Ni siquiera las iglesias lo saben; aseguran a sus creyentes que vivirán en el cielo, pero es mentira. Si la gente supiera realmente...

—El fantasma de mi padre ha ido allí.

—Sin duda, como los millones y millones de seres que murieron antes que él.

Will empezó a imaginar mil y una conjeturas.

—¿Por qué no acudisteis directamente a lord Asriel para contarle ese gran secreto en lugar buscarme a mí? —inquirió Will.

—Temíamos que no nos creyera —respondió Balthamos—, a menos que le mostráramos una prueba de nuestra buena fe. Con el poder que tiene, ¿por qué iba a tomarse en serio lo que le dijeran dos ángeles de rango inferior? Pero si le llevábamos la daga y a su portador, quizá nos creería. La daga es un arma muy potente, y a lord Asriel le complacería tenerte de su lado.

—Lo siento —dijo Will—, pero ese argumento no me convence. Si estuvierais seguros de vuestro secreto, no necesitaríais ninguna excusa para ir a ver a lord Asriel.

—Hay otra razón —intervino Baruch—. Sabíamos que Metatron nos perseguiría, y queríamos impedir que la daga cayera en sus manos. Si lográbamos convencerte de que fueras a ver a lord Asriel, al menos...

—Quitaos eso de la cabeza —replicó Will—. En lugar de ayudarme a encontrar a Lyra, me lo estáis poniendo más difícil. Lyra es lo más importante, y vosotros parece que os habéis olvidado de ella. Pero yo no. ¿Por qué no vais a ver a lord Asriel y me dejáis tranquilo de una vez? Seguro que conseguiréis que os escuche. Tardaréis mucho menos en llegar hasta él volando de lo que tardaría yo a pie. Primero quiero encontrar a Lyra, cueste lo que cueste. Id a ver a lord Asriel y dejadme en paz.

—Pero tú nos necesitas —dijo Balthamos con aspereza—, porque yo puedo fingir que soy tu daimonion, y si no tienes uno en el mundo de Lyra llamarías la atención.

Will estaba tan enojado que no dijo palabra. Se levantó y caminó unos veinte pasos sobre la suave y mullida arena. Luego se detuvo, agobiado por el calor y la humedad.

Al volverse vio a los dos ángeles cuchicheando. Unos instantes después se dirigieron hacia él con expresión humilde y contrita, pero a la vez orgullosa.

—Lamentamos haberte enojado —dijo Baruch—. Yo iré solo a ver a lord Asriel para informarle de lo que hemos averiguado y pedirle que te envíe ayuda para que encuentres a su hija. Si utilizo una buena velocidad de crucero, me llevará dos días de vuelo.

—Y yo me quedaré contigo, Will —apostilló Balthamos.

—Gracias —dijo Will.

Los dos ángeles se abrazaron. Luego Baruch abrazó a Will y le besó en las mejillas. Fueron unos besos leves y frescos, como las manos de Balthamos.

—Si nosotros avanzamos hacia donde se encuentra Lyra, ¿podrás dar con nuestro paradero? —preguntó Will.

—Soy incapaz de perder a Balthamos —contestó Baruch.

Tras retroceder un paso, se elevó rápidamente por los aires y desapareció entre las estrellas diseminadas por el cielo. Balthamos lo observó con profunda tristeza.

—¿Quieres quedarte a dormir aquí o seguimos adelante? —preguntó por fin el ángel a Will.

—Dormiremos aquí —respondió éste.

—Entonces duerme mientras yo vigilo para que no nos sorprenda ningún peligro. Reconozco que he estado un tanto brusco contigo, Will, y lo lamento. Te ha tocado una difícil papeleta, y yo debería ayudarte en lugar de burlarme de ti. De ahora en adelante procuraré ser más amable.

Will se tumbó en la cálida arena, sabiendo que el ángel montaba guardia junto a él, aunque eso no le sirvió de gran consuelo.

—Conseguiré sacarte de aquí, Roger, te lo prometo. Will no tardará en venir, estoy segura.

Él no lo comprendía. Extendió sus pálidas manos y meneó la cabeza.

—No entiendo nada, pero sé que él no vendrá —replicó—, y aunque viniera no me reconocería.

—Vendrá a rescatarme —insistió ella—. Will y yo... ¡No sé cómo, Roger, pero te juro que te ayudaremos! No olvides que hay otros seres de nuestra parte. Contamos con Serafina y Iorek, y te aseguro que...

3

Carroñeros

LOS HUESOS DEL
CABALLERO YA SON
POLVO, Y SU FIEL
ESPADA SE OXIDA;
OJALÁ SU ALMA
SE HALLE ENTRE
LOS SANTOS.
S. T. COLERIDGE

Serafina Pekkala, la reina del clan de las brujas del Lago Enara, no cesaba de llorar mientras volaba a través del turbulento cielo del Ártico. Lloraba de rabia, de temor y de remordimientos: de rabia contra esa mujer, la Coulter, a quien había jurado matar; de temor por la situación en la que se hallaba su amada tierra; y de remordimientos por... Ya se enfrentaría más tarde a sus remordimientos.

Entretanto bajó la vista y contempló el casquete glaciar que se derretía, los bosques inundados, el mar embravecido, y se sintió desolada.

Pero no se detuvo para visitar su tierra, ni para consolar o alentar a sus hermanas. Y siguió volando hacia el norte, hacia la niebla y los ventarrones que rodeaban a Svalbard, el reino de Iorek Byrnison, el oso acorazado.

Serafina apenas reconoció la isla principal. Las montañas se mostraban negras y desnudas, y sólo unos pocos valles ocultos en los que no brillaba el sol conservaban un poco de nieve en sus recoletos rincones. Pero ¿qué hacía allí el sol en esa época del año? Toda la naturaleza estaba trastornada.

Serafina tardó casi todo el día hallar al oso-rey. Lo vio entre las rocas frente al extremo septentrional de la isla, nadando a toda velocidad tras una morsa. A los osos les resultaba más difícil matar a su presa en el agua. Cuando la tierra estaba cubierta de hielo y los grandes mamíferos marinos subían a la superficie para respirar, los osos se aprovechaban de su camuflaje y de que su presa se hallaba fuera de su elemento. Así debía ser.

Pero Iorek Byrnison estaba hambriento, y ni los afilados colmillos de la poderosa morsa eran capaces de detenerlo. Serafina contempló los animales mientras luchaban y teñían de rojo la blanca espuma del mar. Vio a Iorek sacar los restos de la morsa de entre las olas y arrojarlos sobre una roca, observado a una distancia prudencial por tres zorros de raído pelaje que esperaban su turno para participar en el festín.

Cuando el oso-rey hubo terminado de comer, Serafina aterrizó a su lado para hablar con él. Había llegado el momento de enfrentarse a sus remordimientos.

—¿Me permites hablar contigo, rey Iorek Byrnison? —preguntó Serafina—. Depongo mis armas.

Tras estas palabras depositó su arco y sus flechas sobre una mojada roca que había entre ellos. Iorek observó las armas brevemente, y Serafina dedujo que si su cara fuera capaz de reflejar alguna emoción, sería sin duda de asombro.

—Habla, Serafina Pekkala —gruñó el oso—. Nunca hemos luchado entre nosotros, ¿no es cierto?

—Rey Iorek, le he fallado a tu camarada, Lee Scoresby.

Los ojillos negros y el morro manchado de sangre del oso no hicieron el menor movimiento. Serafina observó cómo el viento atusaba las puntas color crema del lomo de Iorek. Éste guardó silencio.

—El señor Scoresby ha muerto —prosiguió Serafina—. Antes de separarme de él le entregué una flor con la que podía llamarme en caso de necesidad. Oí su llamada y volé hacia él, pero llegué demasiado tarde. Murió luchando contra un contingente de moscovitas, pero no sé qué lcs llevó hasta allí, ni por qué el señor Scoresby decidió enfrentarse a ellos en lugar de huir. Los remordimientos no me dejan vivir, rey Iorek.

—¿Donde ocurrió eso? —preguntó Iorek Byrnison.

—En otro mundo. Me llevará un buen rato contártelo.

—Pues ya puedes empezar.

Serafina le explicó lo que Lee Scoresby se había propuesto hacer: encontrar al hombre conocido como Stanislaus Grumman. Le explicó cómo lord Asriel había destruido la barrera entre los mundos, y algunas de las consecuencias de esa acción, como por ejemplo el deshielo de los glaciares. Le habló de la persecución de la bruja Ruta Skadi tras los ángeles, y trató de describir al oso-rey a esos seres voladores tal como Ruta se los había descrito a ella: la luz que brillaba a través de sus cuerpos, la cristalina claridad de su aspecto, la riqueza de su sabiduría.

Luego le refirió lo que había encontrado ella cuando respondió a la llamada de Lee.

—Realicé un encantamiento para evitar que su cuerpo se corrompiera —le explicó—. El encantamiento durará hasta que tú lo veas, si es que deseas verlo. Pero esto me inquieta, rey Iorek. Todo me inquieta, pero sobre todo esto.

—¿Dónde está la niña?

—La dejé con mis hermanas, porque tuve que responder a la llamada de Lee.

—¿En ese mismo mundo?

—Sí.

—¿Cómo puedo llegar a él desde aquí?

Serafina se lo explicó. Iorek la escuchó sin inmutarse y luego dijo:

—Iré a ver a Lee Scoresby. Luego debo partir hacia el sur.

—¿Hacia el sur?

—El hielo ha desaparecido de esas tierras. He estado pensando en ello, Serafina Pekkala. He fletado un barco.

Los tres zorros aguardaban con paciencia. Dos de ellos yacían en el suelo, con la cabeza apoyada sobre las patas, observando, mientras el otro permanecía sentado, escuchando la conversación entre Serafina y el rey-oso. Los zorros del Ártico, que eran unos animales carroñeros, comprendían algo de la lengua, pero su cerebro sólo era capaz de asimilar frases dichas en tiempo presente. La mayor parte de lo que decían Iorek y Serafina les resultaba incomprensible. Además, cuando hablaban, prácticamente todo lo que decían era mentira, de modo que daba lo mismo aunque repitieran lo que habían oído. Nadie podía adivinar qué cosas eran ciertas, aunque los crédulos fantasmas de acantilado solían tragárselo casi todo, pese a las muchas decepciones que se habían llevado. Los osos y las brujas estaban acostumbrados a que los carroñeros se apoderaran de sus conversaciones, como hacían con los restos de carne que dejaban.

—¿Y tú qué piensas hacer, Serafina Pekkala? —inquirió Iorek.

—Iré en busca de los giptanos —respondió ella—. Creo que vamos a necesitarlos.

—Ah, sí, lord Faa... —dijo el oso—. Son unos buenos luchadores. Ve en paz.

Iorek dio media vuelta, se zambulló en el agua sin hacer el menor ruido y comenzó a nadar en su constante e infatigable travesía hacia el nuevo mundo.

Al cabo de un rato, Iorek Byrnison atravesó los ennegrecidos matorrales y las piedras agrietadas por el ardiente calor en los límites de un bosque abrasado por el fuego. El sol brillaba a través de la humeante bruma, pero el oso hizo caso omiso del sofocante calor, de la carbonilla que tiznaba su blanco pelaje y de los mosquitos que trataban en vano de hallar un trocito de piel que morder.

Había recorrido un largo trecho, y en un momento dado, durante su viaje, comprobó que nadaba hacia ese otro mundo. Notó cierto cambio en el sabor del agua y la temperatura del aire, pero éste seguía siendo respirable y el agua mantenía su cuerpo a flote, de modo que siguió nadando. Había dejado el mar a sus espaldas y se aproximaba al lugar que Serafina Pekkala le había descrito. Iorek miró alrededor, escrutando con sus ojillos negros las rocas que resplandecían bajo el sol y los acantilados de piedra caliza que se alzaban frente a él.

Entre el límite del bosque abrasado y las montañas había una vertiente rocosa cubierta de pesados cantos rodados y guijarros, sembrada de fragmentos de metal retorcidos: unas vigas y unos puntales pertenecientes a una complicada máquina. Iorek Byrnison los examinó con ojos de herrero y de guerrero, pero aquellos fragmentos no le servían para nada. Trazó con su poderosa garra una raya sobre un puntal menos dañado que los otros, y al percatarse de la mala calidad del metal dio media vuelta y siguió escrutando la montaña.

Entonces vio lo que andaba buscando: un angosto desfiladero que discurría entre los escarpados muros de un acantilado; y a la entrada, una roca ancha y baja.

Iorek trepó hacia ella. En el silencio percibió el crujido de unos huesos bajo sus gigantescas patas, porque muchos hombres habían muerto en aquel lugar para que los coyotes, los buitres y otros animales inferiores devoraron sus restos; pero el imponente oso hizo caso omiso y continuó trepando con cautela hacia la roca. El terreno era resbaladizo y él muy pesado; en más de una ocasión los cantos rodados se desprendían y le arrastraban ladera abajo en un amasijo de polvo y guijarros. Pero tan pronto como resbalaba comenzaba a ascender de nuevo, implacable y sistemáticamente, hasta alcanzar la roca, donde pisó un terreno más firme.

La roca estaba cubierta de impactos de bala. Todo cuanto la bruja le había dicho era cierto. Y para confirmarlo, una florecilla del Ártico, una sorprendente saxífraga purpúrea, crecía en una grieta de la roca, donde la bruja la había plantado a modo de señal.

Iorek Byrnison se dirigió hacia la parte superior de la roca. Era un buen lugar donde refugiarse del enemigo de abajo, pero no lo suficientemente bueno pues entre la lluvia de balas que habían arrancado unos fragmentos de la roca algunas habían alcanzado su objetivo, alojándose en el cuerpo de un hombre que yacía yerto en la sombra.

Seguía siendo un cuerpo, no un esqueleto, porque la bruja lo había hechizado para impedir que se pudriera. Iorek contempló el rostro de su viejo camarada, contraído en un rictus de dolor a causa de las heridas sufridas, y los orificios en su ropa por los que habían penetrado las balas.

El hechizo de la bruja no se extendía a la sangre que había manado de las heridas, pues los insectos y el viento la habían descompuesto por completo. Lee Scoresby no parecía dormido ni en paz sino como si hubiera muerto en combate, aunque sabiendo que su lucha había sido provechosa.

Y puesto que el aeronauta tejano era uno de los pocos humanos a quien Iorek estimaba, aceptó complacido su último regalo. Con unos hábiles movimientos de sus zarpas, desgarró las ropas del muerto, abrió su cuerpo con un solo corte y comenzó a devorar la carne y la sangre de su viejo amigo.

Era la primera comida que probaba desde hacía días, y estaba famélico.

Pero una compleja red de pensamientos comenzó a tejerse en la mente del oso-rey, formada por más hilos que simplemente el hambre y la satisfacción.

Entre ellos estaba el recuerdo de la niña, Lyra, a la que Iorek había puesto el nombre de Lenguadeplata y a quien había visto por última vez atravesando el frágil puente de nieve tendido sobre un precipicio en Svalbard, la isla donde él habitaba. Luego estaba la agitación entre las brujas, los rumores de pactos, alianzas y guerras; y el hecho de este nuevo mundo, por lo demás increíblemente extraño, y la insistencia de la bruja en que había muchos otros mundos semejantes a éste, y que la suerte de todos ellos dependía de alguna forma de la suerte que corriera la niña.

Por último estaba el asunto de la desaparición del hielo. Iorek y su pueblo vivían sobre el hielo; el hielo era su hogar, su ciudadela. A partir de los gigantescos disturbios registrados en el Ártico, el hielo había empezado a fundirse, y Iorek sabía que tenía que hallar una morada de hielo para su pueblo si no quería que todos perecieran. Lee le había informado de que en el sur había unas montañas tan altas que ni siquiera su globo podía volar sobre ellas, y que estaban coronadas de hielo durante todo el año.

Así pues, la próxima misión de Iorek consistiría en explorar esas montañas.

Pero de momento algo más simple se había adueñado de su corazón, algo brillante, duro e inquebrantable: el afán de venganza. Lee Scoresby, que había rescatado a Iorek del peligro en su globo y había luchado junto a él en el Ártico de su mundo, había muerto. Iorek le vengaría. La carne y los huesos de aquel buen hombre le alimentarían y animarían a seguir adelante hasta haber derramado la suficiente sangre para aplacar su sed de venganza.

Cuando Iorek terminó su festín, el sol comenzaba a declinar y el aire era más fresco.

Después de formar una pila con los restos, el oso se llevó la flor a los labios y la dejó caer sobre la pila, como hacían los humanos. El hechizo de la bruja se había roto; el resto del cuerpo de Lee estaba a disposición de quienquiera que se acercara. Pronto alimentaría a una docena de diferentes clases de animales.

A continuación Iorek echó a andar colina abajo hacia el mar, en dirección al sur.

Los espectros de acantilado eran muy aficionados a la carne de zorro, cuando lograban hacerse con ella. Eran unos animalejos taimados y difíciles de atrapar, pero su carne era tierna y sabrosa.

Antes de matar al zorro que acababa de apresar, el espectro de acantilado lo dejó hablar, riéndose de su estúpida cháchara.

—¡El oso ir al sur! ¡Juro! ¡Bruja preocupada! ¡Verdad! ¡Juro! ¡Prometo!

—¡Los osos no van al sur, zorro asqueroso!

—¡Juro que es verdad! ¡El rey debe ir al sur! Te mostraré una morsa gorda y suculenta...

—¿El rey-oso se dirige al sur?

—¡Y los seres voladores tienen el tesoro! ¡Los seres voladores, los ángeles, tienen el tesoro de cristal!

—¿Unos seres voladores... como los espectros de acantilado? ¿Un tesoro?

—Como la luz, no como espectros de acantilado. ¡Ricos! ¡Cristal! Y la bruja estar preocupada..., arrepentida..., Scoresby estar muerto...

—¿Muerto? ¿El hombre del globo está muerto? —Las carcajadas del espectro de acantilado resonaron a través de los secos riscos.

—Matarlo la bruja... Scoresby estar muerto, rey-oso ir al sur...

—¡Conque Scoresby está muerto! ¡Ja, ja, ja, Scoresby está muerto!

El espectro de acantilado arrancó de un bocado la cabeza del zorro y se disputó con sus hermanos las entrañas.

vendrán, en serio.

—Pero ¿dónde estás, Lyra?

Ella no podía responder aquella pregunta.

—Creo que estoy soñando, Roger —fue cuanto atinó a decir.

Ella vio detrás del niño más fantasmas, docenas, centenas de fantasmas, que los observaban sin perderse ni una palabra.

—¿Y esa mujer? —preguntó Roger—. Espero que no haya muerto. Espero que se mantenga con vida durante tanto tiempo como sea posible. Porque si aparece por aquí, no habrá lugar donde ocultarnos, se apoderará de nosotros para siempre. Es lo único bueno que tiene el hecho de estar muerto: que ella no lo está. Aunque ya sé que un día morirá...

Lyra lo miró alarmada.

—Creo que estoy soñando, y no sé dónde está esa mujer —dijo Lyra—. Está cerca, y no puedo

4

Ama y los murciélagos

YACÍA COMO SI JUGARA. SU **VIDA SE HABÍA ESCAPADO, PENSANDO EN REGRESAR. PERO NO TAN PRONTO.**
EMILY DICKINSON

Ama, la hija del pastor, había guardado la imagen de la niña dormida en su recuerdo: no podía dejar de pensar en ella. No ponía en entredicho la verdad de lo que le había contado la señora Coulter. Los brujos existían, sin duda alguna, y era más que probable que utilizaran hechizos y que una madre protegiera a su hija con aquella pasión y ternura. Ama sentía una admiración rayana en la veneración por la hermosa mujer de la cueva y su hija encantada.

Siempre que le era posible acudía al pequeño valle para hacerle algún recado, charlar con ella o simplemente escucharla, pues la mujer poseía un amplio repertorio de maravillosos cuentos. En cada ocasión abrigaba la esperanza de ver a la niña dormida, siquiera un instante, pero eso sólo había ocurrido una vez, y Ama se había resignado a que esto no volviera a suceder.

Y durante el tiempo que pasaba ordeñando a las ovejas, cardando e hilando la lana o moliendo cebada para el pan, Ama pensaba sin cesar en el hechizo que le habrían hecho a la niña y en el motivo. Como la señora Coulter nunca se lo había explicado, Ama daba rienda suelta a su imaginación.

Un día tomó un pan endulzado con miel y recorrió el trayecto de tres horas a pie hasta Cho-Lung-Se, donde había un monasterio. A base de zalamerías, de paciencia y de sobornar al portero con un pedazo del pan que llevaba, Ama consiguió una audiencia con el gran curandero Pagdzin *tulku*, quien había atajado un brote de fiebre blanca hacía un año y era inmensamente sabio.

Ama entró en la celda del venerable personaje y tras hacer una profunda reverencia le ofreció con toda la humildad de que fue capaz el pan de miel que le quedaba. El daimonion murciélago del monje bajó en picado y revoleteó rápidamente en torno a ella, asustando a Kulang, el daimonion de Ama, que se ocultó en su cabello, pero la niña procuró permanecer inmóvil y callada hasta que Pagdzin *tulku* tomó la palabra.

—Habla, niña, rápido, rápido —le exigió, agitando su larga barba gris con cada palabra.

En la penumbra, la barba y sus brillantes ojos era casi lo único que ella alcanzaba a ver. Cuando el daimonion del monje, más sosegado, se colgó de una viga del techo, Ama dijo:

—Por favor, Pagdzin *tulku*, deseo adquirir sabiduría. Me gustaría aprender a realizar hechizos y encantamientos. ¿Podéis enseñarme?

—No —contestó el monje.

Era la respuesta que Ama había previsto.

—¿Podríais entonces darme un remedio? —preguntó con humildad.

—Quizá. Pero no te explicaré en qué consiste. Puedo darte la medicina, pero no revelarte el secreto.

—De acuerdo, gracias, para mí es una bendición —respondió la niña, inclinándose repetidas veces.

—¿De qué enfermedad se trata y quién la padece? —inquirió el anciano.

—Es la enfermedad de sueño —respondió Ama—. La ha contraído el hijo del primo de mi padre.

Ama procedió con gran precaución e inteligencia al modificar el sexo del paciente, por si el curandero había oído hablar de la mujer de la cueva.

—¿Y cuántos años tiene ese niño?

—Dos años más que yo, Pagdzin *tulku*, doce años —respondió Ama, aunque no estaba segura de haber acertado—. Se pasa todo el rato dormido, no puede despertarse.

—¿Por qué no han venido a verme sus padres? ¿Por qué te han enviado a ti?

—Porque viven muy lejos, en el otro extremo de mi aldea, y son muy pobres, Pagdzin *tulku*. Yo me enteré ayer de la enfermedad de mi pariente, y decidí venir inmediatamente a pediros consejo.

—Debo ver al paciente y someterlo a un minucioso examen, además de consultar las posiciones que ocupaban los planetas en el momento en que se quedó dormido. Estas cosas no pueden hacerse de forma precipitada.

—¿No podéis darme alguna medicina que lo cure?

El daimonion murciélago se desprendió de la viga y revoloteó unos instantes con sus alas negras antes de aterrizar en el suelo, surcando como un relámpago la habitación una y otra vez a tal velocidad que Ama no pudo seguir su trayectoria. El curandero lo observó atentamente con sus relucientes ojos, y cuando el daimonion volvió a colgarse de la viga y plegó sus oscuras alas, el anciano se levantó y fue de un estante a otro, de un tarro a otro y de una caja a otra, tomando una cucharada de polvo aquí, agregando una pizca de hierbas allá, en el mismo orden en que el daimonion se había posado sobre ellos.

El monje vertió todos los ingredientes en un mortero y los machacó, al tiempo que murmuraba un encantamiento. Después dio un golpecito con la mano en el borde del mortero para desprender los últimos granos, y con un pincel mojado en tinta escribió unos caracteres en una hoja de papel. Cuando la tinta se hubo secado, el monje vertió todo el polvo sobre la inscripción y dobló el papel, formando un paquetito cuadrado.

—Diles que apliquen un poco de este polvo con un pincel en las fosas nasales del niño dormido, para que lo inspire —dijo a Ama—, y se despertará. Hay que hacerlo con mucho cuidado, pues si le aplican demasiado de golpe, el niño podría ahogarse. Es preciso utilizar un pincel finísimo.

—Gracias, Pagdzin *tuluk* —dijo Ama tomando el pequeño paquete y guardándolo en el bolsillo de su camisa interior—. Ojalá tuviera otro pan de miel que ofreceros.

—Con uno me basta —dijo el curandero—. Ahora márchate, y la próxima vez que vengas, dime toda la verdad, no sólo una parte.

La niña hizo una profunda reverencia para ocultar su azoramiento, confiando en no haber dejado entrever demasiada información.

La tarde siguiente Ama se dirigió al valle tan pronto pudo, llevando un poco de arroz dulce envuelto en una hoja de llantén. Ardía en deseos de contarle a la mujer lo que había hecho, darle la medicina y recibir a cambio su gratitud y sus elogios; pero lo que más ansiaba era que la niña encantada despertara y le hablase. ¡Podrían ser amigas!

Al doblar el recodo del sendero y mirar hacia arriba no vio a ningún mono dorado ni a ninguna mujer sentada pacientemente a la entrada de la cueva. El lugar estaba desierto. Ama recorrió a la carrera los últimos metros, temerosa de que se hubieran marchado para siempre..., pero allí estaba la silla en la que se sentaba la mujer, los utensilios de cocina y todo lo demás.

Ama escrutó la oscuridad del interior de la cueva, con el corazón acelerado. La niña aún no había despertado. Ama distinguió en la penumbra la silueta del saco de dormir, la mancha de color más claro que correspondía al pelo de la niña y la curva blanca de su daimonion, que también estaba dormido.

Ama se acercó un poco más. No había duda: habían dejado sola a la niña.

De golpe se le ocurrió una idea tan alegre como una nota musical: ¿y si la despertaba antes de que regresara la mujer?

Apenas tuvo tiempo de experimentar la emoción de semejante perspectiva cuando percibió unos ruidos fuera. Sintió un escalofrío de culpabilidad y corrió a esconderse seguida por su daimonion detrás de un saliente en la roca, en un lado de la cueva. No debería estar allí, se dijo. Estaba espiando. Lo que hacía estaba mal.

El mono dorado se hallaba acuclillado en la entrada de la cueva, olfateando el aire y volviendo la cabeza de un lado a otro. Ama advirtió que enseñaba los dientes y que su daimonion se había refugiado tembloroso entre su ropa, transformado en ratón.

—¿Qué ocurre? —oyó que la mujer le preguntaba al mono. Al entrar, la cueva se oscureció—. ¿Ha venido la niña? Sí, ahí está la comida que ha dejado. Aunque no debería entrar aquí. Dispondremos un lugar en el sendero para que deje allí la comida.

Sin dirigir siquiera una mirada a la niña dormida, la mujer se agachó para atizar el fuego y puso un cazo de agua a calentar mientras su daimonion permanecía agazapado cerca de ella, vigilando el sendero. De vez en cuando el daimonion se levantaba y paseaba la vista por la cueva, y Ama, con los músculos agarrotados debido a la incómoda postura, lamentaba no haber esperado fuera. ¿Cuánto tiempo iba a permanecer atrapada en el escondrijo?

La mujer echó unas hierbas y unos polvos en el agua que había puesto a calentar. Ama percibió el penetrante aroma del vapor de la tisana. Al cabo de un rato Ama oyó un ruido en el fondo de la cueva: la niña se revolvía y murmuraba algo. Al volver la cabeza, Ama vio que la pequeña no cesaba de moverse de un lado a otro al tiempo que se tapaba los ojos con el brazo. ¡Estaba despertando!

¡Y la mujer no se había dado cuenta!

Sin duda había oído moverse a la pequeña, porque levantó la vista durante unos segundos, pero enseguida volvió a concentrar su atención en las hierbas y el agua que hervía. Por fin vertió la decocción en un cubilete y la dejó reposar. Después se volvió hacia la niña.

Aunque no comprendía ni una palabra de lo que decía, las escuchó con creciente extrañeza y recelo.

—Tranquilízate, tesoro —dijo la mujer—. No te inquietes. Estás a salvo.

—Roger... —musitó la niña, semidespierta—. ¡Serafina! ¿Dónde ha ido Roger...? ¿Dónde está?

—Aquí no hay nadie salvo nosotras —respondió su madre con tono arrullador—. Incorpórate y deja que mamá te lave. Anda, cariño...

Ama observó que la niña intentaba apartar a su madre, pero la mujer mojó una esponja en un cuenco de agua y le lavó la cara y el cuerpo antes de secarla con delicadeza.

Para entonces la niña estaba casi despierta, y la mujer tuvo que actuar con rapidez.

—¿Dónde está Serafina? ¿Y Will? ¡Ayudadme, ayudadme! No quiero dormir... ¡No, no! ¡No quiero! ¡No!

La mujer sostuvo firmemente el cubilete con una mano mientras con la otra trataba de alzar la cabeza de Lyra.

—No te inquietes, tesoro. Tranquilízate... Anda, bébete la tisana.

Pero la niña hizo un movimiento brusco y a punto estuvo de derramar el brebaje.

—¡Déjame en paz! —gritó—. ¡Quiero irme de aquí! ¡Deja que me vaya! ¡Ayúdame, Will, te lo suplico...!

La mujer sujetó a la niña del pelo, obligándola a inclinar la cabeza hacia atrás, y le acercó el cubilete a la boca.

—¡No quiero! ¡Si te atreves a tocarme, Iorek te arrancará la cabeza! ¿Dónde estás, Iorek? ¡No me lo beberé!

De pronto, a una orden de la mujer, el mono dorado saltó sobre el daimonion de Lyra, aferrándolo con sus negros dedos. El daimonion fue cambiando de aspecto a una velocidad increíble: gato-serpiente-rata-zorro-pájaro-lobo-guepardo-lagarto-turón...

Pero el mono no cedió, hasta que Pantalaimon se transformó en un puerco espín.

Entonces el mono lanzó un chillido y soltó al daimonion. Tres largas púas se le quedaron clavadas en la pata. La señora Coulter soltó un gruñido y con la mano libre propinó una bofetada a Lyra, un revés que la derribó al suelo; y antes de que Lyra se hubiera recobrado, la mujer le puso el cubilete en la boca, obligándola a beber.

Ama sintió deseos de taparse los oídos: los tragos a la fuerza, los lloros, las toses, los hipidos, las súplicas y las bascas le resultaban insoportables. Sin embargo poco a poco fueron cesando. Sólo se oía algún que otro sollozo entrecortado pues la niña volvía a sumirse en el sueño... ¿Un sueño inducido por un encantamiento... o por envenenamiento? ¡Un sueño engañoso producido por una droga! Ama vio que en el cuello de la niña se materializaba una franja blanca cuando su daimonion se transformó, no sin esfuerzo, en un largo y sinuoso animal de piel blanquísima, ojos negros relucientes, y con una mancha negra en la punta de la cola, que se instaló junto a su cuello.

La mujer se puso a entonar en voz baja canciones de cuna al tiempo que apartaba el cabello de la frente de la niña, le enjugaba el rostro empapado en sudor y canturreaba unas tonadas. Ama se dio cuenta de que la mujer no sabía la letra pues lo único que pronunciaba con voz melosa era una absurda retahíla de sílabas como la-la-la, ba-ba-bu-bu.

Por fin la mujer calló e hizo algo de lo más curioso: recortó el pelo de la niña con unas tijeras, moviéndole la cabeza de un lado a otro para observar el efecto, sin que la pequeña despertara. Luego tomó un rizo rubio oscuro y lo guardó en un pequeño guardapelo de oro que llevaba colgado del cuello. Ama adivinó el motivo: iba a utilizarlo para realizar otro truco mágico. Pero entonces la mujer se lo acercó a los labios. ¡Qué extraño!

El mono dorado acabó de quitarse las púas de puerco espín y dijo algo a la mujer, que alargó la mano para atrapar a uno de los murciélagos que dormían colgados del techo de la cueva. El animalito negro agitó las alas y se quejó con una vocecilla aguda que taladró los oídos de Ama. Luego la mujer entregó el murciélago al daimonion, y éste tiró de una de las alas negras hasta que se partió y quedó suspendida de un tendón blanco, mientras el murciélago moribundo y sus compañeros batían las alas tan angustiados como desconcertados. Acto seguido se oyeron algunos crujidos y chasquidos mientras el mono dorado despedazaba al animalito y la mujer se recostaba con aire malhumorado sobre su saco de dormir junto al fuego y se ponía a comer con parsimonia una chocolatina.

Pasó bastante rato. La luz se fue disipando y apareció la luna, y la mujer y su daimonion se quedaron dormidos.

Ama, con el cuerpo rígido y dolorido, salió sigilosamente de su escondite, pasó de puntillas junto a ellos y procuró no hacer el menor ruido hasta haber recorrido un buen trecho.

Aterrorizada, bajó corriendo por el estrecho sendero acompañada por su daimonion, que volaba junto a ella transformado en lechuza. El aire límpido y fresco, el constante movimiento de las copas de los árboles, el resplandor de la luna que se reflejaba en las nubes y el millón de estrellas la calmaron un poco.

La niña se detuvo al divisar las casitas de madera de la aldea. Su daimonion se posó en su puño.

—¡Esa mujer ha mentido! —exclamó Ama—. ¡Nos ha mentido! ¿Qué podemos hacer, Kulang? ¿Decírselo a papá? ¿Qué hacemos?

—No se lo digas —respondió el daimonion—. Sólo acarrearía más problemas. Tenemos la medicina. Podemos despertarla. Iremos a la cueva cuando la mujer se haya ausentado, despertaremos a la niña y nos la llevaremos.

La idea los atemorizó. Pero había sido expresada, el paquetito de papel estaba a buen recaudo en el bolsillo de Ama y sabían como utilizarlo.

despertarme, no la veo... Creo que está cerca..., me ha hecho daño...

—¡No temas, Lyra! Si tú también tienes miedo, me volveré loco...

Ambos intentaron abrazarse con fuerza, pero sus brazos sólo estrecharon el aire. Lyra trató de expresar lo que pretendía decir:

—Lo único que deseo es despertarme... Tengo miedo de quedarme dormida para siempre y morirme. ¡Quiero despertar! ¡Quiero estar viva y despierta aunque sólo sea una hora! No sé si esto es real o no, ni siquiera... Pero yo te ayudaré, Roger. ¡Te lo juro!

—Pero si estás soñando, Lyra, cuando despiertes quizá no lo creas. Eso es lo que me ocurriría a mí, creería que se trataba de un sueño.

—¡No! —protestó Lyra furiosa, y

5

La torre inexpugnable

Un lago de azufre ardiendo se extendía a lo largo de un inmenso cañón, exhalando sus mefíticos vapores en violentas rachas y eructos, interceptando el paso a la solitaria figura alada que se había detenido en la orilla.

Si remontaba el vuelo, los espías del enemigo, que le habían perdido la pista después de localizarlo, darían de nuevo con él; pero si permanecía en tierra, le llevaría tanto tiempo salvar aquel hediondo pozo que el mensaje que portaba llegaría con retraso.

No le quedaba más remedio que arriesgarse. La figura esperó hasta que una nube de pestífero humo brotó de la superficie amarilla y se elevó en el aire.

Cuatro pares de ojos situados en distintos puntos del cielo observaron el breve movimiento, y al instante cuatro pares de alas comenzaron a batir con fuerza contra el aire contaminado por el pestilente humo, propulsando a los observadores hacia la nube.

Acto seguido se inició una persecución en la que los perseguidores no alcanzaban a ver a su presa, y la presa no veía nada en absoluto. El primero en salir de la nube en el extremo opuesto del lago tendría ventaja, lo cual equivalía a salvarse, o en todo caso a acabar con el enemigo.

El volador solitario, para su desgracia, alcanzó el aire limpio unos segundos después que uno de sus perseguidores. Ambos se enzarzaron de inmediato en una lucha, arrastrando tras ellos unas nubes de vapor y de humo pestilente que les produjo mareos. Al principio la presa ganó terreno, pero de pronto otro cazador consiguió librarse de la nube, y en una breve y feroz pelea los tres contendientes, retorciéndose en el aire como llamas, se elevaron y descendieron, una y otra vez hasta que por fin cayeron entre las rocas del lado opuesto del lago. Los otros dos cazadores no lograron salir de la nube.

En el extremo occidental de una cordillera de montañas aserradas, en una cima desde la que se contemplaba un impresionante panorama de la planicie y del valle situado detrás, se elevaba una fortaleza de basalto que parecía brotar de la misma montaña, como escupida por un volcán.

En unas gigantescas cavernas situadas debajo de las escarpadas murallas guardaban y clasificaban toda clase de provisiones; en los arsenales y almacenes calibraban, montaban y ponían a prueba distintos artilugios de guerra; en las herrerías instaladas al pie de la montaña, los fuegos volcánicos alimentaban unas colosales fraguas donde fundían fósforo y titanio, combinados en unas aleaciones desconocidas y jamás utilizadas hasta la fecha.

En el flanco más expuesto de la fortaleza, en un punto situado a la sombra de un contrafuerte, donde los muros de basalto se elevaban en vertical como residuos de antiguas cascadas de lava, había una pequeña puerta, una barbacana donde un centinela vigilaba día y noche e impedía la entrada a todo forastero.

Mientras se efectuaba el cambio de guardia en los baluartes, el centinela pateó el suelo un par de veces y se golpeó con las manos enguantadas los antebrazos para entrar en calor, pues era la hora más fría de la noche y la pequeña lámpara de queroseno que había a su lado no calentaba nada. Su relevo tardaría diez minutos en llegar, y el hombre aguardaba con impaciencia la taza de chocolate, el cigarrillo y la cama.

Lo que menos esperaba era oír unos golpecitos en la puerta.

Pero el centinela estaba alerta y se apresuró a mirar por la mirilla, al tiempo que abría la espita que permitió un resplandor de queroseno más allá de la luz piloto en el exterior del contrafuerte. Entonces pudo ver a tres figuras encapuchadas que portaban a una cuarta, cuya forma no permitía adivinar si se trataba de un hombre o de una mujer, y que parecía enferma o herida.

La figura que precedía a las otras se quitó la capucha. Aunque el centinela conocía aquel rostro, dio el santo y seña y dijo:

—Lo hallamos junto al lago de azufre. Dice que se llama Baruch. Trae un mensaje urgente para lord Asriel.

El centinela abrió la puerta. Su daimonion terrier se estremeció cuando las tres figuras introdujeron a la cuarta, no sin dificultad, a través de la angosta entrada. Luego el daimonion lanzó un quedo e involuntario aullido, que se apresuró a reprimir cuando vio que la cuarta figura era un ángel herido: un ángel de rango inferior y escaso poder, pero un ángel al fin y al cabo.

—Instaladlo en el cuarto de la guardia —dijo el centinela, e hizo girar la manivela de la campana teléfono y comunicó la novedad al oficial de guardia.

En la muralla más alta había una torre inexpugnable. Constaba tan sólo de una escalera que conducía a unas habitaciones con ventanas que daban al norte, sur, este y oeste. La más espaciosa estaba amueblada con una mesa, unas sillas y un arcón que contenía mapas; la segunda con un camastro, y la tercera consistía en un cuarto de baño.

Lord Asriel estaba sentado en la torre, ante el capitán de sus espías, con un montón desordenado de papeles de por medio. Una lámpara de queroseno pendía sobre la mesa, y un brasero que contenía unos carbones encendidos ahuyentaba el frío de la noche. Junto a la puerta había un halcón azul encaramado en una percha.

El capitán de espías se llamaba lord Roke. Tenía un aspecto chocante: su estatura no superaba el palmo de la mano de lord Asriel y era delgado como una libélula. Sin embargo, los demás capitanes de lord Asriel lo trataban con gran respeto, pues estaba provisto de aguijones venenosos en los espolones de los talones.

Tenía por costumbre sentarse en la mesa y rechazar con una lengua altanera y malévola todo gesto que no encerrara una extremada cortesía. Tanto él como los de su especie, los gallivespianos, poseían pocas de las cualidades inherentes a los buenos espías, con la salvedad de su excepcional tamaño: eran tan arrogantes y quisquillosos que de haber tenido la misma talla que lord Asriel jamás habrían pasado inadvertidos.

—Sí —dijo con voz clara y aguda, y unos ojos relucientes como dos gotas de tinta—, he podido averiguar algo sobre su hija, mi señor Asriel. Evidentemente, sé más que usted.

Lord Asriel clavó sus ojos en él, y el hombrecillo comprendió en el acto que había abusado de la cortesía de su superior. La fuerza de la mirada de lord Asriel lo golpeó como un dedo, de forma que perdió el equilibrio y tuvo que apoyarse en la copa de vino de lord Asriel para no caer. Lord Asriel adoptó de nuevo una expresión afable y virtuosa, como solía mostrar su hija, y a partir de aquel momento lord Roke procedió con más cautela.

—Sin duda —dijo lord Asriel—. Pero por motivos que no comprendo, la niña acapara la atención de la iglesia y deseo saber por qué. ¿Qué dicen de ella?

—En el Magisterium se barajan todo tipo de conjeturas; unos aseguran una cosa, otras indagan por otro lado, y todos tratan de impedir que sus hallazgos lleguen a oídos de los demás. Las ramas más importantes son el Tribunal Consistorial de Disciplina y la Sociedad de la Obra del Espíritu Santo. Y yo —agregó lord Roke— tengo espías en ambas.

—¿Se ha convertido usted en miembro de la Sociedad? —dijo lord Asriel—. Le felicito. Normalmente es impenetrable.

—El espía que tengo en la Sociedad es lady Salmakia —explicó lord Roke—, una agente muy astuta. Consiguió acercarse al daimonion de un sacerdote, un ratón, mientras éste dormía, y le sugirió que ejecutara un rito prohibido que había leído en un libro de sortilegios, destinado a invocar la presencia de la Sabiduría. En el momento álgido, lady Salmakia apareció ante el sacerdote. El hombre está convencido de que puede comunicarse con la Sabiduría siempre que quiera, y que ésta posee la forma de una gallivespiana y vive en su biblioteca.

—¿Y qué ha averiguado su espía? —preguntó lord Asriel con una sonrisa.

—En la Sociedad creen que su hija es la niña más importante que jamás ha existido. Están convencidos de que dentro de poco va a producirse una grave perturbación, y que el destino de todo depende de cómo se comporte ella en ese momento. En cuanto al Tribunal Consistorial de Disciplina, actualmente está llevando a cabo unas indagaciones y dispone de testigos de Bolvangar y otros lugares. Mi espía en el tribunal, el caballero Tialys, permanece en contacto conmigo todos los días por medio del resonador de magnetita, y me informa puntualmente de cuanto averigua. En resumen, creo que la Sociedad de la Obra del Espíritu Santo no tardará en descubrir dónde se encuentra la niña, pero no hará nada al respecto. El Tribunal Consistorial tardará algo más en averiguarlo, pero cuando lo haga actuará con presteza y eficacia.

—Deseo que me informe en cuanto sepa algo más.

Tras hacer una reverencia, lord Roke chascó los dedos. El pequeño halcón azul posado en la percha contigua a la puerta desplegó las alas y voló hasta la mesa. El ave iba provista de brida, silla y estribos.

Lord Roke montó rápidamente y ambos salieron volando a través de la ventana que lord Asriel les acababa de abrir.

Lord Asriel la dejó abierta unos instantes, pese al gélido aire que soplaba, y se apoyó en el alféizar, acariciando las orejas de su daimonion onza.

—Ella vino a verme a Svalbard y no le hice caso —dijo—. ¿Recuerdas qué impresión me llevé? Yo necesitaba un sacrificio, y la primera niña que se presentó era mi propia hija... Pero cuando vi que iba acompañada de un niño, lo cual significaba que estaba a salvo, me tranquilicé. ¿Cometí un error fatal? No volví a pensar en ella después de ese episodio, pero por lo visto es importante, Stelmaria.

—Tratemos de pensar con claridad —respondió el daimonion—. ¿Qué puede hacer ella?

—Lo que se dice hacer... no mucho. ¿Pero crees que sabe algo?

—Sabe leer el aletiómetro, tiene acceso a muchos datos.

—Eso no tiene nada de particular. Otros también saben hacerlo. ¿Dónde demonios se habrá metido?

De pronto se oyeron unos golpes en la puerta, y lord Asriel se volvió rápidamente.

—Milord —dijo el oficial—, acaba de presentarse un ángel, herido, en la puerta oeste. Insiste en hablar con usted.

Unos instantes después, Baruch fue trasladado en el camastro a la habitación principal. Habían llamado a un ordenanza médico, aunque saltaba a la vista que había pocas esperanzas: el ángel estaba herido de gravedad, tenía las alas desgarradas y los ojos vidriosos.

Lord Asriel se sentó junto a él y arrojó un puñado de hierbas sobre los carbones del brasero. Tal como había constatado Will al contemplar el humo de su fogata, aquello tenía el efecto de definir el cuerpo del ángel y permitía verlo con mayor nitidez.

—Bien, señor —dijo lord Asriel—, ¿qué tiene que decirme?

—Tres cosas. Le ruego que me permita exponerlas antes de hablar. Me llamo Baruch. Mi compañero Balthamos y yo pertenecemos al bando rebelde, y nos sentimos atraídos por su bandera en cuanto usted la izó. Pero queríamos traerle algo valioso, porque nuestro poder es escaso, y hace poco logramos penetrar en el corazón de la Montaña Nublada, la ciudadela que ocupa la Autoridad en el reino. Averiguamos...

El ángel se detuvo un momento para aspirar el humo de las hierbas, que parecía darle fuerzas. Luego prosiguió:

—Averiguamos la verdad sobre la Autoridad. Averiguamos que se ha retirado a una cámara de cristal situada en las entrañas de la Montaña Nublada, y que ya no se ocupa de los asuntos cotidianos del Reino, sino que se dedica a meditar sobre misterios más profundos. En su lugar gobierna un ángel llamado Metatron. Tengo motivos para conocer a ese ángel, aunque cuando lo conocí...

Baruch se detuvo. Lord Asriel lo fulminó con la mirada, pero contuvo su ira y esperó a que continuara.

—Metatron es orgulloso —prosiguió Baruch cuando hubo recuperado un poco las fuerzas—, y su ambición ilimitada. La Autoridad lo eligió hace cuatro mil años para ser su Regente, y ambos trazaron unos planes. Ahora han ideado un nuevo plan, que mi compañero y yo logramos descubrir. La Autoridad considera que los seres conscientes de cada especie se han vuelto peligrosamente independientes, de modo que Metatron va a intervenir de forma más activa en los asuntos relativos a los humanos. Se ha propuesto alejar en secreto a la Autoridad de la Montaña Nublada a una ciudadela permanente situada en otro lugar, y convertir la montaña en una máquina de guerra. En opinión de Metatron, las iglesias de todos los mundos son corruptas y débiles, muy dispuestas a contemporizar... Metatron quiere instaurar una inquisición permanente en cada mundo, dirigida directamente desde el Reino. Y su primera campaña consistirá en destruir la república de usted...

El ángel y el hombre temblaban, pero uno debido a su estado de postración y el otro a la agitación que había hecho presa en él.

Baruch hizo acopio de las fuerzas que le quedaban, y prosiguió.

—La segunda cosa es la siguiente: existe una daga capaz de practicar unas aberturas entre los distintos mundos y lo que éstos contengan. Posee un poder ilimitado, pero sólo en manos de alguien que sepa utilizarla. Y esa persona es un niño...

El ángel se detuvo una vez más para recuperar el resuello. Estaba asustado; se sentía desfallecer. Lord Asriel advirtió los esfuerzos que hacía para conservar la compostura y esperó angustiado, aferrando con fuerza los brazos del sillón, hasta que Baruch recobró las suficientes energías para proseguir.

—Mi compañero está ahora con ese niño. Queremos traérselo, pero el niño se ha negado porque... Ésta es la tercera cosa que debo decirle: el niño y su hija se han hecho amigos. Y el niño se niega a venir a verle a usted hasta que haya dado con ella. Ella está...

—¿Quién es ese niño?

—El hijo del chamán, Stanislaus Grumman.

Lord Asriel se llevó tal sorpresa que se puso en pie como impulsado por un resorte, levantando una oleada de humo en torno al ángel.

—¿Grumman tenía un hijo? —preguntó.

—Grumman no nació en el mundo de usted. Y su verdadero nombre no era Grumman. Mi compañero y yo llegamos hasta él debido al deseo de Grumman de hallar la daga. Le seguimos, sabiendo que acabaría conduciéndonos hasta ella y su portador, con intención de traérsela a usted. Pero el niño se negó a...

Baruch tuvo que interrumpir de nuevo su relato. Lord Asriel volvió a sentarse, maldiciendo su impaciencia, y arrojó otro puñado de hierbas al fuego. Su daimonion yacía junto a él, moviendo lentamente la cola sobre el suelo de roble, sin apartar sus ojos dorados del ángel, desencajado por el dolor. Baruch respiró hondo varias veces, lentamente. Lord Asriel guardó silencio. Sólo se oía el ruido de la cuerda en el asta de la bandera.

—Tómese el tiempo que necesite —dijo lord Asriel amablemente—. ¿Sabe usted dónde se encuentra mi hija?

—En el Himalaya... en su propio mundo —murmuró Baruch—. Unas montañas gigantescas. Una cueva próxima a un valle surcado por el arco iris...

—Una gran distancia desde aquí en ambos mundos. Ha volado muy deprisa.

—Es el único don que poseo —dijo Baruch—, salvo el amor de Balthamos, a quien no volveré a ver.

—Si usted la encontró con tanta facilidad...

—Cualquier ángel puede hacerlo.

Lord Asriel sacó un enorme atlas del arcón de los mapas y después de abrirlo buscó las páginas en que aparecía el Himalaya.

—¿Puede ser más preciso? —preguntó a Baruch—. ¿Puede mostrarme con exactitud el lugar?

—Con la daga... —dijo el ángel balbuceando, y lord Asriel se percató de que comenzaba a perder la lucidez—. Con la daga puede entrar y salir de cualquier mundo cuando lo desee... El chico se llama Will. Pero él y Balthamos corren un grave peligro... Metatron sabe que poseemos su secreto. Nos persiguieron... Me capturaron a mí solo en los límites del mundo de usted... Yo era su hermano... Así es como dimos con él en el corazón de la Montaña Nublada. Antiguamente Metatron era Enoch, hijo de Jared, hijo a su vez de Mahalalel... Enoch tenía muchas esposas. Le gustaban los placeres carnales... Mi hermano Enoch me repudió porque... Ay, querido Balthamos...

—¿Dónde está la niña?

—Sí, sí. Una cueva... Su madre... Un valle inundado por el viento y el arco iris... unas banderas sobre el templo, desgarradas...

El ángel se incorporó para mirar el atlas.

En ese momento el daimonion onza se levantó de un salto y se dirigió rápidamente hacia la puerta, pero fue demasiado tarde: el ordenanza que acababa de llamar abrió sin esperar a que le invitaran a entrar. Así era como hacían las cosas; nadie tenía la culpa; pero al observar la expresión del soldado, lord Asriel se volvió y vio a Baruch temblando debido al esfuerzo que le suponía mantener el control de su maltrecho cuerpo. De pronto una ráfaga de aire penetró por la puerta abierta y se abatió sobre el camastro, y las partículas de la forma del ángel, desprendidas por su intenso debilitamiento, se elevaron en un caótico remolino y desaparecieron.

—¡Balthamos! —susurró una voz en el aire.

Lord Asriel apoyó la mano en el cuello de su daimonion. Al notar sus temblores, la onza lo calmó. Luego lord Asriel se volvió hacia el ordenanza.

—Milord, le suplico...

—Usted no ha tenido la culpa. Transmita mis saludos al rey Ogunwe. Me complacería que se personara aquí en el acto. También me gustaría que estuviera presente el señor Basilides, con el aletiómetro. Por último, quiero que el escuadrón n.º 2 de girópteros, armado y provisto de combustible, se disponga a partir de inmediato hacia el suroeste. Le enviaré más órdenes en cuanto haya despegado.

El ordenanza saludó, y tras dirigir una breve e inquieta mirada al camastro vacío, salió de la habitación y cerró la puerta tras él.

Lord Asriel asestó un golpe seco en la mesa con un compás de metal y se acercó a la ventana orientada hacia el sur. A sus pies, los eternos fuegos teñían con su resplandor y su humo la atmósfera que comenzaba a oscurecer; incluso a aquella gran altura se percibía el ruido de los martillos que transportaba el viento.

—Bien, hemos aprendido mucho, Stelmaria —dijo lord Asriel con voz queda.

—Pero no lo suficiente.

En ese momento se oyeron unos golpecitos en la puerta y apareció el aletiometrista. Era un hombre delgado y pálido, de mediana edad. Se llamaba Teukros Basilides, y su daimonion era un ruiseñor.

—Buenas tardes, señor Basilides —le saludó lord Asriel—. Tenemos un problema, y quiero que deje lo que esté haciendo para dedicarle toda su atención.

Acto seguido lord Asriel explicó al hombre lo que Baruch le había contado y le mostró el atlas.

—Localice la cueva —le ordenó—. Consígame las coordenadas con la máxima precisión. Se trata de una tarea de suma importancia. Empiece ahora mismo, por favor.

descargó una patada en el suelo con tal violencia que el pie le dolió aunque estaba dormida.

—Tú no crees que yo haría eso, Roger, así que no lo digas. Conseguiré despertarme, y no lo olvidaré, te lo aseguro.

Lyra miró alrededor, pero sólo vio unos ojos desmesuradamente abiertos y unos rostros angustiados, pálidos, morenos, viejos, jóvenes, todos los muertos que se agolpaban allí, en silencio y consternados.

El rostro de Roger mostraba una expresión distinta, confiada.

—¿Por qué tienes esa cara? —preguntó Lyra—. ¿Por qué no estás angustiado como ellos? ¿Por qué no has perdido la esperanza?

—Porque

6

Absolución preventiva

RELIQUIAS,
ROSARIOS,
INDULGENCIAS,
DISPENSAS,
PERDONES, BULAS,
CAPRICHO DE LOS
VIENTOS...

JOHN MILTON

Y ahora, fray Pavel —dijo el inquisidor del Tribunal Consistorial de Disciplina—, quiero que reproduzca exactamente, a ser posible, las palabras que oyó decir a la bruja.

Los doce miembros del tribunal observaron a la tenue luz de la sala al clérigo que ocupaba el estrado, el último de los testigos. Tenía el aspecto de un hombre instruido y su daimonion presentaba la forma de una rana. El tribunal llevaba ya ocho días escuchando las pruebas del caso, en el antiguo colegio de altas torres de San Jerónimo.

—No puedo repetir las palabras exactas de la bruja —respondió fray Pavel con tono cansino—. Tal como dije ayer ante este tribunal, nunca había visto torturar a nadie, así que me mareé y tuve náuseas. Por tanto no puedo repetir exactamente lo que dijo la bruja, pero recuerdo su sentido. Dijo que los clanes del norte habían identificado a la niña Lyra como la protagonista de una profecía que conocían desde hace mucho tiempo. En sus manos tenía el poder para tomar una decisión capital, de la que dependía el futuro de todos los mundos. Además, dijo, había un nombre que evocaba un caso paralelo, que haría que la iglesia la odiara y temiera.

—¿Reveló la bruja ese nombre?

—No. Antes de que lo pronunciara, otra bruja, que había asistido al interrogatorio bajo un hechizo que la hacía invisible, consiguió matarla y escapar.

—Es decir que en aquella ocasión la señora Coulter no pudo haber oído el nombre.

—Así es.

—¿Y poco después la señora Coulter se marchó?

—En efecto.

—¿Qué descubrió usted más tarde?

—Averigüé que la niña se había trasladado a ese otro mundo que había abierto lord Asriel y que allí había conseguido la ayuda de un niño que posee, o sabe utilizar, una daga de extraordinarios poderes —dijo fray Pavel, y carraspeó nervioso antes de proseguir—: ¿Puedo hablar con entera libertad ante este tribunal?

—Con absoluta libertad, fray Pavel —respondió el presidente con voz áspera y enérgica—. No recibirá castigo alguno por decirnos lo que haya oído de labios de otros. Continúe, por favor.

—La daga que tiene en su poder ese niño —prosiguió el clérigo, ya más tranquilo— es capaz de practicar aberturas entre los mundos. Además posee un poder más portentoso aún... Discúlpenme, pero lo que digo me causa temor... Es capaz de matar a los ángeles de rangos superiores y a los entes que están por encima de ellos. No hay nada que esa daga no pueda destruir.

El clérigo sudaba y temblaba hasta tal punto que su daimonion rana se cayó por el borde de la barandilla de los testigos. Con una exclamación de dolor, fray Pavel se apresuró a recogerla y dejó que bebiera un sorbo del agua del vaso que había frente a él.

—¿Y siguió indagando sobre la niña? —preguntó el inquisidor—. ¿Descubrió el nombre al que se había referido la bruja?

—Sí. De nuevo solicito la autorización del tribunal para...

—La tiene —respondió al instante el presidente—. No tema. Usted no es un hereje. Informe de lo que ha averiguado y no pierda más tiempo.

—Les ruego que me disculpen. La niña se encuentra en la situación de Eva, la esposa de Adán, la madre de todos nosotros, y la causa de todos los pecados.

Las taquígrafas que tomaban nota de cuanto se decía eran monjas de la orden de san Filomel, que habían hecho voto de silencio. Pero al oír las palabras de fray Pavel una de ellas lanzó una breve exclamación, y todas se apresuraron a santiguarse. Fray Pavel hizo un gesto de disgusto y prosiguió:

—Tengan presente que el aletiómetro no realiza augurios. Dice que en caso de que la niña sea tentada, como lo fue Eva, es probable que sucumba. Todo depende de las consecuencias. Y si esa tentación se produce, y la niña cede ante ella, triunfarán el Polvo y el pecado.

En la sala se hizo un profundo silencio. El pálido sol que penetraba por las grandes vidrieras contenía en sus rayos oblicuos un millón de motas doradas, pero se trataba de polvo, no del Polvo, aunque más de uno de los miembros del tribunal había visto en ellas una imagen de aquel otro Polvo invisible que llegaba de todas partes y se posaba sobre todo ser humano, por muy escrupulosamente que éste respetara las leyes.

—Para terminar, fray Pavel —dijo el inquisidor—, díganos lo que sepa sobre el paradero actual de la niña.

—La niña está en manos de la señora Coulter —respondió el clérigo—. Se encuentran en el Himalaya. Muy lejos, es cuanto puedo decirles. Ahora mismo iré a pedir una localización más precisa, y en cuanto la consiga se la comunicaré al tribunal, pero...

Fray Pavel se detuvo, encogido de miedo, y se llevó el vaso a los labios con mano trémula.

—¿Sí, fray Pavel? —dijo el padre MacPhail—. No debe ocultarnos nada.

—Creo, padre presidente, que la Sociedad de la Obra del Espíritu Santo sabe más sobre el asunto que yo.

Fray Pavel hablaba en voz tan baja que resultaba casi inaudible.

—¿De veras? —preguntó el presidente con feroz mirada.

El daimonion de fray Pavel lanzó un breve gemido de rana. El clérigo estaba al tanto de la rivalidad que existía entre las distintas ramas del Magisterium, y no ignoraba el peligro de verse atrapado en el fuego cruzado, aunque más peligroso aún era ocultar lo que sabía.

—Creo —continuó sin cesar de temblar— que tardarán mucho menos en averiguar el lugar exacto donde se encuentra la niña. Poseen unas fuentes de información que a mí me están vedadas.

—Es cierto —dijo el inquisidor—. ¿Le ha hablado de esto el aletiómetro?

—Sí.

—Muy bien. Fray Pavel, conviene que continúe con esta línea de indagación. Cualquier cosa que necesite en materia de asistencia clerical o secretarial, no tiene más que pedirla. Puede abandonar el estrado.

Fray Pavel hizo una reverencia, recogió sus notas y abandonó la sala con su daimonion rana posado en el hombro.

El padre MacPhail golpeó con un lápiz el banco de roble que tenía delante.

—Hermana Agnés, hermana Mónica, pueden marcharse. Tengan la bondad de hacer llegar las transcripciones a mi escritorio al final del día.

Las dos monjas hicieron una inclinación de cabeza y se fueron.

—Caballeros —dijo el presidente, utilizando la forma de tratamiento propia del Tribunal Consistorial—, se levanta la sesión.

Los dos miembros del tribunal, desde el más viejo (el padre Makepwe, renqueante y con los ojos acuosos) al más joven (el padre Gómez, pálido y tembloroso debido a su ferviente fanatismo), recogieron sus papeles y siguieron al presidente hasta la sala del consejo, donde podían instalarse unos frente a otros en torno a una mesa y hablar con total reserva.

El presidente del Tribunal Consistorial era un escocés llamado Hugh MacPhail. Lo habían elegido joven. El cargo de presidente era vitalicio, y puesto que el padre MacPhail tenía poco más de cuarenta años, era de prever que sería quien configurara el destino del Tribunal Consistorial y con ello el de la totalidad de la iglesia, durante muchos años. Era un hombre de aspecto sombrío, alto e imponente, con una espesa mata de pelo gris, y habría sido obeso de no ser por la brutal disciplina que imponía a su cuerpo: sólo bebía agua y comía únicamente pan y fruta, y todos los días realizaba una hora de ejercicios bajo la supervisión de un entrenador de campeones de atletismo. A consecuencia de todo ello estaba demacrado, arrugado y nervioso. Su daimonion era un lagarto.

—Ésta es pues la situación —dijo el padre MacPhail cuando todos se hubieron sentado—. Hay distintas cuestiones a considerar.

»En primer lugar, lord Asriel. Una bruja simpatizante de la iglesia informa de que el lord está reuniendo un gran ejército, en el que figuran fuerzas que podrían ser angélicas. Por lo que sabe la bruja, lord Asriel alberga malévolas intenciones con respecto a la iglesia y a la propia Autoridad.

»En segundo lugar, el Comité de Oblación. Su forma de actuar; instituyen el programa de investigación en Bolvangar y, financiando las actividades de la señora Coulter, inducen a pensar que abrigan esperanzas de sustituir al Tribunal Consistorial de Disciplina en su condición de brazo más poderoso y efectivo de la Santa Iglesia. Nos han dejado de lado, caballeros. Han obrado con habilidad y sin miramientos. Merecemos un castigo por nuestra negligencia al permitir que esto ocurra. Más adelante volveré sobre este punto, para analizar lo que puede hacerse sin dilación.

»En tercer lugar, el niño que ha citado fray Pavel en su declaración, el que tiene esa daga capaz de hacer cosas excepcionales. No hay duda de que debemos localizarlo y hacernos con ella lo antes posible.

»En cuarto lugar está el asunto del Polvo. He tomado medidas para averiguar qué ha descubierto el Comité de Oblación al respecto. Uno de los teólogos que trabajaba en Bolvangar ha accedido a explicárnoslo con todo detalle. Esta tarde hablaré con él abajo.

Dos de los sacerdotes se rebulleron incómodos en sus asientos, pues «abajo» significaba los sótanos: unas habitaciones de azulejos blancos con tomas de corriente ambárica, aisladas acústicamente y dotadas de un buen sistema de drenaje.

—Averigüemos lo que averigüemos sobre el Polvo —continuó el presidente—, debemos mantener nuestro propósito con firmeza. El Comité de Oblación trataba de comprender los efectos del Polvo: nosotros debemos destruirlo. Éste es ni más ni menos nuestro objetivo, y si para destruir el Polvo debemos destruir también el Comité de Oblación, el Sínodo de Obispos y todos los estamentos mediante los cuales la Santa Iglesia lleva a cabo la obra de la Autoridad... sea. Es posible, caballeros, que la misma Santa Iglesia cobrara vida con el fin de ejecutar esta tarea y perecer con ello. No obstante, es preferible un mundo sin iglesia y sin Polvo que un mundo donde todos los días tengamos que luchar bajo la pesada carga del pecado. Es preferible un mundo purificado de todo ello.

El padre Gómez asintió con gesto vehemente y los ojos ardientes como brasas.

—Finalmente —prosiguió el padre MacPhail— está la niña. Todavía es una criatura, según creo. Esta Eva, que va a ser tentada y que, si los precedentes sirven de guía, sucumbirá a la tentación y precipitará la ruina de todos con su caída. Caballeros, de todas las formas posibles de afrontar el problema que plantea esa niña, voy a proponer la más radical, y confío en que contará con vuestro beneplácito.

»Propongo enviar a un hombre en su busca para que la mate antes de que puedan tentarla.

—Padre presidente —intervino el padre Gómez—, he hecho una penitencia preventiva todos los días de mi vida adulta. He estudiado, me he formado...

El presidente alzó la mano para que guardara silencio. La penitencia y la absolución preventivas eran unas doctrinas que había investigado y desarrollado el Tribunal Consistorial, pero que resultaban desconocidas para el resto de los estamentos de la iglesia. Implicaban realizar penitencia por un pecado aún no cometido, una penitencia intensa y ferviente acompañada por castigos corporales y flagelación que tenía por objeto acumular una especie de cuenta de crédito. Cuando la penitencia había alcanzado el nivel adecuado en relación con un determinado pecado, al penitente se le concedía la absolución por adelantado, aunque tal vez nunca cometiera tal pecado. A veces era preciso matar a alguien, por poner un ejemplo, y esa acción resultaba mucho menos ingrata para el asesino si lo ejecutaba en estado de gracia.

—Precisamente había pensado en usted —dijo afablemente el padre MacPhail—. ¿Cuento con la aprobación del Tribunal? De acuerdo. Cuando el padre Gómez se marche, con nuestra bendición, estará completamente solo y no podremos ponernos en contacto con él. Ocurra lo que ocurra en otros frentes, él seguirá imperturbable su camino como la flecha de Dios, directo hasta la niña, y la abatirá. Será invisible; llegará de noche, como el ángel que destruyó a los asirios; se moverá en silencio. ¡A todos nos habría ido mucho mejor de haber dispuesto de un padre Gómez en el Jardín del Edén! En ese caso no habría tenido que abandonar el paraíso.

A punto estuvo el joven sacerdote de echarse a llorar de orgullo. El Tribunal le otorgó su bendición.

A todo eso, en el rincón más oscuro del techo, oculto entre las vigas de roble, un hombre que no llegaba a un palmo, con los talones armados de espolones, había estado escuchando todo lo que habían dicho.

En los sótanos, el investigador de Bolvangar, vestido tan sólo con unos holgados pantalones sin cinturón y una sucia camisa blanca, permaneció de pie bajo la cruda luz de la bombilla, sujetando los pantalones con una mano y su conejo daimonion con la otra, ante el presidente del Tribunal Consistorial de Disciplina, que estaba sentado en una silla.

—Siéntese, doctor Cooper —dijo el presidente.

El único mobiliario lo componían una silla, un camastro de madera y un cubo. La voz del presidente reverberaba con un desagradable eco en los azulejos blancos que cubrían las paredes y el techo.

El doctor Cooper se sentó en el camastro, sin apartar la vista del demacrado y canoso presidente del tribunal, y se lamió los labios resecos, a la espera de la nueva penalidad que se le venía encima.

—De modo que casi lograron separar a la niña de su daimonion —dijo el padre MacPhail.

—Entendimos que de nada servía aguardar —aclaró con voz entrecortada el doctor Cooper—, dado que de todas formas se iba a llevar a cabo el experimento, así que instalamos a la niña en la sala experimental, aunque nos impidieron completar el proceso. La señora Coulter intervino y se llevó a la niña a sus habitaciones.

El daimonion conejo abrió sus redondos ojos para mirar unos instantes al presidente, volvió a cerrarlos y ocultó la cara.

—Debió de ser una gran contrariedad —comentó el padre MacPhail.

—Todo el programa estuvo plagado de dificultades —abundó el doctor Cooper.

—Me asombra que no recabaran la ayuda del Tribunal Consistorial, habida cuenta que aquí tenemos los nervios bien templados.

—Nosotros... yo... todos teníamos entendido que el programa había sido autorizado por... Aunque el asunto competía al Comité de Oblación, nos aseguraron que contaba con la aprobación del Tribunal Consistorial de Disciplina. De lo contrario nunca habríamos participado en él. ¡Nunca!

—No, por supuesto. Pasemos a otra cuestión. ¿Tenía usted alguna idea —inquirió el padre MacPhail, abordando el tema que había motivado su visita a los sótanos— del objeto de las indagaciones de lord Asriel, de cuál pudo ser el origen de la colosal energía que utilizó en Svalbard?

El doctor Cooper tragó saliva. En el intenso silencio que se produjo, ambos hombres percibieron cómo caía una gota de sudor de su barbilla al suelo de cemento.

—Bueno... —respondió el doctor—. Un miembro de nuestro equipo observó que durante el proceso de separar a la niña de su daimonion se produjo una liberación de energía. Para controlarlo sería preciso utilizar unas fuerzas inmensas, pero al igual que una explosión atómica es detonada mediante unos explosivos convencionales, eso podía hacerse utilizando una potente corriente ambárica... No obstante, ninguno lo tomamos en serio. Yo no presté atención a sus ideas —añadió—, porque sabía que sin la debida confirmación podían ser heréticas.

—Muy prudente por su parte. ¿Y en estos momentos dónde se encuentra ese colega suyo?

—Fue uno de los que murió en el ataque.

El presidente sonrió. Su expresión era tan afable que el daimonion del doctor Cooper se desvaneció sobre su pecho.

—Ánimo, doctor Cooper —dijo el padre MacPhail—. ¡Necesitamos que sea fuerte y valeroso! Debemos realizar una importante tarea, librar una gran batalla. Debe granjearse usted el perdón de la Autoridad cooperando plenamente con nosotros, compartiendo todo cuanto ha averiguado, sin omitir nada, ni las más desaforadas suposiciones y conjeturas, ni siquiera habladurías. Ahora quiero que haga un esfuerzo por recordar lo que dijo su colega. ¿Realizó algún experimento? ¿Dejó algunas notas? ¿Confió sus hallazgos a otra persona? ¿Qué instrumento utilizó? Trate de recordarlo todo, doctor Cooper. Dispondrá de papel y pluma y del tiempo necesario.

»Esta habitación no es muy cómoda. Haré que le trasladen a un lugar más adecuado. ¿Necesita algún mueble en concreto? ¿Quiere escribir en una mesa o en un escritorio? ¿Desea utilizar una máquina de escribir o prefiere dictar sus palabras a una dactilógrafa?

»Hágaselo saber a los guardias y le facilitaremos lo que desee. Pero quiero que piense en todo momento en su colega y en su teoría, doctor Cooper. Su gran labor consiste en recordar, y si fuera necesario redescubrir, lo que éste sabía. En cuanto sepa qué instrumentos va a necesitar, también dispondrá de ellos. ¡Se trata de una gran misión, doctor Cooper! ¡Puede sentirse agradecido de que la Autoridad se la haya confiado! ¡Dé gracias a la Autoridad!

—¡Así lo hago, padre presidente!

Sujetándose la amplia pretina del pantalón, el filósofo se levantó y casi sin darse cuenta efectuó una reverencia tras otra, mientras el presidente del Tribunal Consistorial de Disciplina abandonaba la celda.

Esa tarde el caballero Tialys, el espía gallivespiano, se dirigió a través de las calles y callejuelas de Ginebra para reunirse con su colega, lady Salmakia. Era un recorrido peligroso para cualquiera que les desafiara, pero a la vez lleno de peligros para los diminutos gallivespianos. Más de un gato que había pretendido cazarlos había hallado la muerte en sus espolones, pero no hacía ni una semana el caballero había estado a punto de perder un brazo a consecuencia de la dentellada de un perro sarnoso, y sólo la rápida intervención de lady Salmakia lo había salvado.

Se reunieron en el séptimo de los lugares de encuentro convenidos, entre las raíces de un plátano de una sucia plazoleta, para intercambiar noticias. El contacto de lady Salmakia en la Sociedad le había comunicado que esa tarde habían recibido una amable invitación del presidente del Tribunal Consistorial para que acudieran a tratar un asunto que interesaba a ambas partes.

—No pierde el tiempo —observó el caballero—. Apuesto cien contra uno a que no les habla de su asesino.

A continuación el caballero Tialys relató a su colega el plan para matar a Lyra. Lady Salmakia no se sorprendió en absoluto.

—Es la solución más lógica —comentó—. Son personas muy lógicas, Tialys. ¿Crees que algún día veremos a la niña?

—No lo sé, pero me gustaría. Que te vaya bien, Salmakia. Nos veremos mañana en la fuente.

En aquel breve diálogo había surgido de forma implícita la única cuestión de la que jamás hablaban: la brevedad de sus vidas en comparación con las de los humanos. Los gallivespianos vivían nueve o diez años, rara vez más, y Tialys y Salmakia habían cumplido siete. No temían la vejez, pues los miembros de su especie morían con todo el vigor de la madurez, de repente, y su infancia era corta; pero en comparación con ellos, la vida de una niña como Lyra se prolongaba en el futuro, del mismo modo que la duración de las vidas de las brujas superaba con mucho la de Lyra.

El caballero regresó al Colegio de San Jerónimo y comenzó a redactar el mensaje que iba a enviar a lord Roke a través del resonador de magnetita.

Pero mientras él acudía a la cita con Salmakia, el presidente mandó llamar al padre Gómez. Ambos rezaron durante una hora en su despacho, tras lo cual el padre MacPhail concedió al joven sacerdote la absolución preventiva que neutralizaría su culpabilidad en el asesinato de Lyra. El padre Gómez estaba como transfigurado; la certidumbre que corría por sus venas daba un brillo incandescente a sus ojos.

Después de tratar asuntos prácticos, como el dinero, el presidente dijo:

—En cuanto se haya marchado de aquí, padre Gómez, quedará desconectado para siempre de cualquier ayuda que pudiéramos prestarle. No podrá regresar jamás; no volverá a tener noticias nuestras. No puedo ofrecerle mejor consejo que éste: no busque a la niña. Eso le delatará. En vez de eso, busque a la tentadora. Siga a la tentadora y ésta le conducirá hasta a la niña.

—¿La tentadora? —inquirió perplejo el padre Gómez.

—Sí, es un ente femenino —respondió el padre MacPhail—. Nos lo ha confirmado el aletiómetro. El mundo del que proviene la tentadora es muy extraño. Verá muchas cosas que lo llenarán de asombro, padre Gómez. No deje que su singularidad le impida llevar a cabo su sagrada misión. Yo confío —añadió con tono afable— en el poder de su fe. Esa mujer es conducida por las fuerzas del mal hacia un lugar donde quizás encuentre a la niña a tiempo para tentarla. Siempre y cuando, claro está, nosotros no consigamos sacar a la niña de ese lugar. Ése sigue siendo nuestro principal objetivo. Padre Gómez, usted es nuestra garantía de que si éste fracasa, los poderes infernales no se alcen con la victoria.

El padre Gómez asintió. Su daimonion, un voluminoso e iridiscente escarabajo con el lomo de color verde, agitó el caparazón y las alas.

El presidente abrió un cajón y entregó al joven sacerdote un paquete de papeles doblados.

—Aquí está todo cuanto sabemos sobre esa mujer, sobre el mundo del que procede —dijo—, y el último lugar donde fue vista. Léalo con detenimiento, mi querido Luis, y vaya con mi bendición.

Era la primera vez que el padre MacPhail utilizaba el nombre de pila del joven sacerdote, a quien se le llenaron los ojos de lágrimas al despedirse con un beso del presidente.

Y el caballero Tialys no sabía una palabra de aquello.

tú eres Lyra.

De pronto la niña recordó lo que significaba. Se sintió mareada, incluso en sueños; tenía la sensación de llevar un pesado fardo sobre sus hombros. Y para acabar de complicar las cosas, notó que volvía a sumirse en un profundo sueño y que el rostro de Roger se desvanecía en la sombra.

—*Bueno, yo... sé que hay mucha gente de nuestro lado, como la doctora Malone... Roger, ¿sabías que existe otro Oxford como el nuestro? Yo... la encontré en... Ella nos habría ayudado... Pero en realidad sólo existe una persona que...*

Le resultaba casi imposible ver al niño, y sus pensamientos divagaban y se alejaban como ovejas por un prado.

—*Pero podemos fiarnos de él, Roger —añadió Lyra con un último esfuerzo—,*

7

Mary, sola

POR FIN LOS IMPONENTES ÁRBOLES SE ALZARON COMO SI BAILARAN Y ALARGARON SUS RAMAS CARGADAS DE COPIOSOS FRUTOS...
JOHN MILTON

Casi simultáneamente, la tentadora a quien el padre Gómez iba a seguir estaba siendo tentada.

—Gracias, no, no, con esto tengo suficiente. Basta, gracias —dijo la doctora Mary Malone a la pareja de ancianos en el olivar, mientras éstos trataban de proporcionarle más comida de la que ella podía llevar.

Vivían allí aislados y sin hijos, asustados por los espantos que habían visto entre los plateados árboles; pero cuando Mary Malone apareció en la carretera con su mochila, los espantos habían huido despavoridos. Los ancianos habían acogido a Mary en su pequeña alquería situada a la sombra de las parras, le habían ofrecido vino, queso, pan y olivas, y ahora no querían dejar que se fuera.

—Debo irme —repitió Mary—. Gracias, han sido muy amables... No puedo llevarme... Bueno, otro queso pequeño... gracias...

Era evidente que los ancianos la consideraban un talismán contra los espantos. ¡Ojalá lo fuera!, pensó Mary. Durante la semana que llevaba en el mundo de Cittàgazze, había visto suficiente destrucción, adultos devorados por espantos y niños buscando desesperadamente un bocado de comida, como para concebir un profundo horror hacia aquellos etéreos vampiros. Lo único que sabía era que éstos desaparecían cuando ella se acercaba; pero no podía quedarse con toda la gente que quisiera retenerla, pues debía seguir su camino.

Mary hizo sitio para el último queso de cabra envuelto en una hoja de parra, sonrió, se inclinó de nuevo y bebió un último trago de agua de la fuente que manaba a través de la roca grisácea junto a la casa. Después juntó las manos tal como hacían los ancianos, dio media vuelta y se alejó con paso ligero.

Parecía más decidida de lo que estaba en realidad. La última comunicación que había mantenido con las entidades que ella llamaba partículas de sombra y Lyra denominaba Polvo, había tenido lugar en la pantalla de su ordenador, y la había destruido siguiendo sus instrucciones. En estos momentos se sentía desorientada. Le habían indicado que pasara por la abertura del Oxford en el que vivía, el Oxford del mundo de Will, y así lo había hecho, para salir mareada y temblando de asombro a aquel extraordinario mundo que había al otro lado. Aparte de eso, su cometido consistía en localizar al niño y a la niña y representar el papel de la serpiente, significara eso lo que significara.

De modo que Mary había caminado, explorado e indagado, sin encontrar nada. En adelante, pensó mientras se alejaba del olivar por el estrecho sendero, tendría que pedir que la orientaran.

Cuando se hubo alejado de la alquería, y segura de que nadie la molestaría, Mary se quitó la mochila, se sentó en una roca debajo de los pinos y la abrió. En el fondo, envuelto en un pañuelo de seda, había un libro que conservaba desde hacía veinte años: un comentario sobre el sistema chino de adivinación, el I Ching.

Lo llevaba consigo por dos razones. Una era de carácter sentimental: se lo había regalado su abuelo, y ella lo había utilizado mucho de niña. La otra era que la primera vez que Lyra había entrado en su laboratorio, había preguntado: «¿Qué es eso?», refiriéndose al póster de la puerta que mostraba los símbolos del I Ching; y poco después, en su espectacular lectura del ordenador, Lyra había averiguado (según afirmó) que aquel Polvo tenía muchas otras formas de hablarles a los humanos, y que una de ellas consistía en el sistema chino que empleaba esos símbolos.

Así pues, mientras preparaba apresuradamente el equipaje antes de abandonar su mundo para ir en busca de Lyra y de Will, Mary Malone había incluido el llamado *Libro de los Cambios*, así como los pequeños tallos de milenrama que necesitaba para leerlo. Ahora había llegado el momento propicio de utilizarlos.

Tras extender la seda en el suelo, Mary comenzó la operación de dividir y contar, dividir, contar y separar, la cual había realizado a menudo de adolescente, picada por la curiosidad, y que después apenas había repetido. Casi había olvidado cómo hacerlo, pero de golpe recordó el ritual y alcanzó el estado de sosiego y profunda concentración, que cumplía una función importantísima a la hora de hablar con las Sombras.

Por fin obtuvo los números que indicaban el hexagrama propuesto, el grupo de seis líneas seguidas o interrumpidas, tras lo cual debía consultar el significado en el libro. Ésta era la parte más complicada, porque el texto resultaba muy enigmático:

> *Volver hacia la cumbre*
> *para provisiones de comida*
> *trae buena fortuna.*
> *Escrutar atentamente en derredor*
> *como un tigre con insaciable voracidad.*

Parecía alentador. Mary continuó la lectura del libro, siguiendo los complejos vericuetos por los que la conducía el comentario, hasta llegar a un pasaje que decía así: *Inmóvil se mantiene la montaña; es una vereda; significa piedras pequeñas, puertas y aberturas.*

Mary trató de adivinar el significado. Lo de «aberturas» le recordó la misteriosa ventana en el aire por la que había penetrado en ese mundo; y las primeras palabras parecían indicar que debía seguir ascendiendo.

Perpleja y animada, Mary guardó el libro y los tallos de milenrama en la mochila y echó a andar por el empinado sendero.

Al cabo de cuatro horas se sintió desfallecer de cansancio y calor. El sol rozaba el horizonte. El sendero que seguía dio paso a un accidentado terreno sembrado de cantos rodados y pequeños guijarros, a través del cual Mary se abrió paso con dificultad. A su izquierda la ladera desembocaba en un paisaje de olivos y limoneros, viñas descuidadas y molinos de viento abandonados, con un aspecto borroso por la calima de la tarde. A la derecha había una ladera cubierta de piedras y guijarros que describía una escarpada pendiente hasta convertirse en un resbaladizo risco de piedra caliza.

Con gesto cansado, Mary volvió a colgarse la mochila a la espalda y puso el pie sobre la siguiente piedra lisa, pero antes de apoyar todo su peso sobre ella se paró en seco. La luz proyectaba un curioso reflejo. Mary se protegió los ojos con la mano para evitar el resol y trató de localizarlo.

Allí estaba: casi a la manera en que surgen esas formas en tres dimensiones de las caprichosas manchas de colores que a primera vista no parecen tener sentido, al pie de la ladera, con el risco como telón de fondo, destacaba un color diferente. Mary recordó al instante las palabras del I Ching: *una vereda, piedras pequeñas, puertas y aberturas.*

Era una ventana como la que había visto en Sunderland Avenue. Mary pudo verla gracias a la luz: si el sol hubiera estado en lo alto probablemente no se habría percatado.

Se acercó al pequeño retazo de aire con profunda curiosidad, pues la otra vez había tenido que alejarse a toda prisa y no había tenido tiempo de examinar la otra abertura. Pero en esta ocasión observó la ventana con detenimiento, tocando el borde, desplazándose a su alrededor para comprobar que desde el otro lado resultaba invisible, percatándose de la enorme diferencia que había entre ésta y la otra. Estaba tan excitada ante el descubrimiento que estallaba de gozo.

El portador de la daga que la había creado, en tiempos de la Revolución Francesa, no había tenido la precaución de cerrarlas, pero al menos había cortado en un lugar muy parecido al mundo de este lado, junto a una roca. No obstante, la roca en el otro lado era distinta, no de piedra caliza sino de granito, y cuando Mary penetró en este nuevo mundo se encontró no al pie de un gigantesco risco sino casi en la cima de una pequeña loma que se alzaba sobre una inmensa llanura.

También allí se había puesto el sol. Mary se sentó a respirar el aire, a descansar las piernas y a saborear sin prisa aquella maravilla.

A sus pies se extendía una gigantesca pradera o sabana bañada en una luz dorada, muy distinta de todo cuanto Mary había visto en su mundo. En primer lugar, aunque buena parte de la misma estaba cubierta por una hierba con una infinita gama de matices castaños, verdes, ocres y amarillos, que se agitaba suavemente destacando la alargada luz del atardecer, la pradera parecía surcada de un extremo a otro por unos ríos de piedra con una superficie de color gris pálido.

En segundo lugar, la llanura estaba salpicada por unos bosquecillos de árboles, los más altos que Mary había visto jamás. Con ocasión de una conferencia sobre energía a la que había asistido en California, había tenido oportunidad de contemplar las grandes secoyas, que la habían maravillado, pero esos otros árboles superaban con creces el tamaño de las secoyas. Tenían un follaje denso, de color verde oscuro, y sus inmensos troncos presentaban un tono rojizo dorado bajo la luz crepuscular.

Finalmente vio rebaños de animales que pastaban en la hierba, demasiado alejados para distinguirlos con claridad. Sus movimientos denotaban algo extraño que Mary no pudo descifrar.

Estaba agotada, tenía hambre y sed. Cerca de allí le pareció oír el grato sonido de un manantial, y a los pocos minutos dio con él: un pequeño chorro de agua cristalina que manaba de una grieta cubierta de musgo, y un arroyuelo que discurría por la ladera. Después de beber en abundancia y de llenar las cantimploras, Mary se dispuso a instalarse allí para pasar la noche.

Con la espalda apoyada en la roca, abrigada con su saco de dormir, Mary comió un poco del pan casero y de queso de cabra, tras lo cual se sumió en un sueño profundo.

A la mañana siguiente se despertó con el sol en la cara. El aire era fresco y el rocío se había depositado formando unas diminutas perlas en el pelo de Mary y en su saco de dormir. Permaneció unos minutos tumbada, gozando de la límpida atmósfera, con la sensación de que era el primer ser humano que había existido jamás.

Luego se incorporó, bostezando y estremeciéndose, y se lavó en el helado manantial antes de comer un par de higos secos y examinar el lugar.

Detrás de la loma sobre la que había ido a parar, el terreno descendía describiendo una suave pendiente para luego volver a subir, aunque sin alcanzar gran altura. Delante se divisaba un panorama de toda la inmensa pradera. Las alargadas sombras de los árboles se proyectaban hacia ella, y Mary vio unas bandadas de pájaros que revoloteaban sobre las grandes copas, tan pequeños en comparación con el verde dosel forestal que parecían motas de polvo.

Después de cargar de nuevo con la mochila, bajó la cuesta hasta llegar a la áspera y frondosa hierba de la pradera, y desde allí se dirigió hacia el bosque más cercano, a unos seis kilómetros de distancia.

Entre la hierba, que le llegaba a las rodillas, crecían unas matas achaparradas que no llegaban al palmo de altura, parecidas al enebro; había también flores —como amapolas, botones de oro y acianos—, que prestaban distintos colores al paisaje; vio también una enorme abeja, del tamaño de una falange del pulgar, posada en una flor azul, que se doblegaba bajo su peso. Pero al abandonar los pétalos y remontar de nuevo el vuelo, Mary observó que no era un insecto pues un instante después voló hacia su mano y se posó en su dedo, clavando con suma delicadeza su largo y afilado pico en su piel, pero como no halló ningún néctar del que alimentarse, reemprendió el vuelo. Se trataba de un minúsculo colibrí, que movía sus alas de color de bronce con tal velocidad que Mary no logró distinguirlas.

¡Cómo la envidiarían todos los biólogos de la Tierra si vieran lo que ella veía!

A medida que avanzaba se aproximó a un rebaño de aquellos animales que había visto paciendo la víspera, cuyos movimientos la habían desconcertado sin saber muy bien por qué. Tenían el tamaño de los ciervos o antílopes y un color parecido, pero lo que le hizo detenerse y frotarse los ojos asombrada fueron sus patas, dispuestas en forma de rombo: dos en el centro, una delante y otra debajo de la cola, de suerte que las criaturas se movían con un curioso balanceo. A Mary le habría gustado examinar un esqueleto para comprobar cómo funcionaba su estructura.

Los animales siguieron pastando tranquilamente, observándola con mirada indolente, sin mostrar el menor temor. Mary sintió deseos de aproximarse para examinarlos más de cerca, pero hacía calor y la sombra de los altos árboles era muy tentadora. Ya tendría tiempo de observarlos más adelante.

Al poco rato dejó atrás la hierba y echó a andar sobre uno de aquellos ríos de piedra que había visto desde la loma, otra cosa que también le maravilló.

Seguramente en otro tiempo había sido un río de lava. Tenía un color oscuro, casi negro, pero la superficie era más pálida, quizá debido al desgaste natural o a los miles de seres que habían caminado por ella. Era tan lisa como una cuidada carretera del mundo de Mary, y en todo caso resultaba más cómodo andar por ella que por la hierba.

Mary siguió aquella senda, que se alejaba trazando una ancha curva en dirección a los árboles. Cuanto más se aproximaba, más le asombraba el gigantesco tamaño de las copas, tan anchas como la casa en la que habitaba, calculó, y tan altas como... No se le ocurrió ninguna comparación.

Cuando llegó al primer tronco apoyó las manos en él, notando la rugosa corteza de un dorado rojizo. El suelo estaba cubierto por una mullida alfombra de hojas largas como su mano, que despedían un agradable aroma. Enseguida se vio rodeada por una nube de seres voladores minúsculos, una pequeña bandada de colibríes, una mariposa amarilla cuyas alas desplegadas eran tan anchas como la palma de la mano y un montón de bichejos que reptaban por el suelo. El aire estaba impregnado de murmullos, zumbidos y ruidos extraños.

Mary avanzó por el bosque. Casi le parecía hallarse en una catedral: reinaba el mismo silencio, las estructuras presentaban la misma verticalidad, y ella estaba dominada por una sensación de respeto y admiración.

Le llevó más tiempo del previsto llegar allí. Faltaba poco para mediodía; los haces de luz que se filtraban por el ramaje casi caían a plomo. Invadida por una sensación de somnolencia, le pareció extraño que aquellos herbívoros no se hubieran trasladado a la sombra de los árboles durante las horas más calurosas del día.

No tardó en averiguar la razón.

Demasiado acalorada para continuar adelante, se tumbó a descansar entre las raíces de un árbol gigantesco, con la cabeza apoyada en la mochila, y se quedó dormida.

Tuvo los ojos cerrados durante unos veinte minutos, pero de repente, cuando aún no estaba del todo dormida, oyó cerca de ella un estrepitoso ruido que hizo temblar el suelo.

Poco después se produjo otro estruendo. Se incorporó alarmada, y cuando se hubo recuperado percibió un movimiento que se concretó en un objeto redondo, de un metro aproximado de diámetro, que rodaba por el suelo. Se detuvo al instante y cayó de costado.

Al poco rato cayó otro, un poco más lejos. Vio cómo descendía un voluminoso objeto que aterrizó violentamente entre las gruesas raíces de un árbol y comenzó a rodar por el suelo.

La perspectiva de que otro de aquellos contundentes objetos le cayera encima bastó para que recogiera la mochila y saliera corriendo del bosquecillo. Pero ¿qué eran? ¿Cápsulas de semillas?

Tras mirar con cuidado hacia arriba, Mary penetró de nuevo en el bosquecillo para examinar el objeto que había caído más cerca de donde se encontraba. Lo puso de pie, lo sacó del bosquecillo y lo depositó sobre la hierba para examinarlo más de cerca.

Era un objeto circular, ancho como la palma de su mano. En el centro tenía una depresión, que podía ser el punto por donde permanecía prendido al árbol. No parecía pesado pero era muy duro, y estaba cubierto de unos pelos fibrosos que seguían la circunferencia, de forma que Mary podía pasar la mano fácilmente por él en un sentido pero no en el otro. Sin duda el objeto era lo bastante duro para resistir una caída desde tan alto. Mary trató de clavar su cuchillo en la superficie, pero no lo consiguió.

Al palparse las manos notó que tenía los dedos más suaves, y los olisqueó. Bajo el olor a polvo emanaban un ligero aroma. Mary volvió a examinar la cápsula de semillas. En el centro percibió un tenue brillo, y al tocarla de nuevo notó que sus dedos resbalaban sobre ella. Exudaba una especie de aceite.

Mary depositó el objeto en el suelo y reflexionó sobre la forma en que aquel mundo había evolucionado.

Si sus conjeturas sobre aquellos universos eran acertadas, y se trataba de los múltiples mundos previstos por la teoría cuántica, algunos de ellos debían de haberse desgajado de su propio mundo mucho antes que otros. Y era evidente que en el mundo que se hallaba en estos momentos la evolución había propiciado gigantescos árboles y unas grandes criaturas con el esqueleto en forma de rombo.

Comenzaba a tener conciencia de la estrechez de sus horizontes científicos. No poseía conocimientos de botánica, ni geología, ni biología... Era tan ignorante como un niño pequeño.

De pronto oyó un rumor grave que no logró localizar hasta que vio una nube de polvo que avanzaba a lo largo de una de las carreteras... en dirección al bosquecillo, y a ella. Aunque estaba a unos dos kilómetros de distancia se desplazaba con rapidez, y a Mary le invadió de repente el miedo.

Se metió corriendo en el bosquecillo, localizó un estrecho hueco entre dos descomunales raíces y se introdujo en él, observando sobre el muro que formaba una de las raíces la nube de polvo que se aproximaba.

Sintió vértigos al ver aquello. Al principio tuvo la impresión de que era una pandilla de motoristas. Después pensó que se trataba de una manada de animales con ruedas. Pero era imposible. No existían animales con ruedas. No podía ver eso. Pero lo veía.

Había aproximadamente una docena. Tenían más o menos el mismo tamaño que los animales que Mary había visto pastando, pero eran más delgados y de color gris, con cuernos y unas trompas cortas y parecidas a las de los elefantes. Presentaban la misma estructura en forma de rombo que aquellos herbívoros, pero habían evolucionado hasta adoptar una rueda, en sus patas delanteras y en la única trasera.

Sin embargo su mente insistía en que no existían ruedas en la naturaleza; era imposible; se necesitaba un soporte para el eje que estuviera completamente separado de la parte rotatoria; era imposible...

Entonces, cuando se detuvieron a unos cincuenta metros y el polvo se asentó, Mary lo comprendió de pronto y prorrumpió en grandes carcajadas de gozo.

Las ruedas eran cápsulas de semillas. Perfectamente redondas, enormemente duras y ligeras. No podría haber inventado otras mejores. Las criaturas enganchaban una garra en el centro con sus patas delanteras y trasera y empleaban las dos laterales para impulsarse sobre el suelo y avanzar. Mary quedó maravillada pero al mismo tiempo sintió una ligera inquietud pues poseían unos cuernos imponentes y afilados, e incluso a aquella distancia, percibió la agudeza y curiosidad de su mirada.

Y la estaban buscando.

Uno de ellos había reparado en la cápsula que ella había sacado del bosquecillo y salió de la carretera para acercarse. Cuando llegó a ella la alzó sobre el arcén con su trompa y la echó a rodar hacia sus compañeros.

Las criaturas se agolparon en torno a la cápsula y la tocaron con delicadeza con sus vigorosas y flexibles trompas, emitiendo unos suaves chirridos, chasquidos y gritos que Mary interpretó como expresiones de censura. Alguien había estado toqueteando aquello, y no estaba bien.

Entones pensó: «Has venido aquí con un propósito, aunque aún no lo comprendas. Actúa con decisión. Toma la iniciativa.»

Así que se levantó y dijo de forma enérgica y deliberada:

—Por aquí. Estoy aquí. Examinaba la cápsula de semillas. Lo siento. No me hagáis daño, por favor.

Todos volvieron al instante la cabeza para mirarla, con las trompas en alto, y sus relucientes ojos dirigidos al frente. También tenían las orejas enhiestas.

Mary abandonó el amparo de las raíces para ponerse delante de ellos. Extendió las manos, consciente de que aquel gesto podía no significar nada para unas criaturas que no poseían manos. No obstante era lo único que podía hacer. Tras recoger la mochila, Mary echó a andar a través de la hierba y se situó en la carretera, frente a ellos.

A aquella distancia de menos de cinco metros podía apreciar mejor su aspecto, pero lo que le llamó la atención fue la vivacidad e inteligencia de sus miradas. Aquellas criaturas eran tan distintas de los animales que había visto pastando como un ser humano de una vaca.

—Mary —dijo señalándose a sí misma.

La criatura más próxima alargó la trompa. Ella se acercó más y la criatura la tocó en el pecho, en el lugar al que había apuntado Mary.

—Merry —oyó decir ésta como un eco de su propia voz salida de la garganta de la criatura.

—¿Qué sois? —preguntó.

—¿Kesóis? —respondió la criatura.

—Soy una humana —fue lo único que se le ocurrió contestar.

—Soiumana —repitió la criatura. Luego ocurrió algo aún más extraordinario: todas se echaron a reír.

Arrugaron los ojos, agitaron la trompa, sacudieron la cabeza, y de sus gargantas brotó un inconfundible sonido, una expresión de regocijo. Sin poder evitarlo, Mary también se echó a reír.

Se le acercó otra criatura y le tocó la mano con la trompa. Mary dejó que la tanteara y luego le ofreció la otra mano para que la inspeccionara con su extremidad erizada de suaves cerdas.

—Ah, hueles el aceite de la cápsula de las semillas... —dijo Mary.

—Cápsuladesemiyas —repitió la criatura.

—Si sois capaces de reproducir los sonidos de mi lenguaje, quizá podamos comunicarnos algún día, aunque sabe Dios cómo. Mary —repitió, volviendo a señalarse a sí misma.

Nada. Las criaturas la observaron sin inmutarse.

—Mary —probó otra vez.

La criatura más próxima se tocó el pecho con la trompa y dijo algo. ¿Había pronunciado tres sílabas o dos? La criatura habló de nuevo, y esta vez Mary se esforzó en reproducir los mismos sonidos.

—Mulefa —dijo tanteando.

Los otros repitieron «Mulefa» con la voz de Mary, riendo, como si le tomaran el pelo a la criatura que había hablado.

—¡Mulefa! —repitieron, como si se tratara de un chiste muy gracioso.

—Bueno, si sois capaces de reír, no creo que vayáis a comerme —dijo Mary.

A partir de aquel momento se estableció entre ellos una afabilidad natural, que disipó por completo el nerviosismo inicial de Mary.

El grupo también se relajó; tenían quehaceres pendientes, no se paseaban porque sí. Mary vio que uno de ellos portaba una silla o un fardo en el lomo, sobre el que otros dos cargaron la cápsula de semillas, asegurándola con unas cuerdas con movimientos rápidos y diestros de sus trompas. Cuando permanecían inmóviles, mantenían el equilibrio con sus patas laterales, mientras que cuando se movían, hacían girar las patas delanteras y la trasera al mismo tiempo para propulsarse. Los movimientos que realizaban estaban llenos de gracia y energía.

Uno de ellos se situó al borde de la carretera y alzó la trompa para lanzar un sonoro toque que al resonar a través de la llanura hizo que todo el rebaño de herbívoros levantaran la cabeza simultáneamente y se pusieran a trotar hacia ellos. Cuando llegaron se detuvieron pacientes en el borde de la carretera y dejaron que las criaturas con ruedas se pasearan lentamente entre ellos, mirando, tocando y contando.

Entonces Mary vio que uno se ponía a ordeñar a un herbívoro con la trompa, tras lo cual se dirigió hacia ella y le acercó la trompa con delicadeza a la boca.

Mary dio un respingo, pero al percibir la expectación que contenía la mirada de la criatura, volvió a adelantar la cabeza y abrió los labios. La criatura exprimió en su boca un poco de leche dulce y ligera, y después de comprobar que la había engullido le dio un poco más. Fue un gesto tan hábil y amable que Mary rodeó instintivamente la cabeza de la criatura con los brazos y la besó, sintiendo el olor de su piel polvorienta, la dureza de sus huesos y el poder de la musculatura de su trompa.

Unos instantes después el jefe del rebaño lanzó un suave bramido y los herbívoros se alejaron. Entonces Mary vio que los *mulefa* se disponían a marcharse. Estaba contenta de que la hubieron acogido con afecto, y a la vez triste de que se fueran; pero aún le deparaban una sorpresa.

Una de las criaturas se arrodilló en la carretera, moviendo la trompa, y las otras hicieron unas señas a Mary de que se acercara... No cabía duda: le estaban ofreciendo que montara, para llevarla con ellas.

Otra criatura tomó su mochila y la aseguró a la silla de una tercera. Mary se montó torpemente sobre el lomo de la que estaba arrodillada, sin saber dónde poner las piernas: ¿delante de la criatura, o detrás? ¿Y dónde debía agarrarse?

Pero antes de que lograra averiguarlo, la criatura se levantó, y el grupo comenzó a avanzar por la carretera con Mary cabalgando en medio.

porque es Will.

8

Vodka

HE SIDO UN EXTRAÑO EN TIERRA EXTRAÑA.
ÉXODO

Balthamos sintió la muerte de Baruch en cuanto se produjo. Con gritos y sollozos, se elevó en el aire nocturno sobre la tundra, agitando las alas, y dio rienda suelta entre las nubes a su angustia. Al cabo de un rato consiguió tranquilizarse y regresó junto a Will, que permanecía despierto con la daga en la mano, escrutando la húmeda y gélida oscuridad.

—¿Qué ocurre? —preguntó cuando el ángel apareció temblando a su lado—. ¿Has captado algún peligro? Ponte detrás de mí...

—¡Baruch ha muerto! —exclamó Balthamos—. Mi amado Baruch ha muerto.

—¿Cuándo? ¿Dónde?

Balthamos no pudo responder; sólo sabía que la mitad de su corazón se había apagado. No podía permanecer quieto. Volvió a alzar el vuelo, llamando a Baruch, sollozando, llamándole de nuevo. Después le asaltaban los remordimientos porque debía proteger a Will y bajaba apresuradamente, tratando de convencerle de que se escondiera y no hiciera ruido, y prometiendo cuidar de él sin descanso. Luego la intensidad de su congoja le abatía contra el suelo y el ángel se ponía a rememorar todas las muestras de bondad y valor de que Baruch había hecho gala, que eran miles y que Balthamos no había olvidado. A continuación se lamentaba de que una naturaleza tan afable pudiera extinguirse y remontaba de nuevo el vuelo impetuosamente, mirando en una y otra dirección, enloquecido, destrozado por el dolor, maldiciendo el aire, las nubes y las estrellas.

—Ven aquí, Balthamos —dijo Will.

El ángel acudió a la llamada del niño, incapaz de resistirse. En la gélida oscuridad de la tundra, el niño se estremeció bajo su capa.

—Procura estarte quieto. Sabes que allá fuera hay unos seres que atacarán en cuanto perciban un ruido. Yo puedo protegerte con la daga si estás cerca, pero si te atacan mientras vuelas de un lado a otro no podré ayudarte. Y si tú mueres, yo también estaré acabado. Te necesito vivo, Balthamos, para que me ayudes a encontrar a Lyra. Tenlo presente, por favor. Baruch era fuerte... tú también debes serlo. Por mí.

Balthamos guardó silencio unos instantes.

—De acuerdo —respondió por fin—. Sí, por supuesto que sí. Ahora duerme, Will, que yo montaré guardia. No te fallaré.

A Will no le quedaba más alternativa que fiarse de él. Al poco volvió a quedarse dormido.

Cuando se despertó, empapado de rocío y helado hasta los huesos, vio al ángel de pie a su lado. El sol comenzaba a salir, cubriendo de oro los juncos y las plantas acuáticas.

—He decidido qué debo hacer —declaró Balthamos antes de que Will realizara movimiento alguno—. Permaneceré a tu lado día y noche, y si es necesario fingiré que soy tu daimonion. Lo haré de buen grado, con alegría, por Baruch. Te guiaré hasta Lyra, si puedo, y después os conduciré a los dos hasta lord Asriel. He vivido miles de años, y a menos que me maten viviré muchos miles más; pero nunca he conocido a un ser como Baruch que despertara en mí un deseo tan ardiente de hacer el bien y de ser bondadoso. En muchas ocasiones no estuve a la altura, pero siempre podía contar con su generosidad para redimirme. Quizá fracase a veces, porque ahora sólo tengo su recuerdo, pero no obstante lo intentaré.

—Baruch estará orgulloso de ti —dijo Will, tiritando.

—¿Quieres que me adelante volando para averiguar dónde estamos?

—Sí —contestó Will—, vuela alto y dime cómo es el terreno que se extiende más allá de donde nos encontramos. Caminando por estas tierras pantanosas no llegaremos nunca.

Balthamos alzó el vuelo. No había dicho a Will todo lo que le inquietaba, porque no quería preocuparle; pero sabía que el ángel Metatron, el Regente, de quien habían escapado por los pelos, tenía el rostro de Will grabado en su mente. Y no sólo su rostro, sino algunos detalles que los ángeles eran capaces de percibir y de los que ni el mismo Will era consciente, como el aspecto de su naturaleza, que Lyra habría denominado su daimonion. Will corría un gran peligro de caer en manos de Metatron. Balthamos sabía que tarde o temprano tendría que decírselo, pero aún no. Era demasiado complicado.

Considerando que entraría más rápidamente en calor caminando que recogiendo leña y esperando a que el fuego comenzara a arder, Will se colgó la mochila a la espalda, se arrebujó en su capa y echó a andar hacia el sur. Había un sendero, fangoso y lleno de hoyos y baches, que indicaba que en la zona vivían algunas personas; pero el horizonte estaba tan distante en aquel inhóspito paraje que Will tenía la impresión de no avanzar.

Al cabo de un rato, cuando comenzó a clarear, Will oyó la voz de Balthamos junto a él.

—Aproximadamente a media jornada de camino hay un río muy ancho y una población, con un muelle donde amarran los barcos de vapor que navegan por el río. He volado muy alto y he visto que el río se prolonga durante largo trecho por el norte y el sur. Si pudieras ir en barco, viajarías más deprisa.

—Ojalá —repuso Will con vehemencia—. ¿Has comprobado si este sendero conduce a la población?

—Atraviesa una aldea, con iglesia, caserío y huertos. Después continúa hasta la población.

—Me pregunto qué idioma hablarán. Espero que no me encierren por no saber su lengua.

—Yo fingiré que soy tu daimonion y te traduciré lo que dicen —replicó Balthamos—. Conozco muchas lenguas humanas; seguro que entenderé la que hablan en este país.

Will siguió caminando. Era un esfuerzo duro pero al menos se movía, y cada paso que daba le llevaba más cerca de Lyra.

La aldea era un amasijo de viviendas de madera provistas de rediles para renos y perros que ladraban a su paso. De las chimeneas de hojalata brotaba un humo que permanecía suspendido sobre los tejados de pizarra. El suelo era arcilloso y parecía que recientemente se hubiera producido una inundación: los muros estaban manchados de barro hasta la mitad de las puertas, y Will vio unas vigas rotas y unas planchas de hierro ondulado que pendían por todas partes y que habían pertenecido a cobertizos, verandas y casetas que se había llevado el agua.

Pero ése no era el rasgo más curioso del lugar. Al principio Will temió perder el equilibrio y tropezó en un par de ocasiones, pues los edificios no estaban verticales. Todos se inclinaban en la misma dirección, con una desviación de dos o tres grados. La cúpula de la pequeña iglesia se había resquebrajado. ¿Acaso se había producido también un terremoto?

Los perros ladraban con una furia histérica, pero no se atrevían a acercarse. Balthamos, en su papel de daimonion, había asumido la forma de un enorme perro de ojos negros, espesa pelambrera y cola enhiesta, y gruñía con tanta ferocidad que los perros de la aldea se mantenían a una distancia prudencial. Estaban flacos y sarnosos, y los pocos renos que vio Will estaban cubiertos de roña y ofrecían un aspecto lastimoso.

Will se detuvo en el centro de la aldea y miró alrededor, sin saber adónde ir. Aparecieron entonces dos o tres hombres que se plantaron ante él y lo observaron con cara de pocos amigos. Eran las primeras personas que Will veía en el mundo de Lyra. Llevaban gruesos abrigos de paño, botas manchadas de barro y gorros de piel, y tenían un aspecto nada amistoso.

El perro blanco se transformó en un gorrión, que se posó en el hombro de Will. Ninguno de los hombres dio muestras de extrañeza; cada uno tenía su propio daimonion, según advirtió Will, en su mayoría perros. Así era como funcionaban las cosas en ese mundo.

—Sigue adelante —murmuró Balthamos—. No les mires a los ojos y mantén la cabeza gacha. Aquí lo consideran una muestra de respeto.

Will siguió caminando. Era capaz de pasar por donde fuera sin llamar la atención; ésa era su mayor habilidad. Cuando llegó a la altura de los hombres, éstos habían dejado de observarle con curiosidad. Pero entonces se abrió una puerta en la casa más grande junto al camino y alguien lo llamó con un potente vozarrón.

—El sacerdote —comentó Balthamos en voz baja—. Sé educado con él. Vuélvete e inclina la cabeza.

Will obedeció. El sacerdote era un fornido hombretón de barba canosa que lucía una sotana negra. Sobre su hombro reposaba un cuervo, que era su daimonion. El clérigo examinó a Will de pies a cabeza, sin perder detalle. Luego le invitó de nuevo a que se acercara.

Will se dirigió hacia él y le dedicó otra reverencia.

El sacerdote dijo algo.

—Pregunta de dónde eres —murmuró Balthamos—. Di lo que quieras.

—Hablo inglés —respondió Will con voz clara y pausada—. Es la única lengua que conozco.

—¡Ah, inglés! —exclamó alborozado el sacerdote en el mismo idioma—. ¡Mi querido jovencito! ¡Bienvenido a nuestro pueblo, nuestro Kholodnoye, que ha perdido su perpendicularidad! ¿Cómo te llamas y adónde te diriges?

—Me llamo Will; me dirijo al sur. Trato de encontrar a mi familia.

—Entonces pasa a tomar una colación —dijo el sacerdote, rodeando los hombros de Will con un brazo y atrayéndole hacia el interior de la vivienda.

El daimonion cuervo del sacerdote mostraba un vivo interés en Balthamos, pero el ángel supo estar a la altura de las circunstancias: se transformó en un ratón y se ocultó bajo la camisa de Will, como si estuviera atemorizado.

El sacerdote condujo a Will a un salón saturado de humo de tabaco, donde el agua hervía apaciblemente en un samovar de hierro forjado situado en una mesa auxiliar.

—¿Cómo te llamas? —preguntó el sacerdote—. Repíteme tu nombre.

—Will Parry. Pero no sé cómo llamarlo a usted.

—Otiets Semion —respondió el sacerdote, acariciando el brazo de Will mientras le conducía a una silla—. Otiets significa padre. Soy un sacerdote de la Santa Iglesia. Mi nombre de pila es Semion, y el de mi padre Boris, por eso me llamo Semion Borísovitch. ¿Cómo se llama tu padre?

—John Parry.

—John significa Iván. De modo que tú eres Will Ivánovitch y yo soy el padre Semion Borísovitch. ¿De dónde vienes, Will Ivánovitch, y adónde vas?

—Me he extraviado —contestó Will—. Viajaba con mi familia hacia el sur. Mi padre era soldado, pero estaba de exploración en el Ártico y ocurrió algo y nos perdimos. Por eso voy al sur, porque sé que nos dirigíamos hacia allí.

—¿Un soldado? —preguntó el sacerdote, extendiendo las manos—. ¿Un explorador inglés? Nadie ha transitado desde hace siglos por los embarrados caminos de Kholodnoye, pero en estos tiempos tan conflictivos, ¿quién sabe si no aparecerá mañana? En todo caso me alegro de que hayas venido, Will Ivánovitch. Quédate esta noche en mi casa. Comeremos juntos y charlaremos. ¡Lidia Alexándrovna!

Al cabo de un momento entró en silencio una anciana. El sacerdote le habló en inglés y la mujer asintió y llenó un vaso con té caliente en el samovar. Luego ofreció el vaso a Will, junto con un platito de compota y una cucharita de plata.

—Gracias —dijo Will.

—La compota es para endulzar el té —le explicó el sacerdote—. Lidia Alexándrovna la ha preparado con arándanos.

El té tenía un sabor repugnante además de amargo, pero Will se lo bebió. El sacerdote se inclinó hacia delante y lo observó fijamente al tiempo que le palpaba las manos para comprobar si estaban frías y le acariciaba la rodilla. Para distraerlo, Will le preguntó por qué los edificios de la aldea estaban inclinados.

—Se produjo una gran convulsión en la Tierra —contestó el sacerdote—. Todo está pronosticado en el Apocalipsis de San Juan. Los ríos fluirán al revés... El gran río que discurre a escasa distancia de aquí fluía hacia el norte para desembocar en el océano Ártico. Durante miles de años discurrió desde las montañas de Asia Central hacia el norte, desde que la Autoridad de Dios Todopoderoso creó la Tierra. Pero cuando tembló la Tierra y llegaron las nieblas y las inundaciones todo cambió, y el gran río fluyó hacia el sur durante más de una semana antes de dirigir de nuevo sus aguas hacia el norte. El mundo está trastocado. ¿Dónde estabas tú cuando se produjo la gran convulsión?

—Muy lejos de aquí —respondió Will—. No sabía qué ocurría. Cuando se despejó la niebla comprobé que había perdido a mi familia. Todavía no sé dónde me encuentro. Usted me ha dicho el nombre de este lugar, pero ¿dónde está? ¿Dónde estamos?

—Acércame ese libro grande que hay en el estante inferior —dijo Semion Borísovitch—. Te lo mostraré.

El sacerdote aproximó la silla a la mesa y se humedeció los dedos con saliva antes de empezar a pasar las páginas del enorme atlas.

—Aquí —dijo señalando con una sucia uña un punto en Siberia central, a gran distancia al este de los Urales. Junto a él fluía un río, tal como había afirmado el sacerdote, desde las vertientes septentrionales de las montañas en el Tíbet hasta el Ártico. Will examinó la región del Himalaya, pero no se parecía en nada al mapa que había trazado Baruch.

Semion Borísovitch no paraba de hablar, asediando a Will con preguntas sobre su vida, su familia y su hogar, a las que Will, con sus dotes de disimulo, fue respondiendo cumplidamente. Al cabo de un rato el ama de llaves les sirvió una sopa de remolacha y pan negro, que comieron después de que el sacerdote pronunciara una larga oración para bendecir los alimentos.

—¿Cómo quieres que pasemos el día, Will Ivánovitch? —inquirió el clérigo—. ¿Prefieres jugar a los naipes o conversar?

Luego sirvió a Will otro vaso de té, que éste aceptó sin muchas ganas.

—No sé jugar a los naipes —contestó Will—, y estoy impaciente por reanudar mi viaje. Si me dirigiera al río, por ejemplo, ¿cree que hallaría pasaje en un barco de vapor que hiciera la travesía al sur?

El sacerdote, con el orondo semblante ensombrecido, se santiguó con un delicado y rápido ademán.

—En la ciudad hay disturbios —respondió—. Lidia Alexándrovna tiene una hermana que vino aquí para decirle que había visto un barco con osos que navegaba río arriba. Unos osos acorazados. Vienen del Ártico. ¿No viste unos osos acorazados cuando estuviste en el norte?

El sacerdote observó a Will con recelo.

—Cuidado —le susurró Balthamos.

Will comprendió de inmediato lo que debía decir. El pulso se le había acelerado cuando Semion mencionó a los osos, debido a lo que Lyra le había contado sobre su relación con ellos. Tenía que disimular sus sentimientos.

—Nos hallábamos muy lejos de Svalbard —replicó Will—, y los osos estaban ocupados con sus asuntos.

—Sí, eso tengo entendido —dijo el sacerdote, para alivio de Will—. Pero han dejado su tierra y se dirigen hacia el sur. Tienen un barco, y la gente de la población no les permite repostar combustible. Les dan miedo los osos. Y llevan razón, porque los osos son hijos del diablo. Todo lo que procede del norte es diabólico. ¡Como las brujas, que son hijas del mal! La iglesia debió acabar con ellas hace mucho tiempo. Procura no tener tratos con las brujas, Will Ivánovitch, ¿me oyes? ¿Sabes lo que harán cuando cumplas la edad apropiada? Tratarán de seducirte. Utilizarán sus dulces y falsas artimañas, su carne, su piel suave, su dulce voz, y te arrebatarán tu simiente... Ya sabes a qué me refiero... Te dejarán seco y vacío. Te arrebatarán tu futuro, tus posibles hijos, y te dejarán sin nada. Deberían matarlas a todas.

El sacerdote alargó la mano hacia un estante contiguo a su silla y tomó una botella y dos vasitos.

—Voy a ofrecerte una bebida, Will Ivánovitch —anunció—. Como eres joven, no te conviene beber muchos vasos. Pero estás creciendo y tienes que empezar a conocer ciertas cosas, como el sabor del vodka. Lidia Alexándrovna recolectó las bayas el año pasado y yo destilé el licor. El resultado está en esta botella, el único lugar donde yacen juntos Otiets Semion Borísovitch y Lidia Alexándrovna.

El sacerdote destapó la botella con una carcajada y llenó los vasitos hasta el borde. Will se sentía tremendamente incómodo. ¿Qué podía hacer? ¿Cómo iba a rechazar la bebida sin mostrarse descortés?

—Otiets Semion —dijo poniéndose en pie—, ha sido muy amable y lamento no poder quedarme para probar su vodka y escuchar sus relatos, que sin duda serán muy interesantes. Pero comprenderá que estoy inquieto por mi familia e impaciente por dar con ellos, así que me tengo que poner en marcha aunque me gustaría quedarme.

El sacerdote frunció los labios que asomaban entre su espesa barba y arrugó el entrecejo, pero al fin se encogió de hombros.

Tras apurar el vaso en un santiamén, el clérigo se irguió en toda su corpulencia para situarse junto a Will. El vaso que sostenía entre sus dedos sucios y grasientos parecía minúsculo, pero rebosaba de un licor transparente. Al percibir su penetrante aroma junto con el olor rancio del sudor y de las manchas de comida en la sotana del sacerdote, Will se sintió mareado antes de beber siquiera un sorbo.

—¡Bebe, Will Ivánovitch! —gritó el hombre con una vehemencia que atemorizó al chico.

Will levantó el vaso e ingirió sin pestañear el potente líquido, reprimiendo las náuseas.

Pero aún debía superar otra prueba. Semion Borísovitch se inclinó desde su gran estatura y lo agarró por los hombros.

—Hijo mío —declaró.

Acto seguido cerró los ojos y se puso a entonar una oración o un salmo. El clérigo emanaba un fuerte hedor a tabaco, alcohol y sudor, y al moverse rozaba la cara de Will con su espesa barba. Will contuvo la respiración.

Semion Borísovitch enlazó las manos detrás de los hombros de Will, le abrazó con fuerza y le besó en las mejillas, derecha, izquierda y de nuevo en la derecha. Will notó que Balthamos le clavaba las patitas en sus hombros y permaneció inmóvil. La cabeza le daba vueltas y tenía el estómago revuelto, pero no movió ni un músculo.

Por fin el sacerdote retrocedió y se separó de él, propinándole un empellón.

—Vete, pues —dijo—, vete al sur, Will Ivánovitch. Anda, vete.

Will tomó la capa y la mochila y trató de caminar derecho mientras abandonaba la casa y enfilaba el sendero que le conduciría fuera de la aldea.

Durante las dos horas que Will estuvo andando, las náuseas fueron remitiendo lentamente para dar paso a un martilleo en las sienes. En cierto momento Balthamos le pidió que se detuviera y posó sus frescas manos en su cuello y en su frente, consiguiendo aliviar un poco su dolor. De todos modos, Will se prometió no volver a beber vodka en su vida.

A media tarde se ensanchó el sendero y dejó atrás los juncos. Will vio frente a él una población y tras ella una extensión de agua tan grande que parecía un mar.

Incluso a aquella distancia, Will se percató de que había problemas. De los tejados brotaban unas bocanadas de humo seguidas unos segundos después por ruidos de disparos de rifles.

—Balthamos, tendrás que hacerte pasar de nuevo por mi daimonion —dijo—. Manténte a mi lado y vigila por si hay peligro.

Will se adentró en la mugrienta población, cuyos edificios se inclinaban en un ángulo aún más precario que los de la aldea. Las manchas de barro a causa de la inundación alcanzaban una altura superior a la de Will. Las inmediaciones de la población estaban desiertas, pero a medida que Will se fue aproximando al río, el ruido de voces, gritos y disparos de rifle se intensificaron.

Por fin vio gente: algunas personas miraban desde las ventanas del piso superior de sus casas, otras asomaban la cabeza por las esquinas de los edificios para observar el malecón, donde los dedos metálicos de las grúas y los mástiles de los grandes barcos se erguían sobre los tejados.

De pronto se produjo una explosión que hizo temblar los muros y reventó los cristales de las ventanas. La gente retrocedió espantada, pero enseguida volvieron a asomarse mientras el humo enturbiaba el aire y sonaban gritos por doquier.

Will llegó a la esquina de la calle y observó el malecón. Cuando el polvo y el humo se despejaron un poco, vio un barco herrumbroso detenido frente a la ribera y que se mantenía firme contra la corriente del río. En el muelle distinguió una muchedumbre armada con rifles y pistolas en torno a un enorme cañón, que instantes después volvió a disparar un proyectil. Se produjo un fogonazo, un brusco retroceso y una gran salpicadura en el agua, junto al barco.

Will se protegió los ojos del resplandor del sol. En el barco había unas figuras, pero... Se frotó los ojos, aunque ya sabía que no eran humanas. Eran unos colosales seres de metal, o que iban cubiertos con pesadas armaduras. En la cubierta del barco apareció de improviso una llama, como una flor abriendo sus pétalos, que provocó gritos de alarma entre la multitud. La llama surcó el aire, elevándose cada vez más, derramando chispas y humo, y cayó con gran estrépito cerca del cañón. Los hombres se dispersaron dando gritos; algunos se lanzaron al agua, pues se había prendido fuego en sus ropas, y desaparecieron arrastrados por la corriente.

Will vio a un hombre junto a él con pinta de maestro.

—¿Habla inglés? —le preguntó.

—Sí, sí, en efecto...

—¿Qué ocurre?

—Los osos nos atacan y nosotros tratamos de repelerles, pero es difícil porque sólo disponemos de un cañón.

Desde el barco lanzaron otra bola de brea ardiente, que en esta ocasión aterrizó aún más cerca del cañón. Las tres violentas explosiones que se produjeron de inmediato indicaban que la brea había alcanzado la munición. Los artilleros se apartaron de un salto, dejando que el cañón se inclinara hacia abajo.

—Ah —se lamentó el hombre—, es inútil, no pueden disparar.

El comandante del barco giró la cabeza y se dirigió hacia la orilla. Mucha gente comenzó a gritar despavorida, sobre todo cuando otra gran bola de fuego apareció en cubierta. Algunos de los que empuñaban rifles dispararon un par de veces antes de echar a correr. Sin embargo en aquella ocasión los osos no lanzaron el fuego, y al cabo de unos instantes el barco avanzó hacia el muelle con los motores a pleno rendimiento para contrarrestar la corriente del río.

Dos marineros (humanos, no osos) saltaron a tierra para amarrar los cabos en los norays al tiempo que la multitud lanzaba gritos de protesta porque unos humanos ayudaban a los osos. Impertérritos, los marineros se apresuraron a colocar una pasarela.

Luego, cuando se volvieron para regresar a bordo, alguien situado cerca de Will disparó un arma y uno de los marineros fue abatido. Su daimonion, una gaviota, desapareció con la rapidez con que se extingue la llama de una vela.

Los osos reaccionaron con auténtica furia. De inmediato encararon el barco hacia la orilla y su artillería lanzó cientos de bolas de fuego que se derramaron sobre los tejados. En la pasarela apareció entonces un oso más grande que los otros, una representación de aquel férreo poderío. Las balas que llovieron sobre él rebotaron con un débil chasquido y cayeron al suelo, incapaces de causar mella alguna en su imponente armadura.

—¿Por qué atacan la población? —preguntó Will al hombre que estaba a su lado.

—Quieren combustible. Pero nosotros no queremos trato alguno con los osos. Han abandonado su reino y viajan río arriba. ¿Quién sabe lo que se proponen? Nosotros lucharemos contra ellos. Son piratas... ladrones...

El gigantesco oso bajó por la pasarela. Tras él se agolpaban otros osos, tan pesados que hicieron que el barco se ladeara. Will vio que los artilleros que estaban en el muelle casi habían logrado hacer girar el cañón y cargaban un proyectil.

Entonces se le ocurrió una idea y se dirigió a la carrera hacia el río para situarse en el espacio que mediaba entre los artilleros y el oso.

—¡Alto! —gritó—. ¡Basta de pelear! ¡Dejadme que hable con el oso!

De improviso todos guardaron silencio, atónitos ante el descabellado comportamiento de aquel niño. Hasta el oso, que había hecho acopio de todas sus fuerzas para cargar contra los artilleros, se quedó allí plantado, inmóvil, temblando de furia. No cesaba de arañar el suelo con sus grandes garras, y sus ojos negros relampagueaban de rabia bajo el yelmo de hierro.

—¿Qué eres? ¿Quién eres? —tronó en inglés, puesto que Will se había expresado en esa lengua.

La gente se miraba desconcertada, y los que entendían inglés tradujeron a los otros lo que habían dicho Will y el oso.

—Me enfrentaré a ti en un combate cuerpo a cuerpo —replicó Will—, y si tú te retiras cesará la pelea.

El oso no reaccionó. Cuando los espectadores comprendieron lo que Will había propuesto, comenzaron a gritar y a mofarse de él. Pero Will se volvió hacia ellos y los miró con frialdad, sin perder la compostura, inmóvil, hasta que dejaron de reír. Notó que el cuervo Balthamos temblaba, posado en su hombro.

—Si logro que el oso se retire —dijo Will cuando la multitud hubo enmudecido— deberéis acceder a venderles combustible. Entonces se irán río arriba y os dejarán tranquilos. Deberéis acceder. En caso contrario, os destruirán a todos.

Will sabía que el descomunal oso estaba a sus espaldas, a pocos pasos, pero no se volvió; observó cómo la gente se consultaba, gesticulando y discutiendo.

—¡Chico! ¡Haz que el oso acepte!

Will se volvió. Tragó saliva, respiró hondo y dijo:

—Debes aceptar, oso. Si te retiras, cesará la lucha y podréis comprar combustible y continuar pacíficamente río arriba.

—¡Imposible! —rugió el oso—. Sería deshonroso pelear contigo. Eres tan débil como una ostra sin su caparazón. No puedo combatir contigo.

—Estoy de acuerdo contigo —reconoció Will—. No sería un combate justo. Tú dispones de esa imponente armadura y yo no tengo nada. Podrías arrancarme la cabeza de un zarpazo. Te propongo que me des una pieza de tu armadura para equilibrar la situación. Tu yelmo, por ejemplo. De ese modo estaremos en condiciones parecidas y no te resultará deshonroso luchar conmigo.

Con un gruñido de odio, rabia y desprecio, el oso alzó su gigantesca zarpa y desprendió la cadena que sujetaba su yelmo.

En el malecón se hizo un silencio absoluto. Nadie dijo una palabra, nadie se movió. Todos intuían que estaba ocurriendo algo que jamás habían presenciado, aunque no sabían precisar qué era. Sólo se oía el chapoteo del río contra los pilotes de madera, el rumor del motor del barco y los incesantes graznidos de las gaviotas en el cielo. De pronto el yelmo aterrizó a los pies de Will con un fuerte estruendo.

Will depositó la mochila en el suelo y se colocó el yelmo. Apenas podía levantarlo. Constaba de una sola lámina de hierro, oscura y mellada, provista de unos orificios para ver a través de ella, y de una maciza cadena que pendía de la parte inferior. Era larga como el antebrazo de Will y gruesa como su pulgar.

—De modo que ésta es tu armadura —observó—. Pues a mí no me parece muy resistente. No sé si fiarme de ella. Veamos.

Will sacó la daga de la mochila, apoyó la punta en la parte delantera del yelmo y rebanó un pedazo como si se tratara de mantequilla.

—Lo que había imaginado —dijo, y comenzó a cortar un pedazo tras otro hasta reducir el yelmo a un montón de fragmentos en menos de un minuto. Luego se incorporó y sostuvo en alto un puñado de trocitos de metal.

—Ésta era tu armadura —dijo, dejando caer los pedazos al suelo—, y ésta es mi daga. Puesto que tu yelmo no me sirve, tendré que pelear sin él. ¿Estás listo, oso? Creo que ahora estamos en igualdad de condiciones. Podría rebanarte la cabeza con mi daga.

El silencio era total. Los ojos negros del oso relucían como el azabache. Will sintió una gota de sudor que le corría por la espalda.

Entonces el oso meneó la cabeza y retrocedió un paso.

—Es un arma demasiado poderosa —dijo—. No puedo luchar contra ella. Has ganado tú, chico.

Intuyendo que la multitud estaba a punto de lanzarse a dar alaridos, a vitorear y a aplaudirle, antes de que el oso hubiera terminado de pronunciar la palabra «ganado» se volvió apresuradamente y alzó la mano para imponer silencio.

—Tenéis que cumplir el trato. Atended a los heridos y comenzad a reparar los edificios. Después dejad que el barco atraque en el muelle y que reposte combustible.

Sabía que llevaría un minuto traducir sus palabras, así que esperó a que éstas se propagaran entre los lugareños. Sabía además que esa demora impediría que la gente diera rienda suelta a su satisfacción y su rabia, al igual que una barrera de sacos de arena detiene y desbarata la corriente de un río. El oso le observó, consciente de lo que hacía y por qué, sabiendo mejor que Will lo que éste había conseguido.

Después de guardar la daga en la mochila, el niño y el oso cambiaron una mirada, pero esta vez era distinta. Se acercaron el uno al otro, mientras a sus espaldas los osos comenzaban a desmantelar la catapulta de fuego y los otros dos barcos iniciaban la maniobra de aproximación al muelle.

Algunas personas comenzaron a desperdigarse en la orilla, pero muchas otras se arremolinaron en torno a Will, curiosas por ver a aquel niño que tenía el poder de dominar al oso. Había llegado el momento de pasar nuevamente inadvertido, de modo que Will recurrió a la magia que había utilizado su madre para desviar la atención de ella y su familia, manteniéndoles a salvo durante muchos años. No se trataba de magia, por supuesto, sino de una forma de comportarse. Adoptó una actitud taciturna y una mirada apagada, y la gente pronto dejó de mostrar interés por aquel niño hosco y aburrido y se olvidaron de él.

Pero el oso observó atentamente lo que Will hacía y al notar la reacción de la gente comprendió que el niño poseía otra habilidad extraordinaria. Se acercó a él y le habló con voz queda aunque profunda y resonante, como los motores del barco.

—¿Cómo te llamas? —preguntó.

—Will Parry. ¿Puedes fabricar otro yelmo?

—Sí. ¿Qué te propones?

—Quiero navegar con vosotros río arriba. Me dirijo a las montañas, y ésa es la ruta más rápida. ¿Me llevaréis?

—Sí. Quiero ver esa daga.

—Sólo se la enseñaré a un oso del que pueda fiarme. He oído decir que hay uno digno de confianza. Es el rey de los osos, un buen amigo de la niña a la que voy a buscar en las montañas. Se llama Lyra Lenguadeplata, y el oso Iorek Byrnison.

—Yo soy Iorek Byrnison —declaró el oso.

—Lo sabía —repuso Will.

El barco repostaba combustible. Los osos habían remolcado las vagonetas y las inclinaban para verter el carbón por los conductos de la bodega, lo que levantaba una espesa nube de polvo negro. Sin que los lugareños se percataran de ello, ocupados como estaban en barrer cristales y regatear sobre el precio del combustible, Will siguió al rey de los osos por la pasarela y subió al barco.

9

Río arriba

... SOBRE LA
MENTE PESA
UNA SOMBRA,
COMO CUANDO
AL MEDIODÍA
UNA NUBE
ENVUELVE EL
PODEROSO
SOL...
EMILY DICKINSON

Déjame ver la daga —dijo Iorek Byrnison—. Entiendo de metal. Nada que esté hecho de hierro o acero es un misterio para un oso. Pero nunca he visto una daga como la tuya, y me gustaría examinarla detenidamente.

Will y el rey oso se encontraban en la cubierta del vapor, envueltos por los cálidos rayos del sol poniente, mientras remontaban a buen ritmo la corriente. A bordo había combustible en abundancia, y comida que Will podía consumir. Él y Iorek Byrnison estaban tanteándose de nuevo. Ya lo habían hecho en otra ocasión.

Will tendió la daga a Iorek, con la empuñadura dirigida hacia él, y el oso la tomó con delicadeza. Tenía una garra a modo de pulgar frente a las otras cuatro, lo cual le permitía manipular objetos con la destreza de un ser humano. Iorek examinó la daga por uno y otro lado, haciendo que la luz se reflejara en ella, probando el filo de acero sobre un pedazo de hierro.

—Este filo es el que has empleado para cortar mi armadura —afirmó—. El otro es muy extraño. No sé bien qué es, para qué sirve ni cómo está hecho. Pero quiero saberlo. ¿Cómo llegó a tu poder?

Will le refirió buena parte de lo sucedido, omitiendo los detalles que sólo le concernían a él: su madre, el hombre al que había matado, su padre.

—¿Peleaste por esto y perdiste dos dedos? —preguntó el oso—. Enséñame la herida.

Will alargó la mano. Gracias al ungüento de su padre, las lesiones cicatrizaban bien, pero todavía le dolían un poco. El oso las olisqueó.

—Musgo de la sangre —observó—. Y otra cosa que no logro identificar. ¿Quién te dio eso?

—Un hombre que me dijo lo que debía hacer con la daga. Después murió. Me curó la herida con un ungüento que llevaba en una caja de cuerno. Las brujas lo intentaron, pero su hechizo no dio resultado.

—¿Y qué te dijo ese hombre que debías hacer con la daga? —inquirió Iorek Byrnison al tiempo que se la devolvía.

—Utilizarla en una guerra en el bando de lord Asriel —contestó Will—. Pero primero debo rescatar a Lyra Lenguadeplata.

—Entonces te ayudaremos —dijo el oso.

A Will le dio un brinco de alegría el corazón.

Durante los días siguientes, Will averiguó por qué los osos habían emprendido aquel viaje al Asia Central, alejándose tanto de su tierra natal.

Desde la catástrofe que había hecho que reventaran y se abrieran los mundos, todo el hielo ártico había comenzado a fundirse y en el agua habían aparecido nuevas y extrañas corrientes. Como los osos dependían del hielo y de los animales que vivían en el gélido mar, temían morir de hambre si permanecían allí. Y puesto que eran unos seres racionales, decidieron cómo resolver ese problema. Emigrarían a un lugar donde hubiera abundante nieve y hielo: se dirigirían a las montañas más altas, a la cordillera que rozaba el cielo, situada a medio mundo de distancia pero inconmovible, eterna, cubierta por un espeso manto de nieve. De osos de mar pasarían a ser osos de montaña, durante el tiempo que el mundo tardara en recuperar la normalidad.

—¿Así que no peleáis en ninguna guerra? —preguntó Will.

—Nuestros antiguos enemigos desaparecieron junto con las focas y las morsas. Si encontramos otros, sabemos cómo combatirlos.

—Yo creía que estaba a punto de estallar una guerra en la que se vería implicado todo el mundo. En caso de producirse, ¿en qué bando lucharías tú?

—En el bando que nos reportara algún beneficio a los osos, lógicamente. No obstante, siento cierta admiración por algunos humanos. Uno era un hombre que volaba en un globo. Está muerto. El otro es la bruja Serafina Pekkala. El tercero es la niña Lyra Lenguadeplata. Primero haría lo que fuera más conveniente para los osos. Después lo que resultara más conveniente para la niña, o la bruja, o para vengar a mi camarada muerto, Lee Scoresby. Por eso te ayudaré a rescatar a Lyra Lenguadeplata de esa abominable mujer, la Coulter.

El oso refirió a Will cómo él y algunos de sus súbditos habían ido a nado hasta la embocadura del río y habían pagado el alquiler del barco con oro, habían contratado a la tripulación y habían aprovechado el descenso de las aguas del Ártico dejando que el río les condujera tierra adentro, y puesto que el origen del mismo se hallaba en las estribaciones septentrionales de las montañas a las que se dirigían, y dado que Lyra estaba presa allí, hasta el momento todo había salido a pedir de boca.

El tiempo transcurrió apaciblemente.

Durante el día, Will dormitaba en cubierta, descansando y recuperando las fuerzas, porque estaba completamente agotado. Observaba los cambios que se producían en el paisaje, cómo las ondulantes estepas cedían paso a unas suaves colinas cubiertas de pastizales y luego a un terreno más elevado, surcado de vez en cuando por un desfiladero o una catarata, mientras el vapor proseguía su travesía hacia el sur.

Hablaba con el capitán y la tripulación por cortesía, pero como no poseía la facilidad de trato que tenía Lyra con los desconocidos, le costaba encontrar un tema de charla. Aquello sólo era un trabajo, y cuando lo terminara se marcharía sin mirar atrás ni una vez, y por otra parte los osos no le caían bien, pese a estar cargados de oro. Will era un forastero, y mientras pagara la comida que consumía les tenía sin cuidado lo que hiciera. Además tenía ese extraño daimonion que se parecía al de una bruja: a veces estaba allí y a veces parecía haberse esfumado. Los osos, que eran supersticiosos como la mayoría de los marineros, preferían no tener muchos tratos con él.

Balthamos, por su parte, tampoco hablaba mucho. En ocasiones, cuando se sentía abrumado por su dolor, abandonaba el barco y volaba entre las nubes en busca de un retazo de luz o una ráfaga de aire, una estrella errante o una turbulencia que le recordara las experiencias que había compartido con Baruch. Cuando por las noches hablaba en la oscuridad del pequeño camarote en el que dormía Will, lo hacía sólo para informarle del trecho recorrido y de lo que faltaba para llegar a la cueva y al valle. Tal vez creyera que Will le ofrecía escaso consuelo, pero lo habría hallado en abundancia si lo hubiera pedido. El ángel se había vuelto más lacónico y reservado, aunque evitaba todo sarcasmo. Al menos en eso mantuvo su promesa.

En cuanto a Iorek, examinaba la daga con obsesiva atención durante horas, palpando sus dos filos, comprobando su elasticidad, acercándola a la luz, tocándola con la lengua, husmeándola y escuchando el sonido que producía el aire al deslizarse sobre su superficie. Will no temía que el arma sufriera algún daño, porque era evidente que Iorek era un hábil artesano, ni tampoco temía por Iorek debido a la delicadeza de los movimientos de sus poderosas zarpas.

Por fin un día Iorek se acercó a Will y le dijo:

—Ese otro filo hace algo que no me has explicado. ¿Qué es, cómo funciona?

—Aquí no puedo mostrártelo —replicó Will— porque el barco se mueve. Te lo enseñaré cuando nos detengamos.

—Se me ocurre qué puede ser —dijo el oso—, pero no lo comprendo. Es lo más raro que he visto en mi vida.

Le devolvió la daga a Will, dirigiéndole una mirada larga, inescrutable, desconcertante, con sus ojos negros y profundos.

El río había mudado al alcanzar los restos de los primeros torrentes que se habían precipitado desde el Ártico. Las convulsiones habían afectado a la Tierra de forma distinta según el lugar, tal como observó Will. Vio innumerables aldeas anegadas de agua hasta los tejados y a centenares de personas sin hogar que se afanaban en recuperar lo que podían utilizando barcas y canoas. La Tierra debía de haberse hundido un poco allí, porque el río se ensanchaba, remansado, y el capitán tenía problemas para localizar su cauce entre los turbios y amplios ramales. Hacía más calor y el sol caía a plomo, lo cual resultaba agobiante para los osos; algunos avanzaban a nado junto al barco, saboreando de paso el gusto de las aguas de su mar de origen en aquel país extranjero.

Por fin el río volvió a estrecharse y hacerse más profundo, y poco después se alzaron ante ellos las montañas de la gran altiplanicie de Asia Central. Un día Will divisó una franja blanca en el horizonte y observó cómo iba creciendo, concretándose en distintos picos, crestas y desfiladeros, tan elevados que parecían hallarse a pocos kilómetros de distancia, cuando en realidad aún se hallaban muy lejos. Esto se debía a que eran unas montañas descomunales, y a medida que se aproximaban a ellas, hora tras hora, mostraban una altura increíble.

La mayoría de los osos, que nunca habían visto más montañas que los acantilados de su isla de Svalbard, contemplaron en silencio las gigantescas murallas que se alzaban en la lejanía.

—¿Qué cazaremos ahí, Iorek Byrnison? —preguntó uno—. ¿Hay focas en las montañas? ¿Cómo viviremos?

—Hay nieve y hielo —respondió el rey—. Estaremos en nuestro elemento. Ahí habitan un sinnúmero de animales salvajes. Durante un tiempo llevaremos una vida distinta, pero lograremos subsistir. Y cuando la situación se normalice y el Ártico se hiele de nuevo, regresaremos para recuperar nuestro hogar. Si nos hubiéramos quedado allí, habríamos muerto de hambre. Osos míos, preparaos para adaptaros a un entorno extraño y a nuevas costumbres.

Al cabo de un rato el vapor no pudo seguir avanzando, porque el cauce del río se había estrechado y las aguas no eran lo suficiente profundas. El capitán detuvo el barco en un valle que en circunstancias normales habría estado cubierto por una alfombra de hierba y flores de montaña, donde el río se disgregaba sobre un lecho de grava. El valle se había convertido en un lago, y el capitán no se atrevía a ir más allá por temor a que la quilla chocara contra el lecho, pese al inmenso torrente de agua que se había precipitado desde el norte.

De modo que atracaron en el borde del valle, en una especie de malecón formado por un saliente rocoso, y desembarcaron.

—¿Dónde estamos? —preguntó Will al capitán, que se expresaba en un inglés rudimentario.

El capitán tomó un viejo mapa y señaló un punto con su pipa.

—Este valle, ahora aquí. Toma, toma.

—Muchas gracias —dijo Will, sin saber si debía ofrecerle dinero a cambio del mapa, pero el capitán se volvió para supervisar el desembarco.

Poco después la treintena de osos se encontraba en la estrecha orilla junto con sus armaduras.

El capitán dio una orden a voz en cuello y el barco comenzó a girar lentamente contra corriente, maniobrando hacia el centro del cauce y alejándose con un toque de sirena cuyo eco sonó durante un buen rato a través del valle.

Will se sentó en una piedra para examinar el mapa. Si no estaba equivocado, el valle donde Lyra se hallaba cautiva quedaba a cierta distancia hacia el sudeste, y el mejor medio de llegar allí era a través de un desfiladero llamado Sungchen.

—Osos, retened todos los detalles de este lugar —dijo Iorek Byrnison a sus súbditos—. Cuando llegue el momento de regresar al Ártico, nos reuniremos aquí. Ahora dispersaos, cazad, comed y vivid. No os peleéis. No hemos venido aquí para entablar ninguna guerra. Si se produjera una amenaza de guerra, os llamaría.

Por lo general los osos eran unas criaturas solitarias que sólo se reunían en tiempos de guerra o por una emergencia. Ahora que se hallaban en los límites de una tierra cubierta de nieve, estaban impacientes por explorarla, cada uno por su lado.

—Vamos, Will —dijo Iorek Byrnison—. Encontraremos a Lyra.

Will tomó la mochila y se pusieron en marcha.

La primera parte del trayecto fue una agradable caminata. El sol calentaba, pero los pinos y los rododendros evitaban que sus potentes rayos les abrasaran los hombros, y el aire era fresco y límpido. Las piedras del suelo estaban cubiertas de musgo y agujas de pino, y las laderas por las que subían no eran escarpadas. Will disfrutó con el ejercicio. Los días que había pasado a bordo del barco, en obligado reposo, le habían permitido recuperar las fuerzas. Cuando se había topado con Iorek estaba a punto de caer rendido. Will no era consciente de ello, pero el oso sí se había dado cuenta.

Tan pronto como se quedaron solos, Will mostró a Iorek cómo funcionaba el otro filo de la daga. Abrió un mundo donde una selva tropical exhalaba una húmeda atmósfera cargada de intensos aromas que impregnaban el límpido aire de la montaña. Tras observar atentamente y tocar el borde de la ventana con la zarpa, Iorek se adentró en el cálido ambiente selvático y lo contempló en silencio. Los chillidos de los monos, los cantos de los pájaros, los zumbidos de los insectos, el croar de las ranas y el incesante goteo de humedad condensada casi retumbaban en los oídos de Will, que aguardaba fuera.

Luego Iorek regresó junto a Will y observó cómo cerraba la ventana. Entonces le pidió de nuevo la daga y comenzó a escrutar el plateado filo tan de cerca que Will temió que se hiriera en un ojo. Tras examinarla durante un buen rato, el oso se la devolvió.

—Yo estaba en lo cierto —dijo—. No podría haber peleado contra eso.

Siguieron adelante sin apenas despegar los labios. Iorek Byrnison capturó una gacela, que devoró casi entera, dejando la carne más tierna para que la asara Will. Al cabo de un rato llegaron a una aldea.

Mientras Iorek aguardaba en el bosque, Will trocó una de sus monedas de oro por unas hogazas de pan y unos frutos secos, unas botas de piel de yak y una zamarra de piel de cordero, pues empezaba a refrescar por las noches.

Will indagó también sobre el valle surcado por el arco iris. Balthamos le ayudó asumiendo la forma de un cuervo, como el daimonion del hombre con el que habló Will. Eso facilitó las cosas entre ambos, lo que permitió a Will obtener unas señas claras y concisas.

Quedaban otras tres jornadas de marcha. Ya les faltaba poco para llegar.

Al igual que a los otros.

El contingente de lord Asriel, compuesto por el escuadrón de girópteros y el zepelín cisterna, había llegado a la abertura entre los mundos: una brecha en el cielo situada sobre Svalbard. Todavía les quedaba mucho trecho por recorrer, pero volaban sin realizar más pausas que las imprescindibles, y el comandante, el rey africano Ogunwe, mantenía comunicación con la fortaleza de basalto dos veces al día. Tenía un operador de magnetita gallivespiano a bordo de su giróptero, a través del cual se enteraba tan rápidamente como el propio lord Asriel de lo que ocurría en distintos puntos.

Las noticias eran desconcertantes. La pequeña espía, lady Salmakia, había presenciado amparada por la sombra cómo los dos brazos más poderosos de la iglesia, el Tribunal Consistorial de Disciplina y la Sociedad de la Obra del Espíritu Santo, habían aceptado dejar de lado sus diferencias e intercambiar información. La Sociedad disponía de un aletiometrista más veloz y hábil que fray Pavel, y gracias a él, el Tribunal Consistorial sabía con exactitud dónde se encontraba Lyra. Y eso no era todo: sabían que lord Asriel había enviado una fuerza para rescatarla. Sin perder tiempo, el Tribunal había reclutado una escuadrilla de zepelines, y ese mismo día un batallón de la Guardia Suiza había comenzado a embarcar a bordo de los zepelines que aguardaban en la plácida atmósfera junto al lago de Ginebra,

Ambos bandos estaban por tanto al corriente de que el otro se dirigía hacia la cueva de las montañas. Ambos eran conscientes además de que el primero en llegar sacaría ventaja al otro, aunque por el momento las cosas estaban igualadas: los girópteros de lord Asriel eran más rápidos que los zepelines del Tribunal Consistorial, pero debían recorrer una mayor distancia y estaban limitados por la velocidad de su zepelín cisterna. Había otro elemento a tener en cuenta: el primero que diera con Lyra tendría que luchar contra la fuerza contraria. Al Tribunal Consistorial le resultaría más fácil, porque no tenía que preocuparse por llevarse a Lyra sin que sufriera percance. Volaban hacia allá para matarla.

El zepelín en el que viajaba el presidente del Tribunal Consistorial transportaba también a otros pasajeros, aunque nadie lo sabía. El caballero Tialys había recibido un mensaje a través de su resonador de magnetita en el que se le ordenaba que él y lady Salmakia se colaran a bordo. Cuando los zepelines llegaran al valle, él y lady Salmakia debían adelantarse y llegar por su cuenta a la cueva donde se encontraba Lyra para protegerla lo mejor que pudieran hasta que llegara la fuerza del rey Ogunwe para rescatarla.

Subir a bordo del zepelín no fue tarea fácil para los dos espías, entre otras cosas por el equipo que llevaban. Aparte del resonador de magnetita, los elementos más importantes consistían en un par de larvas de insectos y la comida que necesitaban. Cuando los insectos adultos eclosionaran, parecerían más bien unas libélulas, aunque distintas a las que conocían los humanos del mundo de Will y de Lyra. En primer lugar eran mucho más grandes. Los gallivespianos criaban aquellas criaturas con gran esmero, y las libélulas de cada clan eran diferentes de las otras. El clan del caballero Tialys criaba unas libélulas vigorosas, a rayas rojas y amarillas y con un apetito feroz, en tanto que la que criaba lady Salmakia sería una criatura esbelta, veloz, con el cuerpo de color azul eléctrico capaz de brillar en la oscuridad.

Todos los espías disponían de varias larvas, que mediante una determinada cantidad de alimento a base de aceite y miel podían permanecer en estado aletargado o alcanzar rápidamente la fase adulta. Tialys y Salmakia disponían de treinta y seis horas, según la potencia del viento, para llevar a cabo la transformación de aquellas larvas, pues ése era el tiempo aproximado de duración del vuelo, y era preciso que los insectos eclosionaran antes de que los zepelines tomaran tierra.

El caballero y su colega se ocultaron detrás de un tabique mientras los otros cargaban y llenaban los depósitos de la nave. Poco después los motores comenzaron a rugir, sacudiendo la liviana estructura de un extremo a otro al tiempo que la tripulación de tierra dirigía la maniobra de despegue y los ocho zepelines se elevaban en el cielo nocturno.

Aunque cualquier miembro de su especie habría considerado la comparación como un insulto imperdonable, los gallivespianos demostraron tanta habilidad como las ratas a la hora de ocultarse. Desde su escondrijo oían muchas conversaciones y cada hora establecían comunicación con lord Roke, que viajaba a bordo del giróptero del rey Ogunwe.

No obstante había una cuestión sobre la que no lograron averiguar más detalles a bordo del zepelín, porque el presidente se guardó de mencionarla: el asunto del asesino, el padre Gómez, que había sido ya absuelto del pecado que se disponía a cometer si el Tribunal Consistorial fracasaba en su misión. El padre Gómez se encontraba en otro lugar, y nadie le seguía los pasos.

10

Ruedas

—Sí —afirmó la niña pelirroja en los jardines del desierto Casino—. Paolo y yo la vimos. Pasó por aquí hace unos días.

—¿Y recordáis su aspecto? —preguntó el padre Gómez.

—Parecía acalorada —respondió el niño—. Tenía la cara empapada en sudor.

—¿Qué edad le echaríais?

—Unos... —contestó la niña, dubitativa—. Yo diría que unos cuarenta o cincuenta. No la vimos de cerca. Puede que tuviera unos treinta. Pero estaba acalorada, como ha dicho Paolo, y llevaba una mochila enorme, más grande que la que lleva usted. ¡Así de grande!

Paolo le susurró algo al oído mientras achicaba los ojos para observar al sacerdote, porque el sol le daba en la cara.

—Sí —replicó la niña con impaciencia—, ya lo sé. No temía a los espantos —le explicó al padre Gómez—. Atravesó toda la ciudad sin preocuparse de ellos. Nunca he visto a una persona mayor hacer eso. Daba la sensación de que ni siquiera sabía que los espantos existen. Lo mismo que usted —agregó, mirándole con expresión de desafío.

—Hay muchas cosas que no sé —confesó con afabilidad el padre Gómez.

Paolo tiró de la manga de la niña y volvió a susurrarle algo.

—Paolo cree que usted se propone recuperar la daga —informó la niña al sacerdote.

El padre Gómez sintió que se le erizaba el vello. Recordó la declaración de fray Pavel durante el proceso del Tribunal Consistorial: ésa debía de ser la daga a la que se referían los niños.

—Lo haré si puedo —respondió—. La daga estaba antes aquí, ¿no es cierto?

—En la Torre degli Angeli —le informó la niña señalando la torre de piedra cuadrada que asomaba sobre los tejados rojizos, resplandeciente bajo el sol del mediodía—. El niño que la robó mató a nuestro hermano, Tullio. Los espantos lo pillaron. Si quiere usted matar a ese niño, a nosotros nos parece bien. Y la niña... era una mentirosa, tan mala como él.

—¿Había una niña? —inquirió el sacerdote tratando de disimular su interés, convencido de que aquella niña era Lyra.

—Una maldita embustera —espetó la chiquilla pelirroja—. Casi los matamos a los dos, pero aparecieron unas mujeres que volaban...

—Unas brujas —apostilló Paolo.

—Eso, unas brujas, y no pudimos luchar contra ellas. Se llevaron al niño y a la niña. No sabemos adónde fueron. La mujer se presentó después. Pensamos que quizá tuvieran una especie de daga, para ahuyentar a los espantos, ¿sabe? Y a lo mejor usted también tiene una —añadió la niña, alzando el mentón y mirando al sacerdote con descaro.

—No tengo ninguna daga —afirmó el padre Gómez—. Pero tengo una misión sagrada. Puede que sea eso lo que me protege de... los espantos.

—Puede —repuso la niña—. De todas formas, si quiere encontrar a la mujer, se fue hacia el sur, hacia las montañas. Nadie sabe exactamente dónde, pero si le pregunta a cualquiera le dirán si ha pasado por allí, porque en Ci´gazze no hay nadie como ella ni la ha habido nunca. No le costará encontrarla.

—Gracias, Angelica —dijo el sacerdote—. La Autoridad os bendice, hijos míos.

A continuación se echó la mochila a la espalda, salió del jardín y echó a andar satisfecho a través de las silenciosas y calurosas calles.

Al cabo de tres días en compañía de aquellas criaturas con ruedas, Mary Malone sabía mucho sobre ellas, y éstas sobre Mary.

Aquella primera mañana la condujeron aproximadamente durante una hora por la carretera de basalto hasta un poblado situado junto a un río. Fue un trayecto un tanto incómodo para Mary, pues no tenía dónde agarrarse y el lomo de la criatura era duro. Avanzaban rápidamente a una velocidad que la asustó, pero el estruendo de sus ruedas y sus pisadas sobre la dura superficie de la carretera la distrajo lo suficiente para no acusar la incomodidad.

Durante el viaje pudo reparar mejor en la fisiología de aquellas criaturas. Al igual que los herbívoros, tenían un esqueleto en forma de rombo, con una extremidad en cada vértice. En un determinado momento del pasado remoto, un ancestro suyo debió de haber desarrollado aquella estructura y constatado su funcionalidad, del mismo modo que hace tiempo en el mundo de Mary los seres reptantes habían desarrollado la columna vertebral.

La carretera de basalto discurría en pendiente, y cuando un rato después ésta se acentuó, las criaturas pudieron circular a toda marcha. Encogían las patas laterales y se propulsaban inclinándose hacia un lado o el otro, avanzando a una velocidad que a Mary le pareció espeluznante, aunque tuvo que reconocer que en ningún momento la criatura sobre la que iba montada le transmitió una sensación de peligro. De haber tenido algo a lo que agarrarse, Mary habría disfrutado del paseo.

Al pie de la cuesta, aproximadamente de un kilómetro de largo, había un bosquecillo formado por aquellos descomunales árboles que había visto con anterioridad, junto al cual fluía un manso río a través de un terreno cubierto de hierba. Mary advirtió no muy lejos un reflejo que parecía proceder de una masa mayor de agua, pero no tuvo tiempo de contemplarlo detenidamente porque las criaturas se dirigieron a un poblado situado a orillas del río, que ella ardía en deseos de ver.

Había unas veinte o treinta cabañas distribuidas en un círculo irregular, construidas con unos troncos de madera (Mary tuvo que protegerse los ojos del resol para verlo). Los muros estaban recubiertos con una especie de pasta de zarzo, y los tejados con paja. Había otras criaturas con ruedas trabajando afanosamente: unas reparaban tejados, otras sacaban las redes del río y otras reunían leña para encender fuego.

De modo que tenían un lenguaje, disponían de fuego y estaban organizadas en una sociedad. En aquellos momentos Mary realizó un ajuste mental, sustituyendo la palabra «criaturas» por personas. Aquellos seres no eran humanos pero eran personas, nuestros semejantes, se dijo.

Al aproximarse a ellos, algunos lugareños alzaron la vista y llamaron a los otros para que acudieran. La comitiva que avanzaba por la carretera se detuvo. Mary se apeó con cuidado, sabiendo que más tarde le dolería todo el cuerpo.

—Gracias —dijo a su... ¿su qué?

Buscó la palabra adecuada: ¿montura?, ¿velocípedo? Ambas eran absurdas para describir a aquel ser afable de ojos brillantes que tenía al lado, de modo que se decidió por el término «amigo».

Éste levantó la trompa e imitó sus palabras:

—Razias —dijo. Y ambos se echaron a reír alegremente.

Mary tomó su mochila, que había transportado otra criatura (¡razias, razias!) y abandonó con ellas la carretera de basalto para echar a andar por la tierra apisonada de la aldea.

A partir de aquel momento Mary comenzó a asimilar a fondo cuanto la rodeaba.

A lo largo de días sucesivos aprendió tantas cosas que volvió a sentirse como una niña, desconcertada por las enseñanzas de la escuela. Por otra parte, aquellos seres con ruedas parecían igual de maravillados con Mary. Lo que más les llamaba la atención era sus manos. No paraban de acariciar con sus trompas las articulaciones, examinando sus pulgares, nudillos y uñas, flexionándolos con suavidad. También observaban con asombro cómo manipulaba Mary su mochila, se llevaba la comida a la boca, se desperezaba, se peinaba y se lavaba.

A cambio dejaron que Mary tocara sus trompas. Eran muy flexibles, largas como su brazo, más gruesas en el punto donde se unían a la cabeza, y lo bastante recias como para aplastarle la cabeza, pensó ella. Las dos excrecencias en el extremo, semejantes a unos dedos, eran capaces de ejercer una presión tremenda y al mismo tiempo acariciar con extrema suavidad. Las criaturas podían modificar la textura de su piel en la parte interna, en sus órganos equivalentes a las yemas de los dedos, pasando de un tacto aterciopelado a una solidez semejante a la madera. Por consiguiente podían realizar tareas delicadas, como ordeñar a los herbívoros, y otras más duras, como partir ramas y pelarlas.

Poco a poco se percató de que sus trompas desempeñaban también un importante papel a la hora de comunicarse. Un movimiento de la trompa podía alterar el significado de un sonido, de forma que la palabra que sonaba como «cha» significaba agua cuando iba acompañada de un movimiento de la trompa de izquierda a derecha, «lluvia» cuando la trompa se curvaba hacia arriba, «tristeza» cuando se curvaba hacia dentro y «briznas de hierba tierna» cuando hacía un rápido movimiento hacia la izquierda. Cuando Mary se dio cuenta de ello empezó a imitar ese lenguaje, tratando de mover los brazos del mismo modo, y cuando las criaturas comprendieron que Mary les hablaba, reaccionaron con alborozo.

En cuanto comenzaron a hablar (por lo general en el lenguaje de las criaturas, aunque Mary consiguió enseñarles algunas palabras en inglés: sabían decir «razias», «hierba», «árbol», «cielo» y «río», y pronunciar el nombre de ella, aunque con ciertas dificultades) avanzaron más rápidamente. Las criaturas se denominaban a sí mismas *mulefa*, en tanto que pueblo, pero un individuo era un *zalif*. Mary creyó advertir una diferencia entre los sonidos que designaban a un zalif varón y a una zalif hembra, pero era tan sutil que no estaba segura. En cualquier caso empezó a anotar esas palabras y a compilar un diccionario.

Sin embargo, antes de aplicarse con total dedicación a esa tarea, sacó su viejo libro y sus tallos de milenrama y preguntó al I Ching: «¿Debo estar aquí haciendo esto, o debo marcharme y proseguir mi búsqueda?»

La respuesta no se hizo esperar: «Permanecer inmóvil, para que la intranquilidad se disuelva; después, más allá del tumulto, uno percibe las grandes leyes.»

Y seguía diciendo: «Al igual que una montaña permanece quieta dentro de sí misma, un hombre sabio no permite que su voluntad le lleve más lejos de la situación en que se halla.»

El mensaje no podía estar más claro. Mary guardó los tallos y cerró el libro. Luego comprobó que había atraído a unas criaturas que la observaban formando un círculo en torno a ella.

Una dijo:

—¿Pregunta? ¿Permiso? Curiosa.

Mary respondió:

—Por favor, mirad.

Las criaturas movieron sus trompas con suma delicadeza, como si contaran los tallos de milenrama, imitando a Mary, o como si volvieran las páginas del libro. Un detalle que les asombró fue que ella pudiera sostener el libro y volver las páginas al mismo tiempo. Les encantaba ver cómo Mary entrelazaba los dedos o utilizaba las manos para jugar a un juego infantil llamado «la torre de la iglesia», o realizaba aquel movimiento de unir el pulgar y el índice de la mano contraria repetidas veces, que era el que Ama empleaba en aquel mismo momento en el mundo de Lyra, como sortilegio para ahuyentar a los espíritus malignos.

Cuando hubieron examinado los tallos de milenrama y el libro, doblaron con cuidado la tela alrededor de los primeros y los guardaron junto con el libro en la mochila. Mary se sentía contenta y satisfecha del mensaje de la antigua China, porque significaba que lo que deseaba hacer era, en aquel preciso momento, exactamente lo que debía hacer.

Así pues, alegre y animada, se dispuso a aprender más cosas sobre los mulefa.

Averiguó que había dos sexos y que vivían en parejas monogámicas. Sus hijos tenían una larga infancia que duraba al menos diez años, y crecían muy despacio, según dedujo por las explicaciones de las criaturas. En aquel poblado había cinco jóvenes, uno casi adulto y los otros de edades escalonadas, que al ser de menor estatura que los mayores no sabían maniobrar las ruedas de cápsulas de semillas. Los niños tenían que desplazarse como los herbívoros, apoyando las cuatro patas en el suelo, pero a pesar de su enorme energía y espíritu aventurero (se acercaban a Mary brincando y luego se alejaban a la carrera, trataban de encaramarse a los árboles, se adentraban en aguas poco profundas y cometían otras travesuras por el estilo), se movían con torpeza, como si no estuvieran en su elemento. En comparación con ellos, la velocidad, la fuerza y la gracia de los adultos resultaba extraordinaria. Mary imaginaba lo que debían de anhelar los menores que llegara el día en que tuvieron la talla idónea para poder manejar las ruedas. Un día observó cómo el mayor de ellos penetraba furtivamente en el almacén donde guardaban varias cápsulas de semillas e intentaba encajar una y otra vez la garra delantera en el orificio central, pero cuando trató de levantarse se cayó y quedó atrapado. El ruido atrajo a un adulto. El pequeño pugnaba por liberarse, lanzando unos angustiosos chillidos, y Mary no pudo por menos de reírse ante el espectáculo del padre indignado y el hijo culpable, que logró zafarse en el último momento y se escabulló a toda velocidad.

Las ruedas de cápsulas constituían claramente un elemento de gran importancia, y Mary no tardó en comprobar lo valiosas que eran.

Para empezar, los mulefa dedicaban buena parte de su tiempo al mantenimiento de sus ruedas. Levantando y haciendo girar con destreza la garra podían extraerla del orificio. Luego, valiéndose de sus trompas para examinar las ruedas desde todos los ángulos, podían limpiar la llanta y comprobar si tenía fisuras. La garra era tremendamente fuerte: un espolón de cuerno o de hueso surgía en ángulo recto de la pata para curvarse ligeramente, de forma que la parte superior, en el centro, soportaba el peso al descansar en el interior de la rueda. Mary observó un día cómo un zalif revisaba el agujero de su rueda trasera y vio que la tocaba aquí y allá, alzando y bajando la trompa, como si calibrara el olor.

Mary recordó el aceite que había quedado pegado a sus dedos cuando examinó por primera vez una cápsula de semillas. Con el permiso del zalif, Mary examinó su garra y comprobó que la superficie era lo más liso y resbaladizo que había tocado nunca, hasta el extremo de que sus dedos se deslizaban inevitablemente sobre ella. Toda la garra parecía estar impregnada de aquel aceite levemente perfumado, y después de ver a algunos aldeanos revisar y comprobar el estado de sus ruedas y sus garras, Mary empezó a preguntarse qué había aparecido primero, si la rueda o la garra, el jinete o el árbol.

Había que tener en cuenta no obstante un tercer elemento, la geología. Las criaturas sólo podían utilizar las ruedas en un mundo que les proporcionara carreteras naturales. El contenido mineral de aquellos ríos de lava debía de poseer una característica especial que hacía que discurrieran en líneas semejantes a cintas sobre la vasta sabana y fuera tan resistente al desgaste y a la intemperie. Poco a poco Mary se percató de que todo estaba ligado entre sí, y de que los mulefa se ocupaban de todo sin excepción. Conocían el emplazamiento de cada rebaño de herbívoros, cada bosquecillo de árboles de ruedas, todos los parajes de dulce hierba, y conocían a cada uno de los individuos que componían el rebaño, a todos y cada uno de los árboles, y hablaban sobre su bienestar y su futuro. En cierta ocasión vio cómo seleccionaban entre una manada de herbívoros a algunos ejemplares, que apartaron del resto y sacrificaron partiéndoles el cuello con un movimiento de sus potentes trompas. No desperdiciaban nada. Los mulefa, que habían tomado con sus trompas unas láminas de piedra afiladas como cuchillos, despellejaron y destriparon en poco minutos a los animales que habían sacrificado. Después, con una habilidad digna de unos consumados carniceros, separaron los despojos de la carne tierna y las articulaciones, desechando la grasa y cortando los cuernos y los cascos, con una eficacia que impresionó a Mary, quien los observó con el deleite que experimentaba siempre al presenciar una tarea bien realizada.

A continuación colgaron unas tiras de carne a secar al sol y pusieron otras a salar, envueltas en hojas. También salaron los pellejos, después de rasparlos para eliminar todo residuo de grasa, que reservaron para un uso posterior. Luego los pusieron a remojo para curtirlos en unos cuencos llenos de agua con corteza de roble. El hijo mayor se entretuvo jugando con unos cuernos, fingiendo ser un herbívoro y provocando las carcajadas de los más pequeños. Aquella noche comieron carne fresca y Mary disfrutó de un opíparo festín.

Los mulefa también sabían dónde hallar los mejores peces y cuándo y dónde tender sus redes. En su afán de ser útil, Mary se ofreció para ayudar a los que preparaban las redes. Cuando vio cómo trabajaban, en parejas, juntando sus trompas para atar los nudos, comprendió el asombro que les causaba sus manos, que le permitían atar los nudos sola. Al principio Mary supuso que eso le daba ventaja, que era autosuficiente y no necesitaba a nadie más, pero no tardó en comprender que aquello la aislaba de otros seres. Quizás eso le ocurría a todos los seres humanos. A partir de entonces, Mary utilizó una sola mano para anudar las fibras, compartiendo la tarea con una zalif hembra de la que se hizo muy amiga, moviendo al unísono los dedos y las trompas,

De todos los seres vivos de que se ocupaban aquellas criaturas con ruedas, los árboles provistos de cápsulas de semillas eran los que recibían más atención y cuidados.

Había en la zona media docena de bosquecillos de los que se ocupaba aquel grupo. Más lejos había otros, pero estaban bajo la responsabilidad de otros grupos. Una partida iba cada día a comprobar el estado de los majestuosos árboles y recoger las cápsulas de semillas que hubieran caído. Era evidente lo que ganaban los mulefa, ¿pero qué beneficios obtenían los árboles de esa relación con aquéllos? Mary no tardó en descubrirlo. Un día en que viajaba con el grupo, se oyó de improviso un sonoro estallido. Todos se detuvieron y rodearon a un individuo al que se le había partido la rueda. Como quiera que siempre llevaban una rueda o dos de repuesto, éste no tardó en montar sobre otra. Lo curioso del caso fue que envolvieron cuidadosamente la rueda averiada en un lienzo y la llevaron al poblado.

Una vez allí la abrieron y extrajeron las semillas, unos óvalos lisos y pálidos del tamaño del meñique de Mary, y las examinaron una por una. Le explicaron que las cápsulas precisaban el constante traqueteo que recibían al rodar por las duras carreteras a fin de partirse, y que era difícil que las semillas germinaran. Sin los cuidados de los mulefa, los árboles morirían. Cada especie dependía de la otra, y era el aceite lo que facilitaba aquella interrelación. A Mary le costó comprenderlo, pero dedujo que el aceite constituía el foco del pensamiento y los sentimientos de aquellas criaturas; que los jóvenes no poseían la sabiduría de sus mayores porque no podían utilizar las ruedas, y por tanto no absorbían el aceite a través de sus garras.

En aquel preciso instante Mary comenzó a percibir la relación que había entre los mulefa y la cuestión a la que había consagrado los últimos años.

Pero antes de darle tiempo a analizarla más detenidamente (las conversaciones con los mulefa eran largas y complejas porque les encantaba exponer, precisar e ilustrar sus argumentos con docenas de ejemplos, como si no hubieran olvidado nada y tuvieran siempre presentes todos los conocimientos que habían adquirido), el poblado fue objeto de un ataque.

Mary fue la primera en ver llegar a los agresores, aunque no pudo distinguir qué eran.

Ocurrió a media tarde, cuando estaba ayudando a reparar el tejado de una cabaña. Los mulefa construían viviendas de una sola planta, porque no tenían habilidad para trepar. En cambio Mary disfrutaba subiéndose a un tejado para colocar los juncos y atarlos con sus dos manos, cosa que realizaba más deprisa que ellos una vez que hubo aprendido la técnica.

Así pues, Mary estaba encaramada en el tejado de una vivienda, recogiendo los haces de juncos que le arrojaban, gozando de la fresca brisa del río que mitigaba el calor del sol, cuando se fijó en un destello blanco.

Provenía de aquel lejano resplandor que había supuesto que era el mar. Mary se escudó los ojos con la mano y vio... una, dos, más... una flota de elevadas y blancas velas que surgían entre la calima, a cierta distancia, deslizándose con silenciosa elegancia hacia la embocadura del río.

—¡Mary! —gritó el zalif desde abajo—. ¿Qué ves?

Mary no sabía cómo se decía vela, ni barco, de modo que dijo:

—Altas, blancas, muchas.

De inmediato el zalif dio un grito de alarma y todos los que se hallaban en las inmediaciones dejaron su labor y se apresuraron a concentrarse en el centro del poblado y llamar a los más jóvenes. Al cabo de un minuto todos los mulefa estaban dispuestos para huir.

—¡Mary! ¡Mary! ¡Ven! ¡Tualapi! ¡Tualapi! —gritó Atal, la amiga de Mary.

Sucedió tan rápidamente que Mary apenas se movió. Para entonces las velas blancas se habían adentrado en el río impulsadas por la fuerte brisa y remontaban rápidamente la corriente. A Mary le impresionó la disciplina de los marineros: viraban a una velocidad asombrosa y se movían a la vez como una bandada de estorninos, cambiando de dirección a un tiempo como si mantuvieran una comunicación telepática. Y qué hermosas eran aquellas blancas y esbeltas velas, que se inclinaban e hinchaban...

Había cuarenta como mínimo, que se aproximaban por el río a una velocidad mucho mayor de lo que había previsto Mary. Pero no vio ninguna tripulación, y entonces comprendió que no se trataba de barcos sino de pájaros gigantescos, y que las velas eran sus alas, una en popa y otra en proa, que se mantenían enhiestas, flexionadas y equilibradas mediante la potencia de sus músculos.

No había tiempo para pararse a estudiarlos pues ya habían alcanzado la orilla y se encaramaban a la ribera. Mary observó que tenían unos cuellos como los cisnes, aunque más cortos y gruesos, y unos picos tan largos como su antebrazo. Las alas desplegadas eran el doble de altas que ella, y al mirar atrás, aterrorizada, mientras huía, comprobó que poseían unas patas increíblemente poderosas. ¡No era de extrañar que hubieran avanzado tan rápidamente en el agua!

Mary echó a correr tras los mulefa, que la llamaban por su nombre al tiempo que abandonaban a toda prisa el poblado y se dirigían hacia la carretera. Mary los alcanzó justo a tiempo. Su amiga Atal la estaba esperando, y en cuanto Mary montó en su lomo, Atal pateó el suelo para tomar impulso y subió la cuesta a gran velocidad en pos de sus compañeros.

Las aves, que no podían moverse con tanta rapidez en tierra, renunciaron a seguirlos y regresaron al poblado.

Abrieron los almacenes de comida, gruñendo y alzando sus grandes y crueles picos mientras engullían la carne seca, la fruta en conserva y las semillas. Todo lo comestible desapareció en menos de un minuto.

Entonces los tualapi encontraron el almacén de las ruedas y trataron de abrir las grandes cápsulas de semillas, pero no lo consiguieron. Mary notó que sus amigos estaban tensos y alarmados mientras observaban desde lo alto de la loma cómo los tualapi arrojaban una tras otra las cápsulas de semillas al suelo para patearlas y arañarlas con las garras de sus poderosas patas, pero sin lograr causarles el menor daño. Lo que preocupó a los mulefa fue contemplar cómo empujaban y echaban a rodar numerosas cápsulas hacia el agua, donde se alejaron flotando hacia el mar.

A continuación los tualapi se entregaron a una orgía de destrucción. Las grandes criaturas blancas como la nieve derribaron cuanto hallaron a su alcance con feroces patadas, golpes, punzadas, sacudidas y picotazos. Los mulefa, agolpados en torno a Mary, murmuraban y casi canturreaban de pena.

—Yo ayudo —dijo Mary—. Lo construiremos otra vez.

Pero los repugnantes pájaros no habían terminado; con sus hermosas alas enhiestas, se pusieron de cuclillas entre la devastación y soltaron sus excrementos. El olor llegó a lo alto de la cuesta transportado por la brisa; entre la paja y las vigas desperdigadas por el suelo había unos montones y charcos de estiércol verde negruzco-blanco-amarronado. Luego, con el torpe balanceo con que se movían por tierra, las aves regresaron a la orilla y se alejaron navegando río abajo hacia el mar.

Sólo cuando hubo desaparecido la última ala blanca en la neblina del atardecer, los mulefa comenzar a descender por la carretera. Estaban llenos de dolor y de ira, pero sobre todo les inquietaba la provisión de cápsulas de semillas.

De las quince cápsulas que había en el almacén sólo quedaban dos. El resto lo habían arrojado al agua y se había perdido. Pero en el siguiente recodo del río había un banco de arena, y Mary creyó divisar una rueda que había quedado allí varada. Entonces, con gran asombro y alarma por parte de los mulefa, Mary se quitó la ropa, se ató una cuerda a la cintura y fue nadando hasta el banco de arena. Allí encontró no una sino tres de las preciadas ruedas, y tras pasar la cuerda a través de sus blandos centros se las llevó a rastras.

Los mulefa le expresaron jubilosos su gratitud. Ellos nunca se metían en el agua y sólo pescaban desde la orilla, procurando que no se les mojaran nunca los pies ni las ruedas. Satisfecha por haber hecho algo útil por ellos, Mary les ayudó a limpiar el poblado.

Aquella noche, tras una parca cena compuesta por raíces de remolacha, los mulefa explicaron a Mary el motivo por el que estaban preocupados por las ruedas. Antiguamente, cuando el mundo era rico y estaba lleno de vida, abundaban las cápsulas de semillas y los mulefa vivían en un perpetuo estado de alegría con sus árboles. Pero muchos años atrás había ocurrido una catástrofe; alguna virtud debía de haberse esfumado del mundo, pues pese a todos los esfuerzos, desvelos, amor y atención que los mulefa les dispensaban, los árboles de las cápsulas de semillas se estaban muriendo.

11

Las libélulas

Ama subió por el sendero de la cueva, cargada con una mochila con pan y leche, y un profundo desconcierto en su corazón. ¿Cómo conseguiría llegar hasta la niña dormida?

Ama llegó a la roca donde la mujer le había indicado que dejara la comida. La depositó allí pero no regresó directamente a casa, sino que subió un poco más por entre los frondosos rododendros, más arriba de la cueva, hasta un lugar donde los árboles empezaban a escasear y comenzaba el arco iris.

En aquel lugar ella y su daimonion jugaban a un juego: trepaban por los salientes de roca, rodeando las pequeñas cascadas de un verde blanco, pasaban frente a los remolinos y a través de la espuma teñida con los colores del espectro, hasta que el cabello y los párpados de Ama y la piel de ardilla de su daimonion quedaban recubiertos por un millón de diminutas perlas de humedad. El juego consistía en llegar a la cima sin enjugarse los ojos, pese a la tentación de hacerlo. El sol lucía y se fragmentaba en un color rojo, amarillo, verde y azul y todos los tonos intermedios, pero Ama se abstenía de pasarse la mano por la cara para ver mejor, hasta llegar a la cumbre, porque de otro modo perdía el juego.

Kulang, su daimonion, se posó de un salto sobre la roca más alta situada al borde de la pequeña cascada superior. Ama sabía que Kulang se volvería apresuradamente para cerciorarse de que ella no se quitaba las gotas de las pestañas... pero no lo hizo sino que se quedó quieto, mirando al frente.

Ama se enjugó los ojos, pues la sorpresa que experimentaba su daimonion había puesto fin al juego. Cuando Ama se asomó para mirar por el borde, lanzó una exclamación de asombro y se quedó helada pues jamás había visto un animal como aquél: un oso terrorífico, cuatro veces más grande que los osos pardos del bosque, de un color blanco marfileño, el morro y los ojos negros y unas garras largas como puñales. Estaba a pocos palmos de distancia, tan cerca que Ama distinguió cada pelo de su cabeza.

—¿Quién anda ahí? —preguntó una voz de niño.

Aunque Ama no comprendió las palabras, captó el significado.

Al cabo de un momento apareció el niño junto al oso: presentaba un aspecto agresivo, el entrecejo fruncido y la mandíbula prominente. ¿Era un daimonion aquel pájaro que tenía a su lado? Ama supuso que sí, aunque no se parecía a ninguno de los daimonions que había visto hasta entonces. El pájaro voló hasta Kulang y le habló con un breve gorjeo:

—Amigos. No os haremos daño.

El gigantesco oso blanco no se había movido lo más mínimo.

—Acércate —dijo el niño. Ama comprendió de nuevo el significado de lo que decía gracias a su daimonion.

Sin dejar de observar al oso con supersticioso temor, Ama trepó hasta lo alto de la pequeña cascada y se detuvo tímidamente sobre las rocas. Kulang, transformado en mariposa, se posó unos instantes sobre su mejilla, antes de revolotear en torno al otro daimonion, que permanecía inmóvil sobre la mano del niño.

—Will —dijo el niño, señalándose con la mano.

—Ama —respondió ella.

Ahora que lo veía con claridad, el niño le infundía casi tanto miedo como el oso. Tenía una herida horrible: le faltaban dos dedos. Al verla, Ama se sintió mareada.

El oso dio media vuelta, se alejó trotando junto al lechoso torrente y se tumbó en el agua para refrescarse. El daimonion del niño alzó el vuelo y revoloteó con Kulang entre el arco iris. Poco a poco ambos comenzaron a entenderse.

¿Y qué iban a estar buscando el niño y su daimonion sino una cueva en la que estaba dormida una niña?

La respuesta brotó automáticamente de labios de Ama:

—¡Yo sé dónde está! La tiene dormida una mujer que dice ser su madre, pero ninguna madre sería tan cruel, ¿verdad? La obliga a beber una pócima que la mantiene dormida, pero yo tengo unas hierbas que la harán despertar. El problema es que no puedo llegar hasta ella.

Will meneó la cabeza y esperó a que Balthamos le tradujera las palabras de Ama, lo cual llevó más de un minuto.

—Iorek —dijo Will, y el oso se acercó torpemente por el cauce del torrente, relamiéndose el morro, pues acababa de engullir un pez—. Iorek —repitió Will—, esta niña dice que sabe dónde se encuentra Lyra. Yo iré con ella a comprobarlo, mientras tú te quedas vigilando aquí.

Iorek Byrnison, plantado en medio del torrente, asintió en silencio. Will escondió su mochila y se sujetó la daga en la cintura antes de emprender el descenso con Ama a través del arco iris. Tuvo que enjugarse los ojos con frecuencia y achicarlos para ver, a través del resplandor, dónde apoyaba los pies. La neblina que impregnaba el aire estaba helada.

Cuando llegaron al pie de la cascada, Ama indicó a Will que no hiciera ruido. El niño echó a andar ladera abajo detrás de ella, entre unas rocas cubiertas de musgo y unos grandes pinos retorcidos, donde la luz danzaba formando unas motas de un verde intenso y millones de diminutos insectos cantaban y chirriaban. Los niños continuaron descendiendo hacia el fondo del valle, seguidos por los rayos del sol, mientras las ramas de los árboles se agitaban sin cesar bajo un cielo luminoso.

De pronto Ama se paró en seco. Will se colocó detrás del recio tronco de un cedro y miró hacia donde ella señalaba.

—La señora Coulter —susurró Will, con el corazón latiéndole aceleradamente.

La mujer apareció por detrás de la roca, agitando una rama cargada de hojas antes de tirarla al suelo y restregarse las manos. ¿Había estado barriendo el suelo con ella? Iba arremangada y llevaba el pelo recogido con un pañuelo. Will no había imaginado que tuviera un aspecto tan hogareño.

De pronto advirtió un destello dorado y apareció el malvado mono, que se instaló de un salto sobre el hombro de la mujer. Ambos escrutaron a su alrededor, como si sospecharan algo. De repente la señora Coulter perdió su aspecto hogareño.

Ama susurró algo a Will: le daba miedo el dorado daimonion, que se divertía arrancándoles las alas a los murciélagos mientras aún estaban vivos.

—¿Hay alguien con ella? —preguntó Will—. ¿Hay soldados o gente por el estilo?

Ama no lo sabía. Ella nunca había visto soldados, pero todos hablaban de unos hombres extraños y terroríficos, o quizá fueran fantasmas, que aparecían por las noches en las laderas de las montañas...

Claro que siempre había habido fantasmas en las montañas, todo el mundo lo sabía. Así que quizá no tuvieran nada que ver con la mujer.

«Bueno —pensó Will—, si Lyra está en esa cueva y la señora Coulter no la abandona, tendré que entrar a hacerles una visita.»

—¿Qué es esa medicina que tienes? —preguntó a Ama—. ¿Qué hay que hacer con ella para despertarla?

Ama se lo explicó.

—¿Y dónde ésta?

—En su casa —respondió Ama—. Escondida.

—De acuerdo. Espera aquí y no te acerques. Cuando veas a la mujer, no le digas que me conoces. No me has visto nunca, ni al oso. ¿Cuándo volverás a traerle comida?

—Media hora antes del atardecer —respondió el daimonion de Ama.

—Trae la medicina —dijo Will—. Nos veremos aquí.

Ama lo observó inquieta mientras se alejaba por el sendero. Sin duda no había creído lo que ella le había contado sobre el daimonion mono, pues de lo contrario no se dirigiría tan resuelto hacia la cueva.

Pero lo cierto es que Will estaba muy nervioso. Tenía todos los sentidos aguzados, hasta el extremo de percibir el aleteo de los insectos más minúsculos que flotaban en los haces de sol, el rumor de cada hoja y el movimiento de las nubes en lo alto, aunque no apartaba los ojos de la entrada de la cueva.

—Balthamos —murmuró. El daimonion ángel voló hasta su hombro transformado en un pequeño pájaro de alas rojas y ojillos relucientes—. No te alejes de mí y vigila a ese mono.

—Entonces mira a tu derecha —replicó Balthamos secamente.

Will vio una mancha de luz dorada en la entrada de la cueva, con una cara y unos ojos que le observaban fijamente. Se hallaban a menos de veinte pasos de distancia. Will se detuvo en seco. El mono dorado volvió la cabeza hacia el interior de la cueva, dijo algo y lo miró de nuevo.

Will palpó la empuñadura de la daga y siguió avanzando.

Cuando alcanzó la cueva, la mujer lo estaba esperando.

Se hallaba sentada en la silla de lona, con un libro en el regazo, y lo observaba tranquilamente. Vestía prendas de viaje color caqui, pero estaban tan bien cortadas y su figura era tan airosa que parecía un modelo de última moda; el ramito de flores rojas que se había prendido en la pechera de la camisa lucía como la más elegante de las joyas. Su pelo resplandecía, sus ojos brillaban, y sus piernas desnudas mostraban un reflejo dorado bajo el sol.

La mujer sonrió. Will estuvo a punto de corresponder con una sonrisa, porque no estaba acostumbrado a la dulzura que puede emanar la sonrisa de una mujer, y a punto estuvo de perder el aplomo.

—Tú eres Will —dijo la mujer con voz grave y embriagadora.

—¿Cómo conoce mi nombre? —replicó él con extrañeza.

—Lyra lo pronuncia en sueños.

—¿Dónde está?

—A salvo.

—Quiero verla.

—Ven —dijo la mujer, levantándose y dejando el libro sobre la silla.

Por primera vez desde que se hallaba en presencia de la mujer, Will miró a su daimonion mono. Tenía el pelaje largo y lustroso; cada pelo parecía de oro puro, mucho más fino que el de los humanos, y su carita y sus manos eran negras. Will recordaba bien aquel rostro, desde la tarde en que él y Lyra robaron el aletiómetro de sir Charles Latron en la casa de Oxford. El mono había tratado de morderle hasta que Will blandió la daga, obligándolo a retroceder para poder cerrar la ventana y refugiarse en otro mundo. Will pensó que nada podría obligarle ahora a volverle la espalda al mono.

Balthamos, transformado en pájaro, vigilaba de cerca. Will avanzó con cautela a través de la cueva, siguiendo a la señora Coulter hasta la pequeña figura que yacía inmóvil en las sombras.

Allí estaba su querida amiga, dormida. ¡Qué menuda parecía! Le asombró que la fuerza y el fuego que poseía Lyra despierta parecieran tan apagados y suaves cuando dormía. Pantalaimon yacía enroscado sobre su cuello, convertido en turón, con su reluciente pelaje. Lyra tenía unos mechones húmedos pegados a la frente.

Will se arrodilló a su lado y le apartó el pelo del rostro, que estaba caliente. Por el rabillo del ojo Will vio al mono agazapado, como si se dispusiera a saltar, y se llevó la mano a la daga; pero la señora Coulter meneó la cabeza suavemente y el mono se relajó.

Will memorizó la disposición exacta de la cueva: la forma y el tamaño de cada roca, la inclinación del suelo, la altura del techo sobre la niña dormida. Más tarde tendría que ir allí a oscuras, y aquélla era la única oportunidad de que dispondría para examinarla.

—Como ves, está a salvo —comentó la señora Coulter.

—¿Por qué la retiene aquí? ¿Por qué no deja que despierte?

—Ven a sentarte.

La señora Coulter no se instaló en su silla, sino que se sentó junto a

Will en las rocas cubiertas de musgo a la entrada de la cueva. Hablaba con voz tan dulce y sus ojos mostraban una sabiduría y una tristeza tan profundas, que Will sintió más desconfianza aún. Intuía que cada palabra que pronunciaba aquella mujer era mentira, que cada gesto ocultaba una amenaza y cada sonrisa enmascaraba una intención engañosa. Bueno, pues él también la engañaría, le haría creer que era totalmente inofensivo. Will había logrado engañar a todos sus maestros, a todos los agentes de policía, a todos los asistentes sociales y a todos los vecinos que habían mostrado interés en él y en su hogar; se diría que había estado preparándose toda su vida para este momento.

«A mí no me la das con queso», se dijo.

—¿Te apetece beber algo? —preguntó la mujer—. Yo tomaré también un poco... No hay peligro. Mira.

La mujer partió una fruta arrugada de color pardo y exprimió el turbio jugo verde en dos cubiletes. Tras beber un sorbo de uno de ellos ofreció el otro a Will, que también tomó un sorbo de aquel líquido fresco y dulce.

—¿Cómo has llegado hasta aquí? —preguntó la señora Coulter.

—No fue difícil seguirla.

—Claro. ¿Tienes el aletiómetro de Lyra?

—Sí —respondió Will, dejando que la mujer dedujera por sí sola si sabía leerlo o no.

—Y tengo entendido que posees una daga.

—Se lo dijo sir Charles, ¿no es así?

—¿Sir Charles? Ah, sí, Carlo... desde luego. Debe de ser fascinante. ¿Me la dejas ver?

—No, por supuesto que no —replicó Will—. ¿Por qué retiene a Lyra en esta cueva?

—Porque la quiero —contestó la mujer—. Soy su madre. Corre un gran peligro y no dejaré que le ocurra nada malo.

—¿Peligro de qué? —preguntó Will.

—Bien... —dijo la mujer, depositando su cubilete en el suelo e inclinándose hacia delante de forma que el cabello le cayó a ambos lados de la cara. Al incorporarse lo remetió detrás de las orejas con las manos. Al captar el aroma del perfume, mezclado con el fresco olor de su cuerpo, Will se sintió turbado.

La señora Coulter no dio muestras de notar su reacción.

—Mira, Will —prosiguió—, ignoro cómo conociste a mi hija, ignoro lo que sabes e ignoro si puedo confiar en ti. Pero estoy cansada de mentir. De modo que te contaré la verdad.

»Me enteré de que mi hija está amenazada por las mismas personas con quienes yo tenía estrecho contacto, personas de la iglesia. Sinceramente, creo que pretenden matarla. De manera que estoy en un dilema: obedecer a la iglesia o salvar a mi hija. Yo era una leal sirviente de la iglesia. La servía con absoluta entrega y pasión, le consagré mi vida.

»Pero tenía esta hija...

»Sé que no cuidé debidamente de ella cuando era pequeña. Me la arrebataron para que se criara con unos desconocidos. Tal vez por eso le cuesta confiar en mí. Pero a medida que crecía advertí que corría un grave peligro. He tratado de salvarla en tres ocasiones. He tenido que convertirme en una renegada y ocultarme en este remoto lugar, donde creí que estábamos a salvo. Pero al comprobar lo fácilmente que tú has dado con nuestro paradero, estoy preocupada, como comprenderás. La iglesia no debe de andar lejos. Y quieren matarla, Will.

—¿Pero por qué? ¿Por qué la odian tanto?

—Por lo que creen que va a hacer. No sé de qué se trata. Ojalá lo supiera, porque entonces podría protegerla mejor. Sólo sé que la odian y que no tienen un ápice de piedad. —La señora Coulter se inclinó hacia delante y continuó con tono ansioso y confidencial—: No sé por qué te cuento esto. Creo que no me queda más remedio que fiarme de ti. No puedo seguir huyendo. No tengo a dónde ir, y si eres amigo de Lyra, también podrías ser mi amigo. Necesito un amigo. Todo está en mi contra. La iglesia me destruirá también, al igual que a Lyra, si dan con nosotras. Estoy sola, Will, sola en una cueva con mi hija, mientras todas las fuerzas de todos los mundos tratan de encontrar nuestro paradero. Y tú estás aquí, demostrando lo fácil que resulta localizarnos. ¿Qué vas a hacer, Will? ¿Qué te propones?

—¿Por qué la mantiene dormida? —insistió Will, eludiendo sus preguntas.

—¿Qué crees que ocurriría si dejara que se despertara? Pues que se escaparía en el acto. Y no duraría viva ni una semana.

—¿Pero por qué no se lo explica y deja que ella decida lo que desea hacer?

—¿Crees que me escucharía? Y suponiendo que me escuchara, ¿me creería? No confía en mí. Me odia, Will. Tú ya debes de saberlo. Me desprecia. Yo... no sé cómo expresarlo... la quiero tanto que he renunciado a todo cuanto tenía, una carrera, una vida feliz, una posición, riqueza, todo..., por venir a esta cueva en las montañas y subsistir a base de pan seco y frutas amargas, con tal de mantener a mi hija con vida. Y si para ello tengo que mantenerla dormida, no dudaré en hacerlo. Lo importante es que siga viva. ¿Acaso tu madre no haría lo mismo por ti?

A Will le dio rabia que la señora Coulter se atreviera a citar a su madre para reforzar sus argumentos. Pasada la conmoción inicial, los sentimientos de Will se complicaron al recordar que su madre no le había protegido, que había sido él quien la había protegido a ella. ¿Acaso la señora Coulter quería a su hija más de lo que Elaine Parry quería a su hijo? Era injusto pensar en ello: su madre no estaba bien.

O bien la señora Coulter ignoraba el cúmulo de emociones que sus palabras habían provocado o era monstruosamente astuta. Miró a Will con sus hermosos ojos llenos de tristeza y observó que el niño se sonrojaba y rebullía nervioso. Durante unos instantes la señora Coulter mostró un gran parecido con su hija.

—¿Qué piensas hacer? —volvió a preguntarle.

—Bueno, ya he visto a Lyra —contestó Will—. Está viva, de eso no hay duda, y supongo que se encuentra a salvo. Eso es lo que quería saber. Y puesto que ya lo he averiguado iré a ayudar a lord Asriel, como es mi obligación.

Aquello sorprendió un poco a la señora Coulter, pero enseguida se recuperó.

—No querrás decir que... Supuse que nos ayudarías —dijo con calma, con un tono más inquisitivo que implorante—. Con la daga. Vi lo que hiciste en casa de sir Charles. Podrías salvarnos, ¿verdad? ¿Podrías ayudarnos a huir?

—Ahora debo irme —repuso Will, levantándose.

La señora Coulter le tendió la mano. Esbozó una sonrisa triste, se encogió de hombros y asintió como reconociendo su derrota ante un adversario más diestro que ella ante el tablero de ajedrez: eso fue lo que expresó su cuerpo. A Will empezaba a caerle bien aquella mujer, porque era valiente y parecía más compleja, inteligente y profunda que Lyra. No podía por menos de experimentar cierta estima hacia ella.

Will le estrechó la mano, sintiendo la firmeza, frescura y suavidad de su tacto. Acto seguido ella se volvió hacia el mono dorado, que había permanecido todo el rato sentado a sus espaldas, y cruzaron una mirada que Will no pudo interpretar.

Luego la señora Coulter se volvió hacia él y sonrió.

—Adiós —dijo Will.

—Adiós, Will —respondió ella en voz baja.

Will abandonó la cueva, consciente de que ella le estaba observando, sin volverse una sola vez. Al salir no vio a Ama por ningún lado, de modo que regresó por donde había venido, siguiendo el sendero hasta que percibió el sonido de una cascada.

—Esa mujer miente —informó Will a Iorek Byrnison media hora más tarde—. Estoy convencido. Mentiría aunque supiera que ello le perjudica, porque le encanta mentir.

—¿Y qué piensas hacer? —preguntó el oso, que tomaba el sol tumbado boca abajo en un espacio entre las rocas cubierto de nieve.

Will comenzó a pasearse arriba y abajo, planteándose si emplear el truco que tan buen resultado le había dado en Headington: utilizar la daga para trasladarse a otro mundo, pasar luego a un lugar situado justo al lado de donde se encontraba Lyra, volver a ese mundo, llevársela para dejarla a buen recaudo y cerrar la ventana que comunicaba con ese otro mundo. Sin duda era lo mejor que podía hacer. ¿Por qué dudaba entonces?

Balthamos lo sabía.

—Cometiste una imprudencia al ir a esa cueva —declaró, mostrando su forma habitual de ángel, resplandeciente como la calima bajo el sol—. Ahora sólo deseas volver a verla.

Iorek soltó un ronco gruñido. Al principio Will creyó que advertía a Balthamos de algún peligro, pero luego se dio cuenta, avergonzado, que el oso mostraba su asentimiento. Hasta ese momento ninguno de los dos había manifestado un gran interés hacia el otro, pues tenían una forma de ser muy distinta, pero por lo visto en ese tema estaban de acuerdo.

Will torció el gesto, pero era innegable que la señora Coulter lo había cautivado. Todos sus pensamientos giraban en torno a ella: cuando pensaba en Lyra, era para preguntarse qué parecido guardaría con su madre de mayor; cuando pensaba en la iglesia, era para preguntarse cuántos sacerdotes y cardenales habrían caído bajo su hechizo; cuando pensaba en su padre muerto, era para preguntarse si la habría admirado o detestado; y cuando pensaba en su madre...

Sintió que su corazón se encogía de repugnancia. Se alejó del oso y se encaramó en una roca desde la que divisaba todo el valle. En aquella atmósfera fresca y límpida oyó los lejanos hachazos de un leñador, el apagado repicar de la esquila de un cordero, el murmullo de las copas de los árboles. Sus ojos percibieron con toda nitidez las más diminutas grietas de las montañas en el horizonte, y los buitres que revoloteaban sobre un animal que agonizaba a muchos kilómetros de allí.

No cabía la menor duda: Balthamos estaba en lo cierto. La mujer lo había hechizado. De todas formas, era agradable y tentador pensar en aquellos hermosos ojos y en la dulzura de su voz, y evocar la forma en que levantaba los brazos para apartarse aquella lustrosa mata de pelo...

Tras no pocos esfuerzos, Will consiguió regresar a la realidad y percibió otro sonido distinto de los anteriores: un zumbido lejano.

Se volvió hacia uno y otro lado y comprobó que procedía del norte, la dirección por la que habían venido Iorek y él.

—Zepelines —dijo el oso.

Will se sobresaltó, pues no le había oído acercarse. Iorek se detuvo a su lado, mirando hacia el mismo punto. Luego alzó las patas delanteras, adquiriendo una estatura que doblaba la de Will, y escrutó el horizonte.

—¿Cuántos?

—Ocho —respondió Iorek casi al instante.

Entonces Will los vio también: unas pequeñas motas dispuestas en hilera.

—¿Cuánto crees tú que tardarán en llegar aquí? —inquirió Will.

—Llegarán poco después del anochecer.

—Entonces no dispondremos de mucho rato de oscuridad. Es una lástima —comentó Will.

—¿Qué plan tienes?

—Abrir una ventana y llevar a Lyra a otro mundo, y volver a cerrarla antes de que nos siga su madre. La niña tiene una medicina para despertar a Lyra, pero no supo explicarme bien cómo utilizarla, de modo que tendrá que entrar con nosotros en la cueva. Pero no quiero que corra peligro. Quizá tú podrías distraer a la señora Coulter mientras nosotros tratamos de despertar a Lyra.

El oso soltó un gruñido y cerró los ojos. Will miró a su alrededor en busca del ángel y vio su silueta resaltada por multitud de gotitas de agua que resplandecían bajo la luz crepuscular.

—Balthamos —le informó Will—, voy a regresar al bosque para localizar un lugar seguro donde practicar la primera abertura. Quiero que montes guardia y me avises en cuanto se acerque la niña... o su daimonion.

Balthamos manifestó su conformidad y alzó las alas para sacudirse la humedad. Luego se elevó a través del frío aire y se deslizó sobre el valle mientras Will iniciaba la búsqueda de un mundo donde Lyra pudiera estar a salvo.

Las libélulas eclosionaban en el doble tabique divisorio del zepelín que volaba en cabeza, entre los crujidos y las sacudidas de la nave. Inclinada sobre el capullo que acababa de abrirse de la libélula color azul celeste, lady Salmakia facilitaba la salida de las húmedas y sutiles alas, asegurándose de que su rostro fuera lo primero que quedara impreso en los ojos de múltiples facetas, al tiempo que templaba los nervios de la resplandeciente criatura susurrándole su nombre, explicándole quién era.

Al cabo de unos minutos, el caballero Tialys haría lo mismo con su libélula, que estaba a punto de nacer. Entre tanto, enviaba un mensaje a través del resonador de magnetita, absorto con el movimiento del arco y de sus dedos. El mensaje que transmitía era el siguiente:

> *A Lord Roke:*
> *Faltan tres horas para la hora prevista de llegada al valle. El Tribunal Consistorial de Disciplina pretende enviar una patrulla a la cueva tan pronto como tomen tierra.*
> *La patrulla se dividirá en dos unidades. La primera se abrirá camino hasta la cueva y matará a la niña, arrancándole la cabeza para demostrar que está muerta. En caso de que sea posible deben capturar también a la mujer, y si se resiste deberán matarla.*
> *La segunda unidad debe capturar al niño, vivo.*
> *El resto de la fuerza atacará a los girópteros del rey Ogunwe. Los girópteros llegarán poco después de los zepelines. De acuerdo con sus órdenes, lady Salmakia y yo abandonaremos dentro de poco el zepelín y volaremos directamente hasta la cueva, donde trataremos de defender a la niña contra la primera unidad, que mantendremos a raya hasta que lleguen los refuerzos.*
> *Quedamos a la espera de su respuesta.*

Ésta no se hizo esperar.

> *Al caballero Tialys:*
> *Tras leer su informe, hemos decidido cambiar los planes.*
> *A fin de impedir que el enemigo mate a la niña, lo cual sería el*

peor desenlace posible, usted y lady Salmakia deben cooperar con el niño. Mientras él tenga la daga tendrá la iniciativa, de modo que si abre una ventana a otro mundo para llevar a la niña a él deben dejar que lo haga y seguirlos. No se aparten de ellos en ningún momento.

El caballero Tialys contestó.

> *A lord Roke:*
> *Hemos recibido y comprendido su mensaje. Lady Salmakia y yo partiremos de inmediato.*

El diminuto espía cerró el resonador y recogió su equipo.

—Tialys —murmuró su colega en la oscuridad—, está saliendo del capullo. Creo que debes acercarte.

El caballero Tialys subió al montante donde su libélula se esforzaba por venir al mundo y la ayudó suavemente a desprenderse de la seda rota. Mientras acariciaba su enorme cabeza, alzó las pesadas antenas, todavía húmedas y curvadas, y dejó que la criatura saboreara el aroma de su piel hasta tenerla totalmente sometida a su voluntad.

Entre tanto, Salmakia colocó a su libélula el arnés que llevaba siempre consigo: unas riendas de seda tejida por una araña, unos estribos de titanio y una silla de piel de colibrí. Era todo tan liviano que prácticamente no pesaba nada. Tialys hizo otro tanto, ajustando las correas en torno al cuerpo del insecto, aflojándolas o tensándolas. La libélula llevaría el arnés hasta que muriera.

Acto seguido el caballero Tialys se colgó la mochila del hombro y abrió una brecha en la tela impermeabilizada de la piel del zepelín. A su lado, lady Salmakia montó en su libélula y la ayudó a pasar por la estrecha abertura. Las largas y frágiles alas temblaron cuando el insecto pasó a través del agujero, pero enseguida sintió el afán de volar y se precipitó alborozado entre las fuertes ráfagas de viento. Al cabo de unos segundos Tialys se reunió con su colega, a lomos de una montura no menos ansiosa de desafiar a la oscuridad, que ya comenzaba a caer.

Ambos se elevaron a través de las heladas corrientes y, tras detenerse unos instantes para orientarse, partieron hacia el valle.

12

La rotura

Esta era la situación cuando comenzó a anochecer.

Lord Asriel se paseaba nervioso de un lado a otro en su torre inexpugnable, pendiente del diminuto personaje situado junto al resonador de magnetita. Había descartado todos los informes anteriores, y su mente estaba totalmente concentrada en la noticia que llegaba al pequeño bloque cuadrado de piedra situado bajo la luz de la lámpara.

El rey Ogunwe se hallaba en la cabina de su giróptero, elaborando un plan para contrarrestar las intenciones del Tribunal Consistorial, sobre las que acababa de informarle el gallivespiano que viajaba a bordo de su nave. El navegante anotó unos números en un papel, que entregó al piloto. Lo esencial era la velocidad: si conseguían depositar a sus tropas en tierra antes que el enemigo tendrían mucho ganado. Los girópteros eran más veloces que los zepelines, pero aún estaban algo rezagados.

En el zepelín del Tribunal Consistorial, la Guardia Suiza comprobaba el buen estado de su equipo. Sus ballestas eran mortales en un radio de más de quinientos metros, y un arquero podía cargar y disparar quince flechas en un minuto. Las aletas, de cuerno, conferían a la flecha un efecto que hacía que la ballesta fuera tan certera como un rifle. Por supuesto era además silenciosa, lo que en ocasiones como aquélla representaba una gran ventaja.

La señora Coulter permanecía despierta en la entrada de la cueva. El mono dorado se mostraba inquieto y frustrado: los murciélagos habían abandonado la cueva al oscurecer, y no tenía a quien atormentar. El mono merodeaba en torno al saco de dormir de la señora Coulter, aplastando con un dedillo calloso las moscas doradas que de vez en cuando se instalaban en la cueva, extendiendo su luminiscencia sobre la roca.

Lyra yacía sofocada y casi tan inquieta como el mono, pero sumida en un sueño profundo, atrapada en la inconsciencia que le producía el brebaje que su madre le había administrado hacía una hora. Volvía a estar bajo los efectos de un sueño que había sufrido durante mucho rato, que agitaba su pecho y hacía brotar de sus labios pequeños gemidos de dolor, rabia y determinación lyrática. Al oír quejarse a la niña, Pantalaimon rechinaba sus dientes de turón.

No lejos, bajo los pinos que sacudía el viento en el sendero del bosque, Will y Ama se dirigían a la cueva. Will había tratado de explicar a Ama lo que se proponía hacer, pero el daimonion de ésta no había entendido nada y cuando Will abrió una ventana con su daga y se la enseñó, Ama se asustó tanto que por poco se desmaya. Will había tenido que moverse pausadamente y hablar con voz queda para retenerla a su lado, pues Ama se negaba a dejar que él llevara los polvos e incluso a explicarle cómo utilizarlos.

—No hagas ruido y sígueme —le dijo por fin Will, confiando en que le hiciera caso.

Iorek se hallaba cerca, protegido con su armadura, esperando contener a los soldados de los zepelines el tiempo suficiente para que Will pudiera realizar su labor. Lo que ninguno de ellos sabía era que también se aproximaba la fuerza de lord Asriel: de vez en cuando el viento transportaba hasta oídos de Iorek un lejano fragor, pero aunque éste conocía el ruido de los motores de un zepelín, nunca había oído un giróptero y por tanto no podía identificarlo.

Balthamos podría habérselo dicho, pero Will estaba preocupado por él. Ahora que habían encontrado a Lyra, el ángel se había encerrado de nuevo en su dolor y se mostraba silencioso, distraído y taciturno, lo que por otra parte hacía que a Will le resultara más difícil hablar con Ama.

—¿Estás ahí, Balthamos? —preguntó Will en una pausa que hicieron en el camino.

—Sí —respondió el ángel con voz monocorde.

—Quédate a mi lado, por favor. No te alejes y avísame de cualquier peligro. Te necesito, Balthamos.

—Aún no te he abandonado —replicó el ángel.

Eso fue lo único que Will consiguió sonsacarle.

En lo alto, Tialys y Salmakia volaban a través de las turbulentas

corrientes sobre el valle, impacientes por divisar la cueva. Las libélulas cumplían al pie de la letra lo que les ordenaban, pero sus cuerpos
no soportaban bien el frío ni las violentas sacudidas del viento. Sus
jinetes las dirigieron a un nivel inferior, al amparo de los árboles, y a
partir de allí los insectos volaron de rama en rama, tratando de orientarse en la oscuridad.

Will y Ama treparon bajo el ventoso resplandor de la luna hasta el
lugar más cercano a la cueva al que podían acceder sin ser vistos desde
la entrada. El lugar se hallaba detrás de un arbusto de denso follaje a
pocos pasos del sendero, y Will abrió allí una ventana en el aire.

El único mundo que halló con la misma configuración de terreno fue un lugar desolado y remoto, donde la luna resplandecía desde
el cielo estrellado sobre una tierra de color blanco hueso en la que
unos diminutos insectos reptaban y emitían sus chirridos en el vasto
silencio.

Ama lo siguió, trazando sin cesar círculos con los pulgares para
protegerse de los diablos que sin duda merodeaban por el fantasma-
górico lugar. Su daimonion se había adaptado al instante, transformándose en un lagarto que se deslizaba rápidamente por las piedras.

Will previó enseguida un problema: el brillante resplandor de la
luna sobre las piedras de color hueso destacaría como una linterna
cuando él abriera la ventana en la cueva de la señora Coulter. Tendría
que abrirla rápidamente, sacar a Lyra y cerrarla al instante. Luego la
despertarían en aquel otro mundo, donde no corrieran tanto peligro.

Will se detuvo sobre la resplandeciente ladera.

—Debemos movernos con rapidez y en silencio —le susurró a
Ama—, sin hacer el menor ruido, ni un murmullo.

Pese al miedo que la atenazaba, Ama se mostró conforme. El paquetito de polvos seguía en el bolsillo de su camisa; lo había comprobado una docena de veces. Ella y su daimonion habían ensayado repetidamente lo que debían hacer, hasta que Ama estuvo segura de
poder llevar a cabo su tarea en la más absoluta oscuridad.

Siguieron trepando sobre las piedras blancas. Will se afanaba en
medir la distancia hasta calcular que se hallaban a la altura del interior
de la cueva.

Entonces sacó la daga y abrió una pequeña ventana por la que pudiera mirar, no mayor que un círculo que pudiera trazar con el índice
y el pulgar.

Acto seguido aplicó el ojo a la ventana para tapar el resplandor de la luna y observó. Era allí: no se había equivocado en sus cálculos. Ante él vio la boca de la cueva, las rocas recortándose contra el cielo nocturno, la silueta de la señora Coulter, dormida, junto a su daimonion; incluso percibió la cola del mono, apoyada en el saco de dormir.

Tras modificar su ángulo de visión y aproximarse más, Will divisó la roca detrás de la que estaba acostada Lyra. Pero no la vio. ¿Estaría él demasiado cerca? Will cerró la ventana, retrocedió un par de pasos, y volvió a abrirla.

Pero la niña no estaba allí.

—Escucha —dijo Will a Ama—, la mujer ha trasladado a Lyra de lugar y no veo dónde está. Tengo que entrar y echar un vistazo por la cueva para dar con su paradero. Regresaré tan pronto lo haya conseguido. Tú retírate un poco, no sea que te corte cuando vuelva a entrar. Si por algún motivo me quedara atrapado en la cueva, regresa y espérame junto a la otra ventana, por la que entramos.

—Deberíamos entrar los dos —objetó Ama—. Yo sé cómo despertarla y tú no, y además conozco la cueva mejor que tú.

Lo miró con expresión obstinada, los labios apretados y los puños crispados. Entretanto su daimonion lagarto había conseguido un collarín de pelo que lucía en torno a su cuello.

—De acuerdo —accedió Will—. Pero debemos entrar muy deprisa, sin hacer ruido, y tienes que hacer lo que yo te diga, al momento. ¿De acuerdo?

Ama asintió con la cabeza y se palpó de nuevo el bolsillo para comprobar si llevaba la medicina.

Will practicó una pequeña abertura, bastante baja, y tras mirar por ella la ensanchó un poco para introducirse por ella a gatas. Ama lo siguió rápidamente, de modo que la ventana no estuvo abierta más de diez segundos.

Permanecieron agachados en el suelo de la cueva, detrás de una voluminosa roca, junto a Balthamos, para que sus ojos se adaptaran del intenso resplandor de la luna a la penumbra de la cueva. Pese a la oscuridad estaba llena de ruidos, sobre todo el del viento en los árboles. Pero percibieron el rugido del motor de un zepelín, que no sonaba lejos.

Will se asomó con cautela, empuñando la daga en la mano derecha, y echó un vistazo a su alrededor.

Ama hizo lo propio, y su daimonion de ojos de lechuza miró también a un lado y a otro; pero Lyra no se encontraba en aquella parte de la cueva. No había duda alguna.

Will asomó la cabeza por encima de la roca y contempló la entrada de la cueva, donde dormían la señora Coulter y su daimonion.

De pronto sintió que el corazón le daba un vuelco. Allí estaba Lyra, sumida en un profundo sueño, justo al lado de la señora Coulter. Sus siluetas se confundían en la oscuridad y por eso no la había visto.

Will tocó la mano de Ama y señaló.

—Tenemos que hacerlo con mucho cuidado —susurró Will.

En el exterior, el rugido de los zepelines era más intenso que el estruendo del viento al agitar los árboles. Y se movían unas luces, que iluminaban las ramas. Convenía sacar a Lyra cuanto antes; ello significaba dirigirse a la entrada de la cueva inmediatamente, antes de que la señora Coulter se despertara, abrir una ventana, llevar a la niña al otro lado y cerrarla de nuevo.

Will susurró su plan a Ama, que asintió con la cabeza.

Pero cuando Will estaba a punto de entrar en acción, la señora Coulter se despertó.

Se movió un poco y dijo algo, y al instante el mono dorado se levantó como un resorte.

Will percibió su silueta en la boca de la cueva, agazapado, atento. Entonces la señora Coulter se incorporó, protegiéndose los ojos de la luz procedente del exterior.

Will alargó la mano izquierda y sujetó con fuerza la muñeca de Ama. La señora Coulter se levantó, completamente vestida, ágil y alerta, como si no acabara de despertarse. Quizá no había estado dormida. Ella y el mono dorado se agazaparon junto a la entrada de la cueva, aguzando la vista y el oído, mientras las luces de los zepelines barrían las copas de los árboles y los motores rugían entre los gritos de unas voces masculinas que hacían advertencias e impartían órdenes, conminando a sus subalternos a actuar con la máxima rapidez.

Will apretó la muñeca de Ama y avanzó precipitadamente, observando el suelo para no tropezar.

Enseguida llegó junto a Lyra, que estaba profundamente dormida, con Pantalaimon enroscado en su cuello.

Will alzó los ojos y miró a la señora Coulter. Ésta se había vuelto en silencio y el resplandor del cielo, que se reflejaba en la pared de la húmeda cueva, le daba de lleno en la cara; durante unos instantes su rostro se transformó en el de la madre de Will, que lo observaba con expresión de reproche.

Will sintió que se le encogía el corazón de dolor. De pronto, al

alargar la daga, su mente se quedó en blanco, y con un tirón y un crujido, la daga cayó al suelo hecha pedazos.

Estaba rota.

Will ya no podía practicar una abertura de salida.

—Despiértala —dijo Will a Ama—. Ahora mismo.

Luego se levantó, listo para luchar. En primer lugar estrangularía al
mono. Will se puso con todos los músculos en tensión, preparado para
repelerlo cuando se abalanzara sobre él, y comprobó que sostenía la
daga en la mano: al menos podía utilizarla para golpear.

Pero ni el mono ni la señora Coulter lo atacaron. Ella se limitó a
apartarse un poco, dejando que la luz del exterior mostrara la pistola
que empuñaba. Al mismo tiempo la luz que se filtró en la cueva iluminó
a Ama, que en aquellos momentos vertía unos pocos polvos sobre el
labio superior de Lyra, atenta a cómo respiraba, y la ayudaba a aspirar-
lo por la nariz utilizando la cola de su daimonion a modo de pincel.

Will notó un cambio en el ruido procedente del exterior: aparte del
rugido del zepelín, percibió otra nota que le resultaba familiar, como
una intromisión de su propio mundo. Enseguida reconoció el estruendo de un helicóptero. Luego oyó otro ruido, y otro más, y luces que
iluminaban los árboles sacudidos por el viento como un mar de verdor.

Al percibir el nuevo ruido la señora Coulter se volvió, pero sólo
un instante, lo que impidió a Will precipitarse sobre ella y tratar de
arrebatarle la pistola. En cuanto al daimonion mono, miró a Will sin
pestañear, agazapado y dispuesto a saltar sobre él.

Lyra no cesaba de moverse y murmurar en sueños. Will se agachó
y le estrechó la mano mientras el otro daimonion daba unos golpecitos a Pantalaimon, alzando su pesada cabeza y susurrándole al oído
para despertarle.

De pronto se oyó un grito fuera y un hombre cayó del cielo y se
estrelló contra el suelo a menos de cinco metros de la entrada de la
cueva. La señora Coulter lo miró con frialdad, sin inmutarse, y luego
se volvió de nuevo hacia Will. Unos instantes después sonó un disparo de rifle desde lo alto, y unos segundos más tarde se desencadenó
una lluvia de disparos. El cielo se llenó de explosiones, crepitar de llamas y detonaciones de armas de fuego.

Entretanto, Lyra pugnaba por recobrar la conciencia. Se incorporó un poco, entre suspiros y gemidos, pero enseguida volvió a desplomarse. Pantalaimon comenzó a bostezar, a desperezarse y a tratar

de morder al otro daimonion, pero sus músculos no lo sostuvieron y cayó torpemente de costado.

Will escudriñaba el suelo de la cueva en busca de los fragmentos de la daga que se había roto. No había tiempo para averiguar cómo había sucedido ni si podía recomponerse. Pero en cualquier caso, como portador de la daga, Will tenía la obligación de hallar los trozos y ponerlos a buen recaudo. A medida que localizaba cada fragmento lo iba recogiendo con cuidado —cada nervio de su cuerpo tenso debido a los dedos que había perdido—, y lo guardaba en la funda. No le costó localizarlos porque el metal reflejaba la luz del exterior. Eran siete, y el más pequeño correspondía a la punta de la daga. Tras recogerlos todos, se volvió para averiguar cómo se desarrollaba el combate fuera.

Los zepelines se mantenían suspendidos sobre las copas de los árboles, y unos hombres descendían con ayuda de cuerdas, pero el viento impedía a los pilotos mantener las naves estables. Entretanto, los primeros girópteros habían llegado a la cima del risco. Sólo había espacio para que aterrizaran de uno en uno. Después, los fusileros africanos tenían que descender por la pared de roca. Era uno de ellos el que había caído abatido por un certero disparo efectuado desde los oscilantes zepelines.

Para entonces ya habían conseguido aterrizar algunos hombres de ambos bandos. Unos habían perecido antes de llegar al suelo y otros yacían heridos sobre el risco o entre los árboles. Ni unos ni otros habían alcanzado aún la cueva, por lo que la señora Coulter seguía ejerciendo su dominio en el interior de la misma.

—¿Qué piensa hacer? —preguntó Will, procurando hacerse oír sobre el ruido.

—Manteneros cautivos.

—¿Como rehenes? ¿Cree que eso les importará a los otros? De todos modos quieren matarnos.

—Un bando sin duda —replicó la señora Coulter—, pero el otro no estoy tan segura. Esperemos que ganen los africanos.

Parecía contenta. Bajo el resplandor que penetraba en la cueva, Will observó que su rostro irradiaba satisfacción, vitalidad y energía.

—Usted ha roto la daga —dijo Will.

—No, no he sido yo. A mí me interesaba recuperarla entera, para poder salir de aquí. La has roto tú.

De pronto se oyó la voz de Lyra.

—¿Will? —musitó inquieta—. ¿Eres tú, Will?

—¡Lyra! —exclamó éste arrodillándose junto a la niña mientras Ama la ayudaba a incorporarse.

—¿Qué ocurre? —preguntó Lyra—. ¿Dónde estamos? Ay, Will, he tenido un sueño...

—Estamos en una cueva. No te muevas mucho, porque te marearás. Debes tomártelo con calma y recuperar las fuerzas. Has estado dormida durante muchos días.

A Lyra le seguían pesando los párpados y no cesaba de bostezar sonoramente, pero luchaba con todas sus fuerzas por mantenerse despierta. Will la ayudó a levantarse, colocando el brazo de la niña sobre sus hombros y sosteniendo buena parte de su peso. Ama los observaba tímidamente pues la extraña niña se había despertado y le producía cierto nerviosismo. Will aspiró con alegría el aroma del cuerpo amodorrado de Lyra, pues significaba que estaba allí, que era real.

Se sentaron en una roca. Lyra le tomó de la mano y se frotó los ojos.

—¿Qué ocurre, Will? —preguntó con voz tenue.

—Ama tiene unos polvos para despertarte —respondió él. Lyra se volvió hacia la muchacha, viéndola por primera vez, y apoyó la mano en su hombro en un gesto de gratitud—. Yo he venido tan pronto como he podido —prosiguió Will—, pero también han llegado unos soldados. No sé quiénes son. Nos iremos en cuanto podamos.

El estruendo y la confusión en el exterior habían llegado a su punto álgido. Uno de los girópteros había sido alcanzado por una andanada de metralla lanzada por un zepelín mientras los fusileros descendían de él. El aparato se había incendiado, ocasionando la muerte de sus ocupantes e impidiendo que pudieran aterrizar los otros girópteros.

Entretanto, otro zepelín había hallado un claro más abajo en el valle, y los ballesteros que habían desembarcado de él subían a la carrera por el sendero para apoyar a sus compañeros. La señora Coulter, que seguía el desarrollo del combate desde la entrada de la cueva, sostuvo la pistola con ambas manos y apuntó con cuidado antes de disparar. Will vio el fogonazo que surgió del cañón del arma, pero no pudo oír nada debido a las explosiones y los disparos que se sucedían fuera.

«Si vuelve a hacerlo —pensó Will—, me arrojaré sobre ella y la derribaré al suelo.» Luego se volvió para comunicárselo en voz baja a Balthamos, pero el ángel no estaba a su lado. Will descubrió con asombro que estaba agazapado junto al muro de la cueva, temblando y gimiendo.

—¡Balthamos! —exclamó Will irritado—. ¡Vamos, no pueden hacerte daño! ¡Tienes que ayudarnos! Tú puedes pelear, lo sabes muy bien. No eres un cobarde, y nosotros te necesitamos...

Antes de que el ángel pudiera responder, la señora Coulter lanzó un grito y se tocó el tobillo, y simultáneamente el mono dorado atrapó algo en el aire con una exclamación de regocijo.

De la criatura que el mono había apresado surgió la voz de una mujer, pero increíblemente débil.

—¡Tialys! ¡Tialys!

Era una mujer no mayor que la mano de Lyra. El mono empezó a tirar de uno de sus brazos, y la minúscula mujer lanzó un grito de dolor. Ama sabía que el mono no cejaría hasta arrancarle el brazo, pero Will se precipitó como una flecha al ver que la señora Coulter dejaba caer la pistola.

Consiguió agarrarla..., pero de pronto la señora Coulter se quedó completamente inmóvil. Tenía la cara desencajada en una mueca de dolor y rabia, pero no se atrevía a moverse porque junto a su hombro había un diminuto hombrecillo con el talón apoyado en su cuello y las manos enredadas en su cabello. Will vio con asombro que en el talón relucía un espolón córneo y dedujo que eso era lo que había hecho soltar el grito a la señora Coulter. Posiblemente el hombrecillo le había clavado el espolón en el tobillo.

Pero el hombrecillo no podía hacerle daño a la señora Coulter debido al peligro que corría su compañera en manos del mono; y el mono no podía hacer daño a su presa por temor a que el hombrecillo clavara su espolón envenenado en la yugular de la señora Coulter. Así pues, ninguno de ellos se atrevía a moverse.

Tras respirar hondo y tragar saliva para dominar su dolor, la señora Coulter se volvió hacia Will con los ojos anegados en lágrimas y dijo con calma:

—Bueno, jovencito, ¿qué propones que hagamos?

13

Tialys y Salmakia

NOCHE QUE CONTEMPLAS CEÑUDA ESTE REFULGENTE DESIERTO, DEJA QUE SALGA TU LUNA MIENTRAS CIERRO LOS OJOS.
WILLIAM BLAKE

Will lanzó la mano que empuñaba la pesada pistola hacia un lado y derribó al mono dorado de la roca donde estaba posado. El mono quedó tan aturdido que aflojó la mano y la diminuta mujer pudo zafarse.

Ésta se encaramó de inmediato sobre la roca y el hombrecillo se apartó de la señora Coulter de un salto; ambos se movían tan rápidamente como saltamontes. Los tres niños ni siquiera tuvieron tiempo de asombrarse. El hombrecillo estaba preocupado: palpó con delicadeza el hombro y el brazo de su compañera y la abrazó brevemente antes de llamar a Will.

—¡Eh, chico! —dijo, y aunque su voz tenía poco volumen era grave como la de un hombre adulto—. ¿Tienes la daga?

—Por supuesto —respondió Will. Si ellos no sabían que estaba rota, él no iba a decírselo.

—Tú y la niña tenéis que seguirnos. ¿Quién es esa otra chica?

—Ama, es del pueblo —contestó Will.

—Dile que regrese allí. Anda, muévete antes de que lleguen los suizos.

Will no vaciló. Al margen de lo que aquellos dos pequeños seres se hubieran propuesto, él y Lyra podían huir a través de la ventana que él había abierto detrás del arbusto junto al camino.

De modo que la ayudó a levantarse y observó con curiosidad a las dos pequeñas figuras que saltaron sobre... ¿Qué eran? ¿Unos pájaros? No, unas libélulas, casi tan largas como su antebrazo, que habían estado aguardando en la oscuridad. Los insectos volaron hacia la boca de la cueva, donde yacía la señora Coulter. Estaba medio aturdida por el dolor y lo que le había inoculado el caballero con su aguijón. Cuando los dos niños pasaron junto a ella alzó el brazo y exclamó:

—¡Lyra! ¡Lyra, hija, tesoro! ¡No te vayas, Lyra! ¡No te vayas!

Lyra la miró angustiada y dio un paso, sorteando el cuerpo de su madre. Ésta la agarró débilmente por el tobillo, pero la niña consiguió soltarse. La mujer rompió a llorar; Will vio que le resbalaban unas lágrimas por las mejillas.

Agachados junto a la boca de la cueva, los tres niños esperaron hasta que se produjo una breve pausa en el tiroteo, que aprovecharon para seguir a las libélulas sendero abajo. La luz había cambiado: además del brillo ambárico de los focos de los zepelines, había el resplandor naranja de las oscilantes llamas.

Will se volvió una vez. Bajo la intensa luz, el rostro de la señora Coulter parecía una máscara de pasión trágica; su daimonion se aferraba a ella patéticamente mientras la mujer se incorporaba de rodillas, gritando:

—¡Lyra! ¡Cariño mío! ¡Tesoro de mi corazón! ¡Mi niña, mi única hija! ¡Ay, Lyra, Lyra, no te vayas, no me abandones! Me partes el corazón, hijita mía...

Lyra prorrumpió en violentos sollozos, pues al fin y al cabo la señora Coulter era la única madre que tenía en la vida. Will vio cómo una cascada de lágrimas rodaba por las mejillas de la niña.

Pero tenía que ser implacable. Tiró de la mano de Lyra, y mientras el jinete-libélula revoloteaba junto a su cabeza, conminándolos a apresurarse, Will la condujo a la carrera sendero abajo. En su mano izquierda, que había comenzado a sangrar debido al golpe que había asestado al mono, sostenía la pistola de la señora Coulter.

—Id a lo alto del risco —indicó el hombrecillo— y entregaos a los africanos. Con ellos estaréis seguros.

Will no rechistó, consciente del poder de aquellos afilados espolones, aunque no tenía la menor intención de obedecer. Sólo le interesaba ir a un sitio, a la ventana detrás del arbusto. De modo que mantuvo la cabeza gacha y siguió corriendo, seguido de Lyra y Ama.

—¡Alto!

Will vio frente a él a tres hombres que le interceptaron el paso, unos hombres de uniforme con un aspecto tan feroz como unos daimonions lobos: la Guardia Suiza.

—¡Iorek! —gritó Will—. ¡Iorek Byrnison!

No lejos oyó los rugidos y las pisadas del oso, y los chillidos y gritos de los soldados que tenían la mala fortuna de toparse con él.

De pronto apareció alguien, como si se materializara del aire, para ayudarlos: Balthamos, que se precipitó desesperado entre los niños y los soldados. Los soldados retrocedieron estupefactos al contemplar aquella resplandeciente aparición.

Pero eran unos guerreros bien adiestrados, y sus daimonions se arrojaron al instante sobre el ángel, gruñendo con ferocidad y mostrando sus afilados dientes en la penumbra. Balthamos se asustó, lanzó un grito de miedo y vergüenza y levantó el vuelo, agitando vigorosamente las alas. Will vio desaparecer consternado la figura de su guía y amigo, como una centella, entre las copas de los árboles.

Lyra observó la escena con mirada aturdida. No duró más de dos o tres segundos, pero fue suficiente para que los suizos se reagruparan. Su cabecilla alzó la ballesta y Will se vio obligado a levantar la pistola y apretar el gatillo. La detonación le provocó una sacudida hasta la médula, pero la bala se alojó en el corazón del soldado, que cayó de espaldas como si hubiera recibido la coz de un caballo. Simultáneamente, los dos pequeños espías se precipitaron sobre los otros dos, saltando de las libélulas sin dar tiempo a Will a pestañear. La mujer localizó un cuello, el hombre una muñeca, y ambos clavaron sus espolones. Los dos guardias suizos lanzaron un grito entrecortado y cayeron muertos al suelo mientras sus daimonions se esfumaban con un breve aullido.

Will saltó sobre los cadáveres seguido de Lyra, corriendo a toda velocidad, con Pantalaimon en forma de gato montés pegado a sus talones. Cuando Will se estaba preguntando dónde se habría metido Ama, la vio desviarse por otro sendero. Así estará a salvo, se dijo Will, y unos segundos después vio el pálido brillo de la ventana situada detrás del rododendro. Will agarró a Lyra del brazo y la condujo hacia allí. Con las caras llenas de arañazos y la ropa desgarrada, los tobillos doloridos debido a las numerosas torceduras producidas por raíces y piedras, encontraron la ventana y pasaron a través de ella al otro mundo, a las rocas blancas iluminadas por el resplandor de la luna, donde sólo el chirrido de los insectos quebraba el inmenso silencio.

Lo primero que hizo Will fue llevarse las manos al estómago y vomitar, aquejado de unas violentas arcadas producidas por un horror mortal. ¡Había matado a dos hombres, sin contar al joven de la Torre de los ángeles! Will no quería que eso sucediera. Su cuerpo se rebelaba contra lo que su instinto le obligaba a hacer, y el resultado eran aquellas angustiosas náuseas que le hacían postrarse de rodillas y vomitar un agrio líquido hasta vaciar por completo el estómago.

Lyra lo miraba impotente, acunando a Pan contra su pecho.

Cuando se hubo recuperado un poco, Will miró a su alrededor y comprobó que no estaban solos en aquel mundo, pues los diminutos espías también estaban allí, junto a las mochilas que yacían en el suelo. Las libélulas revoloteaban sobre las rocas, atrapando a las polillas. El hombre le daba un masaje en el hombro a su compañera; ambos miraron a los niños con expresión seria. Tenían los ojos brillantes y los rasgos tan definidos que no cabía duda sobre sus sentimientos. Will tenía la certeza de que se trataba de una pareja de mucho cuidado.

—El aletiómetro está en mi mochila —dijo a Lyra.

—Oh, Will, confiaba en que lo encontraras... ¿Qué ocurrió? ¿Diste con el paradero de tu padre? Mi sueño, Will... ¡Es increíble lo que llegamos a hacer! ¡Ni siquiera me atrevo a pensar en ello...! ¡Y está intacto! ¡Me lo trajiste hasta la cueva, sin dejar que te lo arrebataran!

Las palabras brotaban de sus labios a borbotones, tan atropelladamente que no esperaba obtener respuestas. Examinó el aletiómetro una y otra vez, acariciando el recio oro, el liso cristal y las estriadas ruedas que tan bien conocía.

«El aletiómetro nos indicará cómo recomponer la daga», pensó Will, pero antes preguntó:

—¿Estás bien? ¿Tienes hambre o sed?

—No sé... sí. Pero no mucha. Aunque...

—Debemos alejarnos de esta ventana —observó Will— por si dan con ella y nos siguen.

—Sí, es verdad —convino Lyra.

Ambos comenzaron a trepar por la ladera; Will cargaba con la mochila y Lyra con la pequeña bolsa en la que guardaba el aletiómetro. Will vio por el rabillo del ojo que les seguían los dos pequeños espías, aunque a una distancia que no representaba ninguna amenaza.

En lo alto de la cuesta había un saliente de roca que ofrecía un estrecho cobijo. Will y Lyra se sentaron en él, tras comprobar que no había serpientes, y comieron unos frutos secos y bebieron agua de la cantimplora de Will.

—La daga se ha roto —dijo Will en voz baja—. No sé cómo ocurrió. La señora Coulter hizo algo o dijo algo, y yo pensé en mi madre y eso hizo que la daga se torciera o se... No sé qué pasó exactamente. No podemos hacer nada hasta conseguir que la reparen. No quise que lo supieran esos diminutos personajes, porque mientras crean que puedo utilizarla, tengo todas las de ganar. Se me ocurrió que podrías consultar al aletiómetro y quizá...

—¡Sí! —accedió Lyra al instante—. ¡Lo haré ahora mismo!

Acto seguido sacó el dorado instrumento y lo encaró a la luz de la luna, para ver la esfera con claridad. Tras recogerse el pelo detrás de las orejas, como había visto Will hacer a su madre, Lyra hizo girar las ruedas con su acostumbrada habilidad. Pantalaimon, convertido en ratón, se sentó en sus rodillas.

Apenas había comenzado cuando la niña lanzó una breve exclamación de gozo y miró a Will con ojos relucientes mientras giraba la rueda. Pero aún no había terminado de dar la respuesta y Lyra observó el instrumento con el ceño fruncido, hasta que éste se detuvo.

—¿Y Iorek? ¿Está cerca de aquí, Will? —preguntó la niña, guardando de nuevo el aletiómetro—. Me pareció oír que lo llamabas, pero pensé que eran imaginaciones mías. ¿Está de veras aquí?

—Sí. ¿Podría él reparar la daga? ¿Es eso lo que ha dicho el aletiómetro?

—Él es capaz de hacer cualquier cosa con metales. No sólo con armaduras... También sabe construir piezas pequeñas y delicadas... —Lyra contó a Will que Iorek había construido para ella una cajita de latón para que encerrara a la mosca espía—. Pero ¿dónde está?

—Cerca. Si no acudió cuando lo llamé es porque estaba luchando... ¡Y Balthamos! El pobre debe de estar aterrorizado.

—¿Quién?

Will explicó a Lyra brevemente quién era, sonrojándose al pensar en la vergüenza de debía de haber pasado el ángel.

—Pero ya te contaré después más cosas sobre él —añadió Will—. Es extraño... Me explicó muchas cosas, y creo que las entendí... —Will se pasó la mano por el pelo y se frotó los ojos.

—Quiero que me lo cuentes todo —dijo Lyra con vehemencia—. Todo lo que hiciste desde que ella me capturó. Oh, Will, pero si todavía te sangra la mano. ¡Pobre mano!

—No. Mi padre me la curó. La herida se ha abierto porque le propiné un golpe al mono dorado, pero ya está mejor. Mi padre me dio un ungüento que había preparado con...

—¿Hallaste a tu padre?

—Sí, en la montaña, aquella noche...

Will dejó que Lyra le limpiara la herida y le aplicara un poco de ungüento que llevaba en la cajita de cuerno mientras él le explicaba parte de lo ocurrido: la pelea con el extraño, la revelación que ambos tuvieron segundos antes de que la flecha de la bruja alcanzara su objetivo, su encuentro con los ángeles, su viaje hasta la cueva y su encuentro con Iorek.

—Y pensar que mientras ocurría todo eso yo estaba dormida... —se maravilló Lyra—. ¿Sabes una cosa? En el fondo ella se ha portado bien conmigo, de veras... No creo que quisiera hacerme daño. Aunque hizo cosas malas...

Lyra se frotó los ojos.

—Mi sueño, Will... ¡No te imaginas lo extraño que era! Fue como cuando leo el aletiómetro, todo era claro y la percepción tan profunda que aunque no alcanzaba a ver el fondo todo estaba clarísimo...

»¿Recuerdas que te hablé de mi amigo Roger y de que los Gobblers lo atraparon y yo traté de rescatarlo, pero que todo salió mal y lord Asriel lo mató?

»Pues eso fue lo que vi en mi sueño. Vi de nuevo a Roger, pero estaba muerto, era un fantasma y me hacía señas, como si me llamara, pero yo no le oía. Él no quería que yo estuviera muerta, quería hablar conmigo.

»Y... yo le llevé a Svalbard, y lo mataron allí. Fue por culpa mía. Y yo recordé cuando Roger y yo tocábamos en el Colegio Jordan, en el tejado, en toda la ciudad, en los mercados, junto al río y por los Claybeds... Roger y yo y todos los demás... Fui a Bolvangar para salvarlo, pero sólo conseguí empeorar las cosas, y si no le pido perdón todo será inútil. Tengo que hacerlo, Will. Tengo que bajar a la tierra de los muertos y buscarlo y... pedirle perdón. No me importa lo que ocurra después. Entonces tú y yo podremos... Yo podré... Lo demás no me preocupa.

—¿Esa tierra de los muertos es un mundo como éste, como el tuyo o el mío o los otros? —inquirió Will—. ¿Es un mundo al que yo podría acceder con la daga?

Lyra lo miró, sorprendida por la idea.

—¿Podrías consultarlo? —prosiguió Will—. Anda, hazlo. Pregunta dónde está y cómo podemos llegar a él.

Lyra se inclinó sobre el aletiómetro y movió los dedos con gran rapidez. Al cabo de unos instantes obtuvo la respuesta.

—Sí —dijo—, pero es un lugar extraño, Will... Muy extraño... ¿Crees que podríamos hacerlo? ¿Crees que podríamos trasladarnos a la tierra de los muertos? Pero... ¿qué parte de nosotros se trasladará allí? Porque los daimonions se desvanecen cuando nosotros morimos. Yo lo he visto... Y nuestros cuerpos permanecen enterrados en la sepultura y se pudren, ¿no es cierto?

—Debe de existir una tercera parte, una parte distinta.

—¡Creo que tienes razón! —dijo Lyra, alborozada—. Porque puedo pensar en mi cuerpo y en mi daimonion, de modo que debe de existir otra parte, la que se encarga de pensar.

—Sí, ése es el fantasma.

—Quizá podríamos sacar de allí al fantasma de Roger —propuso Lyra con los ojos brillantes de la excitación—. Quizá podríamos rescatarlo.

—Tal vez. Podríamos intentarlo.

—¡Vale! —exclamó Lyra—. ¡Iremos juntos! ¡Sí, eso es lo que haremos!

Pero Will pensó que si no conseguían reparar la daga no podrían hacer absolutamente nada.

En cuanto sintió la cabeza más despejada y el estómago más calmado, Will se incorporó y llamó a los pequeños espías, que estaban ocupados atendiendo un minúsculo aparato que llevaban.

—¿Quiénes sois? —les preguntó—. ¿De qué lado estáis?

El hombrecillo concluyó lo que estaba haciendo y cerró la caja de madera, semejante a un estuche de violín no mayor que una nuez.

—Somos gallivespianos —respondió la mujer—. Yo soy lady Salmakia y mi compañero es el caballero Tialys. Somos espías al servicio de lord Asriel.

La mujer se encontraba sobre una roca, a tres o cuatro pasos de Will y Lyra. El resplandor de la luna ponía de relieve sus rasgos. Su vocecilla sonaba muy clara y mostraba una expresión resuelta. Lucía una holgada falda de un material plateado y un corpiño verde sin mangas; sus pies, provistos de espolones al igual que los de su compañero, estaban desnudos. El traje del hombre era de un color parecido al de ella, pero tenía unas mangas largas y el holgado pantalón le llegaba a media pantorrilla. Los dos se veían fuertes, capaces, implacables y orgullosos.

—¿De qué mundo sois? —inquirió Lyra—. Nunca había visto personas como vosotros.

—Nuestro mundo padece el mismo problema que el vuestro —respondió Tialys—. Somos renegados. Nuestro jefe, lord Roke, oyó hablar de la revuelta de lord Asriel y le prometió que nosotros le apoyaríamos.

—¿Y qué queréis de mí?

—Llevarte con tu padre —explicó lady Salmakia—. Lord Asriel ha enviado a una fuerza capitaneada por el rey Ogunwe para rescatarte a ti y al niño y llevaros a su fortaleza. Estamos aquí para ayudar.

—¿Y si no quisiera ir con mi padre? ¿Y si no me fiara de él?

—Lo lamento —replicó lady Salmakia—, pero ésas son nuestras órdenes. Debemos llevarte con él.

Lyra soltó una sonora carcajada ante la idea de que aquellos personajillos pudieran obligarla a hacer algo contra su voluntad. Pero fue un error. La mujer agarró a Pantalaimon con la velocidad del rayo, sostuvo su cuerpo de ratón con firmeza y acercó un espolón a su pata. Lyra se quedó horrorizada: sintió la misma conmoción que había experimentando cuando lo agarraron los hombres en Bolvangar. Nadie tenía derecho a tocar el daimonion de otra persona. Era una violación.

Pero entonces observó que Will había aferrado al hombrecillo con la mano derecha, sujetándole por las piernas para que no pudiera utilizar sus espolones.

—Estamos de nuevo en igualdad de condiciones —dijo lady Salmakia sin perder la calma—. Deja al caballero en el suelo, chico.

—Suelta tú primero al daimonion de Lyra —replicó Will—. No estoy de humor para discutir.

Lyra vio con fría satisfacción que Will estaba más que dispuesto a aplastar la cabeza del gallivespiano contra la roca. Y los diminutos espías también lo sabían.

Salmakia apartó el pie de la pata de Pantalaimon, que tan pronto como se liberó de ella se transformó en un gato montés y comenzó a lanzar feroces bufidos y a agitar la cola con el pelo erizado. Pese a mostrar los dientes a un palmo del rostro de lady Salmakia, ésta no perdió la compostura. Unos instantes después el daimonion se refugió en el pecho de Lyra, transformado en armiño, y Will depositó con cuidado a Tialys en el suelo, junto a su compañera.

—Deberías ser más respetuosa —le reprochó el caballero a Lyra—. Eres una niña alocada e insolente. Muchos hombres valientes han muerto esta noche para ponerte a salvo. Más te valdría comportarte con educación.

—Sí —respondió Lyra humildemente—. Lo lamento. De veras.

—En cuanto a ti... —continuó el caballero dirigiéndose a Will.

—En cuanto a mí —le interrumpió éste—, no consentiré que me hables de ese modo, así que será mejor que no lo intentes. El respeto tiene que darse por ambas partes. Ahora escucha con atención. Vosotros no mandáis aquí; mandamos nosotros. Si queréis quedaros y echar una mano, tenéis que obedecernos. En caso contrario, volved inmediatamente con lord Asriel. El asunto no admite discusión.

Lyra se dio cuenta de que los dos espías estaban que trinaban, pero Tialys observó la mano de Will, que estaba apoyada en la funda en su cinto, y pensó que mientras Will tuviera la daga era más fuerte que ellos. Era imprescindible por tanto que no averiguaran que estaba rota.

—Muy bien —dijo el caballero—. Os ayudaremos y protegeremos, porque ésta es la misión que nos han encomendado. Pero debéis ponernos al corriente de lo que os proponéis hacer.

—Eso está mejor —dijo Will—. Os lo voy a decir. En cuanto hayamos descansado regresaremos al mundo de Lyra para buscar a un amigo nuestro, un oso. No anda lejos.

—¿El oso de la armadura? De acuerdo —terció lady Salmakia—. Lo hemos visto luchar. Os ayudaremos a encontrarlo. Pero luego debéis acompañarnos a la fortaleza de lord Asriel.

—Sí —contestó Lyra, mintiendo con toda seriedad—. Desde luego.

Como Pantalaimon se había calmado y demostraba una gran curiosidad, ella dejó que se subiera a su hombro y se transformara en una libélula, tan grande como las dos que revoloteaban por el aire durante aquella conversación. Al cabo de unos segundos se elevó por el aire para reunirse con ellas.

—¿Ese veneno que tenéis en los talones es mortal? —preguntó Lyra a los gallivespianos—. Porque habéis picado a mi madre, la señora Coulter, ¿no es cierto? ¿Se va a morir?

—Sólo fue una picadura ligera —le aseguró Tialys—. Una dosis completa la habría matado sin duda, pero ese rasguño sólo hará que se sienta débil y somnolienta durante unas horas.

El caballero omitió decir que además se sentiría atormentada por un dolor lacerante.

—Quiero hablar con Lyra en privado —dijo Will—. Nos alejaremos unos instantes.

—Con esa daga puedes abrir una comunicación de un mundo a otro, ¿no es así? —preguntó el caballero.

—¿Acaso no os fiáis de mí?

—No.

—De acuerdo, dejaré aquí la daga. Si no la tengo, no puedo utilizarla.

Will se desabrochó el cinturón, extrajo la funda y la depositó sobre una piedra. Luego él y Lyra se alejaron unos metros y se sentaron en un lugar desde el que podían ver a los gallivespianos. Tialys no quitaba ojo a la empuñadura de la daga, pero no la tocó.

—De momento tenemos que aguantarlos —dijo Will—. En cuanto esté reparada la daga, escaparemos.

—Son rapidísimos, Will —le advirtió Lyra—. Y te matarían sin más contemplaciones.

—Espero que Iorek sea capaz de repararla. Ahora me doy cuenta de lo mucho que la necesitamos.

—Seguro que la arreglará —afirmó Lyra.

La niña observó a Pantalaimon, que revoloteaba y planeaba a ras de suelo capturando diminutas polillas como hacían las otras libélulas. No podía alejarse tanto como ellas, pero era igual de rápido y presentaba un colorido más espectacular. Lyra levantó la mano y él se posó en ella, haciendo vibrar sus largas alas transparentes.

—¿Crees que podemos fiarnos de ellos mientras dormimos? —preguntó Will.

—Sí. Son feroces pero me parecen sinceros.

Los niños regresaron a la roca.

—Voy a dormir un rato —dijo Will a los gallivespianos—. Partiremos por la mañana.

El caballero asintió con la cabeza, y Will se acostó hecho un ovillo y se quedó dormido en el acto.

Lyra se sentó junto a él, con Pantalaimon enroscado en su regazo en la modalidad de gato. Qué suerte tenía Will de que ella estuviera despierta y pudiera velar su sueño. Will no tenía miedo de nada, y ella sentía una admiración sin límites hacia él. Pero a él no se le daba bien mentir, engañar ni traicionar, lo cual a ella le resultaba tan natural como respirar. Al pensar en ello, Lyra se sintió reconfortada al pensar que lo hacía por Will, jamás por ella misma.

Aunque había pensado consultar de nuevo el aletiómetro, comprobó sorprendida que estaba tan cansada como si no hubiera permanecido dormida durante tanto tiempo, de modo que se acostó junto a Will y cerró los ojos, sólo para descabezar un sueñecito, se dijo antes de caer dormida.

14

Averigua la respuesta que buscas

> EL TRABAJO SIN
> ALEGRÍA ES RUIN;
> EL TRABAJO SIN
> DOLOR ES RUIN;
> EL DOLOR SIN
> TRABAJO ES RUIN;
> LA ALEGRÍA SIN
> TRABAJO ES RUIN.
> JOHN RUSKIN

Will y Lyra durmieron toda la noche y se despertaron cuando el sol se posó en sus párpados. Lo hicieron casi simultáneamente, con el mismo pensamiento, pero cuando miraron a su alrededor vieron al caballero Tialys que montaba guardia a pocos pasos de distancia, con aire sosegado.

—La fuerza del Tribunal Consistorial se ha retirado —les comunicó—. La señora Coulter está en manos del rey Ogunwe, de camino hacia la fortaleza de lord Asriel.

—¿Cómo lo sabes? —preguntó Will, incorporándose no sin cierta rigidez—. ¿Has vuelto a pasar por la ventana?

—No. Hablamos a través del resonador de magnetita. He informado de nuestra conversación a mi jefe lord Roke —dijo Tialys a Lyra—, y ha accedido a que os acompañemos hasta donde se encuentra el oso, y que una vez que lo hayáis visto vengáis con nosotros. Somos aliados, y os ayudaremos en lo que podamos.

—Estupendo —dijo Will—. Entonces, comamos juntos. ¿Os gusta nuestra comida?

—Sí, gracias —respondió lady Salmakia.

Will sacó los últimos melocotones pasos y un pan seco de centeno, que era cuanto le quedaba, y lo compartieron entre los cuatro, aunque como es lógico los espías no comieron mucho.

—Por lo que respecta al agua, en este mundo parece que escasea —observó Will—. Hasta que no volvamos al otro no podremos beber.

—Entonces más vale que nos vayamos cuanto antes —apuntó Lyra.

Pero antes desenvolvió el aletiómetro y le preguntó si aún había peligro en el valle. El instrumento respondió que no, que todos los soldados se habían marchado y que los aldeanos estaban en sus casas. Así pues, se dispusieron a partir.

La ventana se veía extraña en el deslumbrante aire del desierto y contrastaba con el arbusto inmerso en una sombra. Parecía un recuadro de espesa vegetación suspendido en el aire como una pintura. Los gallivespianos quisieron verla y quedaron atónitos al comprobar que por atrás no se veía, que sólo aparecía cuando la rodeaban y se colocaban delante.

—Tendré que cerrarla cuando la hayamos atravesado —dijo Will.

Lyra trató de juntar los bordes, pero sus dedos no dieron con ellos; los espías tampoco lo lograron, pese a la finura de sus manos. Sólo Will era capaz de localizar los bordes con los dedos, cosa que hizo con precisión y rapidez.

—¿En cuántos mundos puedes penetrar con la daga? —inquirió Tialys.

—En todos los que existen —contestó Will—. Nadie tendría tiempo de averiguar cuántos son.

Se echó la mochila al hombro y abrió la marcha por el sendero del bosque. Las libélulas gozaban con el aire húmedo y atravesaban como agujas los haces de luz. El movimiento de las copas de los árboles era menos violento, y la atmósfera fresca y apacible. Esto hizo que se llevaran una impresión aún mayor al ver los hierros retorcidos de un giróptero suspendido entre las ramas, y el cadáver de un piloto africano, atrapado en el cinturón del asiento, colgando por la puerta, y al descubrir los restos calcinados del zepelín un poco más arriba: unos fragmentos renegridos de tela, montantes, tubos, vidrios rotos, y los cadáveres de tres hombres achicharrados, con las extremidades retorcidas y crispadas como si aún se dispusieran a luchar.

Y ésos eran sólo los que habían sido abatidos junto al camino. Había otros cadáveres y restos de aparatos sobre el risco y entre los árboles. Mudos e impresionados, los dos niños avanzaron entre aquella carnicería, mientras los espías montados en sus libélulas observaban la escena con más frialdad, acostumbrados a las batallas, para conocer lo ocurrido y calibrar qué bando había sufrido más pérdidas.

Cuando llegaron a lo alto del valle, donde había menos árboles y comenzaban las cascadas y los arco iris, se detuvieron para beber la gélida agua.

—Espero que la niña esté bien —comentó Will—. No habríamos

logrado escapar si ella no te hubiera despertado. Fue a ver a un santón que le dio esos polvos.

—Sé que está bien —respondió Lyra—, porque anoche se lo consulté al aletiómetro. Pero cree que somos unos demonios y nos tiene miedo. Seguramente se arrepiente de haberse metido en esto, pero el caso es que está a salvo.

Siguieron subiendo junto a las cascadas y llenaron la cantimplora de Will antes de echar a andar a través de la meseta hacia las cumbres, donde se encontraba Iorek, según había informado el aletiómetro a Lyra.

Entonces iniciaron una larga jornada de camino que para Will no supuso ningún problema pero que para Lyra fue un tormento debido al debilitamiento que su prolongado letargo le había producido en las piernas. No obstante, antes se habría dejado arrancar la lengua que confesar lo mal que se sentía. Así pues, cojeando y conteniendo el dolor, fue siguiendo el paso de Will sin rechistar. Sólo cuando se sentaron, al mediodía, se permitió exhalar un gemido, y únicamente porque Will se había ausentado para hacer sus necesidades.

—Descansa —le recomendó lady Salmakia—. No tienes por qué avergonzarte de estar cansada.

—¡Es que no quiero decepcionar a Will! No quiero que piense que soy una canija y que le obligo a ir más despacio.

—Seguro que no piensa eso.

—¡Y tú qué sabes! —protestó Lyra—. No lo conoces para nada, ni a mí tampoco.

—Pero reconozco una impertinencia en cuanto la oigo —replicó la pequeña espía sin perder la calma—. Haz lo que te digo y descansa. Reserva tus energías para caminar.

Lyra no tenía ganas de obedecer, pero los relucientes espolones de la dama brillaban bajo el sol, de modo que no dijo nada.

Su compañero, el caballero Tialys, abrió la caja del resonador de magnetita y Lyra, picada por la curiosidad, observó atentamente lo que hacía. El instrumento parecía un lápiz de piedra gris negruzca, apoyado en un soporte de madera. El caballero pasó un diminuto arco semejante al de un violín sobre el extremo al tiempo que presionaba con los dedos de la otra mano en distintos lugares de la superficie. Dichos lugares no estaban señalados y parecía que los tocaba al azar, pero por la intensa concentración que mostraba su rostro y la agilidad de sus movimientos, Lyra comprendió que se trataba de un proceso tan delicado y complejo como su lectura del aletiómetro.

Al cabo de unos minutos el espía guardó el arco y tomó unos auriculares pequeños como la uña del meñique de Lyra. Acto seguido enroscó el extremo del cable alrededor de una clavija situada en la punta de la piedra, llevó el resto del cable hasta otra clavija instalada en el otro extremo y la enroscó alrededor de ésta. Manipulando las dos clavijas y la tensión del cable que mediaba entre ellas, podía oír la respuesta a su mensaje.

—¿Cómo funciona? —preguntó Lyra cuando el caballero hubo concluido.

Antes de responder, Tialys la miró como para calibrar el interés de la niña en el aparato.

—Vuestros científicos, ¿cómo los llamáis, teólogos experimentales?, deben de conocer una cosa llamada vinculación cuántica. Significa que dos partículas pueden existir siempre y cuando tengan unas propiedades en común, de modo que lo que le ocurre a una le sucede al mismo tiempo a la otra, por alejadas que estén. Pues bien, en nuestro mundo existe el medio de tomar una magnetita común y corriente y vincular todas sus partículas para después dividirla en dos con el fin de que ambas partes resuenen al mismo tiempo. La parte correlativa a ésta la tiene lord Roke, nuestro comandante. Cuando yo toco ésta con mi arco, la otra reproduce exactamente los sonidos, y ello nos permite comunicarnos.

Después de guardarlo todo, Tialys dijo algo a lady Salmakia y ambos se alejaron un poco. Hablaban en voz tan baja que Lyra no pudo oír lo que decían, pero Pantalaimon se transformó en un búho y volvió las orejas hacia ellos.

Al poco rato volvió Will y reemprendieron la marcha, más lentamente a medida que transcurría la jornada y el camino se hacía más empinado, cerca de las cimas nevadas. Al llegar a la cabecera de un rocoso valle hicieron otro alto en el camino, pues Will se percató de que Lyra cojeaba y tenía el rostro desencajado y consideró que estaba al borde del agotamiento.

—Enséñame los pies —le dijo—. Si los tienes llagados, te pondré un poco de ungüento.

Efectivamente, la niña tenía los pies cubiertos de llagas. Cerró los ojos, haciendo rechinar los dientes debido al dolor, y dejó que Will le aplicara el bálsamo de musgo de sangre.

Entretanto, el caballero estaba ocupado con su resonador de magnetita. Al cabo de unos minutos lo guardó y dijo:

—He comunicado nuestra posición a lord Roke. Enviarán un giróptero para trasladarnos a la fortaleza en cuanto hayáis hablado con vuestro amigo.

Will asintió. Lyra ni siquiera prestó atención. Se incorporó al instante, se puso los calcetines y los zapatos y reanudaron la marcha.

Transcurrió otra hora. Casi todo el valle estaba en sombras y Will se preguntó si hallarían un lugar donde refugiarse antes de que cayera la noche. De pronto, Lyra exclamó alborozada:

—¡Iorek! ¡Iorek!

Lo vio antes que Will. El oso rey se encontraba aún a cierta distancia, su blanca piel confundiéndose con la nieve. Al oír la voz de Lyra volvió la cabeza, la irguió olfateando el aire y descendió a grandes zancadas hacia ellos.

Sin saludar a Will, el oso dejó que Lyra se arrojara a su cuello y hundiera la cara en su pelaje, gruñendo tan intensamente que Will notó la vibración a través de sus pies. Pero Lyra acogió sus gruñidos con gozo, olvidándose momentáneamente de sus llagas y su cansancio.

—¡Ay, Iorek, cariño, cuánto me alegro de verte! ¡Pensé que nunca volvería a verte…, después del tiempo que pasamos en Svalbard y todo lo que ocurrió! ¿Qué tal está el señor Scoresby? ¿Cómo anda tu reino? ¿Has venido solo hasta aquí?

Los pequeños espías se habían esfumado. Todo indicaba que los tres se habían quedado solos en la oscura ladera: el niño, la niña y el descomunal oso blanco. Como si nunca hubiera deseado hallarse en otro lugar, Lyra se encaramó sobre Iorek y recorrió alegre y satisfecha a lomos de su querido amigo el último trecho que faltaba hasta su cueva.

Will, preocupado, no prestó atención a lo que Lyra decía a Iorek, aunque en cierto momento percibió un grito de consternación y la oyó decir:

—¿El señor Scoresby? ¡No me digas! ¡Qué desgracia! ¿De veras está muerto? ¿Estás seguro, Iorek?

—La bruja me contó que el señor Scoresby fue en busca de ese hombre llamado Grumman —respondió el oso.

Will aguzó entonces el oído, pues Baruch y Balthamos habían comentado algo al respecto.

—¿Qué pasó? ¿Quién lo mató? —preguntó Lyra con voz temblorosa.

—Murió luchando. Mantuvo a toda la fuerza de moscovitas a raya mientras ese hombre escapaba. Yo encontré su cadáver. Murió como un valiente. He jurado vengarlo.

Lyra rompió a llorar a lágrima viva. Will no sabía qué decir, porque aquel hombre había muerto precisamente para salvar la vida de su padre; Lyra y el oso conocían y querían a Lee Scoresby, pero él no.

Al poco rato Iorek dobló un recodo y se encaminó hacia la entrada de una cueva, que parecía muy oscura en contraste con la nieve. Will no sabía dónde estaban los espías, pero tenía la seguridad de que se encontraban cerca. Deseaba hablar en privado con Lyra, pero no hasta que localizara a los gallivespianos y supiera que no espiaban su conversación.

Will depositó la mochila en la entrada de la cueva y se sentó, cansado de la caminata. A sus espaldas, el oso encendió un fuego mientras Lyra lo observaba con curiosidad a pesar de su tristeza. Iorek tomó con la garra izquierda una pequeña piedra, una especie de mineral de hierro, y la restregó tres o cuatro veces contra otra piedra semejante que había en el suelo. Al cabo de unos momentos brotaron unas chispas, que fueron a parar exactamente adonde las dirigió el oso: un montón de ramitas y hierba seca. El montón no tardó en arder, y Iorek fue añadiendo un tronco tras otro hasta obtener una buena fogata.

Los niños agradecieron el calor del fuego, porque hacía mucho frío. Luego vino algo aún mejor: la pierna de un animal, de una cabra tal vez. Iorek se comió su porción de carne cruda, por supuesto, pero ensartó la pieza en una afilada estaca y la puso a asar en el fuego para Will y Lyra.

—¿Es fácil cazar en estas montañas, Iorek? —preguntó Lyra.

—No. Mi pueblo no puede vivir aquí. Yo me equivoqué, pero ha sido una suerte, porque así os he encontrado. ¿Qué planes tenéis?

Will echó un vistazo alrededor de la cueva. Estaban sentados cerca del fuego, cuyo resplandor arrancaba unos reflejos amarillos y anaranjados al pelaje del oso. El niño no vio ni rastro de los espías, pero en cualquier caso tenía que preguntarlo.

—Rey Iorek —empezó a decir—, se me ha roto la daga... —Will miró más allá de donde estaba sentado el oso y se apresuró a añadir—: Un momento. Si estáis escuchando —dijo señalando la pared—, salid y hacedlo a cara descubierta. No nos espiéis.

Lyra y Iorek Byrnison se volvieron para ver con quién hablaba. El hombrecillo salió de entre las sombras y se plantó tranquilamente bajo la luz, en un saliente situado sobre las cabezas de los niños. Iorek soltó un gruñido.

—No has pedido permiso a Iorek Byrnison antes de entrar en su cueva —dijo Will—. Él es un rey, y tú no eres más que un espía. Deberías ser más respetuoso.

A Lyra le encantó oír eso. Miró a Will con satisfacción y observó su ira y desprecio.

Pero la expresión del caballero, al mirar a Will, era de reproche.

—Nosotros fuimos sinceros con vosotros —replicó—. Ha sido una bajeza engañarnos.

Will se levantó. Su daimonion se habría presentado en forma de tigresa, pensó Lyra estremeciéndose al imaginar la ferocidad que mostraría la bestia.

—Os engañamos porque era necesario —contestó Will—. ¿Acaso habrías accedido a venir aquí de haber sabido que la daga estaba rota? ¡Pues claro que no! Habríais utilizado vuestro veneno para dejarnos inconscientes, y después de pedir refuerzos nos habríais secuestrado y trasladado a la fortaleza de lord Asriel. No tuvimos más remedio que engañaros, Tialys, y tenéis que conformaros, lo queráis o no.

—¿Quiénes son ésos? —preguntó Iorek Byrnison.

—Unos espías —respondió Will—. Enviados por lord Asriel. Ayer nos ayudaron a escapar, pero si están de nuestro lado no tienen por qué espiarnos. Y si lo hacen, son los menos indicados para hablar de bajezas.

El espía mostraba una expresión tan feroz que parecía dispuesto a lanzarse no sólo sobre el indefenso Will sino incluso sobre Iorek. Pero Tialys no llevaba la razón y él lo sabía. De modo que no tuvo más remedio que inclinarse y pedir disculpas.

—Majestad —dijo dirigiéndose a Iorek, quien respondió en el acto con un gruñido.

Los ojos del caballero transmitían un intenso odio hacia Will, una expresión de desafío y advertencia hacia Lyra y un frío y despectivo respeto hacia Iorek. La nitidez de sus rasgos resaltaban esa expresión, como si le iluminara una brillante luz. Lady Salmakia salió de la sombra y se situó junto a él. Hizo una reverencia al oso, pasando de los niños.

—Disculpadnos —dijo a Iorek—. La costumbre de esconderse es difícil de abandonar. Mi compañero el caballero Tialys y yo, lady Salmakia, hemos permanecido tanto tiempo entre nuestros enemigos que por puro hábito hemos omitido presentaros nuestros respetos. Acompañamos a este niño y a esta niña para asegurarnos de que lleguen sanos y salvos a la fortaleza de lord Asriel. No nos guía otro fin, y por supuesto no tenemos la menor intención de lastimaros, rey Iorek Byrnison.

Iorek no dio muestras de preguntarse cómo era posible que unas criaturas tan diminutas pudieran lastimarlo. No sólo su expresión era de por sí inescrutable, sino que también él poseía unos modales exquisitos y, a la fin y a la postre, la dama se había expresado con elegancia.

—Acérquense al fuego —les invitó—. Hay comida de sobra si tienen hambre. Will, ¿qué estabas diciendo sobre la daga?

—Jamás imaginé que pudiera pasar —respondió Will—, pero el caso es que se ha roto. El aletiómetro le dijo a Lyra que tú podrías repararla. Pensaba pedírtelo más educadamente, pero te lo pregunto sin rodeos: ¿puedes arreglarla, Iorek?

—Enséñamela.

Will vació el contenido de la funda sobre el suelo rocoso, colocando las piezas de la daga en su lugar correspondiente hasta comprobar que no faltaba ninguna. A la luz de una rama encendida que acercó Lyra, Iorek se agachó para contemplar cada fragmento, tocándolo delicadamente con sus gigantescas garras y examinándolo desde todos los ángulos. Will se maravilló de la destreza de aquellos inmensos garfios negros.

Después Iorek se volvió a enderezar, alzando la cabeza hacia las sombras del techo de la cueva.

—Sí —dijo, respondiendo escuetamente a la pregunta.

—¿Entonces lo harás, Iorek? —preguntó Lyra, comprendiendo a qué se refería—. No imaginas lo importante que es para nosotros... Si no conseguimos repararla estaremos en una situación desesperada y no sólo nosotros...

—No me gusta esa daga —declaró Iorek—. Temo lo que es capaz de hacer. Nunca he visto nada tan peligroso. Hasta los artilugios de guerra más mortíferos son unos juguetes en comparación con ella. El daño que puede causar es incalculable. Habría sido infinitamente mejor que no hubiera sido forjada.

—Pero con ella... —empezó a decir Will.

Iorek no dejó que terminara la frase.

—Con la daga puedes hacer unas cosas muy extrañas. Lo que no sabes es lo que hace por su cuenta. Puede que tus intenciones sean buenas, pero la daga también tiene sus intenciones.

—¿Cómo es posible? —inquirió Will.

—Las intenciones de una herramienta son lo que ésta hace. Un martillo pretende golpear, un tornillo pretende sujetar, una palanca pretende levantar. Son el propósito para el que fueron fabricados. Pero a veces una herramienta puede tener otras aplicaciones que desconocemos. A veces, al hacer lo que uno pretende, al mismo tiempo hace lo que pretende la daga, sin saberlo. ¿Puedes ver el filo más acerado de esa daga?

—No —reconoció Will.

Era cierto: el filo disminuía progresivamente hasta culminar en un borde tan fino que el ojo no era capaz de apreciarlo.

—Entonces ¿cómo puedes saber todo lo que hace?

—No puedo. Pero así y todo debo utilizarla, y hacer cuanto pueda para que sucedan cosas buenas. Si no hiciera nada, sería un inútil. Peor que eso, me sentiría culpable.

—Iorek —intervino Lyra—, tú sabes lo malas que son esas gentes de Bolvangar. Si no conseguimos ganar seguirán cometiendo esas atrocidades para siempre. Además, si no tenemos la daga es posible que caiga en manos de ellos. No conocía su existencia cuando te conocí, Iorek, ni yo ni nadie, pero ahora que lo sabemos, tenemos que utilizarla. Es nuestro deber. Sería una cobardía no hacerlo. Sería como entregársela a los otros y decir: «Usadla, no os lo impediremos.» De acuerdo, no sabemos lo que es capaz de hacer, pero puedo preguntárselo al aletiómetro, ¿no? Y podríamos pensar en ello con fundamento en lugar de andar con conjeturas y temores.

Will se abstuvo de mencionar su motivo más apremiante: si Iorek no reparaba la daga, nunca volvería a su casa ni vería de nuevo a su madre; ella nunca sabría qué había ocurrido y pensaría que Will la había abandonado, como había hecho su padre. La daga había sido la causa directa de ambas deserciones. Tenía que utilizarla para regresar junto a ella, de lo contrario nunca se lo perdonaría.

Iorek Byrnison guardó silencio durante largo rato, pero volvió la cabeza para escrutar la oscuridad. Luego se levantó despacio y se dirigió hacia la entrada de la cueva para contemplar las estrellas: algunas eran iguales a las que él había visto en el norte, y otras no las conocía.

A sus espaldas, Lyra dio la vuelta a la carne en el fuego. Will examinó sus heridas para ver si cicatrizaban bien. Tialys y Salmakia permanecieron sentados en silencio en el saliente.

Al cabo de un rato Iorek se volvió.

—De acuerdo, lo haré pero con una condición —dijo—. Aunque creo que es un error. Mi pueblo no tiene dioses ni daimonions. Vivimos y morimos, y ahí se acaba todo. Los asuntos humanos no nos traen sino sufrimientos y complicaciones, pero poseemos un lenguaje, peleamos y utilizamos herramientas; quizá deberíamos comprometernos en un bando. De todos modos es mejor estar bien informado que a medias. Consulta a tu instrumento, Lyra. Averigua la respuesta que buscas. Si después sigues queriendo utilizar esa daga, la repararé.

Lyra sacó enseguida el aletiómetro y lo acercó al fuego para examinar la esfera. La lectura fue más larga de lo habitual. Y cuando salió del trance, tras pestañear y suspirar repetidas veces, su rostro mostraba preocupación.

—Nunca había sido tan confuso —afirmó la niña—. Dijo muchas cosas. Creo que las entendí con claridad. Primero se refirió al equilibrio. Dijo que la daga podía ser perjudicial o servir para algo bueno, pero era un equilibrio tan delicado que el menor pensamiento o deseo podía hacer que se decantara en un sentido o en otro... Se refería a ti, Will, a lo que desearas o pensaras, aunque no especificó qué era un pensamiento bueno o malo.

»Luego ha dicho que sí —prosiguió Lyra, dirigiendo una mirada centelleante a los espías—. Ha dicho sí, reparad la daga.

Iorek la miró fijamente, y luego asintió con la cabeza.

Tialys y Salmakia descendieron del saliente para observar la escena más de cerca.

—¿Necesitas más leña, Iorek? —preguntó Lyra—. Will y yo podemos ir a buscarla.

Will comprendió lo que se proponía: que se alejaran de los espías para hablar tranquilamente.

—Pasado el primer recodo del camino veréis un arbusto de madera resinosa —dijo Iorek—. Traedme tantas ramas como podáis cargar.

Lyra se levantó de un salto y Will la siguió.

La luna resplandecía, el sendero era un amasijo de huellas difuminadas en la nieve y el aire tan frío que cortaba el aliento. Los dos niños se sentían llenos de energía, esperanza y vida. No cruzaron una palabra hasta que se hubieron alejado de la cueva.

—¿Qué más dijo el aletiómetro? —preguntó Will.

—Dijo unas cosas que no comprendí entonces y que sigo sin comprender ahora. Dijo que la daga sería la muerte del Polvo, pero luego dijo que era el único medio de mantener al Polvo con vida. No lo entiendo, Will. Pero volvió a decir que era peligrosa, lo repitió una y otra vez. Dijo que si nosotros... ya sabes..., lo que yo pensaba...

—¿Si vamos al mundo de los muertos?

—Sí, dijo que si hacemos eso quizá no regresemos nunca, Will. Quizá no logremos sobrevivir.

Will no hizo ningún comentario. Los niños siguieron caminando más serios, en busca del arbusto que les había indicado Iorek y silenciosos ante la idea del riesgo que correrían.

—Pero tenemos que hacerlo, ¿no? —dijo finalmente Will, interrumpiendo el silencio.

—No lo sé.

—Quiero decir ahora que ya lo sabemos. Tienes que hablar con Roger, y yo con mi padre. No nos queda más remedio que hacerlo.

—Tengo miedo —dijo Lyra.

Will comprendió que jamás se lo habría confesado a nadie.

—¿Te dijo lo que ocurriría si no lo hacemos? —preguntó.

—Vacío, oscuridad... En realidad no lo entendí, Will. Pero creo que se refería a que, pese al peligro, debemos tratar de rescatar a Roger. Desde luego no será como cuando le rescaté de Bolvangar. Yo entonces no sabía muy bien lo que hacía; simplemente fui en su busca y tuve suerte. Quiero decir que hubo mucha gente que me ayudó, como los giptanos y las brujas. Donde ahora tenemos que ir no encontraremos ninguna ayuda. Veo... en mi sueño vi... Ese sitio era... peor que Bolvangar. Por eso tengo miedo.

—Pues lo que a mí me da miedo —dijo Will sin atreverse a mirar a Lyra— es quedarme atrapado en algún lugar y no volver a ver a mi madre.

De pronto evocó una escena que había olvidado: ocurrió cuando era muy pequeño, antes de que su madre empezara a padecer una desgracia tras otra, y estaba enfermo. Su madre había pasado toda la noche sentada a la cabecera de su cama, en la oscuridad, cantando canciones de cuna y contándole cuentos. Y Will sabía que mientras tuviera cerca la querida voz de su madre, estaría a salvo. No podía abandonarla ahora. ¡De ninguna manera! Si era necesario, cuidaría de su madre toda la vida.

—Sí, tienes razón, sería horrible —dijo Lyra con ternura, como si hubiera adivinado sus pensamientos—. En lo tocante a mi madre no me di cuenta, ¿sabes? Me crié sola. No recuerdo que nadie me acunara ni me hiciera mimos de pequeña. ¡Que yo recuerde, sólo estábamos Pan y yo! No recuerdo que la señora Lonsdale se comportara así conmigo; era la gobernanta del Colegio Jordan, y lo único que le importaba era que yo fuera limpia, y los modales... Pero en la cueva, Will, sentí que mi madre me amaba y cuidaba de mí... Debí de pillar alguna enfermedad, pero ella no dejó de cuidarme. Y recuerdo que en un par de ocasiones me desperté y ella me tenía abrazada... Lo recuerdo con toda claridad, estoy segura... Eso es lo que yo haría si tuviera una hija.

De modo que Lyra no sabía por qué había permanecido dormida durante tanto tiempo. Will se preguntó si debía decírselo él y traicionar ese recuerdo, aunque fuera falso. Y se respondió que no, que decididamente no.

—¿Es ése el arbusto? —preguntó Lyra.

El resplandor de la luna era lo bastante intenso como para poner de relieve cada hoja. Will arrancó una rama, y el fuerte olor a resina quedó adherido a sus dedos.

—Y a esos espías no les diremos una palabra —añadió Lyra.

Los dos niños confeccionaron unos buenos fajos de ramas y los transportaron a la cueva.

15

La forja

MIENTRAS CAMINABA ENTRE LOS FUEGOS DEL INFIERNO, REGOCIJÁNDOME CON LOS PLACERES DEL GENIO...
WILLIAM BLAKE

En aquel momento, los gallivespianos hablaban del mismo tema. Tras llegar a una recelosa paz con Iorek Byrnison, se encaramaron de nuevo al saliente para no estorbar.

—No debemos apartarnos de su lado ni un momento —dijo Tialys, aprovechando el ruido que producía el crepitar de las llamas de la potente fogata—. En cuanto esté reparada la daga, debemos convertirnos en sombra del niño.

—Es muy listo. No deja de observarnos —repuso Salmakia—. La niña es más confiada. Creo que podríamos ganarnos su simpatía. Es inocente y cariñosa. Debemos concentrarnos en ella, Tialys.

—Pero él tiene la daga. Es el único que puede utilizarla.

—No irá a ninguna parte sin esa niña.

—Si él está en poder de la daga, ella tiene que seguirlo. Y creo que en cuanto la daga esté de nuevo intacta, la empleará para trasladarse a otro mundo y librarse de nosotros. ¿No te diste cuenta de que hizo callar a la niña cuando iba a añadir algo más? Tienen un objetivo secreto, muy distinto del que a nosotros nos conviene.

—Ya veremos. Pero creo que tienes razón, Tialys. Debemos permanecer muy cerca del niño a toda costa.

Ambos observaron con cierto escepticismo a Iorek Byrnison mientras éste disponía las herramientas de su improvisado taller. Los fornidos trabajadores de las fábricas de material de guerra situadas bajo la fortaleza de lord Asriel, con sus altos hornos y laminadoras, sus forjas ambáricas y prensas hidráulicas, se habrían reído al ver aquella fogata, el martillo de piedra y el yunque, que en realidad era una pieza de la armadura de Iorek. No obstante, el oso había calibrado bien la tarea que iba a emprender, y los pequeños espías empezaron a advertir en sus movimientos una eficacia que moderó su desprecio.

Cuando Lyra y Will regresaron con las ramas, Iorek les indicó cómo debían colocarlas en el fuego. Examinó cada rama, volviéndola de un lado y de otro, antes de indicarles cómo colocarlas en un determinado ángulo, o cómo partir un trozo y disponerlo por separado en el borde. El resultado fue un fuego de una extraordinaria potencia que se concentraba en un extremo.

El calor se propagaba por la cueva con gran intensidad. Iorek siguió alimentando el fuego y mandó a los niños otras dos veces a recoger leña para asegurarse de que hubiera suficiente hasta concluir la operación.

Luego volvió una pequeña piedra que había en el suelo y pidió a Lyra que buscara más piedras como aquélla. Le explicó que cuando aquellas piedras se calentaran emanarían un gas que rodearía la hoja y la aislaría del aire, pues si el metal candente entraba en contacto con el aire lo absorbería en parte y se haría más frágil.

Lyra se puso a buscar las piedras, y con ayuda de Pantalaimon, en versión lechuza, no tardó en hallar más de una docena. Iorek le explicó cómo debía colocarlas y dónde, y le mostró la cantidad exacta de aire que debía crear, utilizando una rama cargada de hojas, para que el gas fluyera de forma regular sobre la pieza que forjaba.

Iorek puso a Will a cargo del fuego. El oso dedicó varios minutos a darle las precisas instrucciones y a explicarle los principios que debía aplicar. Buena parte del éxito de la empresa dependía de la colocación exacta de la leña, y Iorek no podía detenerse a cada momento para corregir su posición.

Iorek le advirtió además que una vez reparada la daga no tendría el mismo aspecto. Sería más corta, porque cada pedazo de la hoja tenía que solapar un poco el siguiente, a fin de poderlos unir; la superficie quedaría oxidada, de modo que se perderían las aguas del color, y la empuñadura se quemaría un poco. Pero el filo sería igual y la daga no perdería eficacia.

Will observó cómo las llamas devoraban las resinosas ramas, y con los ojos llorosos y las manos chamuscadas fue reponiéndolas hasta que el calor se concentró tal como Iorek quería.

Entretanto, el oso picaba y rebajaba una piedra del tamaño de un puño, que había seleccionado tras haber rechazado varias que no tenían el peso adecuado. Fue dándole forma y alisándola con unos golpes tremendos, hasta que el olor a cordita que exhalaba la piedra se sumó al humo que aspiraban los dos espías, los cuales observaban la escena desde el saliente. Incluso Pantalaimon, transformado en cuervo, participaba agitando las alas para avivar el fuego.

Por fin, satisfecho de la forma que había adquirido el martillo, Iorek colocó las dos primeras piezas de la hoja de la daga entre la leña que ardía en el centro de la hoguera y ordenó a Lyra que aventara el gas de la piedra sobre ella. Mientras el oso observaba, su rostro alargado y blanco resplandecía a la luz de las llamas. Will vio que la superficie de metal tomaba un color rojo, luego amarillo y por último blanco.

Iorek no apartaba la vista del fuego, con la zarpa dispuesta para sacar las piedras. Al cabo de unos momentos el metal cambió nuevamente de aspecto; su superficie se tornó reluciente y de ella brotaron unas chispas como si se tratara de fuegos de artificio.

Entonces Iorek pasó a la acción. Introdujo la zarpa derecha en la hoguera y sacó rápidamente una pieza tras otra, sosteniéndolas con las puntas de sus grandes garras hasta depositarlas en la plancha de hierro que correspondía a la parte posterior de su armadura. Will percibió el olor a pelo chamuscado, pero Iorek no le dio importancia, y con extraordinaria agilidad ajustó el ángulo en el que las piezas se solapaban, alzó su zarpa izquierda y descargó un golpe con el martillo de piedra.

La punta de la daga rebotó sobre la piedra a consecuencia del impacto. Will comprendió que toda su vida dependía de lo que ocurriera en aquel pequeño triángulo de metal, aquella punta que buscaba los espacios en el interior de los átomos. Todo él sentía las oscilaciones de las llamas y el desprendimiento de cada átomo en el entramado de la hoja. Will había supuesto que sólo un horno de tamaño industrial, equipado con los instrumentos más sofisticados, podía forjar esa hoja, pero de pronto se dio cuenta de que aquellos eran los mejores instrumentos y que Iorek, gracias a su gran habilidad, había construido la mejor fragua posible.

—¡Mantenlo firme en tu mente! —tronó Iorek sobre el fragor del fuego—. ¡Tú también tienes que forjarlo! ¡Tienes que participar conmigo en la tarea!

Will sintió que todo su cuerpo se estremecía bajo los golpes que el oso descargaba con el martillo de piedra. La segunda pieza de la hoja comenzó a calentarse, y Lyra aventó con la rama el gas ardiente para que recubriera ambas piezas y no tuvieran contacto con el aire corrosivo. Will percibía todos los detalles de la operación, sintiendo cómo los átomos de metal se unían entre sí a través de la rotura, formando nuevos cristales, reforzándose y enderezándose en el invisible entramado a medida que se fraguaba la juntura.

—¡El filo! —bramó Iorek—. ¡Mantén el filo alineado!

Se refería «con la mente» y Will obedeció al instante, percibiendo las infinitesimales desviaciones y la infinitesimal corrección cuando los bordes se ajustaron perfectamente. Una vez que la juntura quedó terminada, Iorek pasó a la pieza siguiente.

—Otra piedra —indicó a Lyra, que apartó la primera piedra y puso a calentar una segunda.

Will revisó el fuego y partió una rama en dos para encarar mejor las llamas mientras Iorek se aplicaba de nuevo con el martillo. Will comprendió que a su tarea se había sumado una nueva complejidad, pues debía mantener la nueva pieza en una relación exacta con las dos anteriores, y que sólo si lo hacía con extremada precisión lograría ayudar a Iorek a recomponerlas.

El oso y los niños continuaron trabajando. Will no tenía ni idea de cuánto tiempo les llevó. Por su parte, Lyra tenía los brazos doloridos, los ojos llorosos, la piel chamuscada y enrojecida y los huesos molidos debido a la fatiga, pero siguió colocando cada piedra tal como le había indicado Iorek, y Pantalaimon, pese al cansancio, continuó batiendo las alas sobre las llamas.

Cuando sólo faltaba una última juntura, Will estaba tan agotado por el esfuerzo intelectual que a duras penas pudo colocar la siguiente rama en el fuego. Tenía que comprender cada conexión, de lo contrario la daga no se recompondría. Al llegar a la última y más compleja fase, destinada a fijar la hoja casi terminada en el pequeño trozo que quedaba de la empuñadura, Will era consciente de que si no lograba mantenerla unida con toda su energía mental a las demás piezas, la daga se disgregaría como si Iorek nunca la hubiera reparado.

El oso también lo sabía e hizo una pausa antes de empezar a calentar la pieza restante. Miró a Will y éste no vio nada en sus ojos, ni la más mínima expresión, sólo un insondable fulgor negro. No obstante, captó su significado: aquello era un trabajo arduo, pero todos cumplían una función igual de importante.

Eso le bastó. Se volvió hacia el fuego y concentró su imaginación en al extremo roto de la empuñadura, haciendo acopio de todas sus fuerzas para afrontar la última y más difícil fase de la tarea.

Así pues, la daga fue forjada entre los tres: Will, Iorek y Lyra.

Cuando Iorek hubo asestado el último golpe con el martillo, Will percibió el sutil ajuste de los átomos al unirse en el punto de rotura y se desplomó en el suelo de la cueva, totalmente agotado. Lyra se hallaba muy cerca de él en el mismo estado, con los ojos vidriosos y enrojecidos, el pelo lleno de hollín y humo. Iorek tenía la cabeza gacha y su blanco pelaje chamuscado y ceniciento.

Tialys y Salmakia habían dormido por turnos, de forma que uno de ellos estuvo vigilando constantemente. En aquel momento era ella quien estaba despierta mientras él dormía. Cuando la hoja se enfriaba y pasaba del rojo al gris y por fin a un tono plateado, Will alargó la mano hacia la empuñadura. Entonces Salmakia tocó en el hombro a su colega, que se despertó en el acto.

Pero Will no tocó la daga pues aún estaba muy caliente y se habría abrasado la mano. Los espías se relajaron sobre el rocoso saliente.

—Salgamos fuera —dijo Iorek a Will. Luego se volvió hacia Lyra y añadió—: Quédate aquí y no toques la daga.

Lyra se sentó junto al yunque, sobre el que se enfriaba la daga, y Iorek le ordenó que avivara el fuego y no dejara que se apagara, pues aún quedaba una última operación.

Will siguió al oso hasta la oscura ladera. El impacto del aire glacial en contraste con el horno de la cueva fue instantáneo.

—No debieron haber fabricado esa daga —declaró Iorek cuando se hubieron alejado un trecho—. Quizá yo no debí haberla reparado. Estoy lleno de dudas, y eso nunca me había sucedido. La duda es cosa de humanos, no de osos. Si me estoy volviendo humano, eso significa que algo va mal. Y yo lo he empeorado.

—Pero cuando el primer oso forjó la primera pieza de armadura, ¿acaso no fue eso también malo?

Iorek guardó silencio. Él y Will siguieron caminando hasta llegar a un gran ventisquero. Iorek se tumbó, revolviéndose en el suelo y levantando remolinos de nieve en la oscuridad hasta que él mismo parecía hecho de nieve, la personificación de toda la nieve que existía en el mundo.

Cuando hubo terminado se levantó y se sacudió la nieve de encima.

—Sí, tal vez lo fuera —dijo al ver que Will esperaba una respuesta a su pregunta—. Pero antes de ese primer oso acorazado no hubo otros. No sabemos nada sobre épocas anteriores. Fue entonces cuando se implantó la costumbre. Conocemos nuestras costumbres, que son firmes y sólidas y las observamos sin modificarlas. La naturaleza del oso se debilita sin la costumbre, al igual que la carne de oso queda desprotegida sin la armadura.

»Pero creo que al reparar esa daga he transgredido la naturaleza del oso. He sido tan insensato como Iofur Rakinson. El tiempo lo dirá. El caso es que estoy preocupado y lleno de dudas. Quiero que me aclares una cosa: ¿por qué se rompió la daga?

Will se frotó la cabeza con ambas manos para aliviar su jaqueca.

—La mujer me miró y creí que tenía el rostro de mi madre —respondió, tratando de recordar la experiencia con la máxima sinceridad—. La daga chocó contra algo que no pudo traspasar, y como mi mente la dirigía hacia delante y hacia atrás, se partió. Creo que fue así como sucedió. La mujer sabía lo que hacía, de eso estoy seguro. Es muy lista.

—Cuando hablas de la daga, hablas de tu madre y tu padre.

—¿De veras? Sí... supongo que sí.

—¿Qué vas a hacer con ella?

—No lo sé.

Iorek se abalanzó sobre Will y le dio un zarpazo tan violento que lo hizo rodar sobre la nieve hasta que por fin se detuvo a mitad de la ladera, completamente aturdido.

Iorek descendió lentamente hasta donde se hallaba Will, que intentaba ponerse de pie.

—Dime la verdad —le espetó.

Will se sintió tentado de decir: «No te habrías atrevido a pegarme de haber tenido yo la daga en la mano.» Pero sabía que Iorek lo sabía, y sabía que él lo sabía, y que habría sido una descortesía y una estupidez decir eso, aunque estuvo a punto de hacerlo.

Will se contuvo, hasta que se levantó y miró a Iorek a la cara.

—Te he dicho que no lo sé —replicó, tratando de no perder la compostura—, porque no tengo las ideas claras sobre lo que voy a hacer. Sobre lo que eso significa. Me da miedo. Y a Lyra también. De todos modos, en cuanto me expuso su plan acepté.

—¿De qué se trata?

—Queremos bajar a la tierra de los muertos y sacar al fantasma de Roger, el amigo de Lyra, que murió en Svalbard.

»Pero estoy en un dilema, porque también quiero volver y cuidar de mi madre, y por otra parte el ángel Balthamos me dijo que fuera a ver a lord Asriel y le ofreciera la daga, y creo que tiene razón...

—El ángel huyó —comentó Iorek.

—No era un guerrero. Hizo lo que pudo. No era el único que estaba asustado; yo también lo estoy. Así que debo pensar las cosas con calma. A veces no hacemos lo debido porque lo indebido parece más peligroso, y no queremos demostrar que estamos asustados, de modo que hacemos algo que está mal simplemente porque es peligroso. Nos preocupa más no demostrar nuestro miedo que actuar con tino. Es muy duro. Por eso no te he respondido.

—Entiendo —contestó el oso.

Ambos guardaron un rato de silencio, que a Will se le antojó muy largo porque no iba protegido contra aquel frío polar. Pero Iorek aún no había terminado y Will se sentía algo débil y aturdido debido al golpe que éste le había propinado, de modo que no se movieron.

—Me he arriesgado en muchos sentidos —dijo el oso rey—. Es posible que por querer ayudarte haya precipitado la destrucción definitiva de mi reino. Pero también es posible que no, y que la destrucción se hubiera producido de todas formas; puede que yo la haya postergado. Así que como ves estoy preocupado por hacer cosas impropias de un oso y dudar y especular como un humano.

»Y te diré más. Tú ya lo sabes, pero no quieres reconocerlo. Por eso voy a decírtelo sin rodeos, para que no te confundas. Si quieres triunfar en tu misión, debes dejar de pensar en tu madre. Tienes que dejarla de lado. Si no te concentras en la tarea, la daga se romperá.

»Ahora me despediré de Lyra. Espera en la cueva, porque esos espías no te perderán de vista, y no quiero que escuchen cuando hablo con ella.

Will no sabía qué decir, pero la emoción le atenazaba el pecho y la garganta.

—Gracias, Iorek Byrnison —fue cuanto atinó a decir.

Will subió con Iorek por la ladera hasta la cueva, donde el fuego despedía aún un cálido resplandor en la inmensa oscuridad.

Iorek llevó a cabo la última operación para reparar la sutil daga. La depositó entre las relucientes brasas hasta que la hoja estuvo candente. Will y Lyra vieron un centenar de colores que se arremolinaban en las humeantes profundidades del metal, y cuando Iorek calculó que había llegado el momento indicado, ordenó a Will que tomara la daga y la hundiera de inmediato en la nieve que se había acumulado frente a la cueva.

El mango de palisandro estaba chamuscado y renegrido, pero Will se envolvió varias veces la mano en una camisa y siguió las instrucciones de Iorek. Will sintió en el silbido y el vapor que emanaba la daga que todos los átomos se habían ensamblado a la perfección y que había recuperado su acerado filo y sus excepcionales cualidades.

Pero presentaba un aspecto distinto, tal como le había advertido Iorek. Era más corta y menos elegante, y cada juntura estaba cubierta por una superficie plateada y opaca. Parecía lo que era: un objeto herido.

Cuando se hubo enfriado, Will la guardó en la mochila. Luego se sentó, sin prestar atención a los espías, a esperar el regreso de Lyra.

Iorek condujo a la niña a un lugar situado más arriba de la cueva, donde dejó que ésta se refugiara entre sus descomunales brazos; Pantalaimon, transformado en ratón, reposaba junto a su pecho. Iorek se inclinó sobre ella y le acarició con el hocico sus manos chamuscadas y sucias.

Sin decir una palabra comenzó a lamerlas, aliviando con su lengua el escozor de las quemaduras. Lyra suspiró. Nunca se había sentido tan a salvo como en aquellos momentos.

Después de haberle limpiado el hollín y la suciedad de las manos, Iorek habló. Lyra sintió las vibraciones de su voz en la espalda.

—¿Qué es ese plan de visitar la tierra de los muertos, Lyra Lenguadeplata?

—Se me ocurrió en un sueño, Iorek. Vi al fantasma de Roger y comprendí que me llamaba... ¿Te acuerdas de Roger? Bueno, pues después de que te marcharas lo mataron, creo que por culpa mía. Pienso que debería terminar lo que comencé, que debo ir y pedirle perdón, y rescatarlo de ese lugar si puedo. Si Will puede abrir una ventana al mundo de los muertos, debemos hacerlo.

—Poder no es lo mismo que deber.

—Pero si puedes y debes, no hay excusa para no hacer una cosa.

—Mientras estás vivo, tu deber es seguir vivo.

—No, Iorek —replicó Lyra—, nuestro deber es cumplir las promesas que hagamos, por difíciles que sean. ¿Sabes una cosa? En el fondo estoy muerta de miedo. Ojalá no hubiera tenido nunca ese sueño, ojalá que a Will no se le hubiera ocurrido que podíamos utilizar la daga para ir allí. Pero las cosas son como son, y no hay vuelta de hoja.

Lyra notó que Pantalaimon estaba temblando y le acarició con sus manos doloridas.

—Lo malo es que no sabemos cómo llegar allí —continuó la niña—. No lo sabremos hasta que lo intentemos. ¿Y tú qué piensas hacer, Iorek?

—Regresaré al norte, con mi pueblo. No podemos vivir en las montañas. Incluso la nieve es distinta. Creí que podíamos vivir aquí, pero es más fácil para nosotros vivir en el mar, aunque haga calor. Ha sido una experiencia provechosa. Creo además que van a necesitarnos. Presiento que habrá guerra, Lyra Lenguadeplata; lo huelo, lo percibo en el ambiente. Antes de venir aquí hablé con Serafina Pekkala y me dijo que iba a ver a lord Faa y a los giptanos. Si estalla una guerra, nos necesitarán.

Lyra se incorporó, emocionada al oír los nombres de sus viejos amigos. Pero Iorek no había terminado.

—Si Will y tú no encontráis la forma de salir del mundo de los muertos —prosiguió—, no volveremos a vernos, porque yo no tengo un fantasma. Mi cuerpo permanecerá en la tierra, y pasará a formar parte de la misma. Pero si ambos logramos sobrevivir, en Svalbard siempre te recibiremos con el calor y los honores dignos de una amiga, y a Will también. ¿Te ha contado lo que ocurrió cuando nos encontramos?

—No —respondió Lyra—, sólo me dijo que ocurrió junto a un río.

—Me plantó cara. Yo creía que no existía nadie que se atreviera a hacerlo, pero ese renacuajo es muy atrevido y muy listo. No me gusta el plan que te has propuesto, pero me consta que ese chico es la única persona que velará por ti. Sois tal para cual. Que te vaya bien, Lyra Lenguadeplata, mi querida amiga.

Incapaz de articular palabra, Lyra le rodeó el cuello con los brazos y sepultó la cara en su espeso pelaje.

Al cabo de un minuto Iorek se levantó y apartó delicadamente a Lyra. Luego dio media vuelta y se alejó en la oscuridad. Lyra enseguida perdió de vista su silueta al confundirse con la blancura de la nieve, pero tal vez porque tenía los ojos inundados de lágrimas.

Cuando Will oyó sus pasos en el camino, les dijo a los espías:

—Mirad, aquí está la daga. No voy a utilizarla. No os mováis de aquí.

Al salir halló a Lyra frente a la cueva, llorando. Pantalaimon, que estaba a su lado, se había transformado en un lobo que alzaba el hocico hacia el negro firmamento.

Ella no dijo palabra. La única luz venía del pálido reflejo de los restos de la hoguera sobre la nieve, que a su vez se reflejaba en las mejillas húmedas de Lyra, y las lágrimas de la niña se reflejaban en los ojos de Will, de forma que todos aquellos fotones les unían en un silencioso entramado.

—¡Le quiero tanto, Will! —musitó Lyra con voz entrecortada—.

Y parecía tan viejo y triste... Ahora todo recaerá sobre nosotros, ¿verdad, Will? No podemos apoyarnos en nadie más, sólo en nosotros mismos. Pero somos muy jóvenes... Si el pobre señor Scoresby está muerto y Iorek es viejo... Tendremos que seguir adelante sin depender de nadie.

—Lo conseguiremos —dijo Will—. No pienso mirar de nuevo atrás. Podemos hacerlo. Ahora debemos dormir un rato, pero si permanecemos en este mundo podrían aparecer esos girópteros que han encargado los espías. Así que abriré ahora mismo una ventana y buscaremos otro mundo donde dormir, y si los espías vienen con nosotros, no importa. Ya nos libraremos de ellos más adelante.

—Sí —convino Lyra, pasando el dorso de la mano por la nariz y frotándose los ojos empañados de lágrimas—. Lo haremos así. ¿Estás seguro de que la daga funciona? ¿La has probado?

—Sé que funcionará.

Seguidos por Pantalaimon, convertido en un tigre para disuadir a los espías, al menos eso esperaban, Will y Lyra regresaron a la cueva y tomaron sus mochilas.

—¿Qué hacéis? —preguntó Salmakia.

—Nos vamos a otro mundo —respondió Will, sacando la daga. Notó que estaba intacta de nuevo; hasta ese momento no había reparado en lo mucho que la quería.

—Pero tenéis que esperar a los girópteros de lord Asriel —protestó Tialys con tono áspero.

—No vamos a esperarlos —replicó Will—. Si os acercáis a la daga, os mataré. Podéis venir con nosotros si queréis, pero no podéis obligarnos a quedarnos aquí. Nos vamos.

—¡Nos mentiste!

—No —terció Lyra—. Mentí yo. Will no miente. No pensasteis en eso.

—¿Pero adónde vais?

Sin responder, Will tentó el aire y cortó una abertura en la penumbra.

—Esto es un error —observó Salmakia—. Deberíais daros cuenta y hacernos caso. No habéis pensado.

—Claro que hemos pensado, y mucho —replicó Will—. Mañana os lo contaremos. Podéis acompañarnos al lugar adonde nos dirigimos o regresar con lord Asriel.

La ventana daba a un mundo al que él había escapado con Baruch y Balthamos, y donde había dormido a salvo: una inmensa y cálida playa en la que crecían unas plantas parecidas a helechos detrás de las dunas.

—Dormiremos aquí —dijo Will—. Es un buen sitio.

Cuando todos hubieron pasado, Will cerró enseguida la ventana. Mientras él y Lyra se acostaban allí mismo, rendidos, lady Salmakia se dispuso a montar guardia, y el caballero abrió su resonador de magnetita y empezó a componer un mensaje en la oscuridad.

16

El artefacto intencional

DEL INCLINADO
TEJADO COLGABAN
MÁGICAS HILERAS
DE LÁMPARAS
QUE REFULGÍAN
CUAL ESTRELLAS Y
BRILLANTES
FAROLES DE ACEITE
QUE PROYECTABAN
LUZ...

JOHN MILTON

Mi niña! ¡Mi hija! ¿Dónde está? ¿Qué has hecho? Mi Lyra... Más valdría que me arrancaras a tiras el corazón... Ella estaba segura conmigo, a salvo, ¿y ahora dónde está?

Los gritos de la señora Coulter resonaban por la reducida estancia en lo alto de la torre inexpugnable. Estaba atada a una silla, desgreñada, con la ropa desgarrada y la mirada extraviada. Su daimonion mono se revolvía y forcejeaba en el suelo, sujeto con una cadena de plata.

Lord Asriel, sentado junto a ella, escribía algo en un papel, sin prestarle atención. A su lado había un ordenanza que miraba nervioso a la mujer. Cuando lord Asriel le hubo entregado el papel, el hombre saludó y salió apresuradamente con su daimonion terrier pegado a sus talones y la cola entre las piernas.

Lord Asriel se volvió hacia la señora Coulter.

—¿Lyra? Francamente, me importa un comino —dijo con voz queda y ronca—. Esa dichosa niña debió quedarse donde estaba y hacer lo que se le dijo. No puedo seguir desperdiciando tiempo y recursos con ella; si se niega a aceptar nuestra ayuda, debe arrostrar las consecuencias.

—No lo dices en serio, Asriel, o no habrías...

—Lo digo muy en serio. Esa cría ha provocado un conflicto desproporcionado en comparación con sus méritos. No es más que una niña inglesa como tantas, no muy inteligente...

—¡Sí es inteligente! —protestó la señora Coulter.

—Es lista pero no intelectual; impulsiva, embustera, avariciosa...

—Valiente, generosa, cariñosa.

—Una niña del montón, que no se distingue por...

—¿Del montón? ¿Lyra? ¡Es única! Piensa en todo lo que ha hecho. Si no la quieres es problema tuyo, Asriel, pero no menosprecies a tu hija. Conmigo estuvo a salvo hasta que...

—Tienes razón —replicó lord Asriel poniéndose en pie—. Es única. Si ha conseguido domesticarte y ablandarte... Es toda una hazaña. Te ha arrebatado el veneno, Marisa. Te ha arrancado los colmillos. Tu fuego ha quedado sofocado bajo un torrente de sentimentalismo. ¿Quién lo habría imaginado? La despiadada portavoz de la Iglesia, la fanática perseguidora de niños, la inventora de diabólicas máquinas destinadas a abrirlos en canal y buscar en sus aterrorizados cuerpecitos alguna prueba de pecado... Y de pronto aparece una mocosa deslenguada e ignorante con las uñas sucias y tú la arropas con tus plumas como una gallina clueca. Sí, reconozco que esa niña debe de tener un don que yo jamás he visto. Pero si de lo único que es capaz es de convertirte en una madre amorosa, es un don vulgar, insignificante, ridículo. He convocado a mis comandantes para una reunión de urgencia, y si no puedes controlar esos ruidos que sueltas por la boca, ordenaré que te amordacen.

La señora Coulter se parecía más a su hija de lo que suponía. Su respuesta fue escupirle a lord Asriel en la cara.

—Una mordaza acabaría también con esos modales —dijo lord Asriel sin inmutarse y secándose la cara.

—Corrígeme si me equivoco, Asriel —replicó la señora Coulter—. El que exhibe a sus subordinados una prisionera atada a una silla es sin duda un modelo de educación. Quítame estas ligaduras o te obligaré a amordazarme.

—Como quieras.

Lord Asriel sacó un pañuelo de seda del cajón, pero antes de que le diera tiempo a colocárselo sobre la boca, la señora Coulter meneó la cabeza.

—No, no —dijo—. No lo hagas, Asriel, te lo suplico, no me humilles.

De sus ojos brotaron lágrimas de rabia.

—Muy bien, te desataré, pero éste seguirá encadenado —declaró, guardando el pañuelo de nuevo en el cajón. Luego le cortó las ligaduras con una navaja.

La señora Coulter se frotó las muñecas, se levantó de la silla, flexionó los brazos para desentumecerlos y reparó en el estado de su ropa y su pelo. Estaba pálida y demacrada; en su cuerpo aún quedaban restos de veneno de los gallivespianos, que le causaba un dolor espantoso en las articulaciones, pero no estaba dispuesta a manifestarlo ante él.

—Puedes lavarte ahí —dijo lord Asriel, señalando una pequeña habitación apenas mayor que un armario.

La señora Coulter tomó en brazos a su daimonion encadenado, que fulminó a lord Asriel con la mirada y entró en ella para asearse.

En ese momento se presentó un ordenanza.

—Su majestad el rey Ogunwe y lord Roke —anunció.

Inmediatamente hicieron su aparición en la estancia el general africano y el gallivespiano. El primero lucía un uniforme impecable y un vendaje limpio que cubría una herida en la sien; lord Roke se deslizó rápidamente hacia la mesa a lomos de su halcón azul.

Lord Asriel los saludó efusivamente y les ofreció vino. El halcón se detuvo para que desmontara su jinete y acto seguido voló hasta el soporte contiguo a la puerta. Entonces el ordenanza anunció al tercero de los comandantes de lord Asriel, un ángel hembra que respondía al nombre de Xaphania. Pertenecía a una categoría muy superior a la de Baruch y Balthamos y era visible gracias a una trémula y desconcertante luz que parecía provenir de otro lugar.

La señora Coulter hizo su aparición, muy aseada, y los tres comandantes se inclinaron ante ella. No dio muestras de que le sorprendiera su presencia, correspondió a su saludo con una inclinación de cabeza y se sentó con ademán sosegado, sosteniendo al mono encadenado en sus brazos.

—Cuénteme lo ocurrido, rey Ogunwe —dijo lord Asriel, entrando cn materia sin pérdida de tiempo.

—Matamos a diecisiete guardias suizos —dijo el africano con voz grave y potente— y destruimos dos zepelines. Perdimos a cinco hombres y un giróptero. La niña y el niño lograron escapar. Capturamos a lady Coulter, pese a su valerosa resistencia, y la trajimos aquí. Confío en que considere correcto el trato que le dispensamos.

—Estoy satisfecha de la forma en que me trató usted, señor —respondió la señora Coulter haciendo un ligero hincapié en el término «usted».

—¿Han sufrido desperfectos los otros girópteros? ¿Hay heridos? —inquirió lord Asriel.

—Algunos desperfectos y algunos heridos, pero de escasa consideración.

—Bien. Gracias, rey. Su fuerza se portó dignamente. ¿Qué noticias me trae usted, lord Roke?

—Mis espías se encuentran con el niño y la niña en otro mundo —respondió el gallivespiano—. Los niños están bien, aunque la niña ha permanecido muchos días sumida en un sueño producido por una poción. El niño no pudo utilizar su daga durante los sucesos que tuvieron lugar en la cueva. La daga sufrió un accidente y se hizo pedazos. Ahora está de nuevo intacta, gracias a una criatura procedente del norte de su mundo, lord Asriel, un oso gigante muy ducho en trabajos con metales. En cuanto la daga estuvo reparada, el niño practicó una abertura a otro mundo, en el que ahora se encuentran. Mis espías están con ellos, desde luego, pero existe un problema: mientras el niño tenga la daga, no hay forma de obligarle a hacer nada, y si lo matan mientras duerme, nosotros no sabríamos cómo utilizar la daga. De momento el caballero Tialys y lady Salmakia irán con los niños adondequiera que éstos vayan, así por lo menos podremos seguirles la pista. Al parecer tienen un plan; en cualquier caso se niegan a venir aquí. Pero mis dos agentes no los perderán de vista.

—¿Están seguros en ese otro mundo en el que se encuentran? —preguntó lord Asriel.

—Se encuentran en una playa junto a un pequeño bosque. No hay señal de vida en las proximidades. En este momento duermen. He hablado con el caballero Tialys hace cinco minutos.

—Gracias —dijo lord Asriel—. Ahora que sus dos agentes siguen a los niños, no disponemos de unos espías en el Magisterium. Tendremos que depender del aletiómetro. Al menos...

—No sé cómo se las ingenian las otras ramas —terció de pronto la señora Coulter, sorprendiendo a sus interlocutores—, pero por lo que respecta al Tribunal Consistorial, el lector que utilizan es fray Pavel Rasek. Es concienzudo, pero lento. Hasta dentro de varias horas no averiguarán dónde se halla Lyra.

—Gracias, Marisa —dijo lord Asriel—. ¿Tienes idea de lo que Lyra y ese niño se proponen hacer?

—La verdad es que no —contestó la señora Coulter—. He hablado con el niño, que parece un chico muy tozudo, acostumbrado a guardar secretos. No puedo imaginar lo que hará. En cuanto a Lyra, es imposible adivinar sus intenciones.

—Milord —dijo el rey Ogunwe—, ¿puede decirnos si la señora forma parte de este consejo de mando? Y en tal caso, ¿qué función desempeña? De no ser así, creo que sería preferible trasladarla a otro lugar.

—Ella es nuestra prisionera y mi huésped, y en su calidad de antigua y distinguida agente de la Iglesia, puede que disponga de información útil para nosotros.

—¿Y accederá a revelarla, o será preciso torturarla? —preguntó lord Roke mirando directamente a los ojos de la señora Coulter, que se echó a reír.

—No imaginaba que los comandantes de lord Asriel pretendieran arrancar la verdad por medio de la tortura. Los creía más perspicaces —soltó.

Lord Asriel no pudo por menos de admirar aquella descarada muestra de insinceridad.

—Garantizo el comportamiento de la señora Coulter —dijo—. Sabe perfectamente lo que ocurrirá si nos traiciona; pero no tendrá ocasión de hacerlo. No obstante, si alguno de ustedes tiene alguna duda al respecto, puede expresarla sin temor.

—Yo sí tengo —respondió el rey Ogunwe—, pero de quien dudo es de usted, no de ella.

—¿Por qué? —inquirió lord Asriel.

—Si ella lo tentara, usted no resistiría. Fue un acierto capturarla, pero un error invitarla a asistir a este consejo. Trátela con cortesía, ofrézcale todas las comodidades, pero instálela en otro lugar y manténgase alejado de ella.

—Puesto que le he animado a hablar, debo aceptar el reproche —dijo lord Asriel—. Su presencia es más valiosa para mí que la de esta mujer, rey. Ordenaré que se la lleven.

Lord Asriel alargó la mano para pulsar el timbre, pero antes de que lo hiciera la señora Coulter se apresuró a decir:

—Por favor, escúchenme primero. Puedo serles útil. He estado más cerca del centro de poder del Magisterium que nadie de los que ustedes conocen. Sé cómo piensan y puedo prever lo que van a hacer. ¿Se preguntan quizá por qué deberían fiarse de mí, por qué abandoné a los otros? Es muy sencillo: van a matar a mi hija. No se atreven a dejarla vivir. En cuanto descubrí quién era... qué es... lo que las brujas profetizaron sobre ella... comprendí que debía abandonar la Iglesia. Comprendí que yo era su enemiga, y ellos mis enemigos. No sabía qué eran ustedes ni qué representaba yo para ustedes. Eso era un misterio. Pero sabía que tenía que situarme en contra de la Iglesia, de todo cuanto ellos creen, y en caso necesario, de la misma Autoridad. Yo...

La señora Coulter se detuvo. Los comandantes la escuchaban con atención. Luego miró a lord Asriel a la cara y siguió hablando como si se dirigiera tan sólo a él, con voz grave y apasionada y los ojos relucientes.

—He sido la peor madre del mundo. Dejé que me arrebataran a mi hija cuando era un bebé, porque no me interesaba. Sólo me importaba mi carrera. No pensé en ella durante años, y cuando lo hacía era para lamentar la vergüenza que supuso para mí su nacimiento.

»Pero luego la Iglesia comenzó a interesarse por el Polvo y los niños, y en mi corazón se produjo un cambio: recordé que era madre y que Lyra era... ¡mi hija!

»Y puesto que estaba amenazada, evité que le hicieran daño. En tres ocasiones intervine para salvarla de un peligro. La primera fue cuando el Comité de Oblación inició su tarea: fui al Colegio Jordan y me la llevé a vivir conmigo a Londres, donde estaba a salvo del Comité..., al menos eso creí. Pero ella se escapó.

»La segunda vez fue en Bolvangar, cuando la hallé justo a tiempo, bajo la... la hoja de... ¡Por poco se me para el corazón! Era lo que hacían... lo que hacíamos... Lo que yo misma había hecho a otros niños, pero Lyra era mi hija. ¡No pueden imaginar el horror que experimenté en aquel momento! Espero que nunca tengan que sufrir lo que yo sufrí entonces... Pero conseguí salvarla. La saqué de allí. La salvé por segunda vez.

»No obstante, seguía considerándome partícipe de la Iglesia, su leal y devota servidora, porque llevaba a cabo la obra de la Autoridad.

»Entonces me enteré de la profecía de las brujas. Lyra será tentada, como lo fue Eva. Eso es lo que dicen. Ignoro en qué consistirá esa tentación, pero la niña está creciendo y no es difícil imaginarlo. Y ahora que la Iglesia también lo sabe, la matarán. Si todo depende de ella, ¿cómo van a dejar que viva? ¿Cómo van a arriesgarse a que Lyra resista a esa tentación, sea la que sea?

»No, están obligados a matarla. Si pudieran, regresarían al jardín del Edén y matarían a Eva antes de que sucumbiera a la tentación. Matar no es difícil para ellos; el mismo Calvino ordenó la matanza de niños. La matarían con gran pompa y ceremonia y plegarias y lamentaciones y salmos e himnos, pero la matarían. Si Lyra cae en manos de ellos, podemos considerarla muerta.

»Por eso cuando me enteré de lo que había dicho la bruja, salvé a mi hija por tercera vez. La llevé a un lugar seguro, y pensaba permanecer allí con ella.

—Usted la drogó —dijo el rey Ogunwe—. La mantuvo inconsciente.

—Tuve que hacerlo —replicó la señora Coulter—, porque ella me odiaba. —Su voz cargada de emoción, que hasta entonces había controlado, se quebró en un sollozo—. Me temía y detestaba —continuó la mujer con voz trémula—. Habría escapado volando de mi presencia como un pájaro de un gato si no la hubiera drogado para que quedara inconsciente. ¿Saben lo que eso supone para una madre? Pero era el único medio de que Lyra estuviera a salvo. Todo ese tiempo en la cueva... dormida, con los ojos cerrados, indefensa, su daimonion enroscado sobre su cuello... ¡No pueden imaginar el amor que sentí por ella, la ternura, un sentimiento tan profundo...! ¡Mi propia hija! Era la primera vez que yo tenía la oportunidad de hacer algo por ella. ¡Mi pequeña! La lavé, le di de comer, la protegí del frío. Por las noches me acostaba a su lado, la mecía en mis brazos, lloraba con el rostro hundido en su pelo, besaba sus párpados cerrados, mi pequeña...

Su desvergüenza era increíble. Se expresaba en voz baja, sin declamar ni elevar el tono en ningún momento. Y cuando un sollozo le quebró la voz, fue tan tenue que casi parecía un hipido, como si reprimiera sus emociones por una cuestión de pura cortesía. Esto no hizo sino aumentar la eficacia de sus descaradas mentiras, según observó lord Asriel con disgusto. Era una consumada embustera.

La señora Coulter se dirigía principalmente al rey Ogunwe, aunque con disimulo, según observó también lord Asriel. No sólo era su principal acusador sino un ser humano, a diferencia del ángel y de lord Roke, y ella sabía cómo manipularlo.

Pero en realidad fue el gallivespiano quien quedó más impresionado por sus artes. Lord Roke intuía que la señora Coulter poseía una naturaleza muy parecida a la de un escorpión, y era consciente del poder que detectaba bajo su dulce tono. «Es preferible mantener a un escorpión en un lugar donde puedas verlo», pensó.

Así que no dudó en apoyar al rey Ogunwe cuando más tarde cambió de parecer y se mostró favorable a que la señora Coulter se quedara. Lord Asriel no logró sus propósitos pues había decidido trasladarla a otro sitio; pero se había comprometido a acatar los deseos de sus comandantes.

La señora Coulter lo miró con un leve y virtuoso gesto de preocupación. Lord Asriel estaba convencido de que nadie más que él se había percatado de la disimulada expresión de triunfo que brillaba en el fondo de sus hermosas pupilas.

—Bueno, quédate —dijo—. Pero ya has hablado bastante. Ahora guarda silencio. Quiero considerar la propuesta para instalar una guarnición en la frontera meridional. Ya han visto el informe. ¿Es viable? ¿Es conveniente? Luego quiero revisar el arsenal y por último deseo que Xaphania me detalle la disposición de las fuerzas angélicas. Hablemos primero de la guarnición. Tiene la palabra, rey Ogunwe.

El dirigente africano abrió el debate. Conversaron durante un rato, y la señora Coulter quedó impresionada por sus atinados conocimientos de las defensas de la Iglesia y su acertada valoración sobre los puntos fuertes de sus líderes.

Pero ahora que Tialys y Salmakia estaban con los niños, y lord Asriel ya no tenía un espía en el Magisterium, su información pronto quedaría desfasada. A la señora Coulter se le ocurrió entonces una idea, y ella y el daimonion mono cambiaron una mirada tan potente como un chispazo ambárico. Pero ella no dijo nada y se limitó a acariciar su dorado pelo y a escuchar a los comandantes.

—Ya es suficiente —dijo al cabo de un rato lord Asriel—. Más tarde nos ocuparemos de este problema. Ahora pasemos al arsenal. Tengo entendido que están a punto de probar el artefacto intencional. Vayamos a echarle un vistazo.

Sacó una llave de plata del bolsillo y abrió las argollas que llevaba el mono en los pies y las manos, procurando no rozar siquiera la punta de sus pelos dorados.

Lord Roke montó sobre su halcón y siguió a los demás, mientras lord Asriel bajaba la escalera de la torre para salir a las almenas.

Soplaba un viento helado que les daba en los ojos. El halcón de color azul eléctrico alzó el vuelo en medio de un fuerte remolino, deslizándose y chillando a través de las violentas corrientes. El rey Ogunwe se arrebujó en su abrigo y apoyó la mano en la cabeza de su daimonion guepardo.

—Disculpe, señora, ¿se llama usted Xaphania? —preguntó la señora Coulter humildemente al ángel hembra.

—Sí.

Su aspecto impresionó a la señora Coulter, de igual modo que sus congéneres habían impresionado a la bruja Ruta Skadi cuando los encontró en el cielo: no brillaba pero resplandecía aunque no había ninguna fuente de luz. Era alta, tenía alas, iba desnuda, y la señora Coulter jamás había visto un rostro tan viejo y arrugado como aquél.

—¿Es usted uno de los ángeles que se rebelaron hace tiempo?

—Sí, y desde entonces he estado vagando en unos mundos muy diversos. Ahora he ofrecido mi apoyo a lord Asriel, porque percibo en su noble empresa la esperanza más fundada de destruir la tiranía de una vez para siempre.

—Pero ¿y si fracasa?

—Entonces todos sucumbiremos, y la crueldad reinará para siempre.

Mientras hablaban seguían los pasos rápidos de lord Asriel a través de las almenas azotadas por el viento hacia una recia escalera que conducía a las profundidades del castillo, tan larga que ni siquiera las antorchas colocadas en unos soportes en los muros revelaban su final. El halcón azulado pasó sobre ellos como una flecha y se precipitó hacia abajo; las antorchas arrancaban unos reflejos a su plumaje hasta que el ave quedó reducida a una minúscula mota y desapareció.

El ángel se había situado al lado de lord Asriel, y la señora Coulter descendió la escalera junto al rey africano.

—Disculpe mi ignorancia, señor —dijo ella—, pero hasta la pelea que se libró ayer en la cueva nunca había visto ni había oído hablar de un hombre como el que monta el halcón azul... ¿De dónde proviene? ¿Puede decirme algo sobre esas gentes? Por nada en el mundo querría ofenderlo, pero si hablara sin saber nada de él, podría incurrir en una descortesía sin querer.

—Hace bien en preguntar —respondió el rey Ogunwe—. El suyo es un pueblo orgulloso. Su mundo tuvo un desarrollo distinto al nuestro. Allí existen dos clases de seres conscientes: los humanos y los gallivespianos. La mayor parte de los humanos sirven a la Autoridad, y han tratado de exterminar a los pequeños gallivespianos desde los tiempos más remotos. Los consideran diabólicos. Por eso los gallivespianos no confían en las personas de nuestro tamaño. En cualquier caso, son unos guerreros feroces y orgullosos, unos enemigos mortales y unos excelentes espías.

—¿Está todo su pueblo con ustedes, o se encuentran divididos al igual que los humanos?

—Algunos están con el enemigo, pero la mayoría están con nosotros.

—¿Y los ángeles? Le confieso que hasta hace poco creía que los ángeles eran un invento de la Edad Media, unos seres imaginarios... Resulta desconcertante encontrarse de pronto hablando con uno de ellos, ¿no le parece? ¿Cuántos están del lado de lord Asriel?

—Señora Coulter —respondió el rey—, ésta es una de esas preguntas a las que un espía le gustaría hallar respuesta.

—Mala espía sería yo si se las hiciera de forma tan directa —respondió la mujer—. Soy una prisionera, señor. No podría huir aunque dispusiera de un lugar seguro donde esconderme. Le aseguro que a partir de ahora soy inofensiva.

—Si usted lo dice, la creo —dijo el rey—. Los ángeles son más difíciles de entender que cualquier ser humano. Para empezar, no pertenecen todos a la misma categoría. Algunos poseen mayor poder que otros. Existen complicadas alianzas entre ellos y viejas enemistades que nosotros desconocemos. La Autoridad ha ido suprimiéndolos desde que comenzó a existir.

La señora Coulter se detuvo, estupefacta. El rey africano se paró a su lado, creyendo que estaba indispuesta, pues el resplandor de las antorchas arrojaba unas sombras fantasmales sobre su rostro.

—Lo afirma usted con tanta naturalidad que parece dar por supuesto que yo también lo sé —dijo la señora Coulter—. ¿Pero cómo es posible? La Autoridad creó los mundos, ¿no es así? Existía antes que todo. ¿Cómo pudo «comenzar a existir»?

—Éstos son conocimientos angélicos —precisó Ogunwe—. A algunos de nosotros también nos impresionó enterarnos de que la Autoridad no es el creador. Quizás existiera un creador, o quizá no. Lo ignoramos. Lo único que sabemos es que en cierto momento la Autoridad tomó las riendas y desde entonces los ángeles se han rebelado y los seres humanos han luchado contra ese yugo. Ésta es la última rebelión. Hasta la fecha los humanos y los ángeles, y seres de todo el mundo, nunca habían hecho causa común. Ésta es la mayor fuerza que se ha reunido jamás. Aunque quizá no sea suficiente. Ya veremos.

—¿Pero qué se propone lord Asriel? ¿Qué mundo es éste, y por qué ha venido él aquí?

—Nos trajo aquí porque el mundo está vacío. Vacío de vida consciente. No somos colonialistas, señora Coulter. No hemos venido con ánimo de conquista sino para construir.

—¿Acaso piensa atacar lord Asriel el Reino de los Cielos?

Ogunwe se volvió y miró a la señora Coulter a los ojos.

—No vamos a invadir el Reino —respondió—, pero si el Reino nos invade, más vale que estén preparados para la guerra, porque nosotros sí lo estamos. Yo soy un rey, señora Coulter, pero mi mayor orgullo es participar en la tarea de lord Asriel de forjar un mundo donde no existan reinos, ni reyes, ni obispos, ni sacerdotes. El Reino de los Cielos se ha llamado así desde que la Autoridad se impuso sobre el resto de los ángeles. Nosotros lo rechazamos. Este mundo es distinto. Nuestro propósito es ser ciudadanos libres de la República del Cielo.

La señora Coulter deseaba añadir algo más, formular una docena de preguntas que afloraban a sus labios, pero el rey había apretado el paso para no hacer esperar a su comandante, y ella tuvo que seguirlo.

La escalera era tan larga que cuando llegaron abajo casi no veían el cielo que habían dejado a sus espaldas al comenzar a descender. La señora Coulter ya había comenzado a resollar antes de llegar a la mitad, pero no se quejó y siguió descendiendo hasta llegar a una gran sala iluminada por relucientes cristales fijados en los pilares que sostenían el techo. Escaleras, caballetes, vigas y pasarelas atravesaban la penumbra en lo alto, sobre las que se movían apresuradamente unas figuras.

Lord Asriel estaba hablando con sus comandantes cuando llegó la señora Coulter, y sin dejarla reposar unos instantes echó a andar a través de la espaciosa estancia, en la que de vez en cuando se veía una rutilante figura que se deslizaba por el aire o aterrizaba en el suelo para cambiar unas breves palabras con él. El aire era denso y caluroso. La señora Coulter observó que, seguramente por consideración a lord Roke, en todos los pilares había un soporte vacío situado a la altura de la cabeza de un humano para que su halcón pudiera posarse en él y el gallivespiano participara en la conversación.

No se quedaron mucho rato en aquella sala. En un extremo de la misma, un empleado abrió una recia puerta de doble hoja a través de la cual accedieron al andén de una vía férrea. Allí aguardaba un pequeño vagón, tirado por una locomotora ambárica.

El ingeniero hizo una reverencia y el mono pardo que tenía por daimonion se ocultó detrás de sus piernas al ver al mono dorado con las manos encadenadas. Lord Asriel habló brevemente con el hombre e invitó a todos a subir al vagón, que al igual que la sala estaba iluminado por unos relucientes cristales instalados en unos soportes de plata sobre unos paneles revestidos de caoba y espejos.

Tan pronto como lord Asriel se hubo reunido con los otros el tren se puso en marcha, alejándose suavemente del andén y penetrando en un túnel, donde aceleró. Sólo el ruido de las ruedas sobre los lisos raíles indicaba que había aumentado la velocidad.

—¿Adónde vamos? —inquirió la señora Coulter.

—Al arsenal —contestó lacónicamente lord Asriel, tras lo cual se volvió para hablar en voz baja con el ángel.

—¿Actúan siempre sus espías en parejas, milord? —preguntó la señora Coulter a lord Roke.

—¿Por qué lo pregunta?

—Por curiosidad. Mi daimonion y yo nos hallamos en pie de igualdad con ellos cuando los cuatro tuvimos un enfrentamiento en la cueva, y me chocó lo bien que luchaban.

—¿Por qué le chocó? ¿Acaso creía que las personas de nuestro tamaño no éramos buenos luchadores?

La señora Coulter lo miró con frialdad, consciente del exacerbado orgullo de lord Roke.

—No —respondió—. Pensaba que los derrotaríamos con facilidad y por poco nos ganan ustedes. No me duele reconocer mi error. ¿Siempre luchan en parejas?

—Usted forma una pareja con su daimonion, ¿no es así, señora Coulter? ¿Creía que íbamos a concederles ventaja? —replicó lord Roke clavando en ella su altiva mirada, que relucía bajo la tenue luz de los cristales, como si la retara a hacer más preguntas.

La señora Coulter bajó la vista con humildad y calló.

Al cabo de unos minutos notó que el tren iniciaba el descenso hacia las entrañas de la montaña. No sabía cuánta distancia habían recorrido, pero cuando hubieron transcurrido unos quince minutos el tren comenzó a aminorar la marcha, hasta que se detuvo en un andén cuyas luces ambáricas brillaban con fuerza en contraste con la oscuridad del túnel.

Lord Asriel abrió las puertas y salieron al andén, envuelto en una atmósfera tan caliente y cargada de azufre que la señora Coulter contuvo la respiración. Sonaba el incesante estrépito de unos potentes martillazos y el chirriante impacto del hierro sobre la piedra.

Un encargado abrió las puertas de salida y al instante el fragor se hizo más intenso y se abatió sobre ellos una intensa oleada de calor. Una luz cegadora les obligó a protegerse los ojos; sólo Xaphania parecía no sentirse afectada por aquel torrente de sonido, luz y calor. Cuando hubo recobrado la compostura, la señora Coulter miró con curiosidad en derredor.

Había visto forjas, fundiciones y fábricas siderúrgicas en su mundo, pero hasta las más grandes parecían una herrería de pueblo comparadas con aquello. Unos martillos grandes como casas se alzaban raudos hasta el techo para luego caer sobre unas vigas de hierro grandes como troncos de árboles, que aplastaban en una fracción de segundo con un estruendo que hacía temblar la montaña. Por una abertura en el rocoso muro fluía un río de metal sulfuroso hasta que una puerta increíblemente resistente detenía su curso; luego el brillante y borboteante líquido se desparramaba a través de diversos canales para acabar desembocando en un sinfín de moldes, donde se enfriaba envuelto en una horrible nube de humo. Unas gigantescas máquinas de cortar y unos rodillos separaban, plegaban y comprimían unas láminas de hierro de más de dos centímetros de grosor como si se tratara de papel, tras lo cual los monstruosos martillos volvían a aplastarlas, depositando una lámina sobre otra con tal fuerza que las distintas capas de metal se convertían en una sola, más resistente, en un proceso mecánico que se repetía sin solución de continuidad.

Si Iorek Byrnison hubiera visto aquel arsenal, habría tenido que reconocer que aquellas gentes sabían trabajar los metales. La señora Coulter estaba maravillada. Era imposible hablar y hacerse oír con aquel estruendo, así que nadie lo intentó. Lord Asriel indicó al pequeño grupo que le siguiera por una pasarela metálica suspendida sobre un gigantesco socavón, donde los mineros se afanaban con picos y palas en arrancar los relucientes metales incrustados en la roca.

Atravesaron la pasarela y bajaron por un largo y rocoso corredor, donde unas estalactitas mostraban unos rutilantes y extraños matices, y el fragor de los martillos, rodillos y demás máquinas se fue difuminando. La señora Coulter notó una fresca brisa en la cara. Los cristales que proporcionaban luz no estaban montados en soportes ni instalados en relucientes pilares, sino diseminados por el suelo; y no había antorchas que intensificaran la sensación de calor. Al poco rato lord Asriel y sus acompañantes empezaron a sentir frío de nuevo, hasta que de improviso se hallaron en el exterior, donde reinaba un frío polar.

Se encontraban en un espacio donde había sido eliminada una parte de la montaña, creando una vasta explanada en la que podía haber desfilado un ejército. Más allá divisaron, débilmente iluminadas, unas imponentes puertas de hierro construidas en la ladera, algunas abiertas y otras cerradas; y a través de uno de los gigantescos portales vieron salir a unos hombres que acarreaban un objeto envuelto en una lona.

—¿Qué es eso? —preguntó la señora Coulter al rey africano.

—El artefacto intencional —respondió éste.

La señora Coulter, que no tenía ni remota idea de lo que aquello significaba, observó con curiosidad mientras los hombres se disponían a retirar la lona.

—¿Cómo funciona? ¿Para qué sirve?

—Ahora lo veremos —contestó el rey.

Parecía una complicada máquina taladradora, o la cabina de un gióptero, o una gigantesca grúa. Estaba equipado con una cubierta de cristal sobre un asiento, ante el que había una docena de palancas y manivelas. Se afianzaba sobre seis patas, todas ellas articuladas e inclinadas en distintos ángulos con respecto al cuerpo principal, presentando un aspecto potente y al mismo tiempo desgarbado. El cuerpo propiamente dicho lo componía un amasijo de tubos, cilindros, pistones, cables enrollados, interruptores e indicadores. Era difícil adivinar qué parte del mismo era estructura y qué parte no lo era, pues estaba iluminado por detrás y la mayor parte del artilugio se hallaba oculto en la penumbra.

Lord Roke, montado en su halcón, describía unos círculos a su alrededor, y lo examinaba desde todos los ángulos. Lord Asriel y el ángel estaban enfrascados en una conversación con los ingenieros. Dos hombres descendían del aparato, uno con un bloc y el otro con un cable.

La señora Coulter observó con ojos codiciosos el aparato, memorizando cada una de sus partes, tratando de descifrar aquel complejo artilugio. Mientras lo contemplaba, lord Asriel subió al asiento, se ciñó las correas en torno a la cintura y los hombros y se colocó un casco en la cabeza. Su daimonion, convertido en onza, se instaló de un salto a su lado y se volvió para ajustar algo junto a él. El ingeniero gritó unas palabras y lord Asriel le respondió. Acto seguido los hombres se retiraron hacia la zona de la entrada.

El artefacto intencional se movió, aunque la señora Coulter no estaba segura de cómo se produjo el movimiento. Fue casi como si se hubiera estremecido, pese a que seguía allí, inmóvil, posado sobre aquellas seis patas de insecto y emanando una extraña energía. Entonces volvió a moverse, y la señora Coulter comprendió lo que ocurría: varias partes del aparato giraban, encarándose en un sentido y otro, escrutando el sombrío cielo. Lord Asriel tan pronto movía una palanca, como revisaba un indicador o ajustaba un control; y de pronto el artefacto intencional se desvaneció.

De algún modo, se había elevado en el aire. En ese momento estaba suspendido sobre ellos, a la altura de las copas de los árboles, mientras giraba lentamente hacia la izquierda. No se percibía el ruido de ningún motor ni el mecanismo que le permitía desafiar la ley de la gravedad. Sencillamente, permanecía suspendido en el aire.

—Escuche —dijo el rey Ogunwe—. Por el sur.

La señora Coulter se volvió y aguzó el oído. El viento aullaba en torno al borde de la montaña, sonaban los tremendos martillazos de las prensas, cuya vibración sintió en las plantas de los pies, y unas voces procedentes de la puerta iluminada, pero a una misteriosa señal las voces enmudecieron y las luces se apagaron. Y en el silencio, la señora Coulter oyó, muy quedo, el rumor de los motores de unos girópteros entre las rachas de viento.

—¿Quiénes son? —preguntó en voz baja.

—Señuelos —contestó el rey—. Mis pilotos, que vuelan en una misión destinada a tentar al enemigo para que los sigan. Observe.

La señora Coulter aguzó los ojos, tratando de ver algo en la densa oscuridad tachonada con unas pocas estrellas. El artefacto intencional flotaba sobre ellos con igual firmeza que si estuviera anclado allí, de forma que las rachas de viento no incidían lo más mínimo en él. De la cabina no salía ninguna luz, porque era difícil verlo, y la figura de lord Asriel resultaba completamente invisible.

De pronto la señora Coulter divisó un grupo de luces bajas en el cielo, en el mismo momento en que el ruido de los motores aumentaba de volumen: seis girópteros, que volaban a toda velocidad. Uno de ellos parecía tener problemas, pues despedía una estela de humo y volaba más bajo que los otros. Se dirigían a la montaña, pero seguían una trayectoria que los llevaría más lejos.

Y detrás de ellos, pisándoles los talones, apareció una abigarrada colección de aparatos y seres voladores. No era fácil distinguir qué eran, pero la señora Coulter vio una especie de giróptero de grandes proporciones, dos aviones de alas rectas, un voluminoso pájaro que se deslizaba con increíble velocidad transportando a dos jinetes armados, y tres o cuatro ángeles.

—Una partida de ataque —dijo el rey Ogunwe.

Ésta se aproximaba a los girópteros. En ese momento de uno de los aparatos de alas rectas brotó una línea de luz, seguido unos segundos después por una detonación. Pero el proyectil no alcanzó su blanco, el giróptero averiado, porque en el mismo instante en que percibieron la luz, y antes de oír la detonación, los observadores apostados en la montaña vieron surgir del artefacto intencional un fogonazo, tras lo cual estalló un proyectil en el aire.

La señora Coulter apenas tuvo tiempo de entender aquella secuencia casi instantánea de luz y sonido antes de que se iniciara la refriega. Tampoco fue fácil seguir el desarrollo de la misma, porque el cielo estaba muy oscuro y todos se desplazaban a gran velocidad. Una serie de fogonazos iluminaron la ladera, acompañados por unos breves siseos semejantes a un escape de vapor. Cada fogonazo alcanzó a un determinado atacante; el avión se incendió o explotó, el pájaro gigante soltó un chillido semejante al desgarro de una cortina gigante y se desplomó sobre las rocas. Los ángeles desaparecieron en estelas de aire relucientes compuestas por infinidad de rutilantes partículas que fueron perdiendo brillo hasta apagarse como un fuego de artificio.

Luego se produjo un silencio. El viento se llevó el ruido de los girópteros señuelo, que acababan de desaparecer por el flanco de la montaña, y ninguno de los espectadores dijo nada. El resplandor de unas lejanas llamas se reflejaba en un costado del artefacto intencional, que misteriosamente seguía suspendido en el aire y giraba despacio como si observara a su alrededor. La destrucción del grupo atacante había sido tan contundente que la señora Coulter, que había visto muchas cosas en su vida y no se impresionaba fácilmente, quedó asombrada. Mientras observaba al artefacto intencional, éste pareció emitir un trémulo resplandor o desplazarse, y al cabo de unos instantes se posó con firmeza en el suelo.

El rey Ogunwe se acercó presuroso, al igual que los otros comandantes e ingenieros, que habían abierto las puertas para dejar que la luz inundara el terreno de pruebas. La señora Coulter se quedó plantada donde estaba, tratando de descifrar el funcionamiento del artefacto intencional.

—¿Por qué nos lo ha mostrado? —preguntó su daimonion en voz baja.

—Es imposible que nos haya adivinado el pensamiento —respondió la señora Coulter en el mismo tono.

Recordaban aquel momento en la torre inexpugnable cuando a ambos se les había ocurrido simultáneamente una idea genial. Habían pensado en formularle a lord Asriel una propuesta: ofrecerse para ir al Tribunal Consistorial de Disciplina y espiar para él. La señora Coulter conocía los entresijos del poder y era capaz de manipularlos a todos. Al principio le costaría convencerlos de su buena fe, pero lo conseguiría. Y ahora que los espías gallivespianos se habían marchado para vigilar a Will y a Lyra, Asriel no podría resistirse a una propuesta semejante.

Pero en aquellos momentos, mientras observaban aquella extraña máquina voladora, se impuso una idea aún más brillante. La señora Coulter, alborozada, abrazó al mono dorado.

—Asriel, ¿podría ver cómo funciona el aparato? —preguntó con voz inocente.

Lord Asriel la miró con expresión distraída e impaciente, pero a la vez pletórica de emocionada satisfacción. Estaba entusiasmado con el artefacto intencional. Ella sabía que no se resistiría a exhibirlo.

El rey Ogunwe se hizo a un lado y lord Asriel tendió la mano a la señora Coulter para ayudarle a subirse a la nave. Luego la hizo acomodarse en el asiento y observó mientras ella examinaba los controles.

—¿Cómo funciona? ¿Qué energía lo propulsa? —inquirió la señora Coulter.

—Las intenciones de uno —respondió él—. De ahí su nombre. Si tienes la intención de desplazarte hacia delante, el aparato se desplaza hacia delante.

—Ésa no es la respuesta. Vamos, dímelo. ¿Qué tipo de motor tiene? ¿Cómo vuela? No he observado ningún elemento aerodinámico. Pero estos controles... Visto desde dentro parece un giróptero.

A lord Asriel le costaba no revelárselo, y puesto que ella estaba en su poder, se lo dijo. Le enseñó un cable en cuyo extremo había un asa de cuero que mostraba las huellas de la dentadura de su daimonion.

—El daimonion tiene que aferrar esta asa —le explicó—, con los dientes o las manos. Y tienes que ponerte ese casco. Entre ambos fluye una corriente de energía, que amplifica un condensador... En realidad es más complicado que eso, pero es un aparato sencillo de tripular. Hemos instalado unos controles parecidos a los de un giróptero para facilitar las cosas, pero con el tiempo prescindiremos de todo tipo de controles. Como es lógico, sólo puede tripular el aparato un humano con su daimonion.

—Comprendo —repuso la señora Coulter.

Acto seguido propinó a lord Asriel un empujón tan brutal que lo derribó del aparato.

La señora Coulter se colocó el casco en la cabeza y el mono dorado tomó el asa de cuero. Luego ella accionó el control que en un giróptero servía para inclinar la superficie sustentadora, accionó el acelerador y el artefacto intencional despegó al instante.

Pero a la señora Coulter aún no le había dado tiempo de familiarizarse con el aparato, que permaneció suspendido en el aire unos momentos, ligeramente inclinado, antes de que ella encontrara los controles que lo hacían avanzar. Durante aquellos segundos, lord Asriel se levantó de un salto, alzó la mano para impedir que el rey Ogunwe ordenara a sus soldados que abrieran fuego contra el artefacto intencional y dijo:

—Vaya con ella, lord Roke, se lo ruego.

El gallivespiano azuzó a su halcón azul y el ave alzó el vuelo y se dirigió hacia la puerta de la cabina de mandos, que aún estaba abierta. Los que observaban desde el suelo vieron a la mujer volver la cabeza y mirar a un lado y a otro, como hizo también el mono dorado, pero ninguno de los dos reparó en la diminuta figura de lord Roke, que saltó de su halcón y se introdujo en la cabina.

Unos instantes después el artefacto intencional empezó a moverse y el halcón se alejó un poco para que éste no chocara con él, y luego aterrizó en la muñeca de lord Asriel. Unos segundos más tarde, el aparato desapareció en la húmeda noche cuajada de estrellas.

Lord Asriel contempló la escena con una mezcla de disgusto y admiración.

—Tenía usted razón, majestad—dijo—. Debí hacerle caso. A fin de cuentas, es la madre de Lyra. Debí imaginar que haría algo así.

—¿No va a perseguirla? —preguntó el rey Ogunwe.

—¿Y destruir un flamante aparato? Ni pensarlo.

—¿Adónde supone que irá? ¿En busca de la niña?

—Por ahora no, porque no sabe dónde está. Yo sé exactamente qué hará: ir al Tribunal Consistorial y cederles el artefacto intencional como prueba de su buena fe. Luego los espiará a favor nuestro. Esa mujer ha probado todas las estratagemas habidas y por haber; ésta será una experiencia novedosa. En cuanto averigüe dónde se encuentra la niña, se dirigirá allí y nosotros la seguiremos.

—¿Y cuándo le revelará lord Roke su presencia a bordo de la nave?

—Yo diría que reserva una buena sorpresa, ¿no cree?

Ambos se echaron a reír y regresaron a los talleres, donde el último y más avanzado modelo de artefacto intencional aguardaba su inspección.

17

Aceite y laca

LA SERPIENTE ERA MÁS SUTIL QUE CUALQUIER ANIMAL DEL CAMPO CREADO POR DIOS.

GÉNESIS

Mary Malone estaba construyendo un espejo. No lo hacía por vanidad, pues poseía poca, sino porque quería poner a prueba una idea que se le había ocurrido. Quería tratar de captar Sombras, y sin los instrumentos de su laboratorio tenía que improvisar con los materiales de que disponía.

La tecnología de los mulefa tenía poca aplicación con respecto al metal. Hacían cosas extraordinarias con piedra, madera, cuerda, conchas y cuerno, pero los pocos metales que tenían provenían de pepitas de cobre y otros metales que hallaban en la arena del río, y nunca los utilizaban para fabricar utensilios. Eran ornamentales. Las parejas de mulefa, por ejemplo, al contraer matrimonio intercambiaban unas láminas de reluciente cobre, que enrollaban en torno a la base de sus cuernos, y poseían un significado parecido a un anillo de boda.

De ahí la enorme fascinación que despertaba en ellos la navaja del Ejército Suizo que utilizaba Mary y que constituía su bien más valioso.

Atal, la zalif que se había convertido en su mejor amiga, no paró de emitir exclamaciones de asombro el día en que Mary le mostró la navaja y sus diferentes componentes y le explicó como pudo, con su limitado lenguaje, para qué servían. Uno de ellos era una minúscula lupa que utilizó para filtrar los rayos de sol y grabar a fuego un dibujo en una rama. Eso fue lo que le dio la idea de las Sombras.

En aquellos momentos estaban pescando, pero el nivel del río era bajo y los peces no acudían, así que dejaron la red tendida en el agua y se sentaron a charlar en la hierba de la orilla, hasta que Mary vio la rama seca, que presentaba una superficie lisa y blanca. Con la lupa grabó a fuego en ella un dibujo, una simple margarita, que entusiasmó a Atal. Mientras una sutil línea de humo se elevaba del punto donde se concentraban los rayos de sol, Mary pensó: «Si esta rama quedara fosilizada y un científico la hallara dentro de diez millones de años, todavía encontrarían Sombras a su alrededor, porque yo he trabajado en ella.»

Luego se sumió en un estado de modorra propiciado por el sol.

—¿En qué sueñas? —le preguntó Atal.

Mary trató de explicarle la naturaleza de su trabajo, sus investigaciones, su laboratorio, el descubrimiento de las partículas de Sombras, la fantástica revelación de que eran conscientes, lo cual renovó su entusiasmo por su trabajo, hasta el extremo de desear ardientemente hallarse de nuevo rodeada de su equipo.

Mary no creía que Atal entendería sus explicaciones por su deficiente dominio del lenguaje de los mulefa, pero también porque éstos eran muy prácticos, estaban muy arraigados en el mundo físico cotidiano, y gran parte de sus explicaciones eran matemáticas. Así que se llevó una gran sorpresa cuando Atal dijo:

—Sí, sabemos a qué te refieres, nosotros lo llamamos... —Y utilizó una palabra parecida a la que empleaban para designar la luz.

—¿Luz? —preguntó Mary.

—Luz no, sino... —Y Atal repitió la palabra más despacio para que Mary la captara, explicando—: Como la luz en el agua cuando forma pequeñas ondas, al atardecer, y la luz se refleja en grandes copos. Nosotros lo llamamos así, pero es un como si.

«Como si» era el término que empleaban para significar metáfora, según había descubierto Mary.

—¿O sea que no es luz, pero la veis y se parece a la luz reflejada en al agua al atardecer? —preguntó Mary.

—Sí, todos los mulefa lo tenemos —respondió Atal—. Tú también lo tienes. Por eso supimos que eras como nosotros y no como los herbívoros, que no lo tienen. Aunque tengas un aspecto tan raro y horrible, eres como nosotros, porque tienes... —Y Atal pronunció de nuevo aquella palabra que Mary no acababa de captar con la suficiente precisión para repetirla: algo como *sraf* o *sarf*, acompañada por un movimiento de la trompa hacia la izquierda.

Mary estaba excitada ante esa revelación y procuró sosegarse para hallar las palabras adecuadas.

—¿Qué sabes de eso? ¿De dónde proviene?

—De nosotros, y del aceite —respondió Atal, y Mary comprendió que se refería al aceite de las ruedas de cápsulas de semillas.

—¿De vosotros?

—Cuando somos grandes. Pero sin los árboles volvería a desaparecer. Con las ruedas y el aceite, se queda entre nosotros.

Cuando somos grandes... Mary tuvo que esforzarse de nuevo para no caer en la incoherencia. Una de las cosas que había empezado a sospechar sobre las Sombras era que los niños y los adultos reaccionaban ante ellas de modo distinto, o atraían distintas actividades de las Sombras. ¿No había dicho Lyra que los científicos de su mundo habían descubierto algo parecido referente al Polvo, que era el nombre que utilizaban en lugar de Sombras? De nuevo volvía a surgir el tema.

Estaba relacionado con lo que las Sombras le habían dicho en la pantalla del ordenador poco antes de que ella abandonara su mundo. En cualquier caso, tenía que ver con el gran vuelco que se había producido en la historia de la humanidad simbolizado por la historia de Adán y Eva, la Tentación, la Caída, el Pecado Original. En su investigación con cráneos fosilizados, su colega Oliver Payne había descubierto que hacía unos treinta mil años se había registrado un gran incremento del número de partículas de Sombras asociadas con restos humanos. Algo había ocurrido por esa época, un hecho en la evolución que había convertido al cerebro humano en un conducto ideal para amplificar sus efectos.

—¿Cuánto tiempo hace que existen los mulefa?

—Treinta y tres mil años —respondió Atal.

Para entonces ésta era capaz de interpretar las expresiones de Mary, o en todo caso las más evidentes, y al ver que su amiga se quedaba boquiabierta se echo a reír. La risa de los mulefa era espontánea, alegre y tan contagiosa que Mary por lo general se sumaba a ella, pero en aquella ocasión permaneció seria, sin salir de su asombro.

—¿Pero cómo puedes saberlo con tanta exactitud? ¿Conocéis la historia de todos esos años?

—Oh, sí —respondió Atal—. Desde que adquirimos el sraf, tenemos memoria y conciencia. Antes, no sabíamos nada.

—¿Cómo adquiristeis el sraf?

—Descubrimos cómo utilizar las ruedas. Un día una criatura que no tenía nombre halló una cápsula de semillas y empezó a jugar con ella, y mientras jugaba ella...

—¿Ella?

—Sí, ella. Hasta entonces no había tenido nombre. Vio una serpiente que se enroscaba por el orificio de una cápsula y la serpiente dijo...

—¿La serpiente le habló?

—¡No, no! Es como si hablara. Vio que la serpiente entraba y salía del orificio, y la criatura apoyó el pie en el lugar donde había estado la serpiente. Entonces el aceite penetró en su pie e hizo que viera con mayor claridad que antes, y lo primero que vio fue el sraf. Era tan extraño que quiso compartirlo de inmediato con todos los de su especie, pero como sólo había un árbol de semillas no había suficientes cápsulas para todos. Por eso ella y su pareja tomaron las primeras, y descubrieron que sabían quiénes eran. Sabían que eran mulefa y no herbívoros. Se pusieron nombres unos a otros y se dieron el nombre de mulefa. Pusieron nombre al árbol de las semillas y a todas las criaturas y plantas.

—Que eran diferentes —dijo Mary.

—Sí, lo eran. Y también lo fueron sus hijos, porque a medida que fueron cayendo más cápsulas de semillas, les enseñaron a utilizarlas. Y cuando sus hijos alcanzaron la edad adecuada, también comenzaron a generar el sraf, y como eran lo bastante grandes para montar en las ruedas, el sraf regresó con el aceite y permaneció entre ellos. De modo que comprendieron que tenían que plantar más árboles de cápsulas de semillas, para el aceite, pero las cápsulas eran tan duras que rara vez germinaban. Y los primeros mulefa comprendieron lo que debían hacer para ayudar a los árboles, que consistía en montar sobre las ruedas y romperlas, de modo que los mulefa y las cápsulas de semillas han vivido siempre juntos.

Al principio Mary sólo comprendió una cuarta parte de lo que decía Atal, pero a base de preguntas y conjeturas averiguó con bastante precisión el resto. Su dominio del lenguaje aumentaba día tras día. No obstante, cuanto más aprendía más difícil le resultaba, pues cada cosa que averiguaba planteaba media docena de interrogantes, cada uno de las cuales apuntaba en diferente dirección.

Pero se concentró en el tema del sraf, porque era el más importante; y fue así como se le ocurrió lo del espejo.

Fue la comparación del sraf con los destellos sobre el agua lo que se lo sugirió. La luz reflejada como el resplandor que emitía el mar se polarizaba: cabía la posibilidad de que las partículas de Sombras, cuando se comportaban como ondas a la manera de la luz, también fueran capaces de polarizarse.

—Yo no puedo ver el sraf como vosotros —dijo Mary—, pero me gustaría construir un espejo con laca de savia, porque creo que eso podría ayudarme a verlo.

A Atal le entusiasmó la idea. Sin perder un instante, recogieron la red y comenzaron a reunir todo cuando Mary precisaba. En la red hallaron tres peces, que ella interpretó como un signo de buena suerte.

La laca de savia era un producto de otro árbol, mucho más pequeño, que los mulefa cultivaban con ese propósito. Después de hervir la savia y disolverla con el alcohol que obtenían de la destilación de jugos de frutas, los mulefa preparaban una sustancia de consistencia lechosa y delicado color ámbar, que empleaban como barniz. Aplicaban un mínimo de veinte capas sobre una base de madera o concha, dejando que cada capa se secara bajo un paño húmedo antes de aplicar la siguiente, hasta conseguir una superficie muy dura y brillante. Por lo general le aplicaban diversos óxidos para que se volviera opaca, pero a veces dejaban que quedara transparente. Esto era lo que le interesaba a Mary, porque la laca transparente de color ámbar poseía la misma curiosa propiedad que un mineral conocido como espato de Islandia. Descomponía los rayos de luz en dos, de modo que cuando uno miraba a través de ella veía doble.

Mary no tenía una idea clara de lo que quería hacer, pero sabía que si le daba suficientes vueltas al asunto, sin ponerse nerviosa ni agobiarse, acabaría averiguándolo. Recordaba haber citado a Lyra en cierta ocasión unos versos del poeta Keats, y la niña había comprendido de inmediato que ése era el estado de ánimo que ella tenía cuando leía el aletiómetro: eso era lo que Mary debía averiguar.

Comenzó por seleccionar un pedazo de madera parecida al pino, más o menos liso, y se puso a afinar la superficie con un fragmento de arenisca (no disponía de metal ni de un cepillo de carpintero), hasta que consiguió dejarlo lo más plano posible. Ése era el método que empleaban los mulefa, bastante eficaz, aunque requería mucho tiempo y esfuerzos.

Luego visitó con Atal el bosquecillo de árboles de laca, después de explicarle detenidamente lo que se proponía hacer y de haber pedido permiso para extraer un poco de savia. Los mulefa se lo concedieron de buena gana, pero andaban demasiado atareados para interesarse en su experimento. Con ayuda de Atal, Mary extrajo un poco de aquella savia viscosa y resinosa e inició el largo proceso de hervir, disolver y volver a hervir el líquido hasta conseguir el barniz que necesitaba.

Los mulefa lo aplicaban utilizando bolas de una fibra algodonosa que obtenían de otra planta. Siguiendo las instrucciones de un artesano, Mary aplicó minuciosamente el barniz sobre su espejo una y otra vez, sin advertir apenas ninguna diferencia debido a la finura de las capas. Aplicó más de cuarenta capas —perdió la cuenta—, y cuando la laca se agotó, la superficie presentaba un grosor de unos cinco milímetros.

Después había que pulirla: un día entero dedicado a frotar la superficie con suavidad, con movimientos circulares. Acabó con los brazos molidos y la cabeza abotargada.

Cuando hubo terminado se acostó.

A la mañana siguiente el grupo fue a trabajar en un bosquecillo de árboles de madera nudosa, según los llamaban ellos. Comprobaban si los brotes crecían tal como los habían plantado y tensaban las cuerdas dispuestas entre ellos para que los árboles adultos tuvieran la forma deseada. Apreciaban la ayuda de Mary en esta tarea, porque ella podía introducirse en espacios reducidos con más facilidad que dos mulefa, y trabajar con mayor agilidad.

Cuando hubieron concluido esa tarea y regresado al poblado, Mary pudo empezar a experimentar... o más bien a jugar, pues aún no tenía una idea clara de lo que hacía.

En primer lugar trató de utilizar la lámina de laca como un simple espejo, pero al carecer de un soporte plateado, sólo conseguía ver un tenue reflejo doble en la madera.

Luego Mary pensó que en realidad necesitaba la laca sin la madera, pero la perspectiva de fabricar otra lámina era ardua. Por otra parte, ¿cómo conseguir que fuera plana sin disponer de un soporte?

Entonces se le ocurrió que podía separar la madera dejando sólo la laca. Aquello también requería tiempo, pero al menos Mary disponía de la navaja del Ejército Suizo. Así que comenzó a separarla con mucho cuidado por el borde, procurando no rayar la parte posterior de la laca, pero cuando acabó de retirar la mayor parte del pino, dejó un amasijo de madera rota y astillada adherida de forma inamovible a la cara del duro y resistente barniz.

Mary se planteó qué pasaría si la ponía a remojo en agua. ¿Se ablandaría la laca al mojarla?

—No —dijo el especialista en aquel oficio—. Permanecerá siempre dura. ¿Pero por qué no pruebas con esto?

Y le mostró un líquido que guardaba en un cuenco de piedra, capaz de devorar toda clase de madera en cuestión de horas. Por su aspecto y olor, Mary dedujo que era un ácido.

El zalif le aseguró que la laca apenas se resentiría, y que ella podría reparar fácilmente cualquier pequeño desperfecto. Intrigado por su proyecto, el zalif la ayudó a aplicar con cuidado el ácido sobre la madera, al tiempo que le explicaba que lo obtenían a partir de un mineral que se encontraba en las orillas de unos lagos que ella aún no había visitado. Poco a poco la madera fue ablandándose y se desprendió, y Mary dispuso de una lámina de laca amarillenta transparente, aproximadamente del tamaño de la página de un libro de bolsillo.

Pulió la parte inferior hasta conseguir una superficie tan bruñida como la superior, de modo que ambas quedaron lisas como el más fino espejo.

Y cuando miró a través de él...

No ocurrió nada de particular. Era totalmente transparente, pero reflejaba una imagen doble, la de la derecha muy cerca de la de la izquierda y unos quince grados más arriba.

Mary se preguntó qué ocurriría si miraba a través de las dos piezas, una colocada sobre la otra.

Volvió a tomar la navaja del Ejército Suizo para marcar una estría a través de la lámina y cortarla en dos. Tras insistir una y otra vez con la hoja, que afilaba en una piedra, consiguió trazar una estría bastante profunda. Luego colocó un palito finísimo debajo de la estría y oprimió con fuerza la laca, como había visto hacer a un vidriero al cortar vidrio, y logró su propósito. Ya tenía dos láminas.

Mary superpuso las dos láminas y miró a través de ellas. El color ámbar era más denso y, al igual que un filtro fotográfico, realzaba algunos colores y atenuaba otros, confiriendo una tonalidad algo distinta al paisaje. Lo curioso era que había desaparecido la visión doble y todo presenta una sola imagen, pero no había señal de las Sombras.

Mary separó un poco las dos láminas y observó si de ese modo modificaba el aspecto de las cosas. Cuando las hubo separado aproximadamente un palmo, se produjo un fenómeno curioso: desapareció el color ámbar y todo adquirió su colorido normal, aunque más brillante y nítido.

En aquel momento se acercó Atal para ver lo que hacía su amiga.

—¿Puedes ver ahora el sraf? —preguntó.

—No, pero veo otras cosas —respondió Mary.

Atal mostró un educado interés, pero sin el afán de investigación que animaba a Mary. Al cabo de un rato la zalif se cansó de mirar a través de las pequeñas láminas de laca y se sentó en la hierba para repasar sus ruedas. Todos los mulefa lo hacían a diario. Retiraban las garras para dejar que las ruedas se desprendieran y luego las inspeccionaban para detectar posibles grietas o desgaste, y de paso revisaban con esmero sus garras. A veces se pulían y limpiaban las garras unos a otros, en un gesto de sociabilidad. Atal había invitado a Mary en un par de ocasiones a que le arreglara las suyas. Por su parte, Mary dejaba que Atal la peinara, gozando con la delicadeza con que levantaba y dejaba caer el cabello con la trompa y le daba masajes en el cuero cabelludo.

Al intuir que Atal deseaba aquello, Mary dejó las dos láminas de laca a un lado y deslizó las manos sobre la asombrosa suavidad de sus garras, aquella superficie más fina y resbaladiza que el teflón que descansaba sobre el borde inferior del orificio central y constituía un cojinete cuando la rueda giraba. Los bordes coincidían con exactitud, y cuando Mary pasó las manos por el interior de la rueda no notó ninguna diferencia de textura: era como si los mulefa y las cápsulas de semillas fueran una sola criatura que de forma milagrosa podían desmontarse y volver a unirse.

Aquel contacto relajó a Atal y también a Mary. Su amiga era joven y soltera, y como en aquel grupo no había machos jóvenes, tendría que casarse con un zalif de fuera. Pero tenía pocas ocasiones de relacionarse con otros grupos y a veces a Mary le daba la impresión de que Atal estaba preocupada por su futuro. Así que no escatimaba el tiempo que pasaba con ella y en esos momentos se entregó con afán a la tarea de limpiar el polvo y la tierra que se acumulaba en los orificios de las ruedas y untar suavemente el fragante aceite en las garras de su amiga, mientras Atal le esponjaba y alisaba el pelo con la trompa.

Cuando Atal estuvo satisfecha, se montó en las ruedas y fue a ayudar con los preparativos de la cena. Mary se concentró de nuevo en sus láminas de laca, y casi al instante realizó un importante descubrimiento.

Sostuvo las placas a una distancia de un palmo para obtener la imagen nítida que había visto antes, pero ocurrió algo imprevisto.

Mientras miraba al trasluz, Mary vio un enjambre de motas doradas en torno a la figura de Atal. Sólo eran visibles a través de una pequeña porción de laca. Mary no tardó en comprender el motivo: en aquel lugar había tocado la superficie con los dedos manchados de aceite.

—¡Atal! —gritó—. ¡Acércate! ¡Deprisa! Déjame tomar un poco de aceite para aplicarlo en la laca.

Atal accedió a que su amiga deslizara de nuevo los dedos sobre los orificios de las ruedas, observando con curiosidad cómo cubría una de las piezas con una ligera capa de aquella sustancia transparente y dulzona.

Mary juntó las dos placas y las movió para distribuir bien el aceite, antes de volver a separarlas un palmo.

Cuando miró a través de ellas, todo aparecía cambiado. Vio las Sombras. De haber estado en la sala de descanso del Colegio Jordan cuando lord Asriel proyectó los fotogramas que había realizado utilizando una emulsión especial, Mary los habría reconocido. Mirara donde mirara veía partículas doradas, tal como había descrito Atal: unas chispas de luz que flotaban y oscilaban y a veces se movían en una corriente de intención. Entre todo ello estaba el mundo que Mary percibía a simple vista: la hierba, el río, los árboles. Pero cuando veía a un ser consciente, a uno de los mulefa, la luz era más densa y tenía más movimiento. En cualquier caso realzaba los contornos.

—No sabía lo hermoso que era —dijo Mary a Atal.

—Oh sí, lo es —repuso su amiga—. Cuesta creer que no pudieras verlo. ¡Mira a ese pequeñín!

Atal señaló a uno de los pequeños que jugaba entre la alta hierba. Perseguía a los saltamontes con torpes brincos, se paraba de repente para examinar una hoja, echaba a correr de nuevo para decirle algo a su madre, volvía a distraerse con un palito, tratando de recogerlo del suelo, descubría que tenía hormigas en la trompa y lanzaba un agudo chillido... A su alrededor aparecía una neblina dorada, al igual que en torno a las viviendas, las redes de pesca, la fogata, un poco más intensa que la suya. La diferencia más destacable era que estaba llena de corrientes de intención, que se formaban, disgregaban, circulaban y desaparecían para ser sustituidas por otras.

En torno a su madre, por otra parte, las chispas doradas eran mucho más intensas, y las corrientes en las que se movían más sólidas y potentes. La madre preparaba comida, esparciendo la harina sobre una piedra lisa para hacer tortas de pan a la que vez que vigilaba a su hijo, y las Sombras, o el sraf o el Polvo que la bañaban constituían la viva imagen del sentido de responsabilidad y atentos cuidados.

—Por fin puedes verlo —comentó Atal—. Bien, ahora debes acompañarme.

Mary miró perpleja a su amiga. Se había expresado en un tono extraño, como diciendo por fin estás preparada; esperábamos este momento, a partir de ahora las cosas cambiarán.

Acudieron entonces otros mulefa, desde lo alto de la colina, desde sus casas, desde la orilla del río: miembros del grupo, pero también unos desconocidos que observaban a Mary con curiosidad. El sonido de sus ruedas sobre la tierra apisonada era tenue y sostenido.

—¿Adónde tengo que ir? —preguntó Mary—. ¿Por qué vienen todos aquí?

—No te preocupes —contestó Atal—. Ven conmigo, no te haremos daño.

Mary tuvo la sensación de que hacía tiempo que habían planeado aquella reunión, pues todos sabían hacia dónde debían dirigirse y lo que iba a suceder. En los límites de la aldea se alzaba un pequeño montículo de formas regulares y tierra apisonada como el suelo, provisto de unas rampas en los extremos. La muchedumbre —compuesta por unos cincuenta individuos, según calculó Mary— avanzaba hacia él. El humo de las fogatas que habían encendido para preparar la cena flotaba en el aire, y el sol poniente derramaba su peculiar neblina dorada sobre todas las cosas. Mary percibió el aroma a maíz tostado y el grato olor que emanaban los mulefa, una mezcla de aceite y carne cálida, semejante al olor dulzón de los caballos.

Atal le indicó que se dirigiera al montículo.

—¿Pero qué ocurre? —preguntó Mary—. ¡Dímelo!

—No, no... Yo no debo. Hablará Sattamax.

Mary no conocía el nombre de Sattamax, ni tampoco al zalif que le indicó Atal. Era más viejo que los demás. En la base de la trompa tenía unos pelos blancos y se movía con dificultad, como si padeciera artritis. Los demás se movían con cuidado en torno a él, y cuando Mary echó una ojeada a través del espejo de laca comprendió el motivo: la nube de Sombras que envolvía al viejo zalif era tan densa y compleja que se sintió embargada por un profundo respeto hacia él, aunque no comprendía el significado de aquello.

Cuando Sattamax se dispuso a hablar, todos guardaron silencio. Mary se situó junto al montículo, cerca de Atal, cuya presencia la tranquilizaba. No obstante, notó que todas las miradas estaban pendientes de ellas, como si fuera una niña recién llegada a la escuela.

Sattamax tomó la palabra. Tenía una voz grave, de ricos y variados matices, que acompañaba con unos gestos lentos y airosos de la trompa.

—Nos hemos reunido aquí para saludar a la forastera Mary. Quienes la conocemos tenemos motivos para estarle agradecidos por las actividades que ha llevado a cabo desde su llegada. Hemos esperado hasta que adquiriera cierto dominio de nuestra lengua. Con la ayuda de muchos de nosotros, pero especialmente de la zalif Atal, la forastera Mary ahora puede entendernos.

»Pero había otra cosa que ella debía comprender: el sraf. Sabía que existía, pero no podía verlo como lo vemos nosotros, hasta que construyó un instrumento para mirar al trasluz.

»Y ahora que lo ha conseguido, está preparada para aprender de qué otra forma puede ayudarnos. Acércate, Mary.

Mary se sintió cohibida, perpleja, pero obedeció. Se aproximó al viejo zalif y supuso que debía dirigirles unas palabras:

—Todos me habéis hecho sentir como una amiga vuestra. Sois amables y hospitalarios. Yo procedo de un mundo donde la vida es muy distinta, pero algunos de nosotros tenemos conciencia del sraf, al igual que vosotros, y os agradezco la ayuda que me habéis prestado para fabricar este cristal, a través del cual consigo verlo. Si hay alguna forma en que pueda ayudaros, lo haré encantada.

Mary habló con más torpeza que cuando lo hacía con Atal y temió no haberse expresado con suficiente claridad. Era difícil saber hacia dónde volverse cuando tenía que gesticular además de hablar, pero al parecer la habían entendido. Sattamax volvió a tomar la palabra.

—Es un placer oírte hablar. Confiamos en que puedas ayudarnos. En caso contrario, no sé cómo lograremos sobrevivir. Los tualapi nos matarán a todos. Son más numerosos que nunca, y su número aumenta de año en año. El mundo se ha trastocado. Durante los treinta y tres mil años que llevamos de existencia, hemos cuidado de la Tierra. Había un equilibrio en todo. Los árboles prosperaban, los herbívoros estaban sanos, y aunque de vez en cuando se presentaran los tualapi, ni ellos aumentaban ni nosotros disminuíamos.

»Pero hace trescientos años los árboles empezaron a enfermar. Los observábamos ansiosos y los cuidábamos con esmero, pero cada vez producían menos cápsulas de semillas y perdían las hojas a lo largo de todo el año; algunos morían irremediablemente, lo cual no había ocurrido nunca. Por más que rebuscamos en nuestra memoria, no conseguimos hallar la causa.

»Fue un proceso lento, por supuesto, pero también es lento el ritmo de nuestras vidas. Nosotros lo ignorábamos hasta que llegaste tú. Hemos visto mariposas y pájaros, pero ellos no poseen sraf. Tú sí, pese a tu extraña apariencia. En cambio eres rápida y directa, como los pájaros y las mariposas. Reparaste en la necesidad de algo que te ayudara a ver el sraf, y de inmediato construiste con los materiales que nosotros conocemos desde hace miles de años un instrumento que te permite verlo. Junto a nosotros, piensas y actúas con la velocidad de un pájaro. Eso es lo que hemos observado, y por eso sabemos que nuestro ritmo debe de parecerte lento.

»Pero este hecho constituye nuestra esperanza. Tú ves cosas que nosotros no vemos, percibes conexiones, posibilidades y alternativas que para nosotros son invisibles, de igual modo que el sraf era invisible para ti. Y aunque nosotros no conseguimos ver una forma de sobrevivir, tenemos la esperanza de que tú sí puedas. Esperamos que descubras rápidamente la causa de la enfermedad de los árboles y encuentras el remedio. Esperamos que halles la forma de detener a los tualapi, que son muy numerosos y poderosos.

»Y esperamos que puedas hacerlo pronto, porque si no moriremos.

Se oyeron murmullos de aprobación. Todos observaron a Mary, quien se sintió de nuevo como la nueva alumna de una escuela en quien todos habían depositado sus esperanzas. Al mismo tiempo se sintió curiosamente halagada: la idea de ser rápida y ágil como un pájaro era nueva y agradable, porque siempre se había considerado tenaz y laboriosa. Pero al mismo tiempo tenía la impresión de que se equivocaban si la veían de ese modo; no lo entendían, ella no podía remediar su desesperada situación.

No obstante, debía hacerlo. Estaban esperando. Así que dijo:

—Sattamax, mulefa, trataré de corresponder a la esperanza que habéis depositado en mí. Habéis sido amables conmigo y lleváis una vida noble y hermosa y yo me esforzaré en ayudaros. Ahora que he visto el sraf, sé lo que estoy haciendo. Gracias por vuestra confianza.

Los mulefa asintieron, murmuraron satisfechos y la acariciaron con sus trompas cuando Mary descendió. Estaba asustada del compromiso que había adquirido.

En ese mismo momento, en el mundo de Cittàgazze, el padre Gómez, el sacerdote asesino, subía por un escabroso sendero en la montaña entre vetustos olivos. La luz del atardecer se filtraba sesgada a través de las hojas plateadas y el aire estaba poblado del canto de grillos y cigarras.

Frente a él vio una casita de campo a la sombra de unas parras, donde balaba una cabra; una fuente manaba agua entre las rocas grisáceas. Un anciano se afanaba en su tarea mientras una vieja conducía a la cabra hacia un lugar donde había dispuesto un taburete y un cubo.

En la aldea que acababa de dejar atrás le habían informado de que la mujer a quien seguía había pasado por allí y había dicho que se dirigía a las montañas. Quizás aquellos ancianos la habían visto. En todo caso, podría comprar un queso y olivas y beber agua de la fuente. El padre Gómez estaba acostumbrado a llevar una vida austera, y tenía mucho tiempo por delante.

18

Los aledaños de la muerte

OJALÁ FUERA
POSIBLE
PODER CELEBRAR
UNA CONFERENCIA
DE DOS DÍAS CON
LOS MUERTOS...
JOHN WEBSTER

Lyra se despertó antes del amanecer. Pantalaimon temblaba sobre su pecho. Se levantó para caminar y entrar en calor mientras la grisácea luz despuntaba en el cielo. Lyra nunca había conocido un silencio tan profundo, ni siquiera en el Ártico nevado de su mundo. No corría la menor brisa y el mar estaba tan en calma que ninguna ola rompía sobre la arena. El mundo parecía dormido.

Will estaba como un tronco, hecho un ovillo, con la cabeza apoyada en la mochila para proteger la daga. La capa le había resbalado del hombro y Lyra le arropó con cuidado, fingiendo que procuraba no despertar a su daimonion que ella imaginaba con forma de gato, ovillado como Will. «Ese daimonion debe de haberse escondido en alguna parte», pensó.

Llevando en brazos a Pantalaimon, que aún estaba adormilado, Lyra se alejó de Will y se sentó en la pendiente de una duna de arena, para no despertarlo al hablar.

—Esos dos pequeños —dijo Pantalaimon.

—No me gustan —declaró Lyra rotundamente—. Deberíamos perderlos de vista en cuanto podamos. Si los atrapamos en una red o algo parecido, Will podría abrir una ventana y cerrarla, y entonces seríamos libres.

—No tenemos ninguna red —objetó su daimonion— ni nada parecido. De todos modos, seguro que son más listos de lo que creemos. Ahora mismo él nos está vigilando.

Pantalaimon había asumido la forma de un halcón, cuya vista era más aguzada que la de ella. La oscuridad del cielo fue transformándose minuto a minuto en un palidísimo y etéreo azul. Mientras Lyra forzaba la vista, el primer rayo de sol se posó en la orilla del mar, deslumbrándola. Al hallarse sobre la duna, la luz la alcanzó unos instantes antes de posarse en la playa. Lyra observó cómo fluía en torno a ella y luego se desplazaba hacia Will, y de pronto vio la figura del caballero Tialys, que se erguía un palmo del suelo, de pie junto a la cabeza de Will, completamente despierto y sin quitarle ojo de encima.

—El caso es —dijo Lyra— que no pueden obligarnos a hacer lo que ellos quieran. Tienen que seguirnos. Seguro que están hartos.

Lyra pensó en ello. Recordaba con toda claridad el horrible grito de dolor que había lanzado la señora Coulter, las convulsiones con los ojos en blanco, al mono dorado babeando con la cabeza ladeada y la mirada extraviada cuando el veneno penetró en el torrente sanguíneo de ella.. Y sólo había sido un rasguño Will tendría que claudicar y hacer lo que ellos les ordenaran.

—Supongamos que piensen que no lo haría, supongamos que crean que es tan despiadado que observaría tranquilamente mientras moríamos. Quizá convenga que les haga creer eso, si es que puede.

Lyra llevaba consigo el aletiómetro, y como había suficiente luz sacó su preciado instrumento y lo depositó en su regazo, sobre el paño de terciopelo negro en que iba envuelto. Poco a poco fue entrando en ese trance en el que se le hacían comprensibles los múltiples estratos de significado, en el que percibía las intrincadas redes de conexión que mantenían éstos entre sí. Al tiempo que sus dedos encontraron los símbolos, su mente halló las palabras: ¿cómo podemos librarnos de los espías?

La aguja comenzó a oscilar de un lado a otro, a una velocidad que casi le resultaba imposible seguirla, y una parte de la conciencia de Lyra contó las oscilaciones y las paradas y comprendió en el acto el significado que encerraba cada movimiento.

El instrumento le dijo: «No lo intentéis, porque vuestra vida depende de ellos.»

Fue una sorpresa bastante desagradable, pero Lyra siguió preguntando:

—¿Cómo podemos llegar a la tierra de los muertos?

La respuesta no se hizo esperar.

«Descended. Seguid a la daga. Continuad avanzando. Seguid a la daga.»

Por fin, cohibida y vacilante, Lyra preguntó:

—¿Hacemos lo correcto?

«Sí», respondió el aletiómetro de inmediato.

Con un suspiro, Lyra salió del trance. Se remetió el pelo detrás de las orejas y sintió el calor de los primeros rayos de sol sobre su rostro y sus hombros. En el mundo aparecieron unos sonidos: los insectos se despertaban y una leve brisa agitaba las resecas hierbas que crecían en lo alto de la duna.

Lyra guardó el aletiómetro y regresó junto a Will, seguida por Pantalaimon, que había asumido la forma de león, su modalidad de mayor tamaño, para intimidar a los gallivespianos. El hombre estaba utilizando el aparato de magnetita.

—¿Has hablado con lord Asriel? —preguntó Lyra cuando éste hubo terminado.

—Con su representante —respondió Tialys.

—No vamos a ir.

—Eso es lo que le he dicho.

—¿Y qué ha contestado?

—Era un mensaje para mí, no para vosotros.

—Como quieras —replicó Lyra—. ¿Estás casado con esa señora?

—No. Somos colegas.

—¿Tienes hijos?

—No.

Tialys guardó el resonador de magnetita. Entretanto, lady Salmakia, situada cerca de él, despertó de su sueño y se levantó con gestos pausados y airosos del pequeño hoyo que había construido en la arena. Las libélulas seguían dormidas, atadas con unos cordeles tan finos como los hilos de las telarañas. Tenían las alas húmedas de rocío.

—¿Hay personas grandes en vuestro mundo, o todas son pequeñas como vosotros? —inquirió Lyra.

—Sabemos cómo tratar a las personas grandes —respondió Tialys, un tanto lacónicamente, antes de ponerse a hablar con Salmakia.

Hablaban en un tono tan quedo que Lyra no logró captar lo que decían, pero disfrutó observando cómo sorbían gotas de rocío adheridas a la hierba para refrescarse. El agua debía de ser distinta para ellos, pensó transmitiendo ese pensamiento a Pantalaimon: ¡imagina unas gotas del tamaño de tu puño! Sin duda costaría penetrar en ellas, porque debían de tener una envoltura elástica, como un globo.

Will comenzó a despabilarse lentamente. Lo primero que hizo fue echar una ojeada en busca de los gallivespianos, quienes lo observaron con detenimiento, pendiente de cada uno de sus movimientos.

Entonces Will descubrió a Lyra.

—Quiero decirte una cosa —dijo ésta—. Ven aquí, para que ellos no...

—Si os alejáis de nosotros —advirtió Tialys con su resonante voz—, debéis dejar la daga. Si no queréis dejar la daga, tenéis que hablar aquí.

—¿Es que no podemos tener un poco de intimidad? —protestó Lyra—. ¡No queremos que escuchéis lo que decimos!

—Entonces alejaos, pero dejad la daga.

A fin de cuentas, no había nadie en las inmediaciones y los gallivespianos no podían utilizar la daga. Will rebuscó en su mochila en busca de la cantimplora y un par de galletas. Le dio una a Lyra y subieron por la cuesta de la duna.

—He consultado al aletiómetro —dijo Lyra—. Ha dicho que no debemos intentar escapar de esos pequeños personajes, porque ellos nos salvarán la vida. Así que tenemos que aguantarlos.

—¿Les has dicho lo que vamos a hacer?

—No, ni pienso hacerlo, porque les faltaría tiempo para contárselo a lord Asriel a través de ese violín parlante que tienen, y él nos lo impediría. Así que iremos allí sin hablar de nuestro plan delante de ellos.

—No dejan de ser espías —apostilló Will—. Saben escuchar y ocultarse. Será mejor no decirles nada. Los dos sabemos adónde vamos, así que no hace falta que hablemos de ello. Y ellos tendrán que conformarse y seguirnos.

—Ahora no pueden oírnos. Están demasiado lejos. También pregunté al aletiómetro cómo llegar allí. Dijo que debíamos seguir a la daga, eso es todo.

—Parece fácil, pero apuesto a que no lo es. ¿Sabes qué me dijo Iorek?

—No. Cuando fui a despedirme de él dijo que iba a ser muy difícil para ti, pero que lo conseguirías. Pero no me explicó por qué...

—La daga se rompió porque pensé en mi madre —explicó Will—. Así que tengo que olvidarme de ella. Pero es como cuando alguien te dice que no pienses en un cocodrilo, y no haces más que pensar en él, no puedes remediarlo...

—Sin embargo anoche pudiste abrir una ventana —dijo Lyra.

—Sí, supongo que porque estaba cansado. Bueno, ya veremos. ¿Así que tenemos que seguir a la daga y ya está?

—Eso dijo el aletiómetro.

—Entonces será mejor que nos pongamos en marcha, aunque nos

queda poca comida. Deberíamos llevarnos pan, fruta o alguna otra cosa. Primero localizaré un mundo donde haya comida, y luego nos pondremos a buscarla.

—De acuerdo —contestó Lyra, contenta de volver a ponerse en camino con Pan y Will, vivitos y coleando.

Regresaron junto a los espías, que permanecían sentados y alerta junto a la daga, con las mochilas a la espalda.

—Nos gustaría saber qué os proponéis —dijo Salmakia.

—No vamos a ir con lord Asriel —contestó Will—. Al menos de momento. Antes tenemos que hacer otra cosa.

—¿Vais a decirnos de qué se trata, puesto que no podemos impedíroslo?

—No —respondió Lyra—, porque se lo diríais a ellos. Tenéis que venir con nosotros sin saber adónde vamos. Claro que podríais desistir y regresar junto a vuestros compinches.

—De eso nada —contestó Tialys.

—Queremos alguna garantía —dijo Will—. Puesto que sois espías, no podéis ser honestos. Vuestro oficio es mentir. Necesitamos saber que podemos confiar en vosotros. Anoche estábamos muy cansados y no pensamos en ello, pero nada os impide esperar a que estemos dormidos para clavarnos vuestro aguijón, dejarnos inconscientes y llamar a lord Asriel con ese aparato de magnetita. Podríais hacerlo con toda facilidad. Por eso necesitamos que nos garanticéis que no vais a hacerlo. Una promesa no nos basta.

Los dos gallivespianos temblaban de rabia ante aquel ultraje a su honor.

—No aceptamos exigencias unilaterales —replicó Tialys, reprimiendo su ira—. Debéis concedernos algo a cambio. Debéis decirnos qué intenciones tenéis y entonces yo os entregaré el resonador de magnetita para que lo guardéis vosotros. Debéis permitir usarlo cuando queramos enviar un mensaje, pero siempre sabréis cuándo lo haremos y no podremos utilizarlo sin vuestro consentimiento. Ésa es nuestra garantía. Y ahora decidnos adónde vais y por qué.

Will y Lyra cambiaron una mirada para confirmar la respuesta.

—De acuerdo —dijo Lyra—, es justo. Nuestro plan es el siguiente: queremos ir al mundo de los muertos. No sabemos dónde está, pero la daga dará con él. Eso es lo que vamos a hacer.

Los dos espías la miraron boquiabiertos, sin dar crédito a lo que acababan de oír.

—Lo que dices no tiene sentido —dijo Salmakia tras recuperarse de su estupor—. Los muertos están muertos y se acabó. No existe el mundo de los muertos.

—Yo también creía eso —terció Will—, pero ahora no estoy seguro. Con la daga podremos averiguarlo.

—¿Pero por qué?

Lyra miró a Will y éste asintió.

—Bueno —respondió la niña—, antes de conocer a Will, mucho ante de los días que pasé dormida, llevé a un amigo mío a un sitio peligroso y lo mataron. Yo quería salvarlo, pero sólo conseguí empeorar la situación. Mientras dormía soñé con él y pensé que si iba allí podría rectificar y pedirle perdón. Will quiere buscar a su padre, que murió justo cuando él acababa de dar con su paradero. A lord Asriel no se le ocurriría eso. Ni a la señora Coulter. Si fuéramos con lord Asriel tendríamos que hacer lo que él quisiera. A él le tiene sin cuidado Roger, me refiero a mi amigo, el que murió, pero a mí sí me importa. Y a Will también. De modo que eso es lo que vamos a hacer.

—Criatura —dijo Tialys—, cuando morimos, todo termina. No existe otra vida. Habéis visto la muerte. Habéis visto cadáveres y habéis visto lo que le ocurre a un daimonion cuando muere. Desaparece. ¿Cómo va a seguir con vida un ser después de morir?

—Eso es que lo vamos a averiguar —contestó Lyra—. Ahora que os lo hemos dicho, me quedo con vuestro resonador de magnetita.

Acto seguido alargó la mano y Pantalaimon se irguió, en versión leopardo, y meneó la cola lentamente para respaldar su demanda. Tialys se descolgó la mochila de la espalda y depositó el aparato en la palma de la mano de Lyra. A ésta le sorprendió su peso; para Lyra, por supuesto, no representaba una carga, pero él debía de ser muy fuerte para poder transportarlo.

—¿Y cuánto tiempo prevéis que llevará esa expedición? —inquirió el caballero.

—No tenemos ni idea —respondió Lyra—. Sabemos sobre ello tanto como vosotros. Nos pondremos en marcha y ya veremos.

—Antes que nada —dijo Will—, tenemos que conseguir agua y comida, algo que podamos transportar fácilmente. Trataré de localizar un mundo donde conseguirlo, y luego nos pondremos en camino.

Tialys y Salmakia se montaron en sus libélulas y las retuvieron en el suelo. Los grandes insectos temblaban, ansiosos por echarse a volar, pero sus jinetes tenían un dominio absoluto sobre ellos. Al observarlos por primera vez a la luz del día, Lyra advirtió la extraordinaria finura de las riendas de seda gris, los estribos plateados y las diminutas sillas.

Will tomó la daga y un poderoso impulso le hizo tentar el aire para localizar su propio mundo. Aún conservaba la tarjeta de crédito; podía comprar comida a la que estaba acostumbrado; incluso podía telefonear a la señora Cooper y preguntarle por su madre...

La daga emitió un sonido chirriante, como una uña al rascar una tosca piedra, y a Will estuvo a punto de darle un síncope. Si volvía a romper la daga, la cosa no tendría solución.

Al cabo de unos instantes lo intentó de nuevo. Para no pensar en su madre, Will se dijo: «Sí, sé que está allí, pero mientras hago esto no pensaré en ella...»

Esta vez la cosa funcionó. Will localizó un nuevo mundo y deslizó la daga por los bordes para abrir una ventana. Al cabo de unos momentos se hallaron todos en el aseado patio de una próspera granja situada en un país nórdico como Holanda o Dinamarca. Las losas del suelo habían sido barridas y las puertas de los establos estaban abiertas. El sol lucía a través de un cielo nublado, y en el aire flotaba un olor a quemado y otro olor más desagradable. No se oía ninguna actividad humana, aunque de los establos salía un sonoro zumbido, tan persistente y enérgico que parecía el de una máquina.

Lyra fue a mirar y regresó en el acto, pálida como la cera.

—Ahí dentro hay... hay cuatro... —balbució llevándose la mano a la garganta, y tras recuperarse añadió—: cuatro caballos muertos.

—Mira —dijo Will tragando saliva—, no, más vale que no mires.

Señalaba hacia los frambuesos que bordeaban el huerto. Acababa de ver los pies de un hombre, uno calzado con un zapato y el otro descalzo, que asomaban por entre la parte más espesa de los arbustos.

Lyra no quiso mirar, pero Will fue a ver si el hombre aún estaba vivo y necesitaba ayuda. Volvió meneando la cabeza, con expresión preocupada.

Los dos espías ya se encontraban a la puerta de la casa, que estaba entornada.

Tialys retrocedió al instante.

—Aquí se percibe un olor más dulce —dijo, y acto seguido atravesó de nuevo el umbral mientras Salmakia exploraba las dependencias contiguas.

Will siguió al caballero hasta una gran cocina cuadrada de estilo antiguo, con un armario de madera que contenía una vajilla blanca de porcelana, una mesa de pino inmaculada y un enorme fogón en el que reposaba un cazo negro con agua fría. Junto a la cocina había una despensa, con dos estantes repletos de manzanas que exhalaban un delicado aroma. El silencio era opresivo.

—¿Es éste el mundo de los muertos, Will? —preguntó Lyra en voz baja.

—No lo creo —respondió éste, aunque también se le había ocurrido—. En éste no habíamos estado. Nos llevaremos toda la comida que podamos cargar. Hay pan de centeno, que nos irá bien porque pesa poco, y queso...

Cuando hubieron tomado todo lo que pudieron, Will depositó una moneda de oro en el cajón de la mesa de pino.

—¿Qué pasa? —preguntó Lyra al ver que Tialys enarcaba las cejas—. Hay que pagar siempre por lo que uno toma.

En aquel momento Salmakia entró por la puerta trasera a lomos de su libélula y aterrizó sobre la mesa en un remolino azul eléctrico.

—Se acercan unos hombres —dijo—, a pie y armados. Están a unos pocos minutos de aquí. Y pasados los campos hay una aldea incendiada.

En ese momento oyeron el ruido de pasos sobre la grava, una voz que impartía órdenes y el tintineo de metal.

—Será mejor que nos vayamos —dijo Will.

Tentó el aire con la punta de la daga y al instante percibió una sensación nueva. Era como si la hoja se deslizara sobre una superficie muy lisa, como un espejo, y después se hundiera lentamente hasta poder cortarla. Pero la superficie se resistía, como si se tratara de un paño recio, y cuando Will hizo una abertura, pestañeó sorprendido y alarmado porque el mundo al que había accedido era una réplica exacta de aquel en el que se encontraban.

—¿Qué ocurre? —preguntó Lyra.

Los espías parecían observar con desconcierto, aunque sentían algo más que desconcierto. Del mismo modo que el aire había presentado resistencia a la daga, en aquella abertura había algo que entorpecía su paso. Will tuvo que empujar para vencer un obstáculo invisible y luego tirar de Lyra. Los gallivespianos apenas lograban avanzar. Tuvieron que posar a las libélulas sobre las manos de los niños, e incluso de ese modo los insectos se vieron obligados a superar una presión en el aire, doblando y torciendo sus sutiles alas al tiempo que los jinetes les acariciaban la cabeza y les susurraban al oído para aplacar su temor.

Pero al cabo de unos segundos de duro forcejeo lograron pasar. Will halló el borde de la ventana (aunque era imposible verla) y la cerró, con lo que quedaron aislados del ruido de los soldados.

—Will —dijo Lyra.

Al volverse, el niño vio ante ellos a otra figura en la cocina.

El corazón le dio un vuelco. Era el hombre al que había visto degollado hacía apenas diez minutos, entre los arbustos.

Era de mediana edad, delgado, con aspecto de quien pasa mucho tiempo al aire libre. Pero en aquellos instantes parecía enloquecido, o paralizado de estupor. Tenía los ojos tan desorbitados que se le veía una franja blanca en torno a las pupilas, y se agarraba al borde de la mesa con mano temblorosa. Tenía el cuello intacto, según advirtió Will con alivio.

El hombre abrió la boca para decir algo, pero de ella no salió palabra alguna. Lo único que hizo fue señalar a Will y a Lyra.

—Discúlpenos por haber entrado en su casa —dijo Lyra—, pero teníamos que escapar de esos hombres que se acercaban. Sentimos haberle asustado. Yo soy Lyra y éste es Will, y éstos son nuestros amigos, el caballero Tialys y lady Salmakia. ¿Puede decirnos cómo se llama y dónde nos encontramos?

Esta pregunta tan normal formulada por Lyra hizo que el hombre se recobrara de su estupor, estremeciéndose como si se despertara de un sueño.

—Estoy muerto —dijo—. Estoy postrado ahí fuera, muerto, lo sé. Vosotros no estáis muertos. ¿Qué ocurre? ¡Dios bendito, me cortaron el cuello! ¿Qué es lo que sucede?

Cuando el hombre dijo «estoy muerto» Lyra se acercó a Will, y Pantalaimon se refugió en su pecho, transformado en mosca. Por su parte los gallivespianos trataban de controlar a sus libélulas, pues los grandes insectos parecían sentir aversión por aquel hombre y no paraban de revolotear de un lado a otro de la cocina en busca de una salida.

Pero el hombre no les prestó atención. Seguía tratando de descifrar lo ocurrido.

—¿Es usted un fantasma? —preguntó Will con cautela.

El hombre alargó la mano y Will trató de estrecharla, pero sus dedos sólo aferraron aire. Lo único que sintió fue un frío cosquilleo.

Al reparar en ello, el hombre se miró la mano, horrorizado. La conmoción inicial empezaba a remitir, permitiéndole hacerse cargo de su lastimoso estado.

—No hay duda —declaró—, estoy muerto... ¡Estoy muerto e iré al infierno!

—Cálmese —dijo Lyra—, iremos juntos. ¿Cómo se llama?

—Me llamaba Dirk Jansen —respondió el hombre—, pero yo... no sé qué hacer... No sé adónde ir...

Will abrió la puerta. El patio ofrecía el mismo aspecto, al igual que el huerto, y el sol que lucía a través de las nubes. Y allí yacía el cadáver del hombre, tal como lo había visto Will.

De los labios de Dirk Jansen brotó un sofocado gemido, como si ya no pudiera negar la evidencia. Las libélulas salieron volando por la puerta, revolotearon unos instantes a ras del suelo y se elevaron en el aire, raudas como pájaros. El hombre miró en derredor con expresión de impotencia, gesticulando y sollozando entrecortadamente.

—No puedo quedarme aquí... Es imposible —repetía sin cesar—. Ésta no es la granja que yo conocí. Hay algo que no encaja. ¡Debo irme!

—¿Adónde va a ir, señor Jansen? —inquirió Lyra.

—Por la carretera. No sé. Debo irme. No puedo quedarme aquí...

Salmakia descendió y se posó en la mano de Lyra. Las diminutas garras de la libélula se clavaron en la piel de la niña.

—Algunas gentes abandonan la aldea... —dijo Salmakia—, unas gentes como este hombre. Todos se encaminan en la misma dirección.

—Entonces iremos con ellos —declaró Will, echándose la mochila al hombro.

Dirk Jansen pasó por encima de su propio cadáver, procurando no mirarlo. Parecía como si estuviera borracho, deteniéndose, avanzando, oscilando de un lado a otro, tambaleándose en los baches y tropezando en las piedras del camino que sus pies habían conocido en vida.

Lyra echó a andar detrás de Will y Pantalaimon, convertido en un cernícalo, se elevó tan alto por los aires que Lyra se sobresaltó.

—Tienen razón —dijo cuando descendió de nuevo—. He visto a mucha gente que abandona el pueblo. Gente muerta...

Al poco rato también ellos los vieron: una veintena de hombres, mujeres y niños que avanzaban de la misma forma que Dirk Jansen, tambaleantes y aturdidos. La aldea se hallaba a medio kilómetro y la gente avanzaba hacia ellos, arracimada en medio de la carretera. Cuando Dirk Jansen vio a los otros fantasmas, echó a correr con paso vacilante y ellos tendieron las manos para recibirlo.

—Aunque no sepan adónde se dirigen, van juntos —observó Lyra—. Será mejor que vayamos con ellos.

—¿Crees que tenían daimonions en este mundo? —preguntó Will.

—No lo sé. Si vieras a uno de ellos en tu mundo, ¿sabrías que era un fantasma?

215

—Es difícil precisarlo. No es que tengan un aspecto muy normal... En mi pueblo había un hombre con una vieja bolsa de plástico que solía rondar frente a las tiendas. Nunca hablaba con nadie ni entraba en las tiendas, y nadie se fijaba en él. Yo estaba convencido de que era un fantasma. Esa gente se parece un poco a él. Puede que mi mundo estuviera lleno de fantasmas y yo no me diera cuenta.

—No creo que mi mundo esté lleno de fantasmas —dijo Lyra, sin mucho convencimiento.

—De todas formas, éste debe de ser el mundo de los muertos. Esas gentes acaban de morir... seguramente a manos de los soldados..., y ahí están, y este mundo es casi idéntico al mundo en el que vivían. Yo creí que sería muy diferente.

—Pero se está difuminando —replicó Lyra—. ¡Fíjate!

La niña asió del brazo a Will. Éste se detuvo y comprobó que estaba en lo cierto. Poco antes de haber localizado la ventana en Oxford y haberse trasladado al otro mundo de Cittàgazze se había producido un eclipse solar. Al igual que millones de personas, Will había salido al mediodía y había observado cómo la luz del sol se iba desvaneciendo hasta que una fantasmagórica luz crepuscular cubrió las casas, los árboles y el parque. Todo se veía con la misma nitidez que a plena luz del día, pero había menos luz, como si el sol agonizante perdiera toda su energía.

Lo que ocurría ahora era un fenómeno parecido pero más extraño, porque los bordes de las cosas habían perdido nitidez y se difuminaban.

—No es como volverse ciego —dijo Lyra, asustada—, porque vemos las cosas, pero difuminadas...

El mundo había empezado a perder lentamente su colorido: un tenue verde grisáceo reemplazaba el verde intenso de los árboles y la hierba, un tono arena grisáceo el amarillo vivo de los campos de maíz, un sombrío gris sangre el rojo de los ladrillos de las casas...

Las gentes que avanzaban por el camino, que se hallaban a escasa distancia, habían reparado también en ello y señalaban y se agarraban mutuamente del brazo para tranquilizarse.

Los colores brillantes que se veían en el paisaje eran los rutilantes tonos rojo, amarillo y azul eléctrico de las libélulas, y los colores de sus diminutos jinetes, y de Will y Lyra, y de Pantalaimon, que revoloteaba sobre ellos en forma de cernícalo.

Al aproximarse a la gente que encabezaba el grupo se disiparon todas sus dudas: eran fantasmas. Will y Lyra se acercaron mutuamente, pero no había nada que temer pues los fantasmas estaban más asustados que ellos por su presencia y se detuvieron, remisos a aproximarse.

—No teman. No vamos a hacerles daño. ¿Adónde se dirigen?

Los dos niños miraron al más anciano del grupo, como si éste fuera el guía.

—Vamos adonde van todos los demás —respondió el anciano—. Parece como si lo supiera, aunque no recuerdo haberlo averiguado. Creo que se encuentra en la carretera. Lo sabremos cuando lleguemos.

—Mamá, ¿por qué se pone oscuro de día? —preguntó un niño.

—Chisss, cariño, no te preocupes —respondió la madre—. No conseguirás nada preocupándote. Creo que estamos muertos.

—¿Pero adónde vamos? —insistió el niño—. ¡Yo no quiero estar muerto, mamá!

—Vamos a ver al abuelo —contestó la madre, exasperada.

Sus palabras no lograron calmar al niño, que rompió a llorar con desconsuelo. Otras personas del grupo observaron a la madre con simpatía o irritación, pero no podían ayudarla. De modo que siguieron avanzando desconsolados a través de aquel paraje que se difuminaba, mientras continuaba el incesante y sofocado llanto del niño.

El caballero Tialys cruzó unas palabras con Salmakia antes de adelantarse para explorar el terreno. Will y Lyra observaron ansiosos a la libélula, temerosos de perder de vista su espléndido colorido y vigor, a medida que ésta se hacía cada vez más pequeña. Salmakia descendió en picado y posó a su insecto sobre la mano de Will.

—El caballero se ha adelantado para echar un vistazo —explicó Salmakia—. Creemos que el paisaje se difumina porque esta gente se está olvidando de él. Cuanto más se alejen de sus casas, más se oscurecerá.

—¿Pero por qué creéis que se van? —preguntó Lyra—. Si yo fuera un fantasma, querría quedarme en los sitios que conocí y no andar por lugares donde correría el riesgo de perderme.

—Aquí se sienten desgraciados —aventuró Will—. Es el lugar donde acaban de morir. Les da miedo.

—No, su marcha obedece a otro motivo.

Lo cierto es que desde que habían perdido de vista la aldea, los fantasmas caminaban con paso más rápido y decidido. El cielo estaba muy oscuro, como si se avecinara una fuerte tormenta, pero no se percibía la tensión eléctrica que suele precederlas. Los fantasmas avanzaban sin detenerse por la carretera que discurría recta a través de un paisaje monótono.

De vez en cuando uno de ellos lanzaba una mirada a Will o a Lyra, o a la reluciente libélula y a su jinete, como si se sintieran intrigados. Por fin el hombre más anciano dijo:

—Eh, vosotros, el niño y la niña. Vosotros no estáis muertos. No sois fantasmas. ¿Por qué venís con nosotros?

—Llegamos aquí por accidente —respondió Lyra sin dar tiempo a Will a abrir la boca—. No sé qué pasó. Tratábamos de escapar de esos hombres, y de repente nos encontramos aquí.

—¿Cómo sabrán cuándo han llegado al sitio al que tienen que ir? —inquirió Will.

—Supongo que nos los dirán —contestó resueltamente el fantasma—. Me imagino que separarán a los virtuosos de los pecadores. De nada vale ponerse a rezar ahora. Es demasiado tarde para eso. Deberíais haberlo hecho cuando estabais vivos. Ahora es inútil.

Estaba claro en qué grupo preveía que iba a estar incluido, y no menos claro que no creía que fuera muy numeroso. Los otros fantasmas le escucharon con inquietud, pero él era su guía, de modo que lo siguieron sin rechistar.

Continuaron avanzando en silencio bajo un cielo que se había ido ensombreciendo hasta adquirir un color gris plomizo. Los seres vivos miraron a diestro y siniestro, hacia arriba y hacia abajo, en busca de algo luminoso, animado, hasta que por fin en el sombrío horizonte apareció una minúscula chispa que surcó veloz el aire hacia ellos. Era el caballero. Salmakia lanzó una exclamación de gozo y espoleó la libélula para ir a su encuentro.

Tras conversar unos minutos, regresaron junto a los niños.

—Más adelante hay una población —dijo Tialys—. Parece un campo de refugiados, pero es evidente que lleva allí varios siglos. Y creo que hay un lago más allá, pero está cubierto de bruma. Oí los gritos de las aves acuáticas. Y constantemente van llegando centenares de fantasmas de todas direcciones, gentes como éstas, fantasmas...

Los fantasmas escucharon al caballero, aunque sin gran interés. Era como si se hubieran sumido en un trance hipnótico. Lyra sintió deseos de zarandearlos, de conminarlos a luchar, a despertar y buscar una salida.

—¿Cómo vamos a ayudar a esta gente? —preguntó Will.

No tenía ni la más remota idea. Mientras avanzaban, vieron en el horizonte un movimiento de izquierda a derecha y una sucia columna de humo que se elevaba despacio para sumar su oscuridad a la lúgubre atmósfera. Lo que se movía eran personas, o fantasmas: en hileras, en parejas, en grupos o solos, todos con las manos vacías, centenares y miles de hombres, mujeres y niños que avanzaban por toda la llanura hacia el lugar de donde emanaba el humo.

El terreno comenzó a descender, adquiriendo el aspecto de un vertedero de basura. El aire era opresivo y estaba impregnado de humo y de otros olores: a sustancias químicas rancias, a materia vegetal en descomposición, a cloaca. Cuanto más avanzaban, más se intensificaba el hedor. No había un palmo de terreno que no estuviera sembrado de basura; unos hierbajos grisáceos era toda la vegetación que crecía en aquel lugar.

Ante ellos, sobre el agua, vieron una densa bruma. Se alzaba como un farallón para confundirse con el sombrío cielo, y de su interior brotaban los gritos de aves a los que se había referido Tialys.

Entre los montones de desperdicios y la bruma se hallaba la primera ciudad de los muertos.

19

Lyra y su muerte

ESTABA FURIOSO CON MI AMIGO; SE LO DIJE A MI CÓLERA, Y MI CÓLERA SE DISIPÓ.
WILLIAM BLAKE

Aquí y allá se veían unas hogueras encendidas entre las ruinas. La ciudad era un caos, sin calles, plazas ni espacios abiertos salvo en los lugares donde se había derrumbado un edificio. Entre los restos se alzaban unas pocas iglesias y edificios públicos, aunque sus tejados estaban llenos de agujeros y sus muros agrietados; un pórtico entero se había desplomado sobre sus columnas. Entre los cascotes de los edificios de piedra habían construido un laberíntico amasijo de casuchas y chabolas con fragmentos de madera para techar, viejos barriles de gasolina o latas de galletas, láminas rotas de polietileno y pedazos de madera contrachapada y cartón.

Los fantasmas que habían ido con ellos se apresuraron hacia la población. Era tal la cantidad de fantasmas que acudían de todas direcciones que parecían granos de arena deslizándose hacia el orificio de un reloj de arena. Entraron con paso decidido en el sórdido caos de la ciudad como si supieran hacia dónde se dirigían. Cuando Lyra y Will se disponían a seguirlos, una figura salió de un desvencijado portal y los detuvo.

—Alto, alto —dijo.

A sus espaldas brillaba una luz tenue y no era fácil distinguir sus rasgos, pero no era un fantasma sino un ser vivo, como ellos. Era un hombre delgado, de una edad difícil de precisar, vestido con un traje de hombre de negocios, roto y deslucido. Sostenía un lápiz y un manojo de papeles sujetos con una enorme pinza. El edificio del que acababa de salir tenía el aspecto de la aduana de una frontera poco transitada.

—¿Qué lugar es éste? —preguntó Will—. ¿Por qué no podemos entrar?

—No estáis muertos —respondió el hombre con tono cansino—. Tenéis que aguardar en la zona de espera. Seguid por la carretera hasta llegar a una caseta situada a mano izquierda y entregad estos papeles al funcionario.

—Disculpe la pregunta, señor —dijo Lyra—, ¿pero cómo es que hemos llegado hasta aquí si no estamos muertos? Éste es el mundo de los muertos, ¿no es así?

—Son los aledaños del mundo de los muertos. A veces los vivos llegan aquí por error, pero tienen que aguardar en la zona de espera antes de proseguir.

—¿Durante cuánto tiempo?

—Hasta que mueren.

Will estaba hecho un lío. Vio que Lyra parecía dispuesta a discutir con el hombre, pero antes de que abriera la boca se apresuró a preguntar:

—¿Podría explicarnos qué sucede entonces? Me refiero a si estos fantasmas que vienen aquí se quedan en esta ciudad para siempre.

—No, no —contestó el funcionario—. Esto es sólo un puerto de tránsito. A partir de aquí toman un barco.

—¿Y adónde van? —inquirió Will.

—Eso no te lo puedo decir —replicó el hombre con una sonrisa de amargura—. Circulad, por favor, id a la zona de espera.

Will tomó los papeles que le entregó el hombre. Luego tomó a Lyra del brazo y se la llevó de allí.

Las libélulas volaban con movimientos torpes y Tialys les explicó que necesitaban descansar. Se posaron en la mochila de Will y Lyra dejó que los espías se instalaran sobre sus hombros. Pantalaimon, en versión leopardo, los miró celoso pero no dijo nada. Siguieron avanzando por el camino, sorteando las míseras chabolas y los charcos de porquería, observando la interminable hilera de fantasmas que llegaban y entraban sin mayores dificultades en la población.

—Tenemos que atravesar el lago, como todos los demás —dijo Will—. Espero que la gente que está en la zona de espera nos explique cómo hacerlo. De todos modos no parecen enfadados ni peligrosos. Es curioso. Y estos papeles...

Eran unas hojas arrancadas de un bloc, en las que había unas palabras garabateadas con lápiz y tachadas. Parecía como si aquella gente se divirtiera jugando a ver si los viajeros que pasaban por allí les plantaban cara o cedían y se echaban a reír. No obstante, todo parecía muy real.

Había oscurecido y refrescado, y era difícil calcular el tiempo. Lyra dedujo que llevaban caminando una hora, o quizá dos; en cualquier caso, el aspecto del lugar no había variado. Por fin llegaron a una caseta de madera semejante a la anterior, iluminada por la tenue luz de una bombilla que pendía de un cable sobre la puerta.

Al acercarse, un hombre vestido como el anterior salió sosteniendo en una mano una rebanada de pan untada con mantequilla. Sin decir palabra, examinó los papeles y asintió con la cabeza.

Luego les devolvió los papeles y dio media vuelta.

—Disculpe —dijo Will cuando el hombre se disponía a entrar de nuevo en la caseta—, ¿adónde tenemos que dirigirnos?

—Debéis buscar un lugar donde alojaros —respondió el hombre amablemente—. Preguntad y os informarán. Todos esperan, como vosotros.

El funcionario se volvió y cerró la puerta de la caseta para refugiarse del frío. Los viajeros se dirigieron al centro de aquel mísero suburbio donde tenían que hospedarse los vivos.

Era muy parecido al núcleo de la población: unas destartaladas casuchas, reparadas montones de veces con trozos de plástico o de plancha de hierro ondulado, que se alzaban apoyadas precariamente unas en otras a lo largo de embarrados callejones. En algunos lugares, un cable eléctrico colgaba de un soporte formando bucles y a lo largo de un grupo de chabolas, para procurar la mínima cantidad de energía necesaria para encender una o dos bombillas. Pero la mayor parte de la luz procedía de las hogueras. Su humeante y rojo resplandor iluminaba los pedazos y restos de material de construcción, como si fueran las últimas llamas que quedaban de una gran conflagración, que seguían vivas por pura maldad.

Pero cuando Will, Lyra y los gallivespianos se acercaron y contemplaron la escena con más detalle, distinguieron muchas figuras sentadas solas en la oscuridad, apoyadas en los muros o formando pequeños grupos, charlando en voz baja.

—¿Por qué no están esas personas en sus casas? —preguntó Lyra—. Hace frío.

—No son personas —contestó lady Salmakia—. Ni siquiera son fantasmas. Son otra cosa, aunque no sé exactamente qué.

Los viajeros llegaron al primer grupo de chabolas, iluminadas por una de aquellas débiles bombillas que pendían de un cable y que se balanceaban bajo el fuerte viento. Will apoyó la mano en la daga. Frente a ellas había un grupo de aquellos seres con forma de personas, jugando a los dados en cuclillas. Cuando los niños se acercaron, se pusieron de pie. Eran cinco hombres con los rostros en sombras y vestidos con ropas raídas, que los observaron en silencio.

—¿Cómo se llama esta ciudad? —preguntó Will.

Nadie respondió. Algunos hombres retrocedieron un paso y los cinco se agruparon como si fueran ellos los que estuvieran asustados. Lyra sintió que se le ponía la piel de gallina y se le erizaba el vello de los brazos, aunque no habría sabido decir por qué. Pantalaimon, oculto dentro de su camisa, no cesaba de temblar y susurrar:

—No, no, Lyra, déjalo estar. Vámonos, por favor, regresemos...

Las «personas» no se movieron.

—Bien, pues buenas noches —dijo Will encogiéndose de hombros y echando a andar.

Todas las figuras con las que toparon reaccionaron de forma parecida, lo cual no hizo sino aumentar la inquietud de los niños.

—¿Dónde están los espantos? —preguntó Lyra con tono quedo—. ¿Somos lo suficientemente mayores para ver a los espantos?

—No creo. Si lo fuéramos, ya nos habrían atacado. Supongo que deben de estar tan asustados como nosotros. No sé qué son.

En ese momento se abrió una puerta y un haz de luz se derramó sobre el suelo embarrado. En el umbral apareció un hombre —un ser humano de carne y hueso—, que los observó mientras se acercaban. El pequeño grupo de figuras arracimadas junto a la puerta retrocedió unos pasos, como en señal de respeto, y los niños vieron el rostro del hombre: recio, inofensivo y amable.

—¿Quiénes sois? —preguntó.

—Unos viajeros —contestó Will—. No sabemos dónde nos encontramos. ¿Qué población es ésta?

—Es una zona de espera —aclaró el hombre—. ¿Venís de muy lejos?

—Sí, de muy lejos —respondió Will—. ¿Podríamos comprar comida y pagar por nuestro alojamiento?

El hombre miró más allá de ellos, escrutando la oscuridad. Luego salió y echó una ojeada en derredor, como si faltara alguien. Por último se dirigió hacia las extrañas figuras que estaban a su lado.

—¿Habéis visto alguna muerte? —preguntó.

Las figuras movieron la cabeza en sentido negativo.

—No, no, ninguna —les oyeron murmurar los niños.

El hombre se volvió. A sus espaldas, en el umbral, aparecieron otros rostros: una mujer, dos niños de corta edad y otro hombre. Parecían nerviosos y asustados.

—¿Una muerte? —preguntó Will—. Nosotros no traemos ninguna muerte.

Pero eso era justamente lo que les inquietaba, porque cuando Will habló las personas vivas mostraron su asombro con breves exclamaciones y las figuras que estaban fuera retrocedieron unos pasos.

—Disculpen —intervino Lyra, adelantándose educadamente, como si se hallara en presencia de la gobernanta del Colegio Jordan—. No he podido por menos de fijarme en ellos, me refiero a esos caballeros que hay ahí. ¿Están muertos? Perdonen la pregunta si les parece grosera, pero en el lugar de donde yo vengo resulta bastante extraño. Allí nunca hemos visto a nadie como ellos. Les pido disculpas si les he ofendido sin querer, pero es que en mi mundo tenemos daimonions, todo el mundo tiene un daimonion, y nos chocaría ver a alguien que no lo tuviera, como imagino que a ustedes les choca nuestro aspecto. Desde que Will y yo viajamos (éste es Will y yo soy Lyra), he comprobado que algunas personas no tienen daimonions, como por ejemplo Will. Al principio eso me asustaba, hasta que me di cuenta de que eran personas normales y corrientes como yo. Supongo que ése es el motivo de que las gentes de su mundo se pongan nerviosas al vernos, porque piensan que somos diferentes.

—¿Lyra? ¿Will? —preguntó el hombre.

—Sí, señor —respondió Lyra con humildad.

—¿Y ésos son vuestros daimonions? —inquirió el hombre señalando a los espías posados en los hombros de la niña.

—No —contestó Lyra. Estuvo tentada de decir «son nuestros sirvientes», pero temió que a Will no le pareciera bien, de modo que aclaró—: Son nuestros amigos, el caballero Tialys y lady Salmakia, unas personas muy distinguidas que viajan con nosotros. Ah, y éste es mi daimonion —añadió, sacando del bolsillo a Pantalaimon-ratón—. Como ve, somos inofensivos y prometemos no hacerles daño. Necesitamos comida y cobijo. Mañana nos marcharemos. De veras.

Todos aguardaron. El tono humilde de Lyra había logrado apaciguar la inquietud del hombre, y los espías tuvieron la sensatez de adoptar una expresión modesta e inofensiva.

—Bueno, aunque es extraño —dijo el hombre al cabo de unos instantes—, lo cierto es que vivimos en unos tiempos muy extraños... Pasad, pues, sed bienvenidos...

Las figuras que estaban fuera asintieron, dos de ellas hicieron una breve reverencia y se apartaron respetuosamente para dejar pasar a Will y a Lyra, que entraron en la cabaña. El hombre cerró la puerta tras él y enganchó un alambre en un clavo para asegurarla.

Constaba de una sola habitación, iluminada por una lámpara de queroseno que reposaba en la mesa, limpia pero destartalada. Las paredes de madera contrachapada estaban decoradas con fotografías recortadas de revistas de cine, enmarcadas por huellas de dedos tiznados. Junto a la pared había una estufa de hierro, y frente a ésta un galán de noche con unas prendas puestas a secar. En la cómoda había una especie de altar formado por flores de plástico, conchas, frascos de perfume de colores y demás cachivaches, dispuestos alrededor de la fotografía de una garbosa calavera que lucía un sombrero de copa y unas gafas oscuras.

La cabaña estaba atestada de gente: aparte del hombre, la mujer y los dos niños, había un bebé en una cuna, un anciano y, en un rincón, postrada sobre un montón de mantas, una mujer muy vieja con la cara tan arrugada como las mantas, que observaba con ojillos relucientes sin perder detalle. Lyra se llevó un susto de muerte cuando las mantas se movieron y apareció un brazo, cubierto por una manga negra, y una cara de un hombre tan viejo que parecía una calavera. De hecho se parecía más a la calavera de la fotografía que a un ser humano vivo. Tanto Will como los demás viajeros se dieron cuenta de que era una de las figuras sombrías y correctas que estaban fuera. Y todos se sintieron tan desconcertados como le había sucedido al hombre al verlos por primera vez.

En realidad, todas las personas que se hallaban en la atestada cabaña no sabían qué decir. Fue Lyra quien rompió el silencio.

—Es muy amable por su parte —dijo—. Gracias y buenas tardes. Nos alegramos mucho de estar aquí. Ya he dicho que sentimos habernos presentado sin una muerte, si eso es lo normal aquí. Pero no les importunaremos más. Buscamos la tierra de los muertos, ése es el motivo de nuestra presencia aquí. Pero no sabemos dónde está, ni si esto forma parte de ella, ni cómo llegar allí. Así que si pudieran informarnos, les quedaríamos muy agradecidos.

Las gentes que habitaban en la cabaña seguían mirándolos con perplejidad, pero las palabras de Lyra aliviaron un poco la tensión. La mujer acercó un banco y les invitó a sentarse a la mesa. Will y Lyra posaron las libélulas, que estaban dormidas, sobre un estante en un rincón oscuro, donde Tialys dijo que reposarían hasta que amaneciera, y los gallivespianos se reunieron con ellos a la mesa.

La mujer había preparado un cocido y peló un par de patatas que partió en varios trozos para que las raciones de comida fueran más abundantes, instando a su marido a ofrecer a los viajeros unos refrescos mientras se cocían las patatas. El hombre sacó una botella de un licor transparente, cuyo potente olor recordó a Lyra el jengibre de los giptanos, y los espías aceptaron un vaso del que llenaron sus minúsculos cubiletes.

A Lyra le habría parecido más natural que aquellas gentes observaran intrigadas a los gallivespianos, pero por lo visto ella y Will despertaban tanta curiosidad como los otros. No tuvo que esperar mucho para enterarse del motivo.

—Sois las primeras personas que vemos sin una muerte —declaró el hombre, que según les había informado se llamaba Peter—. Al menos desde que estamos aquí. Nos ocurrió como a vosotros, llegamos aquí antes de morir, por azar o por accidente. Tenemos que esperar hasta que nos lo indique nuestra muerte.

—¿Que se lo indique su muerte? —preguntó Lyra.

—Sí. Lo averiguamos cuando llegamos aquí; de eso hace mucho tiempo, al menos en la mayoría de los casos. Averiguamos que habíamos traído a nuestra muerte. Lo averiguamos al llegar aquí. La llevábamos siempre encima, pero no lo sabíamos. Todos tenemos una muerte, ¿comprendéis? Nos acompaña a todas partes, durante toda la vida, sin alejarse de nuestro lado. Nuestras muertes están fuera, tomando el aire. Dentro de poco entrarán. La muerte de la abuela está ahí, a su lado, muy cerca de ella.

—¿No les impresiona tener a la muerte siempre junto a ustedes? —inquirió Lyra.

—¿Por qué había de impresionarnos? Si está cerca, podemos vigilarla. Me inquietaría mucho más no saber dónde está.

—¿Y todos tenemos nuestra propia muerte? —preguntó Will, maravillado.

—Pues sí, desde el momento en que nacemos, la muerte llega al mundo con nosotros y después nos saca de él.

—Ah, eso es lo que queríamos saber —dijo Lyra—, porque tratamos de encontrar la tierra de los muertos, y no sabemos cómo llegar allí. ¿Adónde vamos cuando morimos?

—Tu muerte te da unos golpecitos en el hombro, o te toma de la mano, y dice, ven conmigo, ha llegado el momento. Puede ocurrir cuando has contraído una fiebre, o cuando te ahogas con un trozo de pan seco, o cuando te caes de un edificio alto; en medio de tu dolor y de tu angustia, tu muerte se acerca y te dice amablemente, tranquilízate, criatura, ven conmigo. Te vas con ella en un barco que atraviesa el lago y se pierde en la neblina. Nadie sabe lo que ocurre allí, porque nadie ha regresado nunca de ese lugar.

La mujer le dijo al niño que llamara a las muertes, y el crío se dirigió presuroso hacia la puerta y habló con ellas. Will y Lyra observaron maravillados, y los gallivespianos se juntaron temerosos cuando las muertes —una por cada miembro de la familia— entraron por la puerta: unas figuras pálidas, de aspecto nada extraordinario, vestidas con unas prendas raídas. En definitiva, unos seres anodinos, silenciosos, lánguidos.

—¿Ésas son sus muertes? —preguntó Tialys.

—En efecto, señor —respondió Peter.

—¿Y ustedes saben cuándo les comunicarán que ha llegado la hora de irse?

—No, pero sabemos que están cerca de nosotros, lo cual es un consuelo.

Tialys no dijo nada, pero era evidente que no entendía cómo aquello podía representar un consuelo. Las muertes permanecieron respetuosamente junto a la pared. Era curioso constatar el poco espacio que ocupaban y el poco interés que despertaban. Lyra y Will no les prestaron la menor atención, aunque Will pensó: «Esos hombres que he matado... Sus muertes estaban junto a ellos todo el rato y ellos no lo sabían, y yo tampoco...»

La mujer, Martha, sirvió el cocido en unos platos de cerámica desportillados y echó un poco de comida en un cuenco para que las muertes se lo fueran pasando. No probaron bocado, pero les satisfacía aspirar el suculento cocido. Al cabo de unos instantes, la familia y sus huéspedes se pusieron a comer con apetito. Peter preguntó a los niños de dónde eran y cómo era su mundo.

—Yo se lo diré —repuso Lyra.

Mientras les hablaba de su mundo, dueña de la conversación, una parte de ella sintió un cosquilleo de placer, como el que producen las burbujas del champán. Sabía que Will no le quitaba ojo de encima, y Lyra se alegró de que la viera hacer algo en lo que ella destacaba, y hacerlo para él y para todos los demás.

Lyra empezó por hablarles de sus padres. Eran un duque y una duquesa, unas personas muy importantes y ricas, a quienes un enemigo político les había arrebatado sus propiedades y encerrado en prisión. Pero habían conseguido huir deslizándose por una cuerda, con

Lyra en brazos, que a la sazón era un bebé, y habían recuperado la fortuna de la familia, pero poco después fueron atacados y asesinados por unos forajidos. Éstos habían estado a punto de matarla también a ella, a quien habrían devorado asada al espetón de no haberla rescatado Will en el último momento y haberla llevado al bosque, junto a los lobos, donde éstos lo criaban como si fuera un lobezno. Will se había caído de pequeño por la borda del barco de su padre y la corriente lo había arrastrado hasta una costa desierta, donde una loba lo había amamantado, manteniéndolo con vida.

Las gentes se tragaron aquellas mentiras con plácida credulidad; incluso las muertes escuchaban con atención sentadas en el banco o tumbadas en el suelo, observando a Lyra con sus amables y educadas expresiones mientras ella desgranaba la historia de su vida con Will en el bosque.

Tras permanecer un tiempo con los lobos, Will y Lyra habían ido a Oxford para trabajar en las cocinas del Colegio Jordan. Allí habían conocido a Roger, y cuando el colegio fue atacado por los hijos de los operarios de los hornos de cocer arcilla, habían tenido que escapar por pies. Will, Roger y ella habían capturado un navío perteneciente a los giptanos y habían huido por el Támesis. En Abingdon Lock estuvieron a punto de atraparles, y más tarde los piratas de Wapping habían hundido su barco y ellos habían escapado por los pelos dirigiéndose a nado hasta un clíper de tres palos, destinado al transporte de té, que se disponía a zarpar hacia Hang Chow, en Catay.

A bordo del clíper habían conocido a los gallivespianos, unos forasteros procedentes de la Luna, que habían sido arrojados a la Tierra por una feroz galerna que se había levantado en la Vía Láctea. Se habían refugiado en el nido del cuervo, y Will, Roger y ella se turnaban en ir a verlos, pero un día Roger había resbalado y había caído al mar en un lugar llamado Davy Jones's Locker.

Will y Lyra habían tratado de convencer al capitán para que virara y fuera en busca de Roger, pero era un hombre frío y cruel al que sólo le interesaba el dinero que iba a ganar si llegaba rápidamente a Catay. En resumen, que les había puesto unos grilletes. Pero los gallivespianos les habían entregado una lima y...

Lyra prosiguió su relato. De vez en cuando se volvía hacia Will o los espías para que confirmaran sus palabras, y Salmakia añadía uno o dos detalles, o Will asentía con la cabeza. La historia concluyó con el episodio en que los niños y sus amigos procedentes de la Luna habían partido hacia la tierra de los muertos para averiguar, de labios de los padres de Lyra, el lugar secreto donde había sido sepultada la fortuna de la familia.

—Si en nuestra tierra conociéramos a nuestras muertes —dijo Lyra—, como las conocen ustedes en este lugar, seguramente todo resultaría más fácil. De todos modos, creo que hemos tenido mucha suerte de haber llegado aquí y de haber recibido sus consejos. Les estamos muy agradecidos por su amabilidad, por habernos escuchado y por habernos ofrecido este cocido tan rico.

»Pero lo que necesitamos ahora, o en todo caso por la mañana, es encontrar la forma de atravesar el lago para dirigirnos hacia el lugar adonde van los muertos. ¿Podríamos alquilar una barca?

Los habitantes de la cabaña se miraron indecisos. Los niños, con las mejillas arreboladas de cansancio, observaron con ojos soñolientos al hombre y a la mujer, pero ninguno de ellos fue capaz de indicarles dónde podían alquilar una barca.

De entre las mantas del lecho instalado en un rincón brotó entonces una voz seca y nasal. No era la voz de una mujer, ni siquiera de un ser vivo: era la voz de la muerte de la abuela.

—La única forma en que podéis atravesar el lago y dirigiros a la tierra de los muertos —dijo, incorporándose sobre un codo y señalando a Lyra con un esquelético dedo— es acompañados por vuestras muertes. Debéis llamarlas. Sé que existen personas como vosotros que mantienen a sus muertes a raya. Vuestras muertes os dan dentera y ellas, por educación, permanecen invisibles. Pero no andan lejos. Cada vez que volvéis la cabeza, vuestras muertes se agachan para que no las veáis. Miréis hacia donde miréis, ellas se esconden. Pueden ocultarse en una taza de té. O en una gota de rocío. O en una ráfaga de viento. No son como yo y la vieja Magda que yace postrada aquí —agregó la muerte, pellizcando la arrugada mejilla de la anciana, quien la apartó de un manotazo—. Convivimos en un clima de amistad y cordialidad. Ésa es la respuesta, no hay vuelta de hoja, eso es lo que debéis hacer, mostraros amables y afectuosos, acogerlas con simpatía, invitar a vuestras muertes a acercarse a vosotros e intentar que accedan a vuestros deseos.

Las palabras de la muerte cayeron en la mente de Lyra como piedras; Will también sintió su tremendo peso.

—¿Cómo podemos conseguirlo? —preguntó Will.

—No tenéis más que desearlo.

—Un momento —terció Tialys.

Todas las miradas se centraron en él; las muertes que yacían en el suelo se incorporaron y volvieron sus semblantes amables e inexpresivos hacia su diminuto y apasionado rostro. El caballero estaba de pie junto a Salmakia, con la mano apoyada en su hombro. Lyra captó lo que estaba pensando: Tialys se disponía a decir que aquello había llegado demasiado lejos, que tenían que regresar, que estaban llevando aquella absurda bobada hasta extremos peligrosos.

De modo que Lyra se apresuró a intervenir.

—Disculpe —dijo al hombre llamado Peter—, pero nuestro amigo el caballero y yo debemos salir un momento, porque él tiene que consultar con sus amigos en la Luna a través de un aparato especial que yo tengo. Enseguida estaremos de vuelta.

Lyra tomó al caballero con delicadeza, evitando sus espolones, y lo llevó afuera. Había anochecido. El gélido viento sacudía un trozo de plancha ondulada que se había desprendido del tejado y que batía contra éste con un sonido melancólico.

—No sigas —advirtió Tialys a Lyra cuando ésta le depositó sobre un barril de aceite en posición invertida, bajo la tenue luz de una de las bombillas que pendían de un cable—. Has ido demasiado lejos. Basta.

—Pero hicimos un trato —replicó Lyra.

—No hasta esos extremos.

—De acuerdo. Vete. Puedes regresar volando. Will abrirá una ventana para que pases a tu mundo o al que quieras. Puedes marcharte, regresar sano y salvo, nosotros no te lo impediremos.

—¿Te das cuenta de lo que estás haciendo?

—Sí.

—No lo creo. Eres una niña tonta, irresponsable y embustera. Tienes una mente tan fantasiosa que desconoces la sinceridad; no reconoces la verdad ni cuando la tienes a un palmo de las narices. Bien, si tú no te das cuenta te lo diré sin rodeos: no puedes, no debes arriesgarte a morir. Debes regresar con nosotros ahora mismo. Llamaré a lord Asriel y dentro de unas horas estaremos a salvo en su fortaleza.

Lyra sintió que un sollozo de rabia le oprimía la garganta y pateó el suelo, incapaz de quedarse quieta.

—¡Tú no sabes nada! —exclamó—. ¡No sabes lo que tengo en la cabeza ni en el corazón! No sé si la gente como vosotros tenéis hijos, si ponéis huevos o algo así, cosa que no me sorprendería porque no sois buenos, ni generosos, ni amables... Ni siquiera sois crueles. Al menos eso significaría que nos tomáis en serio y que no accedéis a nuestros deseos por conveniencia... ¡No me fío de vosotros! Dijisteis que nos ayudaríais a hallar ese lugar, y ahora pretendes impedírnoslo. ¡El embustero eres tú, Tialys!

—Jamás permitiría que una hija mía me hablara en ese tono insolente y despectivo, Lyra. No sé cómo no te he castigado antes...

—¡Adelante, hazlo! ¡Castígame si puedes! ¡Clávame tus malditos espolones! ¡Aquí está mi mano! No tienes ni remota idea de lo que hay en mi corazón, eres egoísta y arrogante, no sabes lo triste y arrepentida que me siento, lo mucho que lamento la muerte de mi amigo Roger. ¡Tú te dedicas a matar a la gente sin más! —le espetó Lyra chascando los dedos—. Te importan un comino. Pero a mí me angustia y atormenta no haberme despedido de mi amigo Roger, deseo decirle que lo siento y reparar el daño en la medida de lo posible. Tú eres incapaz de entenderlo, pese a tu orgullo e inteligencia de adulto... Y si tengo que morir para hacer lo que debo, lo haré con gusto. He visto cosas peores que la muerte. Así que si quieres matarme con tus espolones venenosos, despreciable y vil caballero, ¡hazlo! De ese modo Roger y yo podremos jugar para siempre en la tierra de los muertos y burlarnos de ti, porque eres un ser grotesco.

No era difícil adivinar lo que habría hecho Tialys, que temblaba furioso de pies a cabeza, pero antes de que pudiera mover un dedo se oyó una voz detrás de Lyra. Un escalofrío les recorrió el cuerpo. Lyra se volvió rápidamente, sabiendo lo que iba a ver, y aterrorizada pese a sus bravatas.

La muerte se hallaba a pocos palmos de distancia, sonriendo amablemente. Tenía un rostro idéntico al de las otras muertes que Lyra había visto, pero esa muerte era la suya. Era su muerte. Pantalaimon, que en forma de armiño se había refugiado en su pecho, se enroscó en torno al cuello de la niña, tratando de alejarla de la muerte. Pero cuanto más trataba de alejarse más se aproximaba a ella, y al percatarse se pegó de nuevo a su cálido cuello y a su pecho, donde resonaban los potentes latidos de su corazón.

Lyra lo estrechó contra sí y se encaró con su muerte. No recordaba lo que había dicho. Por el rabillo del ojo vio que Tialys preparaba presuroso el resonador de magnetita.

—Tú eres mi muerte, ¿verdad? —preguntó.

—Sí, querida —respondió ésta.

—¿Vas a llevarme contigo?

—Tú me has invocado. Siempre estoy junto a ti.

—Sí, pero... Te he invocado, sí, pero... Quiero ir a la tierra de los muertos, es verdad, pero no quiero morir. Me encanta estar viva, quiero mucho a mi daimonion y... Los daimonions no van allí, ¿verdad? He visto que cuando las personas mueren, los daimonions se desvanecen y extinguen como la llama de una vela. ¿En la tierra de los muertos hay daimonions?

—No —contestó la muerte—. Tu daimonion se esfumará en el aire y tú desaparecerás bajo tierra.

—Entonces quiero llevarme a mi daimonion a la tierra de los muertos —declaró Lyra con firmeza—. Y quiero regresar al mundo. ¿Se han dado casos de personas que han regresado al mundo?

—No desde hace muchos siglos, niña. Cuando llegue el momento oportuno te trasladarás a la tierra de los muertos sin esfuerzo, sin riesgo, emprenderás un viaje seguro y apacible, en compañía de tu muerte, tu amiga íntima y fiel, que ha permanecido a tu lado desde el momento en que naciste, que te conoce mejor que tú misma...

—¡Pero Pantalaimon es mi mejor y más fiel amigo! ¡Yo no te conozco, muerte! Conozco a Pan y quiero a Pan y si él... si nosotros...

La muerte asintió con la cabeza. Parecía amable e interesada en lo que decía Lyra, pero ésta no podía olvidar en ningún momento lo que era: su muerte, y la tenía al lado.

—Sé que será duro y peligroso seguir adelante —dijo Lyra más serenamente—, pero quiero hacerlo, muerte, de veras. Y Will también. Ambos hemos perdido de forma prematura a personas a las queríamos mucho, y nos proponemos remediarlo, al menos yo.

—Todo el mundo desea hablar de nuevo con quienes han ido a la tierra de los muertos. ¿Por qué ibas a ser tú una excepción?

—Porque tengo que hacer algo allí —dijo Lyra, mintiendo—, no sólo ver a mi amigo Roger, sino otra cosa. Una tarea que me encomendó mi ángel y que nadie salvo yo puede hacer. Es muy importante y no puedo esperar a morir de forma natural, tengo que hacerlo ahora. El ángel me encargó que lo hiciera, ¿comprendes? Por eso Will y yo vinimos aquí. Tenemos que ir a la tierra de los muertos.

Tialys, que estaba a sus espaldas, guardó su aparato y se sentó a observar cómo la niña le rogaba a su muerte que la llevara donde nadie deseaba poner nunca los pies.

La muerte se rascó la cabeza y alzó las manos, pero nada podía detener el torrente de palabras de Lyra ni disuadirla de su propósito, ni siquiera el temor; había afirmado que había visto cosas peores que la muerte, y era cierto.

—Si nada es capaz de disuadirte —dijo por fin la muerte—, entonces ven conmigo, yo te llevaré allí, a la tierra de los muertos. Seré tu guía, te mostraré la forma de entrar, pero para salir tendrás que arreglártelas tú sola.

—A mí y a mis amigos —replicó Lyra—. Mi amigo Will y los otros...

—Lyra —dijo Tialys—, pese a que mi intuición me lo desaconseja, te acompañaremos. Hace un minuto me enfadé contigo. Pero es difícil resistirse...

Lyra comprendió que había llegado el momento de la reconciliación, cosa que aceptó de buen grado tras haberse salido con la suya.

—Tienes razón —dijo—, lo siento, Tialys, pero si no te hubieras enfadado conmigo no habríamos hallado a esta dama para que nos guíe. Me alegro de que Salmakia y tú estéis aquí, os agradezco que nos hayáis acompañado.

De modo que Lyra convenció a su muerte para que la guiara a ella y a los otros a la tierra adonde había ido Roger, el padre de Will, Tony Makarios y tantas otras personas. Y su muerte le indicó que bajara al malecón, dispuesta a partir, cuando las primeras luces despuntaran en el cielo.

Pero Pantalaimon no dejaba de estremecerse y temblar. Por más que Lyra lo intentó no logró apaciguarlo, ni que se estuviera quieto ni reprimir los pequeños y entrecortados gemidos que el daimonion no conseguía contener.

Lyra durmió poco y mal, acostada con los otros en el suelo de la cabaña, mientras su muerte velaba junto a ella.

20

Trepar

> LA ALCANCÉ
> TREPANDO
> DESPACIO,
> SUJETÁNDOME
> A LAS RAMAS
> QUE CRECEN
> ENTRE EL
> ÉXTASIS Y YO.
>
> EMILY DICKINSON

Los mulefa confeccionaban distintos tipos de cuerdas y sogas, y Mary Malone pasó toda una mañana examinando y probando las que la familia de Atal guardaban en sus almacenes, antes de seleccionar la que quería. En el mundo de los mulefa no se conocía la técnica de torcer y enrollar, por lo que todas las sogas estaban trenzadas, pero eran fuertes y flexibles y Mary no tardó en dar con la que quería.

—¿Qué haces? —preguntó Atal.

En el lenguaje de los mulefa no existía un término equivalente a «trepar», de modo que Mary tuvo que recurrir a complicados gestos y explicaciones para que su amiga lo entendiera. Atal se quedó horrorizada.

—¿Vas a subir a lo alto de los árboles?

—Tengo que ver qué ocurre —explicó Mary—. Ahora ayúdame a preparar la cuerda.

Mary había conocido en California a un matemático que todos los fines de semana se dedicaba a trepar a los árboles. Mary, que había escalado algunos peñascos, le escuchó con interés mientras el hombre le explicaba las técnicas y el equipo que utilizaba, y decidió intentarlo ella misma en cuanto se le presentara la ocasión. Por supuesto, no había previsto trepar a unos árboles en un mundo distinto del suyo, ni le atraía hacerlo en solitario, pero no tenía más remedio. Lo único que podía hacer era prepararlo todo de antemano para evitar en la medida de lo posible un accidente.

Eligió una cuerda lo suficientemente larga para pasarla sobre una de las ramas de un elevado árbol y que colgara hasta el suelo, y que además fuera lo bastante resistente para soportar un peso varias veces superior al suyo. Luego cortó en varios trozos una cuerda más corta pero muy fuerte y confeccionó unas pequeñas anillas que ató con nudos de pescador, para apoyar en ellas las manos y los pies después de asegurarlas a la cuerda principal.

Pero ante todo había que resolver el problema de enganchar la cuerda a la rama. Tras dos horas de probar con una cuerda resistente y una rama flexible, Mary consiguió fabricar un arco; con su navaja del Ejército Suizo cortó unas ramas que hacían las veces de flechas, provistas de unas hojas rígidas en lugar de plumas para estabilizarlas durante el vuelo. Por fin, después de una dura jornada de trabajo, Mary estuvo lista para comenzar. Pero el sol comenzaba a declinar y las manos le dolían, de modo que cenó y se acostó, preocupada, mientras los mulefa no cesaban de hablar de ella con sus característicos tonos quedos y musicales.

A primera hora de la mañana Mary se dispuso a disparar la flecha para enganchar la cuerda a la rama. Algunos mulefa se congregaron a su alrededor para observarla, temerosos de que se hiciera daño. El trepar constituía una actividad tan ajena a unas criaturas dotadas de ruedas que el mero hecho de pensar en ello les horrorizaba.

Mary no ignoraba cómo se sentían. Tras dominar su nerviosismo, sujetó el extremo de una cuerda muy delgada y ligera a una de las flechas y la disparó hacia lo alto con el arco.

La primera flecha se quedó alojada en la corteza a la mitad del árbol y no hubo forma de arrancarla. La segunda también la perdió, pues aunque pasó por encima de la rama no cayó hasta alcanzar el suelo por el otro lado, y cuando Mary trató de recuperarla se enredó en las ramas y se rompió. La cuerda larga quedó suspendida de la flecha rota. Mary probó de nuevo con una tercera y última flecha, y esta vez consiguió su propósito.

Tirando de ella con cuidado para que la cuerda no se enganchara y rompiera, consiguió que ambos extremos tocaran el suelo. Luego los aseguró a una de las gigantescas raíces, gruesa como sus caderas, por lo que consideró que el punto de sujeción era sólido. Lo que Mary no podía adivinar desde el suelo, como es lógico, era el grosor y resistencia de la rama de la que dependía el éxito o el fracaso, e incluso su integridad física. A diferencia de escalar un peñasco, donde la cuerda se aseguraba a unos pitones clavados en la roca cada pocos metros de forma que en caso de caída no había peligro, trepar a un árbol comportaba utilizar una cuerda muy larga, y si fallaba algo te rompías la crisma. Para mayor protección, Mary trenzó tres pequeñas cuerdas con las que fabricó un arnés, el cual sujetó a los dos extremos de la cuerda principal con un nudo corredizo que podía tensar cuando notara que empezaba a resbalar.

Acto seguido introdujo el pie en la primera anilla y empezó a trepar.

Mary alcanzó la copa del árbol en menos tiempo del previsto. Trepó sin dificultad, la cuerda no le lastimó las manos, y aunque no había querido pensar en el problema de encaramarse a la primera rama comprobó que las profundas fisuras de la corteza contribuían a procurarle una mayor estabilidad y a que se sintiera más segura. De hecho, al cabo de quince minutos de comenzar a trepar alcanzó la primera rama y planificó el trayecto hasta la segunda.

Mary había llevado consigo otras dos cuerdas para confeccionar una red de cuerdas fijas que sustituyeran a los pitones, soportes, «amigos» y otros instrumentos que utilizaba al escalar una roca. La tarea de anudar las cuerdas le llevó varios minutos, pero después de afianzarse, seleccionó la rama que le pareció más resistente, enrolló de nuevo la cuerda que le quedaba y se dirigió hacia ella.

Al cabo de diez minutos de avanzar con cautela, Mary se encontró en la parte más tupida de la copa. Desde allí podía alcanzar las hojas largas y pasar las manos a través de ellas; vio numerosas flores de color marfil e increíblemente diminutas, cada una de las cuales contenía un objeto del tamaño de una moneda que con el tiempo se convertiría en una cápsula de semillas dura como el hierro.

Tras alcanzar un lugar confortable y seguro donde se bifurcaban tres ramas, Mary aseguró la cuerda, se colocó el arnés y descansó unos minutos.

A través del espacio entre las hojas contempló el mar de un azul límpido y resplandeciente que se extendía hasta el horizonte; y por el otro lado, por encima de su hombro derecho, las pequeñas colinas que se alzaban en la pradera de un castaño dorado, surcada por las carreteras negras de basalto.

Soplaba una ligera brisa, que arrancaba un leve perfume a las flores y agitaba las rígidas hojas. Mary imaginó que la sostenía una inmensa y enigmática benevolencia, como si se tratara de unas manos gigantescas. Mientras yacía en el hueco donde se bifurcaban las grandes ramas, sintió una dicha que sólo había experimentado en una ocasión: al pronunciar sus votos de monja.

Poco después un dolor en el tobillo derecho, que descansaba sobre las ramas en una postura forzada, la hizo regresar a la realidad. Mary se lo masajeó para aliviar el dolor y se concentró en su tarea, un poco aturdida por la sensación de oceánica placidez que la rodeaba.

Mary había explicado a los mulefa que para ver el sraf tenía que sostener las dos placas de laca-savia a un palmo de distancia una de otra. Ellos habían comprendido de inmediato el problema y habían construido un tubo corto de bambú y habían fijado las placas de color ámbar a cada extremo, como si se tratara de un telescopio. Mary sacó el catalejo que llevaba en el bolsillo de la pechera, y al mirar por él vio unas chispas doradas que revoloteaban caprichosamente, el sraf, las Sombras, el Polvo de Lyra, como una gigantesca nube de minúsculos seres que flotaban a través del viento. La mayoría de ellos revoloteaban al azar como motas de polvo en un haz de luz, o moléculas en un vaso de agua.

La mayoría de ellos.

Pero al cabo de un rato empezó a observar debajo del caprichoso revoloteo un movimiento más profundo, lento y universal, que se desplazaba desde la tierra hacia el mar.

Le pareció curioso. Tras sujetarse a una de las cuerdas fijas, se deslizó por una rama horizontal y examinó detenidamente todas las flores que encontró. Enseguida comprendió lo que ocurría. Fue observando hasta haberse cerciorado bien, tras lo cual emprendió el largo, laborioso y arduo descenso.

Mary halló a los mulefa en un estado de intensa agitación, temerosos de que a su amiga le ocurriera lo peor en lo alto del árbol.

Atal se mostró muy aliviada al verla, palpando nerviosa todo su cuerpo con la trompa y emitiendo pequeños gemidos de alegría al comprobar que estaba indemne. Luego la transportó sobre su lomo hasta el poblado, seguida por una docena de mulefa.

La noticia se propagó por toda la aldea en cuanto empezaron a descender de la colina, y cuando llegaron al lugar donde estaba instalada la plataforma Mary vio que se había formado una muchedumbre tan numerosa que imaginó que había acudido un gran número de miembros de otros grupos para oír lo que tenía que decirles. En aquel momento lamentó no llevarles mejores noticias.

Sattamax, el viejo zalif, subió a la plataforma y le dio la más calurosa bienvenida, a la que Mary respondió con todos los gestos de cortesía de los mulefa que recordó en aquellos momentos. Después del intercambio de saludos de rigor, Mary tomó la palabra.

Con paciencia y recurriendo a menudo a circunloquios, dijo:

—Queridos amigos, he trepado hasta lo alto de vuestros árboles y he examinado con atención los renuevos de las hojas, las jóvenes flores y las cápsulas de semillas.

»He comprobado que en las copas de los árboles hay una corriente de sraf, que se mueve contra el viento. El aire sopla desde el mar tierra adentro, pero el sraf se desplaza lentamente contra él ¿Podéis verlo desde el suelo? Yo no podía.

—No —respondió Sattamax—. No sabíamos nada de eso.

—Bien —prosiguió Mary—, los árboles filtran el sraf a medida que se mueve a través de ellos, y las flores atraen una parte de esa corriente. Lo he visto con mis propios ojos: las flores se inclinan hacia arriba, y si el sraf se moviera hacia abajo penetraría en sus pétalos y los fertilizaría como polen caído de las estrellas.

»Pero el sraf no cae, sino que se desplaza hacia el mar. Cuando una flor está encarada hacia la tierra, el sraf puede penetrar en ella. Por eso todavía crecen algunas cápsulas de semillas. Pero la mayoría de las flores se inclinan hacia arriba, y el sraf se desliza sobre ellas sin penetrarlas. Deduzco que las flores evolucionaron de ese modo porque antiguamente el sraf caía directamente sobre ellas. Algo debió de ocurrir al sraf, no a los árboles. Esa corriente sólo se aprecia en lo alto de los árboles, lo cual explica por qué vosotros no podéis verla.

»De modo que si queréis salvar los árboles, y la existencia de los mulefa, es preciso averiguar por qué el sraf se comporta de ese modo. De momento no se me ocurre cómo hacerlo, pero pensaré en ello.

Mary observó que muchos mulefa miraban hacia arriba tratando de ver esa corriente de Polvo. Pero desde el suelo era imposible. Mary miró a través del catalejo pero lo único que vio fue el denso azul del cielo.

Los mulefa hablaron largo rato entre ellos, tratando de recordar alguna referencia a esa corriente de sraf entre sus leyendas e historias, pero lo único que habían oído decir era que el sraf procedía de las estrellas, y que siempre había sido así.

Luego preguntaron a Mary si se le ocurrían más ideas.

—Debo realizar más observaciones —contestó—. Tengo que averiguar si el viento sopla siempre en esa dirección o si cambia como las corrientes de aire durante el día y la noche. Por lo tanto tengo que pasar más tiempo en las copas de los árboles, dormir allí y observar durante la noche. Necesito que me ayudéis a construir una plataforma para que pueda dormir segura. Si quiero llegar a una conclusión debo proseguir mis indagaciones.

Los mulefa, ansiosos de averiguar el motivo de aquel fenómeno, propusieron construir de inmediato la plataforma y todo lo que Mary precisara. Conocían las técnicas de las poleas, y sugirieron la idea de izar a Mary hasta la copa de los árboles para ahorrarle la arriesgada y laboriosa tarea de trepar.

Satisfechos de ser útiles, se dispusieron inmediatamente a reunir el material necesario, trenzando, anudando y ligando cuerdas y sogas de acuerdo con las instrucciones de Mary, con el fin de construir una plataforma desde la que pudiera proseguir sus observaciones.

Después de hablar con la pareja de ancianos junto al olivar, el padre Gómez perdió la pista de la mujer. Pasó varios días buscando e indagando en las inmediaciones, pero la mujer parecía haberse esfumado.

Aunque se sentía desalentado, el sacerdote no cejó. El crucifijo que llevaba colgado del cuello y el rifle que portaba en la espalda constituían dos símbolos de su empeño en cumplir su misión.

Habría tardado mucho más en conseguirlo de no haberse registrado un cambio en el tiempo. En el mundo en el que se hallaba, el ambiente era seco y caluroso y estaba sediento. Al ver unas rocas en lo alto de una ladera, subió por ella confiando en hallar un manantial. No vio ninguno, pero en el mundo de los árboles que producían cápsulas de semillas-ruedas había caído un fuerte chaparrón; y así fue como el padre Gómez descubrió la ventana y averiguó dónde se encontraba Mary.

21

Las arpías

Lyra y Will se despertaron con la sensación de que algo terrible iba a suceder, como unos condenados a muerte la mañana prevista para su ejecución. Tialys y Salmakia se ocupaban de sus libélulas, llevándoles unas polillas capturadas a lazo cerca de la lámpara ambárica que pendía sobre el barril de aceite situado fuera, unas moscas arrancadas de las telarañas y agua en un plato de hojalata. Cuando lady Salmakia observó la expresión del rostro de Lyra y a Pantalaimon, convertido en ratón, acurrucado en su pecho, la espía dejó lo que estaba haciendo y fue a hablar con ella. Entretanto, Will salió de la cabaña para dar una vuelta por los alrededores.

—Aún estáis a tiempo de cambiar de opinión —dijo Salmakia.

—No. Lo tenemos decidido —contestó Lyra, tan terca como asustada.

—¿Y si no regresamos?

—Nadie os obliga a venir —señaló Lyra.

—No vamos a abandonaros.

—Pero ¿y si vosotros no regresáis?

—Habremos perecido haciendo algo importante.

Lyra guardó silencio. Hasta entonces no había observado con detenimiento a lady Salmakia. Pero ahora la vio con toda claridad a la humeante luz de la lámpara de queroseno, de pie a un par de palmos de distancia. Su rostro mostraba una expresión serena y bondadosa; no era bello, pero era el tipo de rostro que uno querría ver junto a su lecho si estaba enfermo, triste o asustado. Tenía la voz grave y expresiva, con una corriente risueña y alegre discurriendo bajo la límpida superficie. Lyra no recordaba que alguien le hubiera leído alguna vez un cuento a la hora de acostarse; nadie le había relatado historias ni le había cantado nanas antes de darle un beso y apagar la luz. De pronto pensó que si existía una voz capaz de arrullarla, de hacerla sentir segura y querida, sería una voz como la de lady Salmakia. En aquellos momentos Lyra sintió el deseo de tener algún día un hijo, al que arrullaría y le cantaría nanas con una voz como la de la dama.

—Bueno... —dijo Lyra, pero se interrumpió porque tenía un nudo en la garganta y se encogió de hombros.

—Ya veremos —dijo lady Salmakia, y se volvió.

Después de comer las delgadas rebanadas de pan seco y de beber el amargo té, que era lo único que los habitantes de la cabaña pudieron ofrecerles, los niños dieron las gracias a sus anfitriones, tomaron sus mochilas y echaron a andar a través de la aldea hacia la orilla del lago. Lyra miró alrededor en busca de su muerte y comprobó que caminaba unos metros por delante de ellos; al parecer prefería guardar las distancias, aunque se volvió varias veces para comprobar si la seguían.

Hacía un día plomizo y nublado, como si hubiera anochecido. Unas guirnaldas y serpentinas de niebla brotaban de los charcos y se abrazaban como enamorados a los cables ambáricos tendidos sobre la carretera. No vieron a ningún ser humano, y pocas muertes, pero las libélulas revolotearon a través de la húmeda atmósfera como si la cosieran con unos hilos invisibles. Los niños se deleitaron contemplando el brillante colorido de los insectos que surcaban el aire.

Al poco rato llegaron a los límites del poblado y avanzaron junto a un río cuyas aguas discurrían perezosamente entre unos arbustos sin hojas.

De vez en cuando oían el áspero croar de las ranas o la protesta de un anfibio al que habían importunado, pero la única criatura que vieron fue un sapo del tamaño del pie de Will que estaba tumbado de costado, resollando de dolor, como si estuviera gravemente herido. Yacía atravesado en el camino, tratando de huir y mirándolos como si supiera que le iban a lastimar.

—Si lo matamos le haríamos un favor —dijo Tialys.

—¿Y tú qué sabes? —replicó Lyra—. Quizá quiera seguir vivo pese a su estado.

—Si lo matamos, lo llevaríamos con nosotros —terció Will—. He matado a muchos animales vivos y sé que éste quiere quedarse aquí. Hasta un inmundo charco de lodo es preferible a estar muerto.

—Pero ¿y si sufre? —insistió Tialys.

—Si pudiera decírnoslo, lo sabríamos. Pero como no puede, no voy a matarlo. Eso sería anteponer nuestros sentimientos a los del sapo.

La comitiva continuó su camino. Al poco rato percibieron un cambio en el ruido de sus pasos que les indicó que se hallaban en un terreno pantanoso, aunque la niebla se había espesado. Pantalaimon, que había adoptado la forma de un lémur, con unos ojos tan grandes como pudo, se hallaba posado sobre el hombro de Lyra y se agarró a su pelo cubierto de gotitas de niebla, temblando y tiritando. Por más que miraba alrededor, apenas veía nada, como Lyra.

Oyeron entonces una ola al romper en la orilla. Era un ruido tenue, pero muy cercano. Las libélulas regresaron con sus jinetes junto a los niños. Pantalaimon se refugió en el pecho de Lyra y ésta y Will avanzaron muy juntos y con gran cautela por el embarrado sendero.

Unos instantes después alcanzaron la orilla. Las aguas aceitosas y cubiertas por una turbia espuma se extendían plácidamente ante ellos; de vez en cuando una pequeña ola rompía sobre las piedras.

El sendero dobló a la izquierda y al cabo de un rato vieron algo que en un principio parecía más un engrosamiento de la niebla que un objeto sólido, pero que resultó ser un espigón que asomaba de improviso a través del agua. Los pilotes estaban podridos y las tablas cubiertas de lodo y algas. Más allá no había nada: el sendero finalizaba donde comenzaba el espigón, y donde finalizaba el espigón comenzaba la niebla. La muerte de Lyra, tras haberles guiado hasta allí, se inclinó ante la niña, se sumergió en la niebla y desapareció antes de que ésta pudiera preguntarle qué debían hacer a continuación.

—Escucha —dijo Will.

A lo lejos, en la invisible superficie del agua, se oía un sonido pausado: un crujido de madera y un chapoteo quedo y sistemático. Will se llevó la mano a la daga que llevaba al cinto y avanzó con cautela sobre las precarias tablas, seguido de Lyra. Las libélulas se posaron sobre los pilotes cubiertos de algas, como dos guardianes heráldicos, y los niños se detuvieron al final del espigón, escrutando la niebla y enjugándose las gotas de humedad adheridas a las pestañas. El único ruido que se oía era aquel acompasado crujir y chapoteo, que percibían cada vez más cerca.

—¡No vayamos allí! —susurró Pantalaimon.

—Es preciso —dijo Lyra.

Ésta miró a Will, cuyo rostro reflejaba una expresión seria, decidida e impaciente: no estaba dispuesto a rendirse. Y los gallivespianos, Tialys posado en el hombro de Will y Salmakia en el de Lyra, se mostraban tranquilos y alertas. Las libélulas tenían las alas perladas de niebla, como telarañas; de vez en cuando las batían rápidamente para sacudirse las gotitas de humedad, que debían de pesarles, pensó Lyra. La niña confiaba que en la tierra de los muertos hubiera comida para las libélulas.

Entonces vieron la embarcación.

Era una vieja barca de remos, desvencijada, repleta de parches, con la madera podrida. La figura que remaba era tan anciana que resultaba imposible calcular su edad. Iba cubierta con una túnica de arpillera anudada a la cintura con una cuerda. Tenía la decrépita espalda encorvada; las manos huesudas empuñaban los remos; los ojos húmedos y pálidos, permanecían semiocultos entre los pliegues y las arrugas de su piel grisácea.

El hombre soltó un remo y alzó su mano deforme hacia la anilla de hierro sujeta al poste instalado en una esquina del espigón. Con la otra mano movió el remo para acercar la barca hasta la plataforma de madera.

No era necesario decir nada. Will subió a la barca y Lyra avanzó para subir también.

Pero el remero alzó la mano.

—Ése no —farfulló con voz áspera.

—¿Quién?

—Ése.

El anciano señaló con un dedo amarillo grisáceo a Pantalaimon, cuya forma de comadreja pardusca se transformó de inmediato en un armiño blanco.

—¡Pero ése soy yo! —protestó Lyra.

—Si tú vienes, él debe quedarse.

—¡Eso es imposible! ¡Moriríamos!

—¿No es eso lo que quieres?

Lyra comprendió por primera vez las consecuencias de lo que estaba haciendo. Se echó a temblar, aterrorizada, y abrazó a su querido daimonion con tal fuerza que lanzó un gemido de dolor.

—Pero ellos... —dijo Lyra con aire desvalido, pero enseguida se contuvo pues no era justo señalar que los otros tres no tenían que renunciar a nada.

Will la observó inquieto. La niña miró alrededor, el lago, el espigón, el tosco sendero, los charcos de lodo, los arbustos muertos y anegados... ¿Cómo iba a sobrevivir allí su Pan sin ella? El daimonion temblaba dentro de la camisa de Lyra, sobre su piel desnuda, buscando ansioso su calor. ¡Era imposible! ¡Jamás lo dejaría!

—Si tú vienes, él debe quedarse aquí —repitió el remero.

Lady Salmakia sacudió las riendas y su libélula abandonó el hombro de Lyra y fue a aterrizar sobre la regala de la barca. Tialys se posó inmediatamente junto a ella. Ambos dijeron algo al remero. Lyra miraba la escena como un condenado a muerte observa el tumulto que se produce en la sala del tribunal cuando aparece un mensajero que podría ser portador del perdón para el reo.

El remero se inclinó para oír lo que decían los gallivespianos y luego meneó la cabeza.

—No —insistió—. Si ella viene, ése tiene que quedarse.

—Eso no es justo —protestó Will—. Los demás no tenemos que renunciar a una parte de nosotros mismos. ¿Por qué tiene que hacerlo Lyra?

—Vosotros también renunciáis a una parte de vuestro ser —replicó el remero—. Por desgracia para ella, puede ver y hablar con esa parte de sí misma que debe dejar atrás. Vosotros no os daréis cuenta hasta que estéis navegando, y entonces será demasiado tarde. Pero todos dejaréis aquí a esa parte de vuestro ser. Los daimonions no pueden viajar a la tierra de los muertos.

«No padecimos lo de Bolvangar para esto —pensaron al unísono Lyra y Pantalaimon—. ¿Cómo volveremos a encontrarnos?»

Lyra se giró para contemplar la desolada e inmunda orilla del lago, sombría e infestada de enfermedades y veneno, y al pensar en su querido Pan, su compañero del alma, allí solo, viendo cómo ella desaparecía entre la niebla, estalló en sollozos. La niebla sofocó el eco de su apasionado llanto, pero a lo largo de la orilla del lago, en los numerosos charcos y pantanos, en los retorcidos y grotescos tocones, las desdichadas criaturas que pululaban por aquel paraje percibieron sus amargos sollozos y corrieron a ocultarse, aterrorizadas ante aquel arrebato de pasión.

—Si él pudiera venir... —dijo Will, tratando desesperadamente de poner fin al sufrimiento de su amiga. Pero el remero denegó con la cabeza.

—Él puede subir a la barca, pero si lo hace la barca se queda aquí —declaró.

—¿Pero cómo volverá a encontrarse con él?

—Lo ignoro.

—Cuando nos marchemos de allí, ¿pasaremos de nuevo por este lugar?

—¿Marcharos de allí?

—Sí, iremos a la tierra de los muertos y luego regresaremos.

—Por aquí no regresaréis.

—Pues por otra ruta, pero regresaremos. ¡Ya lo creo!

—He transportado a millones, pero ninguno de ellos ha regresado nunca.

—Entonces seremos los primeros. Ya encontraremos la forma de salir de allí. Y puesto que vamos a regresar, te ruego buen hombre que seas benévolo y te compadezcas de ella. ¡Deja que se lleve a su daimonion!

—No —contestó el remero meneando su vetusta cabeza—. No es una regla que podáis romper. Es una ley como ésta... —El hombre se inclinó sobre la borda para tomar un puñado de agua, y a continuación colocó la mano boca abajo y dejó que ésta se deslizara entre sus dedos—. La ley que hace que el agua caiga de nuevo en el lago. No puedo poner la mano boca arriba y hacer que el agua vuele hacia lo alto. Como tampoco puedo llevar al daimonion de la niña a la tierra de los muertos. Tanto si ella viene como si no, él debe quedarse aquí.

Lyra no veía nada: tenía el rostro sepultado en el pelo de Pantalaimon. Pero Will vio que Tialys desmontaba de su libélula dispuesto a arrojarse sobre el remero. A Will no le pareció mal la intención del espía, pero el anciano advirtió la maniobra y volvió su vetusta cabeza.

—¿Cuántos siglos crees que llevo transportando a la gente a la tierra de los muertos? ¿No crees que si existiera algo capaz de lastimarme ya habría ocurrido hace mucho tiempo? Las personas que llevo allí no lo aceptan de buen grado. Se resisten y gritan como posesos, tratan de sobornarme, me amenazan y luchan desesperadamente; pero todo es inútil. No puedes herirme con tu espolón. Más vale que consoléis a la niña; ella vendrá con nosotros. No os ocupéis de mí.

Will apenas podía mirar a Lyra, que pasaba por los momentos más difíciles de su vida. Se odiaba a sí misma, odiaba la empresa en la que se habían embarcado, sufría por Pan, con Pan y debido a Pan, y trataba de depositarlo sobre el gélido sendero, desenganchando sus garras de gato de sus ropas, sin dejar de sollozar. Will se tapó los oídos: no soportaba aquellos horribles gemidos del daimonion, que se aferraba desesperadamente a la niña.

Nada impedía a Lyra volverse atrás.

Podía decir no, esto es una mala idea, no debemos seguir adelante.

Podía ser fiel al entrañable, profundo y perenne vínculo que la ligaba a Pantalaimon, podía anteponerlo a todo lo demás, podía olvidarse del resto...

Pero no podía.

—Pan, nadie ha hecho esto antes que nosotros —murmuró Lyra, temblando—, pero Will asegura que volveremos y yo te juro, Pan, mi querido Pan, te juro que volveremos... De veras... Cuídate, cariño... Aquí estarás seguro, volveremos... ¡Aunque tenga que pasar el resto de mi vida buscándote, no descansaré hasta...! ¡Ay, Pan..., mi querido Pan..., no tengo más remedio que...!

Lyra lo apartó, y el daimonion, temblando de frío y aterrorizado, se agazapó sobre el suelo cubierto de lodo.

Will no podía apreciar en qué animal se había convertido Pantalaimon. Parecía muy joven, un cachorro, desvalido y derrotado, una criatura tan sumida en la tristeza que era más tristeza que criatura. Sus ojos no se apartaban de Lyra. Will observó que ella se esforzaba en no volver la cara, en no rehuir su sentimiento de culpa, y admiró su honradez y su coraje al tiempo que sufría por que la niña tuviera que separarse de su daimonion. Entre ellos había una corriente tan fuerte de sentimiento que hasta la atmósfera estaba cargada de electricidad.

Pantalaimon no preguntó por qué, pues ya lo sabía; y no preguntó a Lyra si quería más a Roger que a él, ya que también sabía la respuesta. Y sabía que si él decía algo, Lyra no podría resistirlo; de modo que el daimonion guardó silencio para no disgustar al ser humano que le iba a abandonar, y ambos fingieron que la separación no les dolería, que muy pronto volverían a reunirse, que todo saldría bien. Pero Will sabía que la niña tenía el corazón destrozado.

Lyra subió a la barca. Pesaba tan poco que la embarcación apenas se movió. Se sentó junto a Will, sin apartar la vista de Pantalaimon, que permaneció temblando en el borde del espigón. Pero cuando el remero soltó la anilla de hierro y empuñó los remos para alejarse, el pequeño daimonion perro trotó por la plataforma hasta alcanzar el extremo; sus pezuñas resonaban suavemente sobre las tablas mientras el animalito observaba en silencio cómo se alejaba la barca. Al cabo de unos instantes el espigón se desvaneció en la niebla.

Entonces Lyra se puso a sollozar tan apasionadamente que incluso en aquel mundo donde los sonidos quedaban sofocados por la niebla produjo un eco, aunque por supuesto no era un eco sino la otra parte de su ser que sollozaba desde la tierra de los vivos mientras Lyra se alejaba hacia la tierra de los muertos.

—Mi corazón, Will... —gimió la niña, aferrándose a él con la cara contraída en un rictus de dolor.

Y así fue como se cumplió la profecía que el maestro del Colegio Jordan había hecho a la bibliotecaria, de que Lyra cometería una grave traición que le causaría un gran daño.

Pero Will sintió que en su corazón se acumulaba un gran dolor, y a través del dolor vio que los dos gallivespianos, abrazados al igual que Lyra y él, experimentaban la misma angustia.

Una parte de ese dolor era físico. Will sintió como si una mano de hierro le estrujara el corazón y se lo arrancara entre las costillas, y se oprimió el pecho con las manos en un vano intento de impedirlo. Era un dolor mucho más profundo y terrible que el que había sentido al perder los dedos. Pero al mismo tiempo era psicológico, como si alguien le arrancara en contra de su voluntad algo secreto e íntimo. Will se sintió abrumado por una mezcla de dolor, vergüenza, temor y rabia, porque él mismo había causado aquel angustioso dolor.

Pero aún había algo peor. Era como si él hubiera dicho: «No me mates a mí, tengo miedo; mata a mi madre, no me importa, no la quiero», y ella fingió no haberlo oído para no herirle, ofreciéndose a morir en su lugar por amor a su hijo. Will se sintió como el más vil de los canallas.

Sabía por tanto que esas cosas obedecían a que también él tenía un daimonion, y que al margen de lo que éste fuera, también lo había dejado atrás, con Pantalaimon, en aquel paraje envenenado y desolado. Will y Lyra pensaron lo mismo simultáneamente y cruzaron una mirada cargada de temor. Y por segunda y última vez en sus vidas, ambos hallaron sus propias expresiones en el rostro del otro.

Sólo el remero y las libélulas parecían indiferentes al viaje que habían emprendido. Los grandes insectos se mostraban pletóricos de vida y belleza incluso en aquella densa y pegajosa neblina, agitando suavemente sus sutiles alas para librarse de la humedad; y el anciano, vestido con su túnica de arpillera, se movía hacia delante y atrás, una y otra vez, con los pies en el suelo de la barca lleno de charcos de lodo.

El viaje duró más de lo que Lyra había imaginado. Aunque una parte de ella sufría debido a la angustia de pensar en Pantalaimon, abandonado en la orilla del lago, otra trataba de adaptarse al dolor, midiendo sus propias fuerzas, curiosa por ver qué ocurriría cuando desembarcaran en la tierra de los muertos.

Will rodeó los hombros de Lyra con su vigoroso brazo para darle ánimos, pero también él miraba al frente escrutando aquella plomiza y húmeda opacidad, y pendiente de un ruido distinto del chapoteo de los remos. De pronto apareció frente a ellos un farallón o una isla. Oyeron un sonido que parecía envolverles antes de observar que la niebla se había oscurecido.

El anciano maniobró con un remo para girar la barca ligeramente hacia la izquierda.

—¿Dónde estamos? —preguntó el caballero Tialys con voz un tanto ronca, como si también él sufriera algún dolor.

—Cerca de la isla —contestó el remero—. Dentro de cinco minutos llegaremos al desembarcadero.

—¿Qué isla? —inquirió Will. Su voz sonaba también ronca y tan tensa que casi no parecía la suya.

—La puerta de acceso a la tierra de los muertos se halla en esa isla —indicó el remero—. Todo el mundo acude aquí, reyes, reinas, asesinos, poetas, niños. Todo el mundo viene a parar aquí y nadie regresa jamás.

—Nosotros sí regresaremos —replicó Lyra con vehemencia.

El remero no dijo nada, pero sus viejos ojos estaban llenos de compasión.

Mientras se aproximaban contemplaron las ramas de los cipreses y tejos que pendían sobre el agua, de color verde oscuro, densas y lúgubres. La isla era muy escarpada y los árboles formaban una vegetación tan frondosa que ni un hurón habría podido deslizarse entre ellos. Lyra pensó entonces en Pan, que sin duda le habría enseñado lo bien que lo hacía. Pero ni entonces ni quizá nunca podría hacerle ninguna demostración.

—¿Estamos muertos? —preguntó Will al remero.

—Da lo mismo —respondió éste—. Algunos vienen aquí convencidos de que no están muertos. Durante todo el trayecto insisten en que están vivos, en que se trata de un error, que alguien pagará por él; pero da lo mismo. Otros anhelaban estar muertos cuando vivían, pobrecillos; unas vidas llenas de dolor y desgracias; algunos se matan para darse un respiro, y comprueban que nada ha cambiado salvo a peor, y que esta vez no hay escapatoria; no puedes regresar de la muerte a la vida. Otros son frágiles y enfermos, a veces meros bebés, que apenas han venido al mundo cuando bajan a la tierra de los muertos. Más de una vez he remado en esta barca sosteniendo en mis brazos a un bebé que no cesaba de lloriquear, que no llegó a conocer la diferencia entre allí arriba y aquí abajo. Y ancianos, los ricos son los peores, que gruñen y me maldicen, protestando y gritando que quién me creo que soy, que han ahorrado toda su vida y han acumulado una gran fortuna, de la que me ofrecen una parte sustanciosa si los llevo a la otra orilla del lago. Cuando esto falla me amenazan con hacer que caiga sobre mí todo el peso de la ley, porque tienen amigos influyentes y conocen al Papa, al rey de no sé qué y al duque de no sé cuántos, que gozan de una posición influyente y que harán que me juzguen y encarcelen... Pero en su fuero interno saben la verdad: que la única posición que ocupan es un espacio en mi barca que se dirige a la tierra de los muertos, y que por lo que se refiere a esos reyes y papas, todos ellos viajarán más pronto o más tarde en mi barca, cuando les toque el turno, seguramente antes de lo que imaginan. Yo les dejo que griten y protesten porque no pueden herirme. Y al final todos callan.

»De modo que si no sabes si estás vivo o muerto, y esa niña jura y perjura que regresará al mundo de los vivos, yo no voy a llevaros la contraria. No tardaréis en averiguar lo que sois.

Mientras hablaba, el anciano no había dejado de remar por la orilla, pero de pronto sacó los remos del agua, los dejó en el suelo de la barca y alargó la mano derecha para asir el primer poste que sobresalía del lago.

Luego condujo la barca a lo largo de un estrecho muelle y la mantuvo quieta para que pudieran desembarcar. Lyra no quería bajar. Mientras permaneciera cerca de la barca, Pantalaimon podría recordarla con claridad, porque así era como la había visto por última vez, pero cuando ella se alejara de la embarcación, él no podría evocar su imagen. Pero las libélulas alzaron el vuelo y Will desembarcó, pálido y oprimiéndose el pecho, de modo que ella no tuvo más remedio que abandonar también la barca.

—Gracias —le dijo al remero—. Cuando regrese, si ve a mi daimonion, dígale que le quiero más que a nadie en el mundo de los vivos y de los muertos, y que juro que regresaré a buscarlo, aunque nadie lo haya conseguido nunca. Juro que lo haré.

—Se lo diré —dijo el anciano remero.

Dicho esto se alejó, y el sonido lento y acompasado de sus remos se fue desvaneciendo en la niebla.

Los gallivespianos regresaron volando, tras haberse alejado un poco, y se posaron en los hombros de los niños, como antes: Salmakia sobre Lyra y Tialys sobre Will. Los viajeros se detuvieron en el borde de la tierra de los muertos. No veían más que niebla, aunque por el tono oscuro que ésta había adquirido dedujeron que una gran muralla se alzaba ante ellos.

Lyra se estremeció. Tenía la sensación de que su piel se había transformado en encaje, y por entre sus costillas salía un aire gélido y húmedo que le producía escozor en la herida que le había ocasionado Pantalaimon al separarse de ella. Pensó que eso mismo debió de sentir Roger al precipitarse por la ladera de la montaña, tratando de aferrarse desesperadamente a los dedos de ella.

Permanecieron inmóviles, aguzando el oído. El único sonido que percibían era el incesante repiqueteo de agua que caía de las hojas, y al alzar la vista les cayeron unas gotitas sobre las mejillas.

—No podemos quedarnos aquí —observó Lyra.

Se alejaron del muelle, caminando muy juntos, y se dirigieron hacia la muralla. Unos gigantescos bloques de piedra de color verdusco debido al lodo que se había ido acumulado sobre ellos a lo largo de los siglos, se alzaban a través de la niebla hasta el infinito. Al acercarse oyeron unos gritos, aunque era imposible adivinar si eran humanos: gritos agudos y lastimeros y alaridos que flotaban en el aire como filamentos de una medusa, causando dolor en todo cuanto tocaban.

—Mirad, una puerta —dijo Will con voz ronca y tensa.

Era una desvencijada y pequeña puerta de madera situada bajo un bloque de piedra. Antes de que Will pudiera alargar la mano para abrirla, oyeron muy cerca de ellos uno de aquellos agudos alaridos que les perforó los tímpanos y les sobrecogió.

Los gallivespianos alzaron el vuelo a lomos de sus libélulas, que parecían unos diminutos caballos de batalla prestos a entrar en acción. Pero sobre ellos cayó en picado una extraña criatura que les derribó de un golpe brutal con el ala, tras lo cual se posó sobre un saliente situado sobre las cabezas de los niños. Tialys y Salmakia se incorporaron y apaciguaron a sus aterrorizadas monturas.

La extraña criatura era una inmensa ave del tamaño de un buitre, con cara y senos de mujer. Will había visto dibujos de criaturas como aquélla, y cuando la vio con claridad comprendió que se trataba de una arpía. Tenía el rostro liso y sin una arruga, pero era más vieja incluso que las brujas: había visto transcurrir miles de años, y la crueldad y miseria de todos ellos había formado una odiosa expresión sobre sus rasgos. Pero cuando los viajeros la observaron más de cerca, la criatura les pareció aún más repulsiva. Tenía las cuencas de los ojos llenas de unas pústulas asquerosas y los labios cubiertos por una costra roja y reseca, como si llevara siglos vomitando sangre. El pelo, negro, sucio y apelmazado, le llegaba a los hombros. Las afiladas garras se asían a la piedra con ferocidad. Tenía unas alas negras y poderosas dobladas en la espalda, y cada vez que se movía desprendía pútrido hedor.

Pese a las náuseas y el intenso dolor que sentían, Will y Lyra se enderezaron para encararse con la criatura.

—¡Pero si estáis vivos! —les espetó la arpía.

Will jamás había experimentado un odio y un terror tan intensos hacia un ser humano como el que sentía por aquella arpía.

—¿Quién eres? —inquirió Lyra, a quien la arpía le causaba igual repulsión.

La respuesta fue un alarido. Abrió la boca y les lanzó un chorro de ruido a la cara con tal fuerza que a los niños les retumbó la cabeza y a punto estuvieron de caer de espaldas. Will y Lyra se abrazaron al tiempo que el alarido daba paso a unas burlonas carcajadas que fueron coreadas por las voces de otras arpías que resonaban a través de la niebla en la orilla del lago. Aquel griterío cargado de odio y desprecio recordó a Will la despiadada crueldad de los niños en el patio de la escuela, pero allí no había maestros para poner orden, nadie a quien acudir en busca de ayuda ni ningún sitio donde refugiarse.

Will se llevó la mano a la daga que llevaba al cinto y miró a la arpía a los ojos, aunque estaba totalmente aturdido por la potencia del alarido que había lanzado.

—Si pretendes detenernos —dijo—, además de gritar prepárate para luchar, porque vamos a atravesar esa puerta.

La arpía movió de nuevo su nauseabunda boca roja, pero esta vez fue para fruncir los labios en un simulacro de beso.

—Tu madre está sola —dijo—. Le causaremos pesadillas. ¡Gritaremos para aterrorizarla mientras duerme!

Will no se movió, porque por el rabillo del ojo vio que lady Salmakia se deslizaba con cautela sobre la rama en la que estaba posada la arpía. Tialys retenía en el suelo a la libélula de su compañera, que no cesaba de agitar las alas. De pronto la dama se abalanzó sobre la arpía y le clavó el espolón en la pata cubierta de costras, al tiempo que Tialys lanzaba a la libélula hacia arriba. En menos de un segundo Salmakia saltó de la rama, aterrizó sobre el lomo de su montura color azul eléctrico y se elevó por los aires.

El veneno surtió efecto al instante. Otro alarido, mucho más potente que el anterior, quebró el silencio al tiempo que la arpía batía las alas con tal fuerza que Will y Lyra se tambalearon por la violenta racha de aire. Pero la arpía siguió aferrada a la piedra con las garras, el rostro teñido de rojo por la ira y el pelo erizado como una cresta de serpientes.

Will tomó a Lyra de la mano y echaron a correr hacia la puerta, pero la arpía se precipitó sobre ellos y les habría abatido sin duda de no haber sido por Will, que se volvió al tiempo que tiraba de Lyra y amenazó a la grotesca criatura con la daga, obligándola a remontar el vuelo.

Los gallivespianos se lanzaron en el acto sobre ella, rozándole la cara, pero se alejaron presurosos, incapaces de asestarle un golpe contundente. En cualquier caso lograron desconcertar a la arpía, que comenzó a aletear con tal torpeza que estuvo a punto de caer al suelo.

—¡Tialys! ¡Salmakia! ¡Deteneos!

Los espías tiraron de las riendas de sus libélulas y se elevaron por los aires sobre las cabezas de los niños. Otras figuras sombrías se arremolinaron en la niebla al tiempo que se dejaban oír los gritos y las carcajadas burlonas de un centenar de arpías situadas a orillas del lago. La primera batió las alas, sacudió su pelambrera, estiró las patas y flexionó las garras. Lyra reparó en que estaba indemne.

Tras unos instantes de incertidumbre los gallivespianos regresaron junto a Lyra, que extendió ambas manos para que se posaran en ellas.

—La niña tiene razón —comentó Salmakia a Tialys al darse cuenta de lo que Lyra había pretendido darles a entender—. Por algún motivo, no podemos lastimarla.

—¿Cómo se llama, señora? —preguntó Lyra.

La arpía extendió las alas y los viajeros estuvieron a punto de desmayarse debido al espantoso olor de descomposición y podredumbre que emanaba.

—¡Sin Nombre! —replicó.

—¿Qué quiere de nosotros? —preguntó Lyra.

—¿Qué podéis darme?

—Podríamos decirle dónde hemos estado. Tal vez eso le interese, no sé. Cuando nos dirigíamos hacia aquí hemos visto muchas cosas extrañas.

—Ah, ¿o sea que me ofreces contarme una historia?

—Si eso le complace.

—Quizás. ¿Y luego qué?

—Confío en que nos permita atravesar esa puerta para encontrar al fantasma que venimos buscando, si es usted tan amable.

—Bueno, pues adelante. Intentadlo —dijo Sin Nombre.

Pese a las náuseas y al dolor, Lyra sintió que tenía el triunfo al alcance de la mano.

—Ten cuidado —le susurró Salmakia. Pero Lyra había comenzado a dar mentalmente los oportunos retoques a la historia que había relatado la víspera, dándole forma, recortando, perfeccionando y añadiendo: «padres muertos», «tesoro de familia», «naufragio»; «huida...».

—Bueno —dijo, metiéndose en su papel de narradora de historias—, todo comenzó cuando yo era un bebé. Mis padres, el duque y la duquesa de Abingdon, eran riquísimos. Mi padre era uno de los consejeros del Rey, el cual se alojaba en nuestra casa con frecuencia. Mi padre y él cazaban en nuestro bosque. La casa que teníamos allí, donde yo nací, era la mansión más grande de todo el sur de Inglaterra. Se llamaba...

Sin lanzar siquiera un grito de advertencia, la arpía se arrojó sobre Lyra con las garras extendidas. Afortunadamente Lyra consiguió zafarse, pero una de las garras le arañó el cuero cabelludo y le arrancó un mechón de pelo.

—¡Mentirosa! ¡Mentirosa! —chilló la arpía—. ¡Mentirosa!

Tras describir un círculo en el aire, la arpía se lanzó de nuevo sobre Lyra tratando de herirle en el rostro; pero Will sacó la daga y se interpuso en su camino. Sin Nombre varió su trayectoria justo a tiempo para eludir el filo de la daga. Will empujó a Lyra hacia la puerta, pues la niña estaba aturdida y medio cegada por la sangre que le corría por el rostro. Will no tenía ni idea de dónde se habían metido los gallivespianos, pero la arpía se había precipitado de nuevo contra ellos, gritando de rabia y odio:

—¡Mentirosa! ¡Mentirosa! ¡Mentirosa!

Parecía como si su voz viniera de todas partes. El eco de la palabra rebotaba amortiguada y distinta en la gigantesca muralla que se alzaba entre la niebla, de forma que no se sabía bien si la arpía gritaba «mentirosa» o «asquerosa».

Will estrechó a la niña contra su pecho, alzando el hombro para protegerla, y sintió cómo temblaba entre sollozos. Luego hundió la daga sin dilación en la desvencijada puerta de madera y arrancó la cerradura con un golpe certero de la hoja.

Acto seguido él y Lyra, junto con los espías montados en sus veloces libélulas, se precipitaron en los dominios de los fantasmas mientras a sus espaldas los gritos de la arpía eran coreados y amplificados por las demás en la brumosa orilla del lago.

22

Los susurradores

> GRUESAS COMO LAS
> HOJAS OTOÑALES
> QUE FLOTAN EN
> LOS ARROYOS
> EN VALLOMBROSA,
> DONDE LAS SOMBRAS
> ETRUSCAS SE
> YERGUEN EN
> ELEVADOS ARCOS
> SOBRE IMBOWR...
> JOHN MILTON

Lo primero que hizo Will fue obligar a Lyra a sentarse. Luego sacó el potecito de ungüento de sangre de musgo y examinó la herida que Lyra tenía en la cabeza. Sangraba profusamente, como todas las heridas del cuero cabelludo, pero no era profunda. Will desgarró una esquina de su camisa y limpió la herida. Después aplicó un poco de ungüento, procurando no pensar en las sucias garras que la habían producido.

Lyra tenía los ojos vidriosos y estaba pálida como la cera.

—¡Lyra! ¡Lyra! —exclamó Will, zarandeándola suavemente—. Ánimos, tenemos que movernos.

Lyra se estremeció, inspirando lenta y profundamente. Luego lo miró con desesperación.

—¡Ya no puedo hacerlo..., Will! ¡No puedo contar mentiras! Creí que sería fácil..., pero no ha dado resultado... ¡Es lo único que sé hacer, y no ha dado resultado!

—No es cierto que sea lo único que sabes hacer. ¿Acaso no sabes leer el aletiómetro? Echemos un vistazo a este lugar, a ver si encontramos a Roger.

Will ayudó a Lyra a levantarse y ambos miraron por primera vez alrededor para comprobar qué aspecto tenía la tierra de los fantasmas en la que se hallaban.

Se encontraban en una inmensa llanura que se prolongaba más allá de la niebla. La luz consistía en una tenue autoluminiscencia que mostraba la misma intensidad en todas partes, de forma que no existían unas zonas diferenciadas de sombra y de luz, y todo tenía el mismo color deslustrado.

De pie en el suelo de aquel gigantesco espacio había adultos y niños —fantasmas—, en un número tan inmenso que Lyra no pudo ni imaginar. Es decir, la mayoría estaba de pie, pero algunos se hallaban sentados y otros tumbados en el suelo, aletargados o dormidos. Ninguno se desplazaba de un lugar a otro, ni corría ni jugaba, aunque muchos se volvieron con una mezcla de temor y curiosidad reflejada en sus dilatadas pupilas para contemplar a los recién llegados.

—Fantasmas —musitó Lyra—. Aquí es donde están todos, todos los que mueren...

Lyra, que ya no tenía junto a ella a Pantalaimon, se aferró al brazo de Will, y se alegró de hacerlo. Los gallivespianos se habían adelantado y Will vio sus diminutas y relucientes formas revoloteando y planeando sobre las cabezas de los fantasmas, quienes alzaron la vista y los miraron atónitos. Pero el silencio era inmenso y opresivo, y la luz grisácea le aterrorizaba. La cálida presencia de Lyra junto a él era lo único que parecía tener vida.

A sus espaldas, al otro lado de la muralla, los alaridos de las arpías seguían reverberando por toda la orilla del lago. Algunos de los fantasmas miraron hacia lo alto con aprensión, pero la mayoría observaban a Will y a Lyra. Enseguida empezaron a avanzar hacia ellos. Lyra retrocedió; aún no tenía fuerzas para enfrentarse a ellos, como le habría gustado hacer, de modo que fue Will quien lo hizo.

—¿Habláis nuestra lengua? —preguntó—. ¿Podéis hablar?

Pese a que estaban temblando, asustados y heridos, Will y Lyra tenían más autoridad que toda aquella multitud de seres muertos. Los pobres fantasmas poseían escaso poder, y al oír la voz de Will, la primera voz que recordaban haber oído con claridad en aquel lugar, muchos de ellos avanzaron, deseosos de responder.

Pero sólo fueron capaces de susurrar. El único sonido que lograron emitir fue tan tenue como una leve inspiración de aire. A medida que fueron avanzando, empujándose unos a otros en su afán de alcanzar a Will y a Lyra, los gallivespianos descendieron en picado y se pusieron a revolotear ante ellos para impedir que se acercaran demasiado. Los fantasmas de los niños alzaron la vista con apasionado anhelo y Lyra comprendió de inmediato el motivo: creían que las libélulas eran daimonions; deseaban fervientemente estrechar de nuevo a sus daimonions entre sus brazos.

—¡No son daimonions! —exclamó Lyra, compadeciéndose de

ellos—. Si mi daimonion estuviera aquí, os prometo que dejaría que le tocarais y acariciarais...

Lyra alargó los brazos hacia los niños. Los fantasmas adultos permanecieron rezagados, por apatía o temor, pero los niños se precipitaron en tromba hacia delante. Poseían la sustancia de la niebla; las manos de Lyra y de Will pasaron a través de ellos. Los niños fueron avanzando, ingrávidos y sin vida, para calentarse con la sangre que fluía por las venas y los corazones palpitantes de los viajeros. Will y Lyra experimentaron unas sensaciones frías y delicadas, como un cosquilleo, a medida que los fantasmas atravesaron sus cuerpos para adquirir calor. Los dos niños vivos sintieron que poco a poco iban muriendo; no poseían una cantidad infinita de vida y calor que dar, y empezaban a tener frío. La multitud de niños que avanzaba hacia ellos parecía interminable.

Lyra tuvo que rogarles por fin que se detuvieran.

—Por favor —dijo alzando las manos—, nos gustaría tocaros a todos, pero hemos venido aquí en busca de alguien y necesito que me digáis dónde está y cómo podemos encontrarlo. ¡Ay, Will, ojalá supiera qué hacer! —exclamó Lyra, apoyando la cabeza en la de su amigo.

Los fantasmas contemplaban fascinados la sangre que Lyra tenía en la frente. Relucía como el fruto rojo del acebo en aquella penumbra. Algunos habían pasado a través de ella, ansiosos de tener contacto con algo tan palpitante y vivo. Una niña-fantasma, que debía de tener nueve o diez años cuando aún vivía, alzó la mano para tocarla, pero retrocedió temerosa.

—No tengas miedo —la tranquilizó Lyra—. No hemos venido aquí para haceros daño. ¡Háblanos si puedes hacerlo!

La voz de la niña-fantasma era tan débil que semejaba un susurro.

—¿Te hicieron eso las arpías? ¿Trataron de herirte?

—Sí —respondió Lyra—, pero si sólo pueden hacer eso, no me preocupan.

—No, no, pueden hacer cosas peores...

—¿Qué cosas? ¿Qué es lo que hacen?

Pero los fantasmas no querían decírselo. Menearon la cabeza y guardaron silencio, hasta que un niño dijo:

—Los que llevan aquí cientos de años no lo pasan tan mal, porque al final uno se cansa y ya no te asustan...

—Les gusta meter miedo a los nuevos —dijo la niña que había hablado en primer lugar—. Es que... Son odiosas. Ellas... no puedo decírtelo...

Sus voces tenían la potencia de unas hojas secas al caer del árbol. Sólo hablaban los niños; lo adultos parecían sumidos en un letargo tan antiguo que parecía que jamás volverían a moverse o a pronunciar palabra.

—Por favor, escuchad —dijo Lyra—. Mis amigos y yo hemos venido aquí en busca de un chico llamado Roger. Sólo lleva aquí unas semanas, así que no debe de conocer a mucha gente, pero si vosotros sabéis dónde está...

Pese a estas palabras, Lyra era consciente de que aunque permanecieran allí hasta hacerse viejos, buscando en todos los rincones y escrutando todos los rostros, sólo verían una pequeña fracción de los muertos. Sintió que la desesperación se abatía sobre ella como si la arpía se hubiera aposentado sobre su hombro.

No obstante, apretó la mandíbula y alzó el mentón en un gesto de desafío. «Hemos llegado aquí —pensó—, lo cual ya es algo.»

La primera niña-fantasma dijo algo con su vocecita susurrante que se perdía entre la niebla.

—¿Que por qué queremos encontrarlo? —dijo Will—. Lyra quiere hablar con él. Yo también quiero encontrar a una persona. Busco a mi padre, John Parry. También está aquí, aunque no sé exactamente dónde. Quiero hablar con él antes de regresar al mundo. Así que os agradeceríamos que pidierais a Roger y a John Parry, si podéis hacerlo, que se acerquen para hablar con Lyra y con Will. Pedidles...

Pero de improviso todos los fantasmas dieron media vuelta y desaparecieron, incluso los adultos, como hojas secas dispersadas por una racha de viento. Poco después el espacio que rodeaba a los niños quedó vacío. No tardaron en comprender el motivo: en el aire, en lo alto, sonaron unos gritos, alaridos y chillidos, y de pronto las arpías se precipitaron sobre ellos exhalando unas ráfagas de pútrido hedor, batiendo las alas y profiriendo aquellos estentóreos alaridos, gritos sarcásticos, burlas, insultos, risotadas y demás expresiones de desprecio.

Lyra se echó enseguida al suelo, tapándose los oídos, y Will, empuñando la daga, se agachó sobre ella para protegerla. Will vio que Tialys y Salmakia surcaban el aire presurosos en su dirección, pero estaban a cierta distancia, y el niño tuvo un par de minutos para observar a las arpías mientras revoloteaban y caían en picado hacia ellos. Vio sus rostros humanos, sus fauces abiertas como si atraparan insectos, y oyó las palabras que proferían: unas palabras despectivas, obscenas, referentes a su madre, que se le clavaron en el corazón; pero una parte de su mente permanecía fría y distante, reflexionando, calculando, observando. Ninguna de las arpías se atrevió a aproximarse a la daga.

Will se levantó para comprobar qué ocurría. Una de ellas —quizá fuera Sin Nombre— tuvo que realizar un precipitado giro para no chocar con él. Había estado planeando sobre Will, tratando de rozarle la cabeza. Batía sus pesadas alas desmañadamente y consiguió zafarse a duras penas. Will pudo haberle cortado la cabeza con la daga, alargando la mano.

En aquellos momentos llegaron los gallivespianos, dispuestos a atacar a las arpías.

—¡Tialys! ¡Salmakia! —gritó Will—. ¡Venid aquí! ¡Posaos en mi mano!

Los dos espías aterrizaron sobre sus hombros.

—Observad —dijo Will—. Fijaos en lo que hacen. Sólo son capaces de revolotear sobre nosotros y chillar. Creo que esa arpía hirió a Lyra por error. No pretenden tocarnos. Podemos pasar de ellas tranquilamente.

Lyra alzó la cabeza, con los ojos como platos. Las criaturas volaron en torno a la cabeza de Will, a veces a un palmo de distancia, pero en el último instante siempre giraban hacia un lado o remontaban el vuelo. Will intuyó que los dos espías ardían en deseos de pelear, y las libélulas agitaban las alas ansiosas de surcar el aire transportando a sus mortíferos jinetes. Pero comprendieron que Will tenía razón y se contuvieron.

A los fantasmas les impresionó ver allí de pie a Will, plantándoles cara a las arpías e indemne, así que comenzaron a avanzar de nuevo hacia los viajeros. Aunque observaban a las arpías con cautela, les resultaba fascinante e irresistible la carne y la sangre caliente, aquellos potentes latidos.

Lyra se incorporó junto a Will. Se le había vuelto a abrir la herida y la sangre corría de nuevo por su mejilla, pero se la secó sin darle mayor importancia.

—Will —dijo—, me alegro de que hayamos venido los dos...

Will percibió cierto tono en su voz, y observó en su rostro una expresión que conocía bien y le gustaba más que ninguna otra cosa en el mundo: Lyra estaba pensando en algo temerario, aunque aún no estaba dispuesta a hablar de ello.

Will asintió con la cabeza para darle a entender que lo había captado.

—Venid con nosotros... —dijo la niña-fantasma—. Seguidnos.... ¡Daremos con ellos!

Los dos niños experimentaron una sensación de lo más rara, como si unas manitas fantasmas se metieran en su pecho y tiraran de sus costillas para que les siguieran.

Echaron a andar a través de la inmensa y desolada llanura mientras las arpías volaban en círculos, elevándose cada vez más y lanzando sus incesantes chillidos. Pero guardaban las distancias, y los gallivespianos revoloteaban sobre Will y Lyra, vigilando.

Mientras caminaban, los fantasmas charlaron con ellos.

—Disculpad la pregunta —dijo una niña-fantasma—, ¿pero dónde están vuestros daimonions? Perdonad que os lo pregunte, pero es que...

Lyra no dejaba de pensar un solo segundo en su querido y abandonado Pantalaimon. Le costaba hablar de él, de modo que fue Will quien respondió:

—Hemos dejado a nuestros daimonions fuera —dijo—, en lugar seguro. Los recogeremos más tarde. ¿Tenías tú un daimonion?

—Sí —contestó la niña—. Se llamaba Sandling... Lo quería muchísimo...

—¿Había adquirido su forma definitiva? —preguntó Lyra.

—Todavía no. Estaba convencido de que sería un pájaro, pero yo no quería, porque al acostarme por las noches me gustaba sentir su pelo suave. Pero las más de las veces tomaba la forma de un pájaro. ¿Cómo se llama tu daimonion?

Lyra se lo dijo, y los fantasmas se arremolinaron de nuevo en torno a ellos. Todos, sin excepción, querían hablar de sus daimonions.

—El mío se llamaba Matapan...

—Yo jugaba al escondite con mi daimonion. Le gustaba transformarse en camaleón, y yo no conseguía verlo porque lo hacía tan bien...

—Una vez me herí en un ojo y no veía nada, y mi daimonion me guió hasta casa...

—Él no quería adoptar una forma definitiva, pero yo quería crecer, de modo que siempre andábamos a la greña...

—El mío se enroscaba en la palma de mi mano y se quedaba dormido...

—¿Creéis que están todavía en alguna parte, que volveremos a verlos algún día?

—No. Cuando uno muere, su daimonion se extingue como una llama. Yo lo he visto. Pero no a mi Castor... no pude despedirme de él...

—¡Es imposible que no estén en ninguna parte! ¡Tienen que estar en algún sitio! ¡Mi daimonion aún existe, estoy seguro!

Los fantasmas estaban ilusionados, con los ojos brillantes y las mejillas calientes, como si los viajeros les hubieran prestado vida.

—¿Hay alguien aquí de mi mundo, en el que no tenemos daimonions? —inquirió Will.

Un niño-fantasma, delgado y de su misma edad, asintió con la cabeza.

—Claro —respondió—. Nosotros no sabíamos qué eran los daimonions, pero sabíamos lo que suponía no tenerlos. Aquí hay gente de todos los mundos.

—Yo conocí a mi muerte —dijo una niña—. La vi y hablé con ella durante toda mi infancia. Cuando les oía hablar de daimonions, pensaba que se referían a unos seres parecidos a nuestras muertes. Ahora la echo de menos. No volveré a verla. Lo último que me dijo fue: «Éste es mi fin», y desapareció para siempre. Cuando estaba conmigo siempre tenía la sensación de que había alguien en quien podía confiar, ella sabía adónde iba y lo que debía hacer. Pero ya no la tengo a mi lado. Ahora ya no sé lo que va a pasar.

—¡No va a pasar nada! —exclamó alguien—. ¡Nunca pasará nada!

—¿Cómo lo sabes? —replicó otra niña-fantasma—. Ellos han venido, ¿no? Y ninguno de nosotros lo sabíamos.

Se refería a Will y a Lyra.

—Es la primera vez que aquí ocurre algo —dijo un niño-fantasma—. Quizás a partir de ahora cambien las cosas.

—¿Qué haríais si pudierais? —preguntó Lyra.

—¡Subir de nuevo al mundo!

—¿Aunque sólo pudierais verlo una vez?

—¡Sí, sí, sí!

—Bueno, yo tengo que buscar a Roger —dijo Lyra, entusiasmada con la idea que se le había ocurrido; pero ante todo debía decírselo a Will.

En el suelo de la infinita llanura se produjo un vasto y lento movimiento entre los innumerables fantasmas. Los niños no lo advirtieron, pero Tialys y Salmakia, que revoloteaban sobre ellos, observaron que al moverse las pequeñas y pálidas figuras generaban un efecto semejante a la migración de inmensas bandadas de aves o rebaños de ciervos. En el centro del movimiento estaban los dos niños que no eran fantasmas, los cuales avanzaban con paso decidido; no guiaban a los otros ni los seguían, pero lograban concentrar el movimiento en una intención de todos los muertos.

Los espías, cuyos pensamientos eran aún más ágiles que sus veloces monturas, cambiaron una mirada y frenaron a las libélulas, que se posaron una junto a otra sobre una rama seca.

—¿Nosotros tenemos daimonions, Tialys? —preguntó lady Salmakia.

—Desde que nos subimos a esa barca me siento como si me hubieran arrancado el corazón y lo hubieran arrojado aún palpitante a la otra orilla del lago —respondió el caballero—. Pero no es verdad, aún late dentro de mi pecho. Una parte de mí se ha quedado allí con el daimonion de la niña, y también una parte de ti, Salmakia, porque estás demacrada y tienes las manos pálidas y tensas. Sí, tenemos daimonions, aunque no los conozcamos. Puede que las gentes del mundo de Lyra sean los únicos seres vivos que saben que poseen daimonions. Quizá por eso uno de ellos inició la revuelta.

Tras desmontar y asegurar la libélula a la rama, Tialys sacó el resonador de magnetita. Pero apenas había comenzado a componer su mensaje cuando se detuvo.

—No hay respuesta —dijo.

—De modo que estamos completamente aislados...

—No podemos recibir ayuda. En cualquier caso, sabíamos que veníamos al mundo de los muertos.

—El niño estaría dispuesto a ir con ella al fin del mundo.

—¿Crees que su daga será capaz de abrir una ventana de regreso al mundo de los vivos?

—Al menos él está convencido de ello. ¡Ay, Tialys, no sé qué va a ser de nosotros!

—El niño es muy joven. Los dos lo son. Si ella no sobrevive a esto, ni siquiera se planteará la cuestión de que elija acertadamente cuando la tienten. Todo dará lo mismo.

—¿Crees que ya lo eligió cuando decidió dejar a su daimonion en la otra orilla? ¿Sería ésa la elección de debía hacer?

El caballero bajó la vista y contempló los millones de seres que se desplazaban lentamente por la tierra de los muertos, siguiendo a aquella incandescente chispa llamada Lyra Lenguadeplata. Tialys distinguió su cabello rubio, que destacaba en la penumbra, junto a la cabeza de pelo negro del niño, sólida y fuerte.

—No —respondió—, todavía no. Aún tiene que hacer esa elección.

—Entonces debemos conducirla hasta ella sana y salva.

—A los dos. Ambos están metidos en esta empresa.

Lady Salmakia sacudió la rienda ligera como una telaraña y su libélula despegó en el acto de la rama para ir a reunirse con los niños vivos, seguida a corta distancia por el caballero.

Pero no trataron de detenerles. Tras haber descendido en picado para asegurarse de que los niños no habían sufrido daño alguno, continuaron volando, en parte porque las libélulas estaban inquietas y en parte porque ellos querían comprobar hasta dónde se extendía aquel desolado lugar.

Lyra los vio surcando los aires sobre ellos y sintió un gran alivio al constatar que aún existían unos seres que se movían animadamente y emanaban belleza. Luego, incapaz de seguir guardándose su idea para sus adentros, se volvió hacia Will. Pero tenía que decírselo en voz baja, de modo que Lyra acercó la boca al oído de Will y le dijo entre un ruidoso y cálido chorro de aliento:

—Will, quiero que nos llevemos a estos pobres niños fantasmas fuera, y a los adultos también. ¡Podríamos liberarlos! Cuando hayamos encontrado a Roger y a tu padre abriremos una ventana al mundo de los vivos ¡y los liberaremos a todos!

Will se volvió y le dirigió una sonrisa tan radiante, tan cálida y alborozada que Lyra sintió que el corazón le daba un brinco. Al menos ésa fue la sensación que tuvo, pero al no tener a Pantalaimon a su lado no estaba segura de lo que significaba. Quizá su corazón latía ahora de una forma distinta. Lyra se esforzó en caminar recta y no marearse.

Siguieron avanzando. El susurro «Roger» se propagaba a mayor velocidad de la que ellos se movían. «Roger, ha venido Lyra; Roger, Lyra está aquí» fue pasando de un fantasma a otro como el mensaje eléctrico que transmite una célula del cuerpo a otra.

Tialys y Salmakia, que se deslizaban por los aires a lomos de sus infatigables libélulas sin perder detalle de cuanto acontecía, observaron no lejos de donde se encontraban un nuevo foco de movimiento. Al aproximarse comprobaron que por primera vez los fantasmas no reparaban en ellos, porque había otra cosa infinitamente más interesante que captaba su atención. Los fantasmas parloteaban excitados con aquellos susurros casi silenciosos, conminando a uno de ellos a que se dirigiera hacia el punto que señalaban.

Salmakia descendió en picado, pero no pudo aterrizar. Se había formado un gentío inmenso, y ninguno de los fantasmas les habría prestado sus manos ni sus hombros para que se posaron en ellos en el caso de que lo hubieran intentado. Entonces la dama vio a un joven niño-fantasma de rostro noble y acongojado, perplejo y aturdido por lo que le decían.

—¿Roger? ¿Eres tú, Roger? —preguntó Salmakia.

Él se volvió, intrigado y nervioso, y asintió con la cabeza.

Salmakia regresó volando junto a su compañero y ambos se dirigieron a toda velocidad hacia Lyra. Aunque se encontraba un tanto lejos y era difícil llegar hasta ella, consiguieron alcanzarla tras una atenta observación del movimiento de la masa.

—¡Allí está! —gritó Tialys—. ¡Lyra! ¡Lyra! ¡Tu amigo está allí!

Lyra alzó la vista y tendió la mano para que la libélula se posara en ella. El enorme insecto aterrizó de inmediato sobre la palma de su mano; sus colores rojos y amarillos brillaban como el esmalte y sus sutiles alas se detuvieron simultáneamente, rígidas, una junto a la otra. Tialys mantuvo el equilibrio sobre su montura mientras Lyra alzaba la mano a nivel de los ojos.

—¿Dónde está? —preguntó la niña muy excitada—. ¿Está lejos de aquí?

—A una hora a pie —respondió el caballero—. Sabe que irás a su encuentro. Se lo han dicho los otros; nos cercioramos de que era Roger. Sigue avanzando y no tardarás en dar con él.

Tialys observó que Will se esforzaba en enderezarse y hacer acopio de las fuerzas que le quedaban. Lyra estaba exultante ante la perspectiva de hallar a su amigo y asediaba a los gallivespianos a preguntas. ¿Les había visto Roger? ¿Había hablado con ellos? No, claro que no, pero ¿parecía contento? ¿Estaban los otros niños al tanto de lo que ocurría? ¿Les habían ayudado o más bien habían estorbado?

Tialys trató de responder a todas las preguntas con sinceridad y paciencia, y paso a paso la niña, rebosante de vida, se fue aproximando al niño a quien había conducido a su muerte.

23

Sin salida

Will —dijo Lyra—, ¿qué crees que harán las arpías cuando liberemos a los fantasmas? Las arpías, que soltaban unos chillidos ensordecedores y volaban muy cerca de ellos, acudían cada vez en mayor número, como si la penumbra formara unos pequeños coágulos de maldad y les diera alas. Los fantasmas las observaron con temor.

—¿Falta mucho para llegar? —preguntó Lyra a lady Salmakia.

—No —respondió la espía, que revoloteaba sobre ellos—. Si te encaramaras a esa roca podrías verlo.

Pero Lyra no quería perder tiempo. Trataba con todas sus fuerzas de mostrarse alegre para Roger, aunque en su mente aparecía una y otra vez la terrible imagen del pequeño Pan convertido en perrillo abandonado en el espigón, envuelto en la niebla, y sentía ganas de gritar. Pero Lyra se dijo que no debía desanimarse, que debía mantener las esperanzas de hallar a Roger; siempre había confiado en la suerte.

Roger apareció de pronto entre aquella gigantesca multitud de fantasmas, con el rostro demacrado aunque con una expresión tan alborozada como podía mostrar un fantasma.

Roger corrió a abrazar a Lyra, pero pasó como una fría ráfaga de humo a través de sus brazos, y aunque ella sintió su manita tratando de aferrar su corazón, no le quedaban fuerzas. Ya no volverían a abrazarse nunca más.

No obstante, Roger logró susurrar:

—Nunca pensé que volvería a verte, Lyra. Pensé que si venías aquí cuando murieras, serías mucho mayor, una persona adulta, y no querrías hablar conmigo...

—¿Pero por qué?

—Porque cuando Pan salvó a mi daimonion de las garras del de lord Asriel, cometí una imprudencia. Hubiéramos debido escapar. Fue un error tratar de luchar contra él. Hubiéramos debido echar a correr para reunirnos contigo. De ese modo el daimonion de lord Asriel no habría conseguido arrebatarme de nuevo al mío, y cuando llegamos al borde del precipicio lo habría tenido a mi lado.

—¡Pero no fue culpa tuya, tonto! —protestó Lyra—. Yo te conduje hasta allí; debí dejar que regresaras con los otros niños y los giptanos. Yo tuve la culpa. Lo siento, Roger, de veras, fue culpa mía. De no ser por mí no habrías estado allí.

—No sé... —contestó Roger, inseguro—. Quizás habría muerto de otra forma. En todo caso no fue culpa tuya, Lyra.

Lyra comenzaba a pensar que Roger tenía razón. En cualquier caso era esperanzador ver a aquel pobrecillo frío y desvalido, tan cerca de ella aunque sin poderlo tocar. Lyra trató de agarrar su muñeca, pero sus dedos sólo aferraron el aire. No obstante, Roger captó su intención y se sentó junto a ella.

Los otros fantasmas retrocedieron un poco y los dejaron solos. Will también se apartó, para sentarse y examinar su mano. Había vuelto a sangrar, y mientras Tialys echaba a volar furiosamente hacia los fantasmas para mantenerlos a raya, Salmakia ayudó a Will a curarse la herida.

Lyra y Roger no reparaban en lo que ocurría a su alrededor.

—No estás muerta —dijo Roger—. ¿Cómo es posible que hayas venido aquí estando aún viva? ¿Dónde está Pan?

—Ay, Roger, tuve que dejarlo en la otra orilla del lago... Ha sido lo peor que he tenido que hacer en mi vida. ¡No sabes cuánto me dolió verle allí, mirándome como...! Me sentí como una asesina, pero no tuve más remedio que hacerlo, pues de otro modo no habría podido llegar hasta aquí.

—He intentado hablar contigo desde que estoy muerto —dijo Roger—. Deseaba hacerlo con todas mis fuerzas. Deseaba salir de aquí, con los otros muertos, porque este lugar es horrible, Lyra, nunca pasa nada, cuando mueres no se produce ningún cambio, y esos extraños pajarracos... ¿Sabes lo que hacen? Esperan a que estés descansando, porque aquí no concilias nunca un sueño profundo y sólo te quedas amodorrado, y se acercan sigilosamente y te susurran todas las cosas malas que hiciste cuando vivías, para que no las olvides. Saben todo lo malo sobre ti. Saben cómo conseguir que te sientas mal al pensar en todas las cosas estúpidas y malas que hiciste. Y conocen todos los pensamientos egoístas y crueles que tuviste, y hacen que te sientas avergonzado y asqueado contigo mismo... Pero no puedes escapar de ellas.

—Presta atención —dijo Lyra. La niña bajó la voz y se acercó al pequeño fantasma, como solía hacer cuando planeaba alguna travesura en el Colegio Jordan—. Quizá no lo sepas, pero las brujas... ¿Te acuerdas de Serafina Pekkala? Bueno, pues las brujas hicieron una profecía sobre mí. No saben que yo lo sé. Nunca se lo he dicho a nadie. Cuando estuve en Trollesund, y Farder Coram, el giptano, me llevó a ver al cónsul de las brujas, el doctor Lanselius, éste me sometió a una prueba. Me dijo que saliera y eligiera el pino-nube adecuado entre todos los demás, para demostrar que sabía leer el aletiómetro.

»Bueno, pues lo hice, y luego volví a entrar enseguida porque fuera hacía frío, y sólo tardé un segundo. Fue muy fácil. El cónsul estaba hablando con Farder Coram, y ellos no sabían que yo podía oírles. El cónsul dijo que las brujas habían hecho una profecía sobre mí, que yo iba a hacer algo grande e importante, y que lo haría en otro mundo...

»Pero yo no dije una palabra. Supongo que me olvidé de ello debido a la cantidad de cosas que han ocurrido desde entonces. Se me borró de la memoria. Ni siquiera hablé de ello con Pan, porque imagino que se habría echado a reír.

»Pero más tarde la señora Coulter me capturó y me mantuvo en un trance. Yo soñé con ese episodio, y soñé contigo. Recordé la madre-barco giptana, Ma Costa, ¿te acuerdas? Nos montamos en su barco en Jericó, con Simon y Hugh y todos ellos...

—¡Sí! ¡Y por poco acabamos en Abingdon! ¡Eso fue lo mejor que hicimos, Lyra! Jamás lo olvidaré, aunque permanezca muerto aquí durante mil años...

—Sí, pero escucha, cuando me escapé de la señora Coulter la primera vez, me encontré con los giptanos de nuevo y ellos cuidaron de mí y...¡Ay, Roger, no imaginas la de cosas de las que me enteré! Pero lo importante es que Ma Costa me dijo que yo tenía aceite de bruja en el alma. Dijo que los giptanos eran gentes de agua pero yo era una persona de fuego.

»Creo que eso significa que ella me estaba preparando para la profecía de la bruja. Sé que yo tenía que hacer algo importante, y el doctor Lanselius, el cónsul, dijo que era vital que yo no averiguara nunca cuál era mi destino hasta que se cumpliera, que jamás debía preguntárselo a nadie... Y no lo hice. Ni siquiera reflexioné sobre lo que podía ser. Ni se lo pregunté al aletiómetro.

»Pero ahora creo saberlo. Y el hecho de haberte encontrado lo confirma. Mi destino, Roger, lo que tengo que hacer, consiste en ayudar a todos estos fantasmas a abandonar para siempre la tierra de los muertos. Will y yo debemos rescataros a todos. Estoy segura de que se trata de esto. Tiene que serlo. Y por algo que dijo lord Asriel, mi padre. "La muerte morirá", dijo. Pero no sé lo que va a suceder. No se lo digas a los demás todavía. Quizá no dures mucho tiempo allí arriba, pero...

—¡Eso es justamente lo que quería decirte! —declaró Roger, que estaba impaciente por hablar—. ¡Les dije a los otros muertos que ibas a venir! Como viniste a rescatar a los niños de Bolvangar. Les dije: «Si alguien puede hacerlo, ésa es Lyra.» Ellos deseaban que fuera cierto, querían creerme, pero me di cuenta de que no me creían.

»Para empezar —prosiguió Roger—, todos los niños que vienen aquí, absolutamente todos, nada más llegar dicen "estoy seguro de que mi padre vendrá a buscarme", o "estoy seguro de que en cuanto mi madre averigüe que estoy aquí vendrá a buscarme para llevarme a casa". Si no es el padre o la madre, son los amigos o el abuelo, el caso es que todos están convencidos de que vendrá alguien a rescatarlos. Así que nadie me creyó cuando les aseguré que vendrías. ¡Pero yo tenía razón!

—Sí —dijo Lyra—, aunque no lo habría conseguido sin Will. Ese niño que hay ahí es Will, y esos dos son el caballero Tialys y lady Salmakia. Tengo tantas cosas que contarte, Roger...

—¿Quién es Will? ¿De dónde es?

Lyra empezó a explicárselo, sin percatarse de que su voz tenía un tono distinto, de que enderezaba la espalda, de que incluso sus ojos adquirían una expresión diferente cuando relataba la historia de su encuentro con Will y la pelea por apoderarse de la sutil daga. ¿Cómo iba a percatarse de ello? Pero Roger sí lo notó, con aquella triste y muda envidia de los impávidos muertos.

Entretanto, Will y los gallivespianos se habían alejado un poco y charlaban entre sí.

—¿Qué vais a hacer la niña y tú? —inquirió Tialys.

—Abrir este mundo y liberar a los fantasmas. Para eso tengo la daga.

Will jamás había visto tal expresión de asombro en unos rostros, y menos en unas personas cuya opinión valoraba. Sentía un gran respeto por los dos gallivespianos, quienes permanecieron en silencio unos instantes.

—Eso destruirá sus planes —afirmó Tialys—. Es el golpe más

contundente que podrías asestarles. Después de esto la Autoridad quedará impotente.

—¡Jamás podrían sospecharlo! —apostilló lady Salmakia—. ¡Les pillará de improviso!

—¿Y qué pasará luego? —preguntó Tialys a Will.

—¿Qué pasará luego? Pues supongo que saldremos nosotros e iremos en busca de nuestros daimonions. Pero no pienses en «luego». Bastante tenemos con pensar en «ahora». No les he dicho nada a los fantasmas, por si... por si no da resultado. De modo que vosotros tampoco les digáis una palabra de todo esto. Ahora trataré de localizar un mundo que pueda abrir, pero esas arpías no me quitan el ojo de encima. Si queréis echarme una mano, procurad distraerlas mientras yo me pongo manos a la obra.

Los gallivespianos espolearon al instante a sus libélulas y ascendieron hacia las tenebrosas alturas, donde había muchísimas arpías. Will observó cómo los grandes insectos arremetían valerosamente contra ellas, como si las arpías, pese a su tamaño, fueran unas inofensivas moscas que pudieran atrapar en sus fauces. Pensó en lo mucho que gozarían aquellas rutilantes criaturas cuando el cielo se abriera y ellas pudieran deslizarse de nuevo sobre las aguas resplandecientes.

Will tomó la daga. Al instante recordó las palabras que las arpías habían proferido contra él —las burlas sobre su madre— y se detuvo. Dejó la daga y trató de poner en orden sus ideas.

Volvió a intentarlo, pero con idénticos resultados. Oyó el furioso clamor de las arpías, pese a la ferocidad de los gallivespianos: eran tantas que los dos diminutos voladores no podían hacer nada para detenerlas.

Will pensó que eso era de prever. Las cosas no iban a ponerse más sencillas. De modo que dejó que su mente se relajara y permaneció sentado, sosteniendo la daga tranquilamente hasta que estuvo preparado para intentarlo de nuevo.

Esta vez la daga cortó el aire..., pero se topó con una roca. Will había abierto una ventana de este mundo que daba al estrato subterráneo de otro. La cerró y volvió a intentarlo.

Ocurrió lo mismo, aunque Will comprendió que se trataba de otro mundo. Había abierto numerosas ventanas que daban al nivel del suelo de otros mundos, de modo que no tenía nada de particular hallarse en el estrato subterráneo de un determinado mundo. Pero no dejaba de ser desconcertante.

Cuando volvió a intentarlo, tentó el aire con cautela, dejando que la punta de la daga buscara la resonancia que indicaba la presencia de un mundo donde el suelo se hallara al mismo nivel que el mundo en el que se encontraba. Pero no conseguía localizarlo. Cada vez que trataba de abrir una ventana, la daga se topaba con roca maciza.

Presintiendo que algo andaba mal, Lyra interrumpió su conversación confidencial con el fantasma de Roger y corrió a ayudar a Will.

—¿Qué pasa? —preguntó.

—Tenemos que trasladarnos a otro lugar —respondió Will—. No consigo abrir una ventana a un mundo que se halle al mismo nivel que éste. Y esas arpías no dejarán que lo hagamos. ¿Has contado a los fantasmas lo que nos proponemos hacer?

—No. Sólo a Roger, pero le pedí que no dijera nada. Él hará lo que yo le diga. ¡Ay, Will, tengo mucho miedo! Quizá no podamos salir nunca de aquí. ¿Te imaginas que tengamos que quedarnos en este sitio pasa siempre?

—La daga puede traspasar una roca. Si no hay más remedio, abriré un túnel. Espero que no sea necesario porque me llevaría bastante tiempo, pero puedo hacerlo. No te preocupes.

—Sí. Tienes razón. Claro que saldremos de aquí.

Lyra pensó que Will tenía mal aspecto: la cara contraída en un rictus de dolor, ojeras profundas, manos temblorosas y dedos sangrando. Parecía sentirse tan mal como ella. No podrían resistir mucho tiempo sin sus daimonions. Lyra notó que su fantasma se estremecía dentro de ella y se rodeó el torso con los brazos, anhelando reunirse con Pan.

Entretanto, los desdichados fantasmas comenzaron a aproximarse a ellos, en especial los niños, que no dejaban en paz a Lyra.

—Por favor —dijo una niña—, no nos olvides cuando regreses.

—Nunca me olvidaré de vosotros —contestó Lyra.

—¿Les hablarás a los de tu mundo de nosotros?

—Lo prometo. ¿Cómo te llamas?

Pero la pobre niña había olvidado su nombre y se volvió para ocultar su rostro, llena de turbación.

—Creo que es mejor olvidarlo —dijo un niño—. Yo he olvidado mi nombre. Algunos hace poco que están aquí y recuerdan quiénes son. Pero otros niños llevan en este lugar miles de años. No son mayores que nosotros, pero se han olvidado prácticamente de todo. Menos del sol. Nadie se olvida nunca del sol. Ni del viento.

—Es verdad —terció otro niño—. ¡Háblanos de todo eso!

Un coro de voces pidió a Lyra que les hablara de las cosas que recordaban, como el sol, el viento y el cielo, y de las que habían olvidado, como los juegos que practicaban cuando estaban vivos.

—¿Qué hago? —preguntó Lyra, volviéndose hacia Will.

—Diles lo que desean saber.

—Tengo miedo. Después de lo que ocurrió antes... con las arpías...

Lyra lo miró indecisa. Lo cierto es que estaba aterrorizada. Se volvió hacia los fantasmas, que se habían arracimado en torno a ella.

—¡Por favor! —susurraron los fantasmas—. ¡Acabas de llegar del mundo! ¡Cuéntanos, háblanos sobre el mundo!

No lejos de allí había un árbol, un tronco muerto cuyas ramas blancas se alzaban hacia las gélidas corrientes que soplaban en lo alto. Como Lyra se sentía débil y pensó que no podía andar y hablar al mismo tiempo, se dirigió hacia él para descansar un rato. Los fantasmas se apresuraron a apartarse, tropezando unos con otros, para dejarla pasar.

Cuando casi habían alcanzado el árbol, Tialys aterrizó de improviso en la mano de Will y le indicó que agachara para cabeza para susurrarle algo al oído.

—Esas arpías no tardarán en regresar —dijo en voz baja—. Son muchísimas. Ten la daga preparada. Salmakia y yo trataremos de detenerlas cuanto podamos, pero quizá tengas que enfrentarte a ellas.

Sin decirle nada a Lyra para no inquietarla, Will mantuvo la mano preparada junto a la daga. Tialys alzó de nuevo el vuelo y Lyra se sentó en una de las gruesas raíces del árbol.

En torno a ella se agolpó tal cantidad de fantasmas, observándola con los ojos muy abiertos, esperanzados, que Will tuvo que obligarles a retroceder para que no la asfixiaran. Pero dejó que Roger permaneciera junto a ella, porque miraba y escuchaba a Lyra con pasión.

Lyra empezó a hablar sobre el mundo que conocía.

Les contó la historia de cuando Roger y ella se encaramaron al tejado del Colegio Jordan y encontraron a un grajo con una pata rota, al que cuidaron hasta que pudo reemprender el vuelo; y que en cierta ocasión decidieron explorar las bodegas, llenas de polvo y telarañas, y bebieron vino de las islas Canarias, o quizá fuera de Tokay, no lo recordaba bien, y habían pillado una melopea de mucho cuidado. El fantasma de Roger la escuchaba, orgulloso y desesperado, asintiendo con la cabeza y murmurando:

—¡Sí, sí! ¡Así es como ocurrió! ¡Es cierto!

Lyra les habló después de la batalla campal entre los hijos de los habitantes de Oxford y los de los operarios de los hornos para cocer arcilla.

En primer lugar describió las canteras de arcilla, procurando no omitir detalle: los grandes lavaderos de color ocre, la draga, los hornos que recordaban inmensas colmenas de ladrillo. Les habló de los sauces que crecían en la orilla del río, cuyas hojas presentaban un color plateado en la parte inferior; y les explicó que cuando el sol lucía durante más de dos días, la arcilla empezaba a resquebrajarse formando unas hermosas placas, separadas por amplias brechas, y la sensación que uno tenía al meter los dedos en las brechas y alzar lentamente una placa de barro seco, procurando que fuera lo más grande posible sin que se rompiera. Debajo todavía estaba húmeda, ideal para arrojársela a alguien.

Y describió los olores en aquel lugar, el humo que brotaba de los hornos, el hedor a hojas podridas que emanaba del río cuando soplaba el viento del suroeste, el cálido aroma de las patatas asadas que comían los operarios de los hornos, y el sonido del agua al deslizarse por las esclusas y desembocar en los lavaderos; y la lenta y pesada succión que uno notaba al alzar el pie para sacarlo de la tierra, y el intenso chapoteo de las paletas de las compuertas en el agua saturada de arcilla.

Mientras Lyra les hablaba, pulsando todas sus fibras sensibles, los fantasmas se aproximaron a ella, devorando sus palabras, recordando la época en que poseían carne y piel y nervios y sentidos, deseosos de que no concluyera nunca su relato.

Luego les contó que los hijos de los operarios de los hornos de cocer arcilla siempre atacaban a los niños de la ciudad, pero que carecían de reflejos y eran torpes, porque tenían los sesos llenos de arcilla, y que en comparación con ellos los niños de la ciudad eran listos y rápidos como gorriones; y que un día todos los niños de la ciudad se tragaron sus diferencias y tramaron un ataque contra las canteras de arcilla desde tres flancos, obligando a los hijos de los trabajadores de los hornos a retroceder hacia el río, arrojándose unos a otros puñados de arcilla, destruyendo el castillo de barro que habían construido los hijos de los operarios, convirtiendo las fortificaciones en unos misiles hasta que el aire y el suelo y el agua se confundían entre sí y todos los niños presentaban idéntico aspecto, cubiertos de barro desde la punta del pelo hasta las plantas de los pies. Ninguno había disfrutado jamás tanto como aquel día.

Cuando hubo terminado, Lyra miró a Will, agotada. Entonces se llevó un susto mayúsculo.

Aparte de los fantasmas, que la rodeaban en silencio, y de sus compañeros, había junto a ella otros espectadores, vivos: las ramas de los árboles estaban repletas de aquellas siniestras aves con rostro de mujer, observándola fascinadas y solemnes.

Lyra se levantó asustada, pero las arpías no se movieron.

—¡Eh, vosotras, las que me atacasteis hace un rato, cuando traté de deciros una cosa! ¿Qué os impide hacerlo ahora? ¡Adelante, destrozadme con vuestras garras y convertidme en un fantasma!

—Eso es lo mínimo que haremos —contestó la arpía situada en el centro, que era nada menos que Sin Nombre—. Escucha. Hace miles de años, cuando llegaron aquí los primeros fantasmas, la Autoridad nos concedió el poder de ver todo lo malo que existe en cada uno. Desde entonces nos hemos alimentado de ello. Ahora nuestra sangre está contaminada y nuestros corazones consternados de tanta maldad.

»Pero era lo único de lo que podíamos alimentarnos. No disponíamos de otra cosa. Y ahora nos enteramos de que te has propuesto abrir un camino de acceso al mundo superior y llevarte de aquí a todos los fantasmas...

La áspera voz de la arpía quedó sofocada por un millón de murmullos cuando todos los fantasmas capaces de oír lanzaron exclamaciones de gozo y esperanza; pero todas las arpías se pusieron a chillar y a batir las alas hasta que los fantasmas enmudecieron de nuevo.

—¡Sí, llévártelos de aquí! —gritó Sin Nombre—. ¿Qué haremos nosotras ahora? Yo te lo diré: a partir de este momento no nos detendremos ante nada. Lastimaremos, profanaremos, desgarraremos y destruiremos a todos los fantasmas que pasen por aquí, les haremos enloquecer de miedo, remordimientos y odio hacia ellos mismos. ¡Este lugar es un erial, pero a partir de ahora será un infierno!

Todas las arpías se pusieron a chillar y a jalear a su compañera en señal de aprobación. Muchas alzaron el vuelo desde el árbol y se precipitaron sobre los fantasmas, que se dispersaron aterrorizados.

—Han descubierto nuestro plan, ya no podemos ponerlo en práctica —dijo Lyra agarrando el brazo de Will—. ¡Los fantasmas nos odiarán, pensarán que les hemos traicionado! ¡En lugar de rescatarlos, hemos empeorado la situación!

—Tranquilízate —intervino Tialys—. No te desesperes. Haz que regresen y nos escuchen.

—¡Volved aquí! —gritó Will—. ¡Acercaos todos! ¡Prestad atención!

Las arpías, con una expresión intrigada y voraz en sus perversos rostros, volvieron a aposentarse una tras otra en el árbol. Los fantasmas regresaron también. El caballero dejó su libélula al cuidado de

Salmakia y se encaramó de un salto sobre una roca donde todos pudieran ver su diminuta figura, que destacaba por su atuendo de color verde y su cabello negro.

—Arpías —dijo Tialys—, podemos ofreceros algo mejor que eso. Responded a mis preguntas con sinceridad y escuchad lo que voy a deciros. Luego podréis juzgar. Cuando Lyra habló con vosotras fuera de la muralla, la atacasteis. ¿Por qué lo hicisteis?

—¡Mentiras! —gritaron las arpías—. ¡Mentiras y fantasías!

—Sin embargo, hace unos instantes, todas la habéis escuchado quietas y en silencio. ¿Por qué?

—Porque era verdad —replicó Sin Nombre—. Porque dijo la verdad. Porque sus palabras resultaban nutritivas y nos alimentaban. Porque no pudimos remediarlo. Porque era verdad. Porque no sabíamos que existiera nada aparte del mal. Porque nos reveló cosas sobre el mundo y el sol y el viento y la lluvia. Porque era verdad.

—En ese caso —dijo Tialys—, haremos un trato con vosotras. En lugar de ver sólo la maldad, la crueldad y la codicia de los fantasmas que vienen aquí, a partir de ahora tendréis el derecho de pedir a todos los fantasmas que os relaten las historias de sus vidas, y ellos os contarán la verdad sobre lo que han visto, tocado, conocido y amado en el mundo. Cada uno de esos fantasmas posee una historia; a partir de ahora todos los que vengan aquí os contarán cosas verdaderas sobre el mundo. Vosotras tendréis el derecho de oírlas y ellos la obligación de contároslas.

A Lyra le maravilló el valor del pequeño espía. ¿Cómo se había atrevido a hablarles a aquellas criaturas como si él tuviera el poder de concederles unos derechos? Cualquiera de ellas habría podido capturarlo en un instante, destrozarlo con sus garras, o elevarse con él por los aires y estamparlo contra el suelo. Y sin embargo él les había hablado sin inmutarse, orgulloso y derrochando valor, tratando de hacer un pacto con ellas. Y las arpías le habían escuchado, y se habían vuelto unas hacia otras para consultarse, hablando en voz baja.

Todos los fantasmas las observaron temerosos y en silencio.

Un momento después, Sin Nombre se volvió hacia Will.

—Eso no basta —dijo—. Queremos algo más. Bajo los antiguos designios, realizábamos una tarea. Teníamos un lugar y una misión. Cumplíamos las órdenes de la Autoridad con diligencia, y por eso nos respetaban. Éramos odiadas y temidas, pero a la vez respetadas. ¿Y nuestro honor? ¿Qué caso van a hacernos los fantasmas a partir de ahora si pueden regresar al mundo tranquilamente? Tenemos nuestro orgullo, y no dejaremos que nos lo pisoteen. ¡Necesitamos ocupar un lugar honroso! ¡Necesitamos cumplir una tarea, una misión que nos reporte el respeto que merecemos!

Las arpías se mostraban agitadas, farfullando y batiendo las alas sobre las ramas del árbol. Pero al cabo de unos momentos Salmakia se situó de un salto junto al caballero y dijo:

—Tenéis razón. Todo el mundo deberá realizar una tarea importante que le reporte el respeto de los demás, una tarea que pueda cumplir con orgullo. Nosotros os asignaremos una tarea que sólo vosotras podéis llevar a cabo, puesto que sois las guardianas y centinelas de este lugar. Vuestra tarea consistirá en guiar a los fantasmas desde el desembarcadero junto al lago a través de la tierra de los muertos hasta la nueva abertura al mundo superior. A cambio, y en recompensa por vuestros servicios, ellos os contarán sus historias. ¿Os parece justo?

Sin Nombre miró a sus hermanas, y todas asintieron.

—Y nosotras nos reservamos el derecho de negarnos a servirles de guía si nos mienten, si omiten algo o si no tienen nada que decirnos —precisó la arpía—. Si viven en el mundo, están obligados a ver, tocar, escuchar, aprender y amar cosas. Haremos una excepción en el caso de los bebés que no han tenido tiempo de aprender nada, pero respecto a los otros, si se presentan aquí sin aportarnos nada, nos negaremos a guiarles hacia la salida.

—Es justo —dijo Salmakia, y los otros viajeros se mostraron de acuerdo.

De modo que hicieron un pacto. Y a cambio de la historia que Lyra les había relatado, las arpías accedieron a conducir a los viajeros y su daga a una parte de la tierra de los muertos que se hallaba próxima al mundo superior. Quedaba bastante lejos, a través de túneles y cuevas, pero prometieron guiarlos lealmente y dejar que los fantasmas les siguieran.

Pero antes de que emprendieran la marcha se alzó una voz de protesta. Era el fantasma de un hombre enjuto, con el rostro apasionado.

—¿Qué pasará cuando abandonemos el mundo de los muertos? —inquirió—. ¿Volveremos a la vida, o desapareceremos como nuestros daimonions? ¡Hermanos, hermanas, no debemos seguir a estos niños a ninguna parte hasta que sepamos qué va a ser de nosotros!

Otros se hicieron eco de esa protesta.

—¡Sí, decidnos adónde nos lleváis! ¡Decidnos qué ocurrirá! ¡No iremos a ninguna parte a menos que sepamos qué será de nosotros!

Lyra se volvió hacia Will, desesperada, pero él se apresuró a tranquilizarla.

—Diles la verdad. Consulta al aletiómetro y diles lo que te responda.

—De acuerdo —dijo Lyra.

Sacó el instrumento dorado. La respuesta no se hizo esperar. Lyra guardó el aletiómetro y se puso en pie.

—Os diré lo que ocurrirá, y os aseguro que es cierto. Cuando salgamos de aquí, todas las partículas que componen vuestro ser se desprenderán y dispersarán, como ha sucedido con vuestros daimonions. Si habéis visto morir a alguien, ya sabéis lo que sucede. Pero vuestros daimonions no se han convertido en algo inexistente, sino que forman parte de todo. Los átomos que los componían se hallan en el aire, el viento, los árboles, la tierra y todos los organismos vivos. Jamás desaparecerán. Forman parte de todo. Y eso es exactamente lo que os ocurrirá a vosotros. Os lo juro, os doy mi palabra de honor. Os disgregaréis, sí, pero permaneceréis en el mundo superior y formaréis parte de todo cuanto está vivo.

Nadie dijo nada. Quienes habían visto desvanecerse a los daimonions lo recordaban bien, y los que no lo habían visto lo imaginaban. Nadie dijo una palabra hasta que una joven se adelantó y rompió el silencio. Había muerto mártir hacía varios siglos.

—Cuando vivíamos —dijo, mirando a la concurrencia—, nos dijeron que cuando muriéramos iríamos al cielo. Nos aseguraron que el cielo era un lugar donde reinaba la alegría y la gloria y que pasaríamos la eternidad en compañía de los santos y los ángeles alabando al Todopoderoso, en un estado de absoluta dicha. Eso fue lo que nos dijeron. Y eso fue lo que indujo a algunos de nosotros a sacrificar nuestras vidas, y a otros a vivir en soledad, entregados a la oración, sin participar en la alegría que nos rodeaba y que jamás llegamos a conocer.

»Porque la tierra de los muertos no es un lugar de recompensa ni de castigo. Es un lugar donde no existe más que la nada. Aquí vienen los buenos y los malos, y todos languidecemos eternamente en este lugar sombrío y desolado, sin esperanza de ser libres, de gozar de la alegría, de dormir o de descansar en paz.

»Pero ahora esta niña ha venido a ofrecernos el medio de salir de aquí y yo la seguiré. Aunque signifique disgregarnos, yo lo acepto, amigos, porque abandonaremos la nada, volveremos a estar vivos en un millar de briznas de hierba, en un millón de hojas, caeremos en forma de gotas de lluvia, volaremos impulsados por la brisa, brillaremos en el rocío bajo las estrellas y la luna en el mundo físico, que es y siempre fue nuestro auténtico hogar.

»¡Por tanto os conmino a seguir a esta niña hacia el cielo abierto!

Pero el fantasma de la joven fue apartado de un empellón por el fantasma de un hombre que parecía un monje: delgado y pálido incluso de muerto, con unos ojos negros de mirada fanática. Después de santiguarse y murmurar una oración, dijo:

—Éste es un mensaje amargo, una broma pesada y cruel. ¿Acaso no comprendéis la verdad? Ésta no es una niña. ¡Es una agente del Maligno! El mundo en el que vivíamos era un valle de corrupción y de lágrimas. Nada podía satisfacernos. Pero el Todopoderoso nos ha concedido este bendito lugar para toda la eternidad, este paraíso, que al alma pecadora le parece sombrío y yermo, pero que los ojos de la fe lo ven como es, rebosante de leche y miel y pletórico de los dulces himnos de los ángeles. ¡Éste es el verdadero cielo! Lo que esta niña malvada os promete no son sino mentiras. ¡Pretende conduciros al infierno! Si la seguís, corréis el riesgo de condenaros para siempre. Mis compañeros y yo, que profesamos la fe verdadera, nos quedaremos en este bendito paraíso, y pasaremos la eternidad cantando las alabanzas del Todopoderoso, que nos ha dado el juicio para discernir lo falso de lo verdadero.

El monje se santiguó de nuevo, y se alejó con sus compañeros horrorizados.

Lyra se quedó perpleja. ¿Estaría equivocada? ¿Habría cometido un gigantesco error? Miró en derredor y sólo vio oscuridad y desolación. Pero otras veces se había dejado engañar por las apariencias, como al confiar en la señora Coulter debido a su hermosa sonrisa, su perfume y su atractivo personal. Era fácil confundirse, y también era posible que ahora se hubiera equivocado, sin su daimonion para orientarla.

Will le zarandeó el brazo. Luego le tomó el rostro entre sus manos y lo sostuvo con firmeza.

—Sabes perfectamente que no es verdad —dijo—. ¡No hagas caso! Ellos también se han dado cuenta de que ese hombre miente. Y dependen de nosotros. Vamos, debemos ponernos en marcha.

Lyra asintió. Tenía que fiarse de su cuerpo y de la verdad que le comunicaban sus sentidos; sabía que eso es lo que habría hecho Pan.

Los niños echaron a andar, seguidos por los incontables millones de fantasmas. Tras la comitiva, demasiado lejos para que Will y Lyra los vieran, avanzaban otros habitantes del mundo de los muertos que habían oído lo ocurrido y se habían sumado a la gran marcha. Tialys y Salmakia retrocedieron volando y se llevaron una gran alegría al ver allí a sus congéneres, junto con todos los seres conscientes que habían sido castigados por la Autoridad con el exilio y la muerte. Entre ellos había unas criaturas que no parecían humanas, semejantes a los mulefa, a quienes Mary Malone sin duda habría reconocido, y unos fantasmas de aspecto aún más extraño.

Pero Will y Lyra no tenían fuerzas para mirar atrás. Las pocas que les restaban debían emplearlas en seguir a las arpías, confiando en salir de allí.

—Casi lo hemos conseguido, ¿verdad, Will? —musitó Lyra—. ¿Falta poco?

Will no lo sabía, pero se sentían tan desfallecidos que respondió:

—Sí, falta poco. Casi lo hemos conseguido. Pronto saldremos de aquí.

24

La señora Coulter en Ginebra

La señora Coulter esperó a que oscureciera antes de aproximarse al Colegio de San Jerónimo. Cuando hubo anochecido, condujo el artefacto intencional a través de las nubes y se deslizó lentamente sobre la orilla del lago, a la altura de las copas de los árboles. La silueta del colegio destacaba entre otros antiguos edificios de Ginebra, y la señora Coulter no tardó en localizar el campanario, los oscuros claustros y la torre cuadrada donde el Presidente del Tribunal Consistorial de Disciplina tenía sus aposentos. La señora Coulter había visitado el colegio en tres ocasiones y sabía que los salientes, los aleros y las chimeneas del tejado ocultaban numerosos escondrijos, incluso para un objeto de las dimensiones del artefacto intencional.

Tras sobrevolar lentamente el tejado, cuyas tejas estaban relucientes debido al chaparrón que había caído hacía poco, la señora Coulter dirigió el artefacto hacia una pequeña hondonada que quedaba oculta entre un empinado tejado y el muro cortado a pico de la torre. El lugar sólo era visible desde el campanario de la Capilla de la Sagrada Penitencia, que se alzaba cerca, y por tanto era el escondite ideal.

La señora Coulter hizo aterrizar el artefacto con suavidad, de modo que las seis patas se ajustaron de tal forma que la cabina quedó nivelada. Se había encariñado con ese aparato, que obedecía sus órdenes con prontitud y era tan silencioso que podía permanecer suspendido a pocos palmos de la cabeza de una persona sin que ésta se percatara de su presencia. Desde que lo había sustraído, hacía un par de días, la señora Coulter había aprendido a accionar los controles, pero aún no tenía ni idea de la energía que utilizaba, y eso era lo único que la preocupaba: no sabía cuándo se agotarían el combustible o las baterías que lo propulsaban.

Cuando tuvo la certeza de que el aparato se había detenido por completo y que el tejado era lo suficientemente sólido para soportar su peso, se quitó el casco y descendió de la nave.

Su daimonion ya había comenzado a levantar una de las antiguas y pesadas tejas. La señora Coulter retiró otra, y poco después lograron quitar media docena más. Acto seguido la señora Coulter sacó los listones sobre los que habían sido colocadas, hasta dejar una abertura lo suficientemente amplia para pasar por ella.

—Entra y echa un vistazo —murmuró a su daimonion, el cual se deslizó por el oscuro orificio.

La señora Coulter oyó el sonido de sus garras mientras avanzaba con cautela por el suelo del desván. Unos instantes después asomó por la abertura su rostro negro enmarcado por un flequillo dorado. La señora Coulter comprendió de inmediato que no había peligro y lo siguió, aguardando unos segundos a que sus ojos se adaptaran a la penumbra. Poco a poco consiguió distinguir las formas oscuras de unos armarios, unas mesas, unas estanterías y todo tipo de muebles almacenados en el largo desván.

Lo primero que hizo fue colocar un enorme armario delante de la abertura del tejado. Luego se acercó de puntillas a una puerta situada en el otro extremo, y accionó el pomo. La puerta estaba cerrada, como era de prever, pero la señora Coulter se quitó una horquilla del pelo y consiguió abrir la cerradura sin mayores dificultades. Poco después ella y su daimonion se encontraban en el extremo de un largo pasillo, donde un polvoriento tragaluz les permitió ver una estrecha escalera que descendía en el otro extremo del pasillo.

Cinco minutos más tarde abrieron la ventana del office contiguo a la cocina, dos pisos más abajo, y salieron al callejón. La caseta del guarda se hallaba a pocos pasos de allí, y tal como dijo la señora Coulter al mono dorado, lo importante era llegar por la puerta de entrada, independientemente de cómo pensaran marcharse.

—Quíteme las manos de encima y tráteme con la cortesía que merezco, o haré que lo azoten —dijo la señora Coulter al guarda, sin perder la compostura—. Comunique al Presidente que la señora Coulter desea verlo de inmediato.

El hombre retrocedió, y su daimonion sabueso, que observaba al apacible mono dorado mostrándole los colmillos, se alejó en el acto con el rabo entre las patas.

El guarda hizo girar la manivela del teléfono y a los treinta segundos entró apresuradamente en la caseta un joven sacerdote de rostro lozano que se enjugó la mano en la sotana por si la señora Coulter deseaba estrechársela. Pero ella no le ofreció la suya.

—¿Quién es usted? —preguntó.

—El hermano Luis —respondió el sacerdote, tranquilizando a su daimonion conejo—. Director del Secretariado del Tribunal Consistorial. Tenga la bondad de...

—No he venido aquí para hablar con un escribano —replicó la señora Coulter—. Lléveme ante el padre MacPhail. Ahora mismo.

El sacerdote se inclinó ante ella dócilmente y le pidió que le siguiera. Cuando hubieron salido, el guarda soltó un suspiro de alivio.

El hermano Luis, tras intentar dos o tres veces entablar conversación con la señora Coulter sin conseguirlo, se rindió y la condujo en silencio a las habitaciones que ocupaba el presidente en la torre. En aquellos momentos el padre MacPhail se hallaba entregado a sus oraciones, y el pobre hermano Luis llamó a la puerta con mano temblorosa. Oyeron una exclamación de protesta y un suspiro de resignación, seguidos por unas sonoras pisadas.

El presidente abrió los ojos como platos al abrir la puerta y ver de quién se trataba.

—Señora Coulter —dijo sonriendo tímidamente y tendiéndole la mano—. Celebro que haya venido. Mi estudio es frío y nuestra hospitalidad sencilla, pero pase, haga el favor.

—Buenas tardes —respondió ella, entrando tras él en una sombría habitación con los muros de piedra y dejando que le acercara un sillón—. Gracias —dijo volviéndose hacia el hermano Luis, que aún no se había retirado—. Tomaré un vaso de chocolate.

No le habían ofrecido nada y la señora Coulter sabía lo ofensivo que era tratarlo como a un criado, pero el joven sacerdote se mostraba tan servil que lo tenía bien merecido. El presidente asintió con la cabeza y el hermano Luis, pese a su enojo, salió en busca de lo que la mujer le había pedido.

—Por supuesto, queda usted arrestada —dijo el presidente, ocupando el otro sillón y alzando la mecha de la lámpara.

—Qué ganas de estropear nuestra conversación antes de comenzar —replicó la señora Coulter—. He venido aquí voluntariamente, tan pronto como logré escapar de la fortaleza de lord Asriel. Lo cierto, padre, es que poseo una importante información sobre la fortaleza y la niña, y he venido para ofrecérsela.

—Empiece por la niña.

—Mi hija ha cumplido doce años. Pronto alcanzará el cenit de la adolescencia y será demasiado tarde para impedir la catástrofe; la naturaleza y la oportunidad se unirán como chispa y mecha. Gracias a su intervención, eso es ahora mucho más probable. Espero que se sienta satisfecho.

—Su deber era traer a la niña aquí y dejarla a nuestro cuidado. En lugar de ello decidió ocultarse en la cueva de una montaña. ¡No me explico cómo una mujer tan inteligente como usted creyó que podría permanecer oculta mucho tiempo!

—Probablemente hay muchas cosas que no se explica, señor presidente, empezando por las relaciones entre una madre y su hija. Si pensó por un momento que iba a dejar a mi hija al cuidado de un grupo de hombres obsesionados con la sexualidad, unos hombres con las uñas sucias, que apestan a sudor de varios meses, unos hombres cuya enfermiza imaginación reptaría sobre el cuerpo de mi hija como un enjambre de cucarachas... Si cree que estoy dispuesta a entregarles a mi hija, es usted más estúpido de lo que supone que soy yo.

En ese momento se oyó un discreto golpecito en la puerta y antes de que el presidente pudiera responder entró el padre Luis con una bandeja y dos vasos de chocolate. Después de depositar la bandeja en la mesa, hizo una torpe reverencia y sonrió al presidente, confiando en que éste le invitara a quedarse; pero el padre MacPhail le indicó que se retirara y el joven se marchó decepcionado.

—¿Y qué piensa hacer? —preguntó el presidente.

—Mantenerla a salvo hasta que haya pasado el peligro.

—¿A qué peligro se refiere? —inquirió el padre MacPhail, pasándole un vaso.

—Creo que sabe perfectamente a qué me refiero. En alguna parte hay alguien dispuesto a tentar a mi hija, una serpiente por así decir, y yo debo evitar ese encuentro.

—La acompaña un niño.

—Sí. Y si usted no se hubiera entrometido, ambos estarían bajo mi control. Ignoro dónde se encuentran. Sólo sé que no se encuentran con lord Asriel.

—Tenga por seguro que los buscará. El niño tiene una daga con poderes extraordinarios. Sólo por eso valdría la pena dar con ellos.

—Sin duda —dijo la señora Coulter—. Conseguí romperla, pero el niño logró repararla.

La señora Coulter sonrió. ¿Era posible que sintiera simpatía por aquel condenado mocoso?

—Lo sabemos —declaró el padre MacPhail.

—Vaya, vaya, fray Pavel ha debido de adquirir una pasmosa agilidad mental —replicó ella—. Cuando lo conocí, le habría llevado al menos un mes leer toda esa información.

La señora Coulter bebió un sorbo de su chocolate, poco espeso e insípido. Pensó que era muy propio de aquellos dichosos sacerdotes imponer su severa abstinencia a sus convidados.

—Hábleme de lord Asriel —dijo el presidente—. Cuéntemelo todo.

La señora Coulter se arrellanó en el sillón y empezó a referírselo, no todo, por supuesto, cosa que el padre MacPhail no imaginó ni por un momento que haría, sino sobre la fortaleza, los aliados, los ángeles, las minas y las fundiciones.

El padre MacPhail la observó sin mover un músculo, mientras su daimonion lagarto asimilaba cada palabra.

—¿Y cómo llegó usted aquí? —inquirió.

—Robé un giróptero. Me quedé sin combustible y tuve que abandonarlo en un campo, no lejos de aquí. El resto del camino lo hice a pie.

—¿Ha emprendido lord Asriel la búsqueda de la niña y el niño?

—Desde luego.

—Imagino que desea apoderarse de la daga. ¿Sabe usted que tiene un nombre? Los espectros de acantilado que habitan en el norte la llaman destructora de dioses —prosiguió el padre MacPhail, acercándose a la ventana para contemplar los claustros—. Eso es lo que pretende Asriel, ¿verdad? Destruir a la Autoridad, ¿no es así? Algunos afirman que Dios ha muerto. Imagino que Asriel no es uno de ellos, puesto que aspira a acabar con él.

—¿Dónde está Dios, si está vivo? —preguntó la señora Coulter—. ¿Por qué ha dejado de hablar? Al comienzo del mundo, Dios se paseaba por el jardín y hablaba con Adán y Eva. Luego se encerró en sí mismo, y él único que oyó su voz fue Moisés. Posteriormente, durante la época de Daniel, envejeció, se convirtió en el Antiguo de los Días. ¿Dónde está ahora? ¿Vive aún, a una edad inconcebible, decrépito y demente, incapaz de pensar, actuar o hablar, incapaz de morir, convertido en un cascarón podrido? Y si se halla en ese estado, ¿no sería más misericordioso, la verdadera prueba de nuestro amor por Dios, ir en su busca y concederle el don de la muerte?

La señora Coulter sintió una serena euforia al hablar. Se preguntó si saldría de allí con vida, pero era fantástico hablarle así a aquel hombre.

—¿Y el Polvo? —preguntó el padre MacPhail—. Desde su visión herética de las cosas, ¿qué opinión le merece el Polvo?

—No tengo ninguna opinión sobre el Polvo —respondió la señora Coulter—. No sé qué es. Nadie lo sabe.

—Ya veo. Bueno, he empezado recordándole que está usted arrestada. Creo que es el momento de buscarle un lugar donde acostarse. Procuraremos que esté cómoda. Nadie la importunará, pero no escapará de aquí. Mañana seguiremos charlando.

El presidente hizo sonar una campanilla y el hermano Luis apareció casi al instante.

—Acompañe a la señora Coulter al mejor cuarto de huéspedes —dijo el presidente—. Y enciérrela.

El mejor cuarto de huéspedes era una habitación destartalada con unos muebles baratos, pero al menos estaba limpia. Después de que el hermano Luis la hubo encerrado, la señora Coulter echó una vistazo alrededor en busca de micrófonos ocultos, y halló uno en el interruptor de la lámpara y otro debajo de la cama. Desconectó los dos micrófonos y entonces se llevó una sorpresa de lo más desagradable.

Lord Roke la observaba desde lo alto de la cómoda, situada detrás de la puerta.

La señora Coulter lanzó un grito y se apoyó en la pared para no caerse del susto. El gallivespiano estaba tranquilamente sentado, con las piernas cruzadas. Ni ella ni el mono dorado habían reparado en él.

—¿Cuándo iba a tener la cortesía de hacerme notar su presencia? —inquirió la señora Coulter cuando se apaciguaron los latidos de su corazón y se normalizó su respiración—. ¿Antes de que me desnudara o después?

—Antes —respondió él—. Dígale a su daimonion que se calme o le retuerzo el pescuezo.

Al mono dorado se le erizó el pelo y enseñó los dientes. Su expresión habría bastado para intimidar a cualquier persona normal, pero lord Roke sonrió. Sus espolones relucían en la penumbra.

El pequeño espía se puso en pie y se desperezó.

—Acabo de hablar con mi agente en la fortaleza de lord Asriel —dijo—. Lord Asriel le presenta sus respetos y le ruega que le informe a la mayor brevedad posible de las intenciones de esta gente.

La señora Coulter se quedó sin resuello, como si lord Asriel la hubiera derribado durante un combate de lucha libre. Abrió los ojos como platos y se sentó lentamente en la cama.

—¿Ha venido aquí para espiarme o para ayudarme? —preguntó.

—Para ambas cosas. Tiene suerte de que yo esté aquí. Nada más llegar usted pusieron en marcha un aparato ambárico en los sótanos. No sé de qué se trata, pero hay un equipo de científicos trabajando en él. Su presencia ha hecho que espabilen.

—No sé si sentirme halagada o alarmada. Estoy agotada y voy a acostarme. Si ha venido aquí para ayudarme, puede montar guardia mientras duermo. Ahora vuélvase, haga el favor.

Lord Roke hizo una reverencia y se volvió de cara a la pared hasta que la señora Coulter se hubo lavado en la desconchada pila, se hubo secado con la raída toalla y se hubo acostado. Su daimonion recorrió la habitación, examinando el interior del armario, el marco del cuadro, las cortinas y la vista de los oscuros claustros que se divisaba a través de la ventana. Lord Roke observó todos sus movimientos. El mono dorado se acostó por fin junto a la señora Coulter y ambos cayeron dormidos de inmediato.

Lord Roke no había revelado a la señora Coulter todo lo que lord Asriel le había contado. Los aliados habían controlado el vuelo de todo tipo de seres que atravesaban el espacio aéreo sobre las fronteras de la república, y habían observado una concentración tal vez de ángeles, o de otros seres distintos, en el oeste. Habían enviado unas patrullas, pero hasta la fecha no habían descubierto nada: fuera lo que fuere que permanecía suspendido en el aire sobre las fronteras, se había envuelto en una niebla impenetrable.

El espía pensó que era preferible no inquietar a la señora Coulter revelándole esos pormenores. Estaba agotada y debía descansar. Así pues, el gallivespiano se movió por la habitación con sigilo, escuchando junto a la puerta, observando a través de la ventana, despierto y alerta.

Una hora después de que la señora Coulter hubiera entrado en la habitación, el espía oyó un pequeño ruido en la puerta, como si alguien rascara con las uñas y susurrara algo. Lord Roke corrió a ocultarse en un rincón, detrás de una de las patas de la silla en la que la señora Coulter había dejado su ropa.

Unos instantes después la llave giró lenta y silenciosamente en la cerradura. La puerta se abrió un par de centímetros y se apagó la luz.

Lord Roke podía ver con bastante nitidez en la mortecina claridad que permitían los finos visillos, pero el intruso tuvo que esperar unos instantes a que sus ojos se adaptaran a la escasa luz. La puerta se abrió un poco más, muy lentamente, y el joven sacerdote, el hermano Luis, entró en la habitación.

Después de santiguarse, se acercó de puntillas a la cama. Lord Roke estaba dispuesto a arrojarse sobre él, pero el sacerdote se limitó a inclinarse sobre la señora Coulter para comprobar si respiraba acompasadamente y estaba dormida. Luego se volvió hacia la mesilla de noche.

El sacerdote tapó con la mano la bombilla de la luz que funcionaba con pilas y la encendió, dejando que un fino haz se filtrara a través de sus dedos. Acto seguido se inclinó sobre la mesilla hasta que su nariz casi rozó la superficie, pero no encontró lo que andaba buscando. Antes de meterse en la cama, la señora Coulter había dejado sobre la mesilla un par de monedas, un anillo y su reloj, pero el hermano Luis no estaba interesado en aquello.

El sacerdote se volvió de nuevo hacia la señora Coulter, y al localizar lo que buscaba lanzó un quedo silbido de enojo. Lord Roke comprendió su irritación: el objeto que andaba buscando era el medallón que llevaba la señora Coulter colgado de una cadena de oro en torno al cuello.

Lord Roke se deslizó en silencio a lo largo del zócalo hacia la puerta.

El sacerdote volvió a santiguarse, pues tenía que tocar a la señora Coulter. Contuvo la respiración, se inclinó sobre la cama y... En aquel preciso instante el mono dorado se movió.

El joven se quedó inmóvil, con la mano extendida. Su daimonion conejo temblaba a sus pies. Era un inútil, al menos podía haber vigilado la puerta mientras el pobre sacerdote llevaba a cabo su misión, pensó lord Roke. El mono se volvió y siguió durmiendo plácidamente.

Tras permanecer más de un minuto en la misma posición, como una figura de cera, el hermano Luis acercó sus temblorosas manos al cuello de la señora Coulter. Manipuló el cierre del broche con tal torpeza que lord Roke creyó que lo rompería antes de abrirlo, pero por fin el joven consiguió quitárselo suavemente y se enderezó.

Lord Roke, rápido y silencioso como un ratón, salió por la puerta antes de que el sacerdote se volviera. Esperó en el oscuro pasillo, y cuando el joven salió de puntillas y cerró la puerta con llave, el gallivespiano lo siguió.

El hermano Luis se encaminó hacia la torre, y cuando el presidente abrió la puerta de sus aposentos, lord Roke se coló rápidamente hacia el reclinatorio instalado en un rincón de la habitación. El pequeño espía se agazapó bajo un saliente que quedaba en la sombra, para escuchar lo que decían.

El padre MacPhail no se hallaba solo: fray Pavel, el aletiometrista, estaba ocupado con sus libros, y junto a la ventana había otra figura. Se trataba del doctor Cooper, el teólogo experimental de Bolvangar. Ambos alzaron la vista.

—Le felicito, hermano Luis —dijo el presidente—. Tráigalo aquí, siéntese y muéstremelo. ¡Bravo!

Fray Pavel apartó unos libros, y el joven sacerdote depositó la cadena de oro sobre la mesa. Los otros se inclinaron para observar mientras el padre MacPhail trataba inútilmente de abrir el cierre. El doctor Cooper le ofreció una navaja, y al cabo de unos instantes se oyó un pequeño clic.

—¡Ah! —suspiró el presidente.

Lord Roke se irguió y vio un objeto dorado oscuro que relucía bajo la lámpara de queroseno: era un mechón de pelo, que el presidente daba vueltas en su mano y examinaba con atención.

—¿Estamos seguros de que pertenece a la niña? —preguntó éste.

—Yo estoy seguro —respondió fray Pavel con tono cansino.

—¿Y tenemos suficiente, doctor Cooper?

El hombre de rostro pálido se agachó, tomó el mechón de manos del padre MacPhail y lo examinó bajo la luz.

—Sí —respondió—. Habría bastado un solo pelo. Con esto tenemos más que suficiente.

—Celebro oírselo decir —declaró el presidente—. Ahora, hermano Luis, haga el favor de devolver el medallón a su lugar, el cuello de nuestra invitada.

El sacerdote hizo un leve gesto de desesperación. Suponía que su tarea había concluido. El presidente guardó el rizo de Lyra en un sobre y cerró el medallón al tiempo que alzaba la vista. Lord Roke se apresuró a ocultarse.

—Padre presidente —dijo el hermano Luis—, haré lo que ordena, por supuesto, ¿pero puedo saber por qué necesita el mechón de la niña?

—No, hermano Luis, porque eso le disgustaría. Es mejor que deje el asunto en nuestras manos. Retírese.

El joven tomó el medallón y salió, tragándose su enojo. Lord Roke pensó en seguirle y despertar a la señora Coulter cuando el sacerdote tratara de volver a colocarle la cadena alrededor del cuello, pero era más importante averiguar qué se proponía aquella gente.

Cuando la puerta se cerró, el gallivespiano se ocultó de nuevo en la sombra y aguzó el oído.

—¿Cómo se enteró de que lo tenía ella? —preguntó el científico.

—Cada vez que mencionaba a la niña —respondió el presidente—, se llevaba la mano al medallón. Bien, ¿cuándo lo tendrá todo preparado?

—Dentro de unas pocas horas —contestó el doctor Cooper.

—¿Y el mechón? ¿Qué hacemos con él?

—Lo colocaremos en la cámara de resonancia. Cada individuo es único, y la disposición de partículas genéticas es muy distinta... Una vez analizado, la información queda codificada en una serie de pulsaciones ambáricas que se transfieren al aparato encargado de localizar el origen del material, el pelo o lo que sea. Curiosamente el proceso se basa en la herejía de Barnard-Stokes, el concepto de múltiples mundos...

—No se inquiete, doctor. Fray Pavel me ha explicado que la niña se halla en otro mundo. Continúe, por favor. ¿De modo que la potencia de la bomba está dirigida por medio del pelo?

—Así es. A cada uno de los pelos de los que se obtuvo este mechón.

—¿Y cuando la hagamos detonar destruirá a la niña donde ésta se encuentre?

El científico inspiró profundamente antes de responder con tono remiso.

—Sí. —Tragó saliva y continuó—: Se precisa una energía enorme. La potencia ambárica. Al igual que una bomba atómica precisa un potente explosivo para causar la fisión del uranio y desencadenar la reacción en cadena, este artilugio precisa una corriente colosal para liberar la potencia mucho mayor del proceso de división. Me preguntaba...

—¿No importa dónde lo hagamos detonar?

—No, podemos hacerlo en cualquier lugar.

—¿Y está preparado del todo?

—Ahora que disponemos del mechón, sí. Pero la potencia...

—Ya me he ocupado de eso. He mandado requisar la planta generadora de energía hidroambárica de Saint-Jean-les-Eaux para nuestro uso. Allí producen la energía que necesitamos, ¿no cree?

—Sí —respondió el científico.

—Entonces partiremos de inmediato. Ocúpese de que preparen cuanto antes el aparato para ser transportado, doctor Cooper. El tiempo cambia bruscamente en las montañas y amenaza tormenta.

El científico tomó el sobre que contenía el mechón de pelo de Lyra, hizo una torpe reverencia y salió apresuradamente. Lord Roke fue tras él, tan silenciosamente como una sombra.

En cuanto se hubieron alejado unos metros de la habitación del presidente, el gallivespiano pasó al ataque. El doctor Cooper, que se encontraba unos peldaños más abajo en la escalera, sintió un doloroso aguijonazo en el hombro y alargó el brazo para sujetarse a la barandilla, pero una extraña debilidad se había apoderado de su brazo y el científico rodó escaleras abajo hasta aterrizar semiinconsciente en el suelo.

Lord Roke le arrebató el sobre de su espasmódica mano, no sin dificultad pues ésta era la mitad de grande que él. Cuando lo hubo conseguido, se deslizó en la sombra hacia la habitación donde dormía la señora Coulter.

Había suficiente espacio bajo la puerta como para que el gallivespiano pasara a través de él. El hermano Luis había entrado y salido pero no se había atrevido a colocar el medallón alrededor del cuello de la señora Coulter. El medallón yacía en la almohada junto a ella.

Lord Roke le apretó la mano para despertarla. La señora Coulter estaba exhausta, pero se percató en el acto de la presencia del espía y se incorporó, frotándose los ojos.

Lord Roke le explicó lo ocurrido y le entregó el sobre.

—Le aconsejo que lo destruya enseguida —le dijo—. Les basta un solo pelo para desencadenar la catástrofe, según dijo el científico.

La señora Coulter contempló el pequeño rizo dorado y oscuro y meneó la cabeza.

—Es demasiado tarde —declaró—. Aquí sólo hay la mitad del mechón que le corté a Lyra. El presidente debe de haberse quedado con el resto.

Lord Roke soltó un bufido de rabia.

—¡Debió de tomarlo cuando miró alrededor! —exclamó—. ¡Maldita sea! Me oculté para que no me viera y él lo tomó...

—A saber dónde lo habrá metido —dijo la señora Coulter—. No obstante, si logramos hallar la bomba...

—¡Sssh!

La advertencia partió del mono dorado, que estaba agazapado junto a la puerta, escuchando. Ellos también lo oyeron: unos pasos que se dirigían apresuradamente hacia la habitación de la señora Coulter.

Ésta alargó el sobre y el mechón a lord Roke, quien los tomó en sus manos y se encaramó de un salto en el armario. Luego la señora Coulter se tumbó junto a su daimonion, en el preciso instante en que la llave giró sonoramente en la cerradura.

—¿Dónde está? ¿Qué ha hecho con él? ¿Con qué atacó usted al doctor Cooper? —preguntó el presidente con dureza.

La luz del pasillo iluminaba la cama. La señora Coulter alzó el brazo para escudarse los ojos y se incorporó lentamente.

—Por lo visto le gusta tener entretenidos a sus huéspedes —comentó con voz somnolienta—. ¿Es un nuevo juego? ¿Qué debo hacer? ¿Quién es el doctor Cooper?

El padre MacPhail iba acompañado por el guarda de la entrada, quien registró con su linterna todos los rincones de la habitación y debajo de la cama. El presidente parecía desconcertado: la señora Coulter tenía cara de sueño y apenas podía abrir los ojos porque el resplandor del pasillo la cegaba. Era evidente que no se había levantado de la cama.

—Tiene usted un cómplice —afirmó el presidente—. Alguien ha atacado a un invitado del colegio. ¿Quién es? ¿Quién ha venido aquí con usted?

—No tengo ni remota idea de qué me habla. ¿Pero qué...? —La señora Coulter, que había apoyado la mano sobre la almohada para incorporarse, palpó el medallón y se detuvo. Acto seguido tomó el medallón y miró al presidente con los ojos muy abiertos pero somnolientos. Lord Roke no pudo por menos de admirar sus dotes de actriz cuando la oyó decir, con tono de perplejidad—: Pero si es... ¿Qué hace aquí? Padre MacPhail, ¿quién ha entrado en mi habitación? Alguien me quitó el medallón que llevo colgado del cuello... ¿Y dónde está el mechón de Lyra? Guardo un rizo suyo en el medallón. ¿Quién me lo ha robado? ¿Por qué? ¿A qué viene esto?

La señora Coulter se levantó de la cama, desgreñada, hablando con pasión, tan desconcertada como el presidente.

El padre MacPhail dio un paso atrás y se llevó la mano a la frente.

—Seguro que alguien ha venido con usted, que tiene un cómplice —insistió con voz seca y cortante—. ¿Dónde se esconde?

—No tengo ningún cómplice —protestó indignada la señora Coulter—. Si hay un asesino invisible en este lugar, no puede ser otro que el mismo diablo. Aquí debe de sentirse en su elemento.

—Llévela a los sótanos —ordenó el padre MacPhail al guarda—. Póngale unas cadenas. Ya sé lo que voy a hacer con esta mujer; debí pensar en ello en cuanto apareció.

La señora Coulter miró desesperada alrededor y durante una fracción de segundo cruzó una mirada con lord Roke, que relucía en la oscuridad junto al techo. Éste captó de inmediato su expresión y comprendió lo que ella quería que hiciera.

25

Saint-Jean-les-Eaux

UNA PULSERA DE
LUSTROSO PELO
ALREDEDOR DEL
HUESO...

JOHN DONNE

La catarata de Saint-Jean-les-Eaux se precipitaba entre unas cumbres rocosas en las estribaciones orientales de los Alpes, y la planta generadora se hallaba instalada en la ladera de la montaña que se alzaba sobre éstas. Era una región remota, desolada y degradada y a nadie se le habría ocurrido construir allí nada de no ser por la perspectiva de poner en funcionamiento unos inmensos generadores ambáricos accionados por la potencia de miles de toneladas de agua que discurrían a través del desfiladero.

Era la noche siguiente al arresto de la señora Coulter, y hacía un tiempo tormentoso. Un zepelín se detuvo cerca de la roca cortada a pico de la central generadora y permaneció suspendido en el aire, sacudido por el viento. Parecía como si estuviera posado sobre varias patas de luz, debido a los faros situados debajo del aparato, y que fuera descendiendo pausadamente para aterrizar.

Pero el piloto no estaba satisfecho; el viento formaba unos remolinos y unas contracorrientes en los bordes de la montaña. Los cables, los postes y los transformadores estaban además demasiado cerca, y tratar de pasar entre ellos, en un zepelín cargado de gas inflamable, habría sido mortal. El granizo, que caía sesgado, batía sobre la rígida carlinga del aparato, haciendo un ruido que casi lograba sofocar el estruendoso rugido de los potentes motores e impedía ver el suelo.

—¡Aquí es imposible! —gritó el piloto.

El padre MacPhail no quitó ojo al piloto mientras éste accionaba la palanca hacia delante y ajustaba la compensación de los motores. El zepelín remontó el vuelo bruscamente y se desplazó sobre la cima de la montaña. Las patas de luz se alargaron de repente, como tratando de alcanzar un lugar donde posarse, mientras sus extremos inferiores permanecían ocultos entre el remolino de lluvia y granizo.

—¿No puede aproximarse más a la planta generadora? —preguntó el presidente, inclinándose hacia delante para que el piloto pudiera oírle.

—No si quieren aterrizar —respondió el piloto.

—Sí, queremos aterrizar. De acuerdo, aterrice más abajo del cerro.

El piloto ordenó a la tripulación que se preparara para aterrizar. Puesto que el equipo que iban a descargar era tan pesado como delicado, era fundamental que la nave tomara tierra suavemente. El presidente apoyó la espalda en el asiento, tamborileando con los dedos sobre el brazo del mismo y mordiéndose los labios, pero sin decir palabra y dejando que el piloto realizara tranquilamente su trabajo.

Lord Roke observaba desde su escondite en los tabiques transversales situados al fondo de la cabina. Durante el vuelo, su diminuta y escurridiza forma había pasado varias veces detrás de la tela metálica, claramente visible para cualquiera que hubiera vuelto la cabeza en aquel momento. Pero para enterarse de lo que ocurría, había tenido que situarse en un lugar donde podían descubrir su presencia. Era un riesgo inevitable.

El pequeño espía avanzó un poco, aguzando el oído para escuchar entre el rugido de los motores, el estruendo del granizo y la lluvia, el penetrante aullido del viento que agitaba los cables y las pisadas sobre plataformas metálicas de pies calzados con pesadas botas. El ingeniero de vuelo gritó unas cifras al piloto, que las confirmó. Lord Roke se ocultó en la sombra, sujetándose a los montantes y costados del aparato cada vez que éste daba una sacudida al descender o inclinarse bruscamente.

Por fin, intuyendo por el movimiento de la nave que ésta se hallaba casi afianzada en tierra, el gallivespiano retrocedió a través del revestimiento metálico de la cabina hasta alcanzar los asientos situados a estribor.

A través de la cabina había un incesante desfile de gente en uno y otro sentido: miembros de la tripulación, técnicos, sacerdotes. Muchos de sus daimonions eran perros, como el suyo, rebosantes de curiosidad. La señora Coulter estaba sentada al otro lado del pasillo, despierta y en silencio, mientras su daimonion dorado lo observaba todo desde su regazo, rezumando malicia.

Lord Roke esperó el momento indicado para echar a correr hacia el asiento de la señora Coulter, y unos instantes después se aposentó en su hombro, que estaba en sombras.

—¿Qué hacen? —murmuró ella.

—Aterrizar. Estamos cerca de la planta generadora.

—¿Va a quedarse junto a mí, o a trabajar por su cuenta? —inquirió la señora Coulter.

—Me quedaré junto a usted. Tendré que ocultarme debajo de su abrigo.

La señora Coulter lucía un grueso abrigo forrado de piel de cordero que le daba un calor espantoso en la caldeada cabina, pero como iba esposada no podía quitárselo.

—Apresúrese —dijo ella, echando un vistazo a su alrededor.

Lord Roke se ocultó en su pecho, concretamente en un bolsillo forrado de piel donde estaba a salvo. El mono dorado ajustó solícito el cuello de seda de la señora Coulter, como un avezado modisto atendiendo a su modelo favorita, al tiempo que se aseguraba de que lord Roke quedaba bien oculto entre los pliegues del abrigo.

Justo en ese momento, un soldado armado con un rifle apareció para ordenar a la señora Coulter que descendiera del aparato.

—¿Es preciso que lleve estas esposas? —preguntó ella.

—No me han indicado que se las quite —respondió el soldado—. Levántese, haga el favor.

—Me cuesta moverme si no puedo agarrarme a algún sitio —replicó la señora Coulter—. Tengo agujetas. Me he pasado todo el día sentada aquí sin moverme. Sabe muy bien que no llevo armas, porque ya me ha registrado. Vaya a preguntar al presidente si es necesario que siga esposada. ¿Es que piensan que voy a escaparme en este remoto y desolado lugar?

Lord Roke era inmune a los encantos de la señora Coulter, pero le fascinaba el efecto que les producía a otros. El soldado era joven: hubieran hecho bien en enviar a un viejo zorro.

—Bueno —dijo el soldado—, estoy seguro de que comprenderá que no puedo hacer lo que no me han ordenado que haga. Póngase en pie, por favor. No se preocupe, señora, si tropieza yo la sostendré.

La señora Coulter se levantó con dificultad y avanzó torpemente. Lord Roke supuso que su torpeza era fingida, pues era el ser humano más grácil que había conocido en su vida. Cuando llegaron a la pasarela, lord Roke observó que ella tropezaba y lanzaba una exclamación de temor. El soldado se apresuró a sostenerla del brazo. También percibió un cambio en los sonidos que les rodeaban: el aullido del viento, los motores girando para generar energía para las luces, unas voces cerca impartiendo órdenes.

Al bajar por la pasarela, la señora Coulter se apoyó en el soldado. Hablaba en voz baja y lord Roke apenas consiguió oír la respuesta del joven.

—El que tiene las llaves es el sargento, ese que está junto a aquella caja tan grande. Pero no me atrevo a pedírselas, señora. Lo lamento.

—¡Qué le vamos a hacer! —exclamó la señora Coulter con un seductor suspiro de resignación—. Gracias de todos modos.

Lord Roke oyó los pasos de unos pies calzados con botas que se alejaban sobre la roca.

—¿Ha oído lo de las llaves? —murmuró la señora Coulter.

—Dígame dónde está el sargento. Necesito saber el lugar y la distancia a la que se encuentra.

—A unos diez pasos. A la derecha. Es un hombre corpulento. Lleva un manojo de llaves colgado del cinturón.

—Necesito saber qué llave es. ¿Se fijó cuando le colocaron las esposas?

—Sí. Es una llave pequeña y gruesa, con una tira de cinta adhesiva negra en torno a ella.

Lord Roke descendió sujetándose al espeso pelo de cordero del abrigo hasta alcanzar el dobladillo, situado a la altura de las rodillas de la señora Coulter. Entonces, sin soltarse, miró en torno.

Habían instalado un reflector que proyectaba un potente haz luminoso sobre las húmedas rocas. Pero al mirar hacia abajo, buscando unas sombras, el gallivespiano observó que una ráfaga de viento inclinaba el reflector de costado. Luego oyó unas voces y la luz se apagó de repente.

Lord Roke saltó al suelo y echó a correr a través de la torrencial lluvia hacia el sargento, quien se precipitó hacia delante para impedir que el reflector cayera al suelo.

En la confusión, lord Roke se arrojó sobre la pierna del corpulento sargento cuando éste pasó junto a él, agarró el tejido de algodón con estampado de camuflaje de la pernera —empapada debido a la lluvia— y le clavó el espolón en la carne, justo encima de la bota.

El sargento lanzó un gemido y cayó torpemente, agarrándose la pierna, resollando y gritando para pedir socorro. Lord Roke se alejó de un salto para no ser aplastado por el cuerpo del hombretón al desplomarse.

Nadie había advertido nada: el ruido del viento, de los motores y el granizo habían sofocado los gritos del hombre, y en la oscuridad no vieron su cuerpo. Pero había otros hombres cerca, y lord Roke tenía que actuar con rapidez. Se colocó de un salto junto al sargento postrado en el suelo. El manojo de llaves yacía en un charco de agua helada, y fue separando los grandes pedazos de acero, gruesos como su brazo y la mitad de largos que él, hasta dar con la llave rodeada por una cinta adhesiva negra. Luego tuvo que vérselas con el cierre del llavero y el constante riesgo del granizo, que para un gallivespiano era mortal pues caían unos bloques de hielo grandes como sus dos puños.

—¿Está usted bien, sargento? —preguntó de pronto una voz junto a él.

El daimonion del soldado soltó un gruñido y husmeó el del sargento, que no salía de su estupor. Sin perder tiempo, lord Roke dio un salto y asestó una patada al soldado, que cayó junto al sargento.

Tras no pocos esfuerzos, tirando, resoplando y peleándose con el llavero, lord Roke consiguió abrirlo. Luego tuvo que retirar las otras seis llaves para desprender la que estaba rodeada por cinta adhesiva negra. Enseguida volverían a instalar el reflector, pero incluso en la penumbra descubrirían a aquellos dos hombres tendidos en el suelo, inconscientes...

Justo cuando lord Roke logró extraer la llave, se oyó una sonora exclamación. Haciendo acopio de todas sus fuerzas, el pequeño espía arrastró como pudo el macizo pedazo de acero y logró ocultarse junto a una pequeña piedra en el preciso instante en que aparecieron unos pies enormes y unas voces pidieron luz a gritos.

—¿Les han disparado?

—Yo no he oído nada...

—¿Aún respiran?

El reflector, que habían conseguido enderezar y afianzar en el suelo, volvió a encenderse. Lord Roke quedó al descubierto, como un zorro iluminado por los faros de un coche. El gallivespiano se quedó inmóvil, mirando en todas direcciones, y cuando tuvo la certeza de que todo el mundo tenía concentrada la atención en los dos hombres que habían sido abatidos tan misteriosamente, cargó la llave sobre su hombro y echó a correr, sorteando los charcos y los cantos rodados hasta alcanzar a la señora Coulter.

Un segundo más tarde la señora Coulter abrió las esposas y las depositó en el suelo sin hacer ruido. Lord Roke saltó al dobladillo de su abrigo y trepó hasta su hombro.

—¿Dónde está la bomba? —susurró al oído de la señora Coulter.

—La están descargando. Está en aquella caja grande que hay allí en el suelo. Yo no puedo hacer nada hasta que la saquen, y luego ya veremos...

—De acuerdo —respondió lord Roke—. Corra. Ocúltese. Yo me quedaré aquí para vigilar. ¡Corra!

Seguidamente descendió por la manga de la señora Coulter y saltó al suelo. Ella se alejó sigilosamente de la luz, al principio despacio para no llamar la atención del guarda. Luego se agachó y echó a correr ladera arriba, a través de la lluvia y envuelta en la densa oscuridad. El mono dorado se adelantó para explorar el terreno.

La señora Coulter oyó a sus espaldas el continuo zumbido de los motores, los gritos confusos, la potente voz del presidente tratando de imponer un poco de orden en la escena. Recordó la larga y angustiosa alucinación que había sufrido al clavarle el caballero Tialys su espolón; no envidiaba el despertar que iban a tener aquellos dos hombres.

La señora Coulter siguió trepando sobre las húmedas rocas, y poco después lo único que vio tras ella fue el oscilante resplandor del reflector que se reflejaba en la·abultada panza del zepelín. El reflector se apagó entonces de nuevo y la señora Coulter sólo percibió el ruido de los motores, que en vano trataba de sofocar el rugido del viento y el estruendo de la catarata que se precipitaba por la ladera.

Los ingenieros de la central hidroambárica, situados precariamente sobre el desfiladero, se esforzaban en llevar un cable de energía hasta la bomba.

El problema para la señora Coulter no era cómo salir viva de aquella situación sino cómo sacar el pelo de Lyra de la bomba antes de que la detonaran. Lord Roke había quemado el rizo extraído del medallón después de que la señora Coulter fuera arrestada, dejando que el viento transportara las cenizas hacia el cielo nocturno. Luego se había dirigido hacia el laboratorio y había observado cómo colocaban el resto del pequeño mechón dorado oscuro de la niña en la cámara de resonancia antes de preparar la bomba. Lord Roke sabía con exactitud dónde se encontraba el rizo, y cómo abrir la cámara, pero la intensa luz y las relucientes superficies del laboratorio, así como el constante ir y venir de los técnicos, le habían impedido pasar a la acción.

Por consiguiente tendría que retirar el mechón después de que prepararan la bomba para ser detonada.

Esto era mucho más complicado, debido a lo que el presidente se proponía hacer con la señora Coulter. La energía de la bomba partía del corte del vínculo entre el humano y el daimonion, lo cual implicaba el terrible proceso de escisión: las jaulas de alambre, la guillotina plateada.

El presidente iba a cortar el vínculo vital entre la señora Coulter y el mono dorado, y utilizar la energía liberada por ese proceso para destruir a la hija de la señora Coulter. Ella y Lyra perecerían por el medio que ella misma había inventado. La señora Coulter pensó que aquello no dejaba de ser una ironía.

Su única esperanza era lord Roke. Pero en la conversación en voz baja que habían mantenido a bordo del zepelín, lord Roke le había explicado que no podía seguir utilizando continuamente sus espolones envenenados, pues cada vez que los clavaba en un enemigo la potencia del veneno disminuía y tardaba un día entero en volver a acumularse. Dentro de poco su arma principal perdería toda su fuerza, y entonces contarían sólo con su ingenio para salir de aquella situación.

La señora Coulter se instaló bajo el saliente de una roca, junto a las raíces de un abeto que crecía en la ladera, y echó un vistazo alrededor.

La central generadora se alzaba más arriba, a sus espaldas, en el borde del desfiladero, expuesta al ímpetu del vendaval. Los ingenieros estaban instalando unos reflectores que les facilitarían la tarea de llevar el cable hasta la bomba.

La señora Coulter oyó sus voces no lejos de donde ella se encontraba, impartiendo órdenes, y vio entre los árboles la oscilante luz de los reflectores. El cable, grueso como el brazo de un hombre, era arrastrado desde un gigantesco rollo instalado en un camión en la cima de la ladera, y a juzgar por la velocidad con que descendían a través de las rocas, tardarían menos de cinco minutos en alcanzar la bomba.

El padre MacPhail había reunido a los soldados junto al zepelín. Varios hombres montaban guardia, empuñando sus rifles y escrutando la oscuridad empañada de granizo, mientras otros abrían la caja de madera que contenía la bomba y la preparaban para recibir el cable. La señora Coulter la vio con claridad a la luz de los reflectores, empapada de lluvia, un espeluznante amasijo de mecanismos y cables, ligeramente ladeada sobre el pedregoso terreno. Oyó el chisporroteo y el zumbido de alta tensión de los reflectores, cuyos cables se balanceaban agitados por el viento, dispersando la lluvia y arrojando unas sombras que trepaban sobre las rocas y brincaban por la ladera, como un esperpéntico juego de saltar a la comba.

La señora Coulter conocía de sobra una parte de la estructura: las jaulas de alambre y la cuchilla plateada que se alzaba sobre ellas, las cuales estaban instaladas en un extremo del aparato.

El resto lo desconocía por completo: no entendía el principio que accionaba los cables, las válvulas, los aisladores, los complicados tubos. No obstante, en algún lugar de aquel complejo artilugio se hallaba el pequeño mechón de pelo del que dependía el éxito de la operación.

A su izquierda, la ladera se sumía en la oscuridad, y más abajo se percibía el resplandor blanco y el sonido atronador de la catarata de Saint-Jean-les-Eaux.

De pronto se oyó una sonora exclamación. Un soldado dejó caer el rifle y avanzó unos pasos trastabillando, hasta caer de bruces en el suelo, pataleando y gimiendo de dolor.

El presidente alzó la vista al cielo, se llevó las manos a la boca y lanzó un grito penetrante.

¿Pero qué hacía?

La señora Coulter no tardó en averiguarlo. Vio llena de estupefacción cómo una bruja descendía por los aires y aterrizaba junto al presidente.

—¡Busca por los alrededores! —gritó éste para hacerse oír entre el rugido del viento—. Hay una extraña criatura que ayuda a esa mujer. Ha atacado a varios de mis hombres. Tú puedes ver a través de la oscuridad. ¡Mátalo cuando lo encuentres!

—Se aproxima algo —dijo la bruja, y la señora Coulter percibió sus palabras con toda claridad desde su refugio—. Lo veo en el norte.

—No te preocupes de eso. Busca a esa criatura y mátala —repitió el presidente—. No puede andar muy lejos. Y busca también a la mujer. ¡Date prisa!

La bruja se elevó de nuevo por los aires.

De pronto el mono agarró la mano de la señora Coulter y señaló algo.

Allí estaba lord Roke, postrado en el suelo, en una zona cubierta de musgo, a la intemperie. ¿Cómo no lo había visto ella? Algo malo debía de haberle sucedido, porque no se movía.

—Ve y tráelo aquí —dijo la señora Coulter.

El mono echó a correr hacia la zona musgosa donde yacía el pequeño espía, ocultándose detrás de las rocas para no ser visto. Al cabo de unos segundos tenía el pelo empapado y pegado al cuerpo. Esto hacía que pareciera más pequeño y lo convertía en un blanco menos fácil de detectar, aunque seguía expuesto a ser descubierto.

Entretanto, el padre MacPhail se hallaba absorto con los preparativos de la bomba. Los ingenieros de la central generadora habían llevado el cable hasta ella y los técnicos se afanaban en asegurar las abrazaderas y preparar los terminales.

La señora Coulter se preguntó qué haría el presidente ahora que su víctima había escapado. De pronto éste se volvió y ella vio su expresión. Era tan concentrada e intensa que parecía más una máscara que un hombre. Movía los labios como si rezara en silencio y tenía los ojos desmesuradamente abiertos y sin pestañear, pese a la lluvia que caía. Parecía la sombría pintura española de un santo sumido en el éxtasis del martirio.

La señora Coulter se estremeció de miedo al darse cuenta de lo que se proponía hacer: iba a sacrificarse. La bomba estallaría tanto si formaba parte de ella como si no.

El mono dorado siguió corriendo de roca en roca hasta llegar al lugar donde se encontraba lord Roke.

—Tengo la pierna izquierda rota —dijo el gallivespiano—. El último hombre me pisó. Escucha con atención...

Mientras el mono le apartaba de la luz de los reflectores, lord Roke le explicó dónde se encontraba la cámara de resonancia y cómo abrirla. Se hallaban prácticamente ante los ojos de los soldados, pero el daimonion se alejó paso a paso, ocultándose entre las sombras, llevando en brazos al pequeño espía.

La señora Coulter, que observaba la escena mordiéndose los labios, notó una ráfaga de aire y un impacto, no en su cuerpo sino en el abeto. Una flecha se clavó en el tronco, a menos de un palmo de su brazo izquierdo. Ella se apartó inmediatamente, antes de que la bruja disparara otra flecha, y rodó ladera abajo hacia donde se encontraba el mono.

A partir de entonces los acontecimientos se sucedieron a un ritmo vertiginoso: se oyeron unos disparos y sobre la ladera se alzó una acre nube de humo, aunque la señora Coulter no vio ninguna llama. El mono dorado, al observar que atacaban a la señora Coulter, dejó a lord Roke en el suelo y corrió a defenderla en el preciso instante en que la bruja se precipitaba sobre ella cuchillo en ristre. Lord Roke se refugió junto a la roca más cercana mientras la señora Coulter trataba de librarse de la bruja. Ambas pelearon con furia entre las rocas, al tiempo que el mono dorado se dedicaba a arrancar todas las agujas de la rama de pino-nube de la bruja.

Mientras tanto, el presidente trataba de meter en la jaula de alambre más pequeña a su daimonion, que no dejaba de revolverse, gritar y propinarle patadas y mordiscos. Pero al fin consiguió quitárselo de encima de un manotazo y cerró rápidamente la puerta de la jaula. Entretanto, los técnicos ultimaban los preparativos, comprobando los cronómetros e indicadores.

De improviso apareció una gaviota, que se lanzó con un agudo chillido sobre el gallivespiano y lo aferró con sus patas. Por más que lord Roke se debatió furiosamente, el ave lo sujetó con fuerza. Al cabo de unos instantes la bruja consiguió soltarse de manos de la señora Coulter, agarró la maltrecha rama de pino y alzó el vuelo para reunirse con su daimonion.

La señora Coulter se precipitó hacia la bomba, con el humo atacándole la nariz y la garganta como zarpazos. ¡Era gas lacrimógeno! Casi todos los soldados habían caído o se habían alejado a rastras y medio asfixiados (la señora Coulter se preguntó de dónde vendría aquel gas), pero a medida que el viento lo dispersó, los hombres empezaron a recobrarse. La abultada panza nervada del zepelín se erguía sobre la bomba; sus cables oscilaban sacudidos por el viento y sus costados plateados aparecían empañados de humedad.

De pronto sonó un ruido en lo alto que perforó los tímpanos de la señora Coulter: un grito tan agudo y angustioso que incluso el mono dorado se abrazó a ella aterrorizado. Unos segundos más tarde la bruja, un amasijo de piernas y brazos blancos, seda negra y ramas verdes, cayó a los pies del padre MacPhail, rompiéndose los huesos al chocar contra el suelo pedregoso.

La señora Coulter se acercó corriendo para comprobar si lord Roke había sobrevivido a la caída. Pero el gallivespiano estaba muerto. Su espolón derecho se hallaba clavado en el cuello de la bruja. Ésta, a quien apenas le quedaba un soplo de vida, movió los labios de forma espasmódica.

—Se aproxima... algo... otra cosa... —farfulló.

No tenía sentido. El presidente pasó sobre el cadáver de la bruja y se dirigió hacia la jaula más grande. Su daimonion no cesaba de corretear alrededor de la otra, arañando con sus pequeñas garras el alambre plateado e implorando misericordia.

El mono dorado se precipitó sobre el padre MacPhail, pero no para atacarlo, sino para encaramarse sobre sus hombros y alcanzar el centro neurálgico de los cables y tubos: la cámara de resonancia. El presidente trató de impedírselo, pero la señora Coulter le agarró del brazo y lo contuvo. La mujer no veía nada debido a la lluvia torrencial y a la atmósfera impregnada de gas lacrimógeno.

Los disparos no cesaban. ¿Qué demonios pasaba?

Los reflectores oscilaban tan violentamente bajo el viento que nada parecía estable, ni siquiera las rocas negras de la ladera. El presidente y la señora Coulter estaban enzarzados en una pelea feroz a base de arañazos, puñetazos, mordiscos y tirones del pelo. Ella estaba cansada y él era más fuerte, pero se sentía tan desesperada como él y a punto estuvo de derribarlo. Sin embargo una parte de su mente estaba concentrada en lo que hacía su daimonion, que accionaba furiosamente con sus patas negras los mecanismos, tirando de las palancas en un sentido y en otro, haciéndolas girar, manipulando...

De pronto la señora Coulter sintió un golpe en la sien y cayó al suelo, aturdida. El presidente echó a correr sangrando hacia la jaula y se metió en ella, cerrando la puerta tras de sí.

El mono consiguió abrir por fin la cámara —una puerta de cristal que se movía sobre unos pesados goznes— y alargó la mano para apoderarse del mechón de pelo, sujeto por una grapa provista de unas almohadillas de goma. ¡Otro artilugio que debía abrir! Tras incorporarse con manos temblorosas, la señora Coulter comenzó a sacudir la jaula de alambre plateada con todas sus fuerzas sin apartar la vista de la cuchilla que se cernía sobre ella, de los relucientes terminales, del hombre encerrado en el interior de la misma... Mientras el mono intentaba con todas sus fuerzas aflojar la grapa metálica, el presidente —su rostro una máscara de sombría satisfacción— unía y torcía un puñado de cables.

Se produjo un intenso destello blanco, se oyó un tremendo cata-crac y el mono saltó por los aires. Junto con él se elevó una nubecilla dorada. ¿El mechón de Lyra? ¿El pelo del animal? Fuera lo que fuere, no tardó en desaparecer engullido por la oscuridad. La mano derecha de la señora Coulter, aferrada al alambre de la jaula, se movía convulsivamente al tiempo que ella permanecía semipostrada, con el corazón y las sienes latiéndole con violencia.

Pero su vista había experimentado un asombroso cambio. Sus ojos eran capaces de apreciar hasta los más ínfimos pormenores y estaban concentrados en el detalle más importante del universo: un solo pelo dorado adherido a una de las almohadillas de goma de la grapa instalada en la cámara de resonancia.

La señora Coulter lanzó un alarido de angustia y sacudió la jaula, intentando desprender el pelo con las pocas fuerzas que le quedaban. El presidente se pasó las manos por la cara para enjugarse las gotas de lluvia. Movía la boca como si hablara, pero ella no oyó una palabra de lo que decía. Desesperada e impotente, la señora Coulter trató en vano de desgarrar el alambre de la jaula y se arrojó contra el artilugio, al tiempo que el presidente unía dos cables y se producía la fatídica chispa. La resplandeciente cuchilla plateada cayó silenciosamente.

Se produjo un estallido, pero la señora Coulter no sintió nada

Luego notó que la alzaban unas manos, las de lord Asriel. Ya nada podía asombrarla. El artefacto intencional se hallaba junto a él, sobre la ladera, en perfecto estado. Lord Asriel la tomó en brazos y la trasladó hasta el aparato, haciendo caso omiso de las detonaciones, de la densa humareda, de los gritos de alarma y de la confusión.

—¿Está muerto? ¿Ha estallado la bomba? —inquirió la señora Coulter.

Lord Asriel se sentó junto a ella, seguido por la onza, que sostenía en la boca al mono dorado, semiinconsciente. Lord Asriel empuñó los controles y el aparato despegó de inmediato. La señora Coulter contempló la ladera con los ojos nublados por el dolor. Los hombres corrían de un lado para otro como hormigas; algunos yacían muertos, otros se arrastraban como podían sobre las rocas. El gigantesco cable de la central generadora, el único objeto útil que quedaba, se extendía a través del caos hasta la bomba, donde el cadáver del presidente yacía como un pelele dentro de la jaula.

—¿Lord Roke? —preguntó lord Asriel.

—Ha muerto —dijo la señora Coulter con voz débil.

Lord Asriel pulsó un botón y lanzó una llamada hacia el zepelín, que oscilaba sacudido por el viento. Unos instantes después el aparato se transformó en una rosa blanca de fuego que envolvió al artefacto intencional, el cual permaneció suspendido, inmóvil e intacto, en el centro de la misma. Lord Asriel accionó los mandos de la nave y ésta se alejó despacio mientras él y la señora Coulter observaban cómo el zepelín en llamas se desplomaba lentamente sobre la escena: la bomba, los cables, los soldados. El caótico amasijo de llamas y humo comenzó a rodar ladera abajo a gran velocidad, incendiando los árboles resinosos a su paso, hasta precipitarse en las límpidas aguas de la catarata y desaparecer en un oscuro remolino.

Lord Asriel accionó de nuevo los mandos y el artefacto intencional empezó a deslizarse hacia el norte. Pero la señora Coulter no podía apartar los ojos de la escena. Durante un buen rato contempló con los ojos inundados de lágrimas el fuego, hasta que quedó reducido a una línea vertical de color naranja que arañaba la oscuridad, envuelta en humo y vapor, y luego se desvaneció por completo.

26

El abismo

EL SOL HA ABANDONADO SU OSCURIDAD Y HA HALLADO UNA MAÑANA MÁS FRESCA, Y LA HERMOSA LUNA SE DELEITA CON LA NOCHE LÍMPIDA...

WILLIAM BLAKE

Había oscurecido, y la densa negrura oprimía los párpados de Lyra como si sobre éstos recayera el peso de un millar de toneladas de rocas. La única luz de que disponían procedía de la cola luminosa de la libélula de lady Salmakia, pero también comenzaba a desvanecerse, pues los pobres insectos no habían hallado comida en el mundo de los muertos y la libélula del caballero había muerto hacía poco.

Tialys estaba posado en el hombro de Will, y Lyra sostenía la libélula de lady Salmakia en las manos mientras ésta trataba de tranquilizar a la temblorosa criatura susurrándole unas palabras de consuelo y alimentándola con migas de galleta y con su sangre. Si Lyra la hubiera visto hacer eso habría ofrecido al insecto su propia sangre pues poseía más que la diminuta espía, pero tenía centrada su atención en dónde ponía los pies y en evitar chocar con el techo de roca.

La arpía llamada Sin Nombre les había introducido en un laberinto de cuevas que, según afirmó, les conduciría al punto más próximo en el mundo de los muertos desde el que podrían abrir una ventana a otro mundo. Les seguía una interminable columna de fantasmas. El túnel estaba repleto de voces, pues los que encabezaban la comitiva animaban a los rezagados, los valientes alentaban a los temerosos y los ancianos daban esperanzas a los jóvenes.

—¿Falta mucho, Sin Nombre? —preguntó Lyra en voz baja—. Porque esta pobre libélula se está muriendo y su luz se desvanece.

La arpía se detuvo y se volvió hacia Lyra.

—Tú limítate a seguirme —replicó—. Si no ves, escucha. Si no oyes, utiliza el sentido del tacto.

Sus ojos resplandecían en la penumbra. Lyra movió la cabeza en señal de asentimiento.

—De acuerdo, lo haré —dijo—. Pero no soy tan fuerte como era, ni muy valiente. Te seguiré, todos te seguiremos. Por favor, no te pares, Sin Nombre.

La arpía dio media vuelta y siguió adelante. La luz de la libélula se disipaba por momentos y Lyra comprendió que no tardaría en apagarse del todo.

Pero mientras avanzaba trastabillando, oyó junto a ella una voz conocida.

—Lyra... Lyra, hija mía...

La niña se volvió.

—¡Señor Scoresby! —exclamó alborozada—. ¡Cuánto me alegra oír su voz! ¡Y también puedo verlo! ¡Ojalá pudiera tocarlo!

En la débil luz de la cueva, Lyra distinguió la delgada figura y la sonrisa irónica del aeronauta tejano. Alargó la mano impulsivamente, pero fue en vano.

—Yo también me alegro de verte, bonita. Pero escucha: fuera están tramando algo malo, algo contra ti. No me preguntes más detalles. ¿Ese chico es el de la daga?

Will miró intrigado al viejo compañero de Lyra, pero enseguida apartó la vista de Lee para fijarse en el fantasma que tenía a su lado. Lyra, que lo reconoció de inmediato, contempló maravillada aquella versión adulta de Will: la misma mandíbula prominente, el porte erguido...

Will se quedó mudo de asombro.

—Presta atención —dijo su padre—. No hay tiempo para hablar de ello. Haz lo que te digo. Utiliza la daga para localizar un lugar donde han cortado un mechón de pelo de Lyra.

Su tono era apremiante y Will no perdió tiempo con preguntas. Lyra, con los ojos desorbitados de terror, sostuvo la libélula con una mano mientras con la otra se palpaba el pelo.

—Aparta la mano, no veo nada —le ordenó Will.

Pese a la tenue luz, Will vio sobre la sien izquierda de Lyra una pequeña zona de cabello más corto que el resto.

—¿Quién lo hizo? —preguntó Lyra—. Y...

—Silencio —le instó Will. Luego se volvió hacia el fantasma de su padre y preguntó—: ¿Qué debo hacer?

—Córtale esos pelos más cortos hasta la raíz y tómalos todos con cuidado. No te dejes ninguno. Luego abre una ventana a otro mundo, el que sea, introduce los pelos por ella y vuelve a cerrarla. Hazlo ahora mismo.

La arpía observaba la escena con atención. Los fantasmas se habían agolpado alrededor de ellos. Lyra distinguió en la penumbra sus enjutos rostros. Se mordió el labio, asustada y perpleja, mientras Will hacía lo que le había ordenado su padre. Acercó el rostro iluminado por el débil resplandor que emitía la libélula a la punta del cuchillo y cortó un pequeño espacio en la roca que daba a otro mundo. Luego introdujo todos los cabellos dorados a través de la ventana y colocó de nuevo la roca en su lugar antes de cerrarla.

Entonces el suelo comenzó a temblar y oyeron un ruido rechinante, como si el centro de la Tierra girara sobre sí mismo como si se tratara de un gigantesco molino. Del techo del túnel se desprendieron unos fragmentos de roca. El suelo se inclinó de pronto. Will agarró a Lyra y los dos niños se abrazaron mientras la roca temblaba y se desplazaba bajo sus pies. Alrededor caían unas piedras que les golpeaban las piernas y los pies.

Los dos niños, que trataban de proteger a los gallivespianos, se acuclillaron y taparon la cabeza con las manos. De pronto un violento movimiento deslizante les desplazó hacia la izquierda. Will y Lyra se abrazaron con fuerza; estaban tan atónitos y aterrorizados que ni siquiera gritaron. En sus oídos resonaba el estruendo de miles de toneladas de roca que se desprendían y rodaban por el suelo junto a ellos.

Por fin cesó el temblor de tierra, pero seguían cayendo fragmentos de roca que rodaban por una pendiente que unos instantes antes no existía. Lyra yacía sobre el brazo izquierdo de Will. Éste se palpó el cinturón con la mano derecha: la daga seguía allí.

—¿Tialys? ¿Salmakia? —preguntó Will con voz trémula.

—Estamos aquí, vivitos y coleando —respondió el caballero junto a su oído.

El aire estaba impregnado de polvo y del olor a cordita que desprendían los fragmentos de roca. Les costaba respirar y no veían nada, pues la libélula había muerto.

—¿Señor Scoresby? —dijo Lyra—. No vemos nada... ¿Qué ha ocurrido?

—Estoy aquí —contestó Lee, cerca de ellos—. Supongo que ha estallado la bomba pero que no ha alcanzado su objetivo.

—¿Una bomba? —murmuró Lyra asustada, pero enseguida se repuso—. ¿Estás ahí, Roger?

—Sí —respondió el niño con un hilo de voz—. Me salvó el señor Parry. Estaba a punto de despeñarme y me sujetó.

—Mira —dijo el fantasma de John Parry—. Pero agárrate a la roca y no te muevas.

El polvo comenzó a disiparse y apareció una luz, un extraño resplandor dorado, como una lluvia luminosa y brumosa que caía alrededor de ellos. Les alarmó su intensidad pues iluminaba la zona que quedaba a su izquierda, el lugar donde caía, o fluía, como un río precipitándose sobre el borde de una cascada.

Era un abismo vasto y negro, como un pozo excavado en la oscuridad más insondable. La luz dorada se sumergía en él para luego desvanecerse. Will y Lyra distinguieron el otro lado del mismo, pero estaba tan lejos que Will no habría podido alcanzarlo de una pedrada. A su derecha vieron una pendiente cubierta de pedruscos poco asentados en el terreno que se alzaba hacia la polvorienta penumbra.

Los niños y sus acompañantes se sujetaban a lo que ni siquiera era un saliente, sino unos meros apoyos para las manos y los pies, en el borde del abismo. La única salida era seguir avanzando por la pendiente entre los cantos rodados y fragmentos de roca, los cuales daban la impresión de que al menor roce echarían a rodar por la pendiente.

Detrás de ellos, a medida que el polvo se fue disipando, aparecieron más y más fantasmas que contemplaban horrorizados el abismo. Algunos permanecían acuclillados sobre la ladera, tan aterrorizados que no podían moverse. Las únicas que no manifestaban temor alguno eran las arpías. Revoloteaban sobre el abismo, surcando el aire hacia delante y hacia atrás, retrocediendo para tranquilizar a los que seguían dentro del túnel, adelantándose para buscar una salida.

Lyra comprobó que su aletiómetro estaba intacto. Miró alrededor, conteniendo el miedo, y no tardó en localizar la carita de Roger.

—Ánimo —dijo—, estamos todos juntos y no hemos sufrido ningún daño. Y podemos ver. Sigue avanzando, no te pares. El único camino que podemos tomar es por el borde de este... —Lyra señaló el abismo—. Es preciso seguir avanzando. Te juro que Will y yo seguiremos adelante hasta donde sea. No tengas miedo, no te rindas, no te quedes rezagado. Díselo a los otros. Yo no puedo volverme continuamente porque temo dar un paso en falso, así que tengo que fiarme de que tú y los otros me seguís, ¿de acuerdo?

El pequeño fantasma asintió con la cabeza, y la columna de muertos emprendió en aterrorizado silencio su marcha por el borde del abismo. Ni Lyra ni Will sabían con exactitud cuánto tiempo les llevó, y jamás olvidaron los tremendos peligros que tuvieron que afrontar. La oscuridad que se abría a sus pies era tan profunda que atraía su atención, y cada vez que la contemplaban se sentían mareados. Cuando lograban apartar la vista del abismo la fijaban al frente, en una roca, en un saliente, en una pendiente cubierta de grava; pero el precipicio les atraía de forma tentadora e irremisible, y cada vez que lo contemplaban perdían el equilibrio, la cabeza les daba vueltas y unas terribles náuseas les atenazaban la garganta.

De vez en cuando los vivos se volvían y veían la interminable y serpenteante fila de muertos que surgían por la estrecha abertura a través de la que ellos habían salido hacía un rato: madres que estrechaban las cabecitas de sus bebés contra su pecho, ancianos que caminaban lentamente, chicos y chicas de la edad de Roger que avanzaban con decisión y cautela. Formaban una inmensa multitud... Y todos seguían a Will y a Lyra, o eso pensaban ellos, hacia el aire libre.

Pero algunos no se fiaban de ellos y los seguían muy de cerca. Los dos niños sintieron sus gélidas manos sobre sus corazones y sus entrañas y les oyeron murmurar, enojados:

—¿Dónde está el mundo superior? ¿Falta mucho?

—¡Tenemos miedo!

—No debíamos haber venido. Al menos en el mundo de los muertos disponíamos de un poco de luz y compañía. ¡Esto es mucho peor!

—¡Cometisteis un error al venir a nuestra tierra! ¡Deberíais haberos quedado en vuestro mundo y esperar a morir en lugar de venir a importunarnos!

—¿Con qué derecho os habéis erigido en nuestros líderes? ¡No sois más que unos niños! ¿Quién os ha conferido esa autoridad?

Will quería retroceder y encararse con ellos, pero Lyra le agarró del brazo y lo contuvo. Le dijo que se sentían desgraciados y asustados.

En ese momento resonó a través del inmenso abismo la voz de lady Salmakia, clara y sosegada.

—¡Valor, amigos! ¡Permaneced juntos y seguid avanzando! El camino es duro, pero Lyra dará con él. Tened paciencia y confianza, y os sacaremos de aquí. ¡No temáis!

Lyra se sintió más animada al oír aquellas palabras, lo que era precisamente la intención de la pequeña espía. Así pues, continuaron avanzando con grandes esfuerzos.

—Will —dijo Lyra al cabo de unos minutos—, ¿oyes el viento?

—Sí, pero no lo noto —repuso Will—. Y te diré algo sobre ese agujero que hay allí abajo. Es como cuando hago una ventana con la daga. Tiene los mismos bordes. Esos bordes poseen una cualidad especial; una vez que los has palpado, ya no te olvidas. Los veo allá abajo, donde la roca se sumerge en la oscuridad. Pero ese gigantesco espacio no es un mundo como los otros. Es diferente. No me gusta nada. ¡Ojalá pudiera cerrarlo!

—No has cerrado todas las ventanas que has abierto.

—No, porque algunas no podía cerrarlas. Pero debí hacerlo. Puede ocurrir una desgracia si las dejas abiertas. Y una tan grande como ésa... —Will señaló hacia abajo, sin atreverse a mirar—. Me da repelús. Presiento que ocurrirá algo malo.

Mientras los dos niños hablaban, el caballero Tialys charlaba en voz baja, no lejos de allí, con los fantasmas de Lee Scoresby y John Parry.

—¿Pero qué dices, John? —preguntó Lee—. ¿Que no debemos salir al aire libre? No sé tú, pero yo estoy impaciente por regresar al mundo de los vivos.

—¡Y yo! —replicó el padre de Will—. Pero creo que si los que estamos acostumbrados a luchar permanecemos rezagados, podríamos combatir en el bando de Asriel. Y si la pelea se produjera en el momento oportuno, el resultado sería favorable.

—¿Unos fantasmas? —preguntó Tialys tratando de reprimir sin éxito su escepticismo—. ¿Cómo vais a luchar?

—No podemos herir a seres vivos, es cierto. Pero el ejército de Asriel también peleará contra otro tipo de seres.

—Los espantos —dijo Lee.

—Justo lo que yo pensaba. Sustituyen a un daimonion, ¿no es cierto? Y nuestros daimonions hace tiempo que desaparecieron. Vale la pena intentarlo, Lee.

—Estoy contigo, amigo mío.

—¿Y usted, señor? —preguntó el fantasma de John Parry al caballero—. He hablado con los fantasmas de sus congéneres. ¿Vivirá el tiempo suficiente para ver de nuevo el mundo, antes de morir y regresar como fantasma?

—Es cierto que nuestra vida es corta en comparación con la suya. Me quedan unos días de vida —respondió Tialys—, y a lady Salmakia quizás algunos más. Pero gracias a lo que hacen esos niños, nuestro exilio como fantasmas no será permanente. Me siento orgulloso de ayudarles.

La comitiva siguió adelante. El abominable abismo se extendía a lo largo de todo el trayecto. Un pequeño tropezón, un resbalón sobre los pedruscos, un paso en falso y caerían sin remisión, pensó Lyra, rodarían incesantemente por el precipicio y morirían de hambre antes de alcanzar el fondo, y sus pobres fantasmas rodarían hacia un vacío infinito, sin que nadie les ayudara, sin que nadie les echara una mano para sacarlos de allí, y seguirían rodando eternamente por el abismo, conscientes...

¡Eso sería mucho peor que el mundo silencioso y gris que se disponían a abandonar!

En aquel instante ocurrió una cosa extraña en la mente de Lyra. La idea de caerse por el precipicio le produjo vértigo y estuvo a punto de perder el equilibrio. No podía asir la mano de Will, pues éste se hallaba unos metros delante de ella, pero en aquellos momentos Lyra pensó más bien en Roger, y su corazón sintió una leve punzada de vanidad. En cierta ocasión, cuando estaban encaramados en el tejado del Colegio Jordan, ella desafió su vértigo y se deslizó hasta el canal de piedra para asustar a Roger.

Lyra se volvió para recordárselo. Era la Lyra que él había conocido, pensó Roger, grácil y audaz; no tenía necesidad de avanzar arrastrándose como un insecto.

—Ten cuidado, Lyra —dijo sin embargo el niño con voz susurrante—. Recuerda que no estás muerta como nosotros...

Ocurrió lentamente, pero Lyra no pudo hacer nada por evitarlo: trasladó su peso de un pie al otro, dio un resbalón y empezó a rodar por la pendiente. Al principio aquello le pareció irritante y cómico a la vez. ¡Qué tonta soy!, pensó Lyra. Pero al alargar la mano y no conseguir agarrarse a algo que frenara su caída, al notar que las piedras rodaban debajo de ella a medida que se deslizaba a gran velocidad hacia el borde del abismo, comprendió horrorizada que iba a despeñarse. ¡Nada podía evitar su caída! ¡Era demasiado tarde!

Su cuerpo se convulsionó de terror. Lyra no se percató de que los fantasmas se precipitaron en un intento de rescatarla, pero ella pasó rodando a través de ellos como una piedra a través de la niebla; no se dio cuenta de que Will gritó su nombre con tal fuerza que el eco resonó en todo el abismo. Su cuerpo rodó por la ladera como un torbellino, cada vez más deprisa, hacia el fondo del abismo... Algunos fantasmas, horrorizados, se taparon los ojos y gritaron con todas sus fuerzas.

A Will se le erizó el pelo de pánico como si hubiera experimentado una descarga eléctrica. Presenció angustiado e impotente cómo Lyra caía por el precipicio, sabiendo que no podía hacer nada por salvarla. Lanzó un desesperado e inútil alarido. Dentro de dos segundos, de un segundo, Lyra alcanzaría el borde. No podía detenerse, caía irremisiblemente...

De pronto surgió de la oscuridad aquella criatura cuyas garras habían arañado hacía poco el cuero cabelludo de Lyra, la arpía llamada Sin Nombre, dotada de alas y de un rostro de mujer. Esas mismas garras aferraron a la niña por la muñeca y juntas se precipitaron ladera abajo, pues la arpía apenas podía mover las alas debido al peso de Lyra, pero siguió batiéndolas, una y otra vez, incansable, sujetando a la niña con fuerza, y lenta y pesadamente transportó a Lyra a través de los aires, sacándola del abismo y depositándola, inerte y semiinconsciente, en brazos de Will.

El niño la estrechó contra su pecho, sintiendo los acelerados latidos de su corazón contra las costillas de Lyra. En aquellos momentos ella no era Lyra, y él no era Will; ella no era una niña, y él no era un niño. Eran los dos únicos seres humanos que se hallaban en aquel vasto abismo mortal. Los fantasmas se arracimaron en torno a ellos, murmurando unas palabras de ánimo. Junto a Will estaba su padre y Lee Scoresby, que también deseaban abrazar a Lyra. Tialys y Salmakia hablaron con Sin Nombre, llamándola la salvadora de todos ellos, alabando su proeza, su generosidad, su bondad.

En cuanto Lyra pudo moverse, extendió sus temblorosas manos, abrazó a la arpía y cubrió su grotesco rostro de besos. No podía decir nada. El pánico había sofocado sus palabras, su seguridad en sí misma, su vanidad...

Permanecieron inmóviles unos minutos. Cuando el tremendo susto que todos habían sufrido empezó a disiparse, reemprendieron la marcha. Will sujetó firmemente con su mano sana la de Lyra. Avanzaron con cautela, tentando el suelo con los pies antes de apoyarlos con firmeza, un proceso tan lento y fatigoso que temieron morir de agotamiento. Pero no podían descansar, no podían detenerse. ¿Cómo iban a detenerse con el terrorífico abismo que se abría a sus pies?

Cuando llevaban una hora de fatigosa marcha, Will le dijo a Lyra:

—Mira al frente. Creo que hay una salida.

La pendiente era más practicable e incluso podían trepar un poco y alejarse del borde del abismo. Y al mirar al frente creyeron divisar una abertura en el muro del precipicio. ¿Era posible que hubiera una salida?

Lyra miró a Will a los ojos, luminosos y rebosantes de vitalidad, y sonrió.

Siguieron avanzando, y a cada paso se iban alejando del abismo. Conforme trepaban el terreno era más firme y podían sujetarse con mayor firmeza, con lo que disminuía el peligro de caer o torcerse un tobillo.

—Me parece que hemos subido bastante —comentó Will—. Voy a utilizar la daga para ver si puedo localizar algún mundo.

—Todavía no —objetó la arpía—. Tenemos que subir un poco más. Éste no es un buen lugar para abrir una ventana. Hazlo más arriba.

Siguieron adelante en silencio, apoyando con cautela una mano, un pie, el peso del cuerpo, avanzando, apoyando una mano, un pie...Tenían los dedos desollados y las rodillas y las caderas molidas por el esfuerzo; estaban exhaustos y les dolía la cabeza de fatiga. Treparon los últimos metros hasta alcanzar el pie del precipicio, donde un estrecho desfiladero se perdía entre las sombras.

Lyra observó con los ojos nublados de dolor mientras Will sacaba la daga y trataba de localizar un lugar donde abrir una ventana, tentando el aire, retirando la daga, desplazándola, tentando de nuevo...

—¡Ya lo tengo! —declaró.

—¿Has encontrado un espacio abierto?

—Creo que sí...

—Espera un momento, Will —dijo el fantasma de su padre—. Escúchame.

Will dejó la daga y se volvió. Los peligros y las dificultades a los que había tenido que hacer frente para avanzar por el precipicio le habían impedido pensar en su padre, pero se alegró al comprobar que estaba allí. De pronto se dio cuenta de que iban a separarse por última vez.

—¿Qué pasará cuando salgas al espacio abierto? —preguntó Will—. ¿Desaparecerás sin más?

—Aún no. Al señor Scoresby y a mí se nos ha ocurrido una idea. Algunos de nosotros nos quedaremos aquí durante un tiempo y queremos que nos facilitéis el acceso al mundo de lord Asriel, porque quizá necesite nuestra ayuda. Además —prosiguió el padre de Will con tono sombrío, mirando a Lyra—, si queréis hallar a vuestros daimonions vosotros también tendréis que trasladaros al mundo de lord Asriel, porque allí es donde se encuentran.

—¿Pero cómo sabe usted que nuestros daimonions están en el mundo de mi padre, señor Parry? —preguntó Lyra.

—Cuando yo vivía era un chamán. Aprendí a ver muchas cosas. Consulta a tu aletiómetro y te confirmará lo que acabo de decir. Pero os diré una cosa sobre los daimonions que no debéis olvidar —dijo John Parry con voz tensa y enfática—. El hombre que conocisteis como sir Charles Latrom tenía que regresar periódicamente a su mundo, no podía vivir en el mío de forma permanente. Los filósofos de la Corporación de la Torre degli Angeli, que se desplazaron entre varios mundos durante trescientos años o más, también comprobaron ese hecho, debido al cual su propio mundo se fue debilitando y deteriorando poco a poco.

»Fijaos en lo que me ocurrió a mí. Yo era un soldado, un oficial de los marines, y me ganaba la vida como explorador. Estaba tan sano y en forma como puede estarlo un ser humano. Pero un día abandoné mi mundo por accidente y no conseguí regresar a él. Hice muchas cosas y aprendí mucho en el mundo en el que estaba, pero diez años después de llegar a él contraje una enfermedad mortal.

»Y éste es el motivo de todas esas cosas: vuestros daimonions sólo puede vivir con plenitud en el mundo donde yo nací. En otros lugares acabarán enfermando y morirán. Podemos viajar entre varios mundos si hallamos la forma de penetrar en ellos, pero sólo podemos vivir en el nuestro. La gran empresa de lord Asriel acabará fracasando por la misma razón: debemos construir la república del cielo donde nos encontremos, porque para nosotros no existe otro lugar.

»Will, hijo, y tú, Lyra, podéis salir y tomaros un breve descanso, que tenéis más que merecido. Pero luego debéis reuniros con el señor Scoresby y conmigo en este tenebroso lugar para emprender un último viaje.

Will y Lyra cambiaron unas miradas, y a continuación Will abrió una ventana y contemplaron el paisaje más grato que habían visto en su vida.

Aspiraron hasta llenarse los pulmones con el aire límpido, puro y fresco de la noche. Sus ojos apenas podían abarcar la inmensa bóveda tachonada de relucientes estrellas y el destello de un riachuelo que fluía a sus pies. Ante ellos se extendía una amplia sabana cubierta de bosquecillos de grandes árboles, altos como castillos.

Will ensanchó la ventana cuanto pudo, desplazándose sobre la hierba hacia la izquierda y la derecha, para que pudieran pasar a través de ella los grupos de seis, siete u ocho fantasmas que abandonaban la tierra de los muertos.

Los primeros fantasmas temblaban de esperanza, y su excitación se deslizó como una ola sobre la larga hilera de compañeros que les seguían: niños de corta edad y padres ancianos que avanzaban con la cabeza erguida y la mirada al frente, absorbiendo con sus pobres ojos ávidos de luz el resplandor de las primeras estrellas que contemplaban desde hacía siglos.

El primer fantasma que abandonó el mundo de los muertos fue Roger. Avanzó un paso y se volvió para mirar a Lyra. Rió sorprendido y se adentró en la noche, en la luz de las estrellas, en el aire... Y enseguida desapareció, dejando tras de sí una estela de pequeñas pompas de felicidad que a Will le recordaron las burbujas en una copa de champán.

Los otros fantasmas le siguieron. Will y Lyra cayeron rendidos sobre la hierba empapada de rocío, bendiciendo con cada fibra de sus cuerpos la dulzura de la buena tierra, el aire de la noche, las estrellas.

27

La plataforma

> MI ALMA SE
> DESLIZA ENTRE
> LAS RAMAS, EN
> LAS QUE SE POSA
> COMO UN PÁJARO
> Y CANTA, SE AFILA
> LAS UÑAS Y SE
> PEINA SUS ALAS
> PLATEADAS...
> ANDREW MARVELL

Los mulefa empezaron a construir la plataforma para Mary trabajando con rapidez y eficacia. Ella disfrutaba observándolos, porque eran capaces de discutir sin pelearse y cooperar sin inmiscuirse en el trabajo de los otros, y porque sus técnicas de partir, cortar y ensamblar madera eran elegantes y hábiles.

A los dos días, la plataforma de observación estuvo diseñada, construida y colocada en su lugar. Era firme, espaciosa y cómoda, y cuando Mary se instaló en ella se sintió en cierto modo más dichosa de lo que jamás se había sentido, especialmente en el aspecto físico. La densa y verde vegetación, el intenso azul del cielo que asomaba entre las hojas, la brisa que refrescaba su piel y el suave perfume de las flores que la deleitaba cada vez que lo percibía, el murmullo de las hojas, el canto de centenares de pájaros y el lejano rumor de las olas en la playa... Todo ello arrullaba y halagaba sus sentidos, y si hubiera podido dejar de pensar, se habría sumido en un estado de absoluta dicha.

Pero se había instalado allí justamente para pensar.

Al principio, cuando Mary miró a través de su catalejo y vio el inexorable movimiento hacia fuera del sraf, las partículas de sombra, tuvo la sensación de que su felicidad y su esperanza se desvanecían con ellas. No hallaba explicación alguna para aquel fenómeno.

Los mulefa le habían dicho que los árboles llevaban cayéndose desde hacía trescientos años. Dado que las partículas de sombra pasaban a través de todos los mundos de forma semejante, Mary dedujo que lo mismo debía de suceder en su universo y en todos los demás. Hacía trescientos años que había sido fundada la Royal Society, la primera sociedad auténticamente científica que había sido inaugurada en su mundo. Newton comenzaba a hacer sus descubrimientos sobre la óptica y la gravitación. Hacía trescientos años, en el mundo de Lyra, alguien había inventado el aletiómetro.

Al mismo tiempo, en aquel extraño mundo a través del cual ella había llegado hasta allí, habían inventado la daga sutil.

Mary se recostó sobre los tablones, sintiendo que la plataforma se movía lentamente a medida que la brisa agitaba el gigantesco árbol en el que estaba instalada. Acercó el catalejo a su ojo y contempló la infinidad de diminutas chispas que se deslizaban a través de las hojas, pasando sobre las bocas abiertas de los capullos, a través de las gruesas ramas, desplazándose en el sentido contrario del viento, formando una lenta corriente que casi parecía moverse de modo consciente.

¿Qué había ocurrido hacía trescientos años? ¿Era la causa de la corriente de Polvo, o a la inversa? ¿Eran ambos los resultados de una causa totalmente distinta, o no tenía nada que ver una cosa con otra?

El movimiento de las partículas era fascinante. Mary pensó que sería fácil caer en un trance, dejando volar su imaginación junto con las partículas que se deslizaban a través del aire.

Antes de darse cuenta de lo que estaba haciendo, y debido a que tenía todos sus sentidos adormecidos, eso fue exactamente lo que ocurrió. Mary se despertó de pronto y se sintió presa del pánico al darse cuenta de que se hallaba fuera de su cuerpo. Se encontraba suspendida a escasos metros sobre la plataforma, entre las ramas. La corriente de Polvo había sufrido un cambio: en lugar del lento movimiento discurría a la velocidad de un caudaloso río. ¿Había adquirido velocidad, o simplemente el tiempo se movía a un ritmo distinto para ella desde que se encontraba fuera de su cuerpo? En cualquier caso, Mary se percató del terrible peligro que corría pues el inmenso torrente amenazaba con engullirla. Alargó los brazos para sujetarse a algo sólido, pero comprobó que no tenía brazos. No estaba conectada a nada. Se hallaba casi sobre aquel abominable precipicio, y su cuerpo se alejaba más y más, sumido en aquella perezosa modorra. Trató de gritar y despertarse, pero de su boca no salió sonido alguno. Su cuerpo seguía durmiendo mientras la parte de sí que observaba era arrastrada por la corriente a través de las frondosas copas de los árboles hacia el cielo abierto.

Por más que lo intentó no consiguió detener aquella fuerza que la arrastraba, suave y poderosa como el agua que se derrama de una presa. Las partículas de Polvo se deslizaban también como si cayeran desde un borde invisible. Arrastrando consigo su cuerpo.

Mary lanzó un salvavidas mental a su ser físico, tratando de evocar lo que sentía al hallarse dentro de él: todas las sensaciones que comportaba el hecho de estar viva. El tacto preciso de la suave trompa de su amiga Atal al acariciarle el cuello. El sabor de unos huevos con beicon. La triunfal tensión de sus músculos al escalar una empinada roca. El delicado baile de sus dedos sobre el teclado del ordenador. El aroma de café recién hecho. El calor de su lecho en una noche invernal. Poco a poco dejó de moverse. El salvavidas mental surtió efecto y sintió el peso y la fuerza de la corriente golpeándola mientras permanecía suspendida en el cielo.

De improviso ocurrió algo de lo más extraño. Poco a poco (a medida que reforzaba aquellas sensaciones-recuerdos añadiendo otras, saboreando un Margarita helado en California, sentada bajo unos limoneros en un restaurante de Lisboa, eliminando la escarcha del parabrisas de su coche), Mary sintió que el viento de Polvo remitía. La presión había cedido. Pero sólo sobre ella: a su alrededor, arriba y abajo, la gigantesca corriente seguía desplazándose a gran velocidad. De alguna forma se había producido en torno a Mary un pequeño espacio de quietud en el que las partículas se resistían a la corriente.

¡Eran conscientes! Sentían su ansiedad y respondían a ella. De pronto las partículas comenzaron a transportarla hacia su cuerpo, y cuando Mary estuvo lo bastante cerca para verlo de nuevo, sólido, cálido, seguro, un silencioso sollozo estremeció su corazón.

Seguidamente se introdujo de nuevo en su cuerpo y se despertó.

Mary exhaló un suspiro entrecortado y oprimió las manos y las piernas contra las toscas tablas de la plataforma. Tras haber perdido casi la razón, hacía escasos minutos, sintió que se apoderaba lentamente de ella una profunda sensación de dicha al tomar de nuevo contacto con su cuerpo, la tierra, la materia.

Por fin se incorporó, tratando de poner en orden sus pensamientos. Palpó las tablas hasta dar con el catalejo y se lo acercó al ojo, sosteniendo su temblorosa mano con la otra. No cabía la menor duda: el lento movimiento de la corriente a través del cielo había dado paso a un agitado torrente. No había nada que oír ni nada que sentir, y nada que ver sin el catalejo, pero después de apartarlo de su ojo, la sensación de aquella veloz y silenciosa inundación permaneció grabada en su mente, junto con algo de lo que no se había percatado debido al terror que había sentido al hallarse fuera de su cuerpo: la profunda e impotente insatisfacción que flotaba en el aire.

Las partículas de sombra sabían lo que ocurría, y se lamentaban de ello. Y ella misma era en parte materia de sombra. Un parte de sí estaba sometida a esa corriente que se movía a través del cosmos. Al igual que los mulefa, que todos los seres humanos en todos los mundos, y que todas las criaturas conscientes que existían.

Y a menos que ella descubriera lo que estaba ocurriendo, todos los seres, sin excepción, corrían el riesgo de ser arrastrados por aquella corriente hacia la nada.

De pronto Mary sintió unos enormes deseos de hallarse de nuevo sobre tierra firme. Guardó el catalejo en el bolsillo y emprendió el largo descenso hacia el suelo.

El padre Gómez traspuso la ventana cuando la luz crepuscular comenzaba a alargarse y hacerse más suave. Vio los gigantescos árboles de cápsulas-ruedas y las carreteras que serpenteaban a través de la pradera, como los había divisado Mary desde ese punto hacía un tiempo. Pero la atmósfera no estaba empañada por la niebla pues había llovido hacía poco y el sacerdote pudo ver más allá que Mary, concretamente el espejeo de un lejano mar y unas oscilantes siluetas blancas que podían ser velas.

El padre Gómez se echó la mochila a la espalda y se volvió hacia aquellas siluetas para ver si podía descubrir algo. Era agradable caminar en el largo y apacible atardecer por aquella carretera lisa, acompañado por el sonido que hacían entre la alta hierba unas criaturas semejantes a cigarras, y la caricia del sol de poniente en el rostro. El aire era fresco, límpido y dulce, desprovisto de aquellos nefastos humos de queroseno o de lo que fuera que impregnaban el aire de uno de los mundos por los que había atravesado: el mundo al que pertenecía su objetivo, la tentadora.

Al ponerse el sol, el sacerdote llegó a un pequeño promontorio junto a una bahía poco profunda. Si en aquel mar existían mareas debía de ser pleamar, porque sobre el agua sólo se veía una estrecha franja de arena blanca y suave.

En las mansas aguas de la bahía flotaba una docena o más de... El padre Gómez se detuvo para reflexionar. Una docena o más de inmensas aves blancas como la nieve, del tamaño de una barca de remos, provistas de unas alas largas y rectas que arrastraban sobre el agua: unas alas larguísimas, de dos metros de largo como mínimo. ¿Pero eran aves? Tenían unas plumas, una cabeza y un pico parecidos a los de los cisnes, pero sus alas estaban situadas una frente a otra, y todo parecía indicar... De pronto lo vieron. Volvieron la cabeza bruscamente y todas aquellas alas se alzaron simultáneamente, como las velas de un yate, y henchidas por el viento pusieron rumbo a la playa.

El padre Gómez se sintió impresionado por la belleza de aquellas alas-velas, por su flexibilidad, su perfecto diseño, y por la velocidad de aquellas aves. De pronto reparó en que avanzaban moviendo también las patas bajo el agua, unas patas larguísimas que no estaban situadas una frente a otra, como las alas, sino de lado, y al moverlas al mismo tiempo que las alas conseguían avanzar a través del agua con extraordinaria elegancia y velocidad.

Cuando la primera ave llegó a la orilla se dirigió directamente por la arena hacia el sacerdote. Mientras avanzaba por la orilla no cesaba de lanzar un perverso silbido y de mover la cabeza bruscamente hacia delante, abriendo y cerrando el pico. El pico tenía unos dientes parecidos a unos afilados garfios curvados hacia adentro.

El padre Gómez se hallaba a unos cuatrocientos metros de la orilla del mar, sobre un promontorio bajo cubierto de hierba, por lo que tuvo tiempo sobrado de depositar la mochila en el suelo, sacar el rifle, cargarlo, apuntar y disparar.

La cabeza del ave estalló en medio de una humareda roja y blanca y el animal avanzó unos pasos trastabillando antes de desplomarse. Tardó un par de minutos en morir. Agitaba sin cesar las patas en el aire, alzaba y bajaba las alas; toda la inmensa ave giraba sobre sí misma describiendo un círculo sangriento, soltando patadas a la áspera hierba, hasta que sus pulmones exhalaron una prolongada y burbujeante expiración rematada por un chorro rojo de tos. Luego se quedó inmóvil.

Las otras aves se pararon en cuanto vieron caer a su compañera, observando en silencio a ella y al hombre. Sus ojos traslucían una ágil y feroz inteligencia. Tras contemplar unos instantes a su compañera muerta, fijaron la vista en el rifle y luego en el rostro del padre Gómez.

Cuando éste se echó de nuevo el rifle al hombro, las aves retrocedieron con torpeza, agrupándose. Habían captado su intención.

Eran unas criaturas hermosas y fuertes, grandes, con el lomo amplio; parecían unas barcas vivientes. Si sabían lo que significaba la muerte, pensó el padre Gómez, y comprendían la relación entre la muerte y él, existía la base para un provechoso entendimiento entre ambos. Cuando hubieran aprendido realmente a temerlo, harían exactamente lo que él les ordenara.

28

Medianoche

MUCHAS VECES
ME HE
ENAMORADO
DE LA PLACENTERA
MUERTE...

JOHN KEATS

Despierta, Marisa —dijo lord Asriel—. Vamos a aterrizar.

Un ventoso amanecer rompía sobre la fortaleza de basalto cuando el artefacto intencional se aproximaba a ella desde el sur. La señora Coulter, dolorida y mareada, abrió los ojos; no había dormido. Vio al ángel Xaphania deslizarse sobre la pista de aterrizaje y echarse a volar hacia la torre mientras el aparato se dirigía hacia los baluartes. Tan pronto como el aparato hubo aterrizado, lord Asriel descendió de él y corrió a reunirse con el rey Ogunwe en la atalaya occidental, sin hacer caso de la señora Coulter. Los técnicos que acudieron de inmediato para revisar la aeronave tampoco le prestaron atención; nadie le preguntó sobre la pérdida de la nave que ella había robado; era como si se hubiera vuelto invisible. La señora Coulter se dirigió cabizbaja hacia la habitación, en la torre inexpugnable, donde un ordenanza le preguntó si quería algo de comida y café.

—Tráigame lo que tenga —dijo la señora Coulter—. Se lo agradezco. A propósito —añadió cuando el hombre se disponía a marchar—: El aletiometrista de lord Asriel, el señor...

—¿El señor Basilides?

—Sí. ¿Podría venir un momento?

—En estos momentos está ocupado con sus libros, señora. Le diré que se acerque un momento cuando haya terminado.

La señora Coulter se lavó y se puso la única camisa limpia que le quedaba. El helado viento batía contra las ventanas, y la grisácea luz matutina le hizo estremecerse. Echó más carbones en la estufa de hierro, confiando en que con el fuego dejaría de tiritar, pero el frío le había calado los huesos.

Diez minutos más tarde sonaron unos golpes en la puerta. El aletiometrista, un hombre pálido y de ojos oscuros, entró con su daimonion ruiseñor posado en el hombro y saludó a la señora Coulter con una reverencia. Un momento después apareció un ordenanza con una bandeja con pan, queso y café.

—Le agradezco que haya venido, señor Basilides —dijo la señora Coulter—. ¿Le apetece tomar algo?

—Café, gracias.

—Tenga la bondad de decirme qué ha sido de mi hija —prosiguió la señora Coulter después de servir el café—, porque estoy segura de que está enterado de lo sucedido. ¿Vive todavía?

El aletiometrista dudó unos instantes. El mono dorado aferró el brazo de la señora Coulter.

—Sí, está viva —respondió el señor Basilides midiendo sus palabras—, pero...

—Continúe, se lo ruego. ¿Qué iba a decir?

—Se encuentra en el mundo de los muertos. Durante un tiempo no logré interpretar lo que me comunicaba el instrumento. Era del todo imposible. Pero no cabe la menor duda. Ella y el niño han ido al mundo de los muertos y han abierto una vía de salida para que los fantasmas lo abandonen. En cuanto los muertos salen al aire libre se disuelven como hicieron sus daimonions, lo cual no deja de ser el fin más dulce y deseable para ellos. El aletiómetro me ha indicado que la niña lo hizo porque oyó una profecía según la cual la muerte llegaría a su fin, y creyó que esa misión le correspondía a ella. En resumen, que ahora ya existe la forma de abandonar el mundo de los muertos.

La señora Coulter no podía articular palabra, y se acercó a la ventana para ocultar la emoción que reflejaba su rostro.

—¿Saldrá mi hija de allí con vida? No, ya sé que no puede predecir eso. Pero... ¿Cómo está?

—Sufre, tiene dolores, está asustada. Pero cuenta con la compañía del niño y de los dos espías gallivespianos. Siguen juntos.

—¿Y la bomba?

—La bomba no la hirió.

De pronto la señora Coulter se sintió agotada. Lo único que quería era acostarse y dormir durante meses, años. Oía los chasquidos de la cuerda de la bandera, sacudida por el viento, y los graznidos de los cuervos, que revoloteaban sobre los baluartes.

—Gracias, señor Basilides —dijo la señora Coulter volviéndose hacia el aletiometrista—. Le estoy muy agradecida. Tenga la bondad de informarme de cualquier novedad sobre mi hija, de dónde se encuentra y qué hace.

El hombre hizo una reverencia y se marchó. La señora Coulter se tendió en el camastro, pero por más que lo intentó no consiguió mantener los ojos cerrados.

—¿Qué le parece eso, majestad? —preguntó lord Asriel.

Miraba a través del telescopio de la atalaya una cosa que había aparecido en poniente. Tenía el aspecto de una montaña suspendida en el cielo, a un palmo del horizonte, cubierta por una nube. Estaba muy lejos, tanto que no era mayor que la uña del pulgar vista a la distancia de un brazo. Pero hacía poco que había aparecido y permanecía completamente inmóvil.

A través del telescopio, el misterioso objeto parecía más cercano, pero no más detallado: una nube sigue semejando una nube por más que un telescopio amplíe su tamaño.

—La montaña nublada —dijo Ogunwe—. O... ¿Cómo lo llaman? ¿La Carroza?

—Cuyas riendas empuña el Regente. Se ha ocultado bien, ese Metatron. Las escrituras apócrifas lo mencionan. Antiguamente era un hombre llamado Enoc, hijo de Yáred, separado de Adán por seis generaciones. Y ahora gobierna el Reino. Y se propone hacer más que eso, a juzgar por lo que dijo el ángel que hallaron junto al lago de azufre, el que penetró en la montaña nublada para espiar. Si Metatron gana esta batalla, intervendrá de forma directa en la vida de los humanos. Imagínese, Ogunwe, una Inquisición permanente, peor de lo que cualquier Tribunal Consistorial de Disciplina pudiera concebir, manejada por espías y traidores en todos los mundos y dirigida personalmente por la inteligencia que mantiene la montaña suspendida en el aire... Al menos la antigua Autoridad tuvo la elegancia de retirarse, dejando el trabajo sucio de quemar herejes y ahorcar a las brujas en manos de sus sacerdotes. La nueva Autoridad será infinitamente peor.

—Y ha empezado por invadir la república —comentó Ogunwe—. Fíjese en eso. ¿Es humo?

De la montaña nublada brotaba una columna grisácea que se fue extendiendo lentamente, tiznando el límpido cielo azul. Pero no podía ser humo pues se deslizaba contra el viento que agitaba las nubes.

El rey se acercó los prismáticos a los ojos para ver de qué se trataba.

—Son ángeles —dijo.

Lord Asriel se apartó del telescopio, enderezándose y escudándose los ojos con la mano. Las minúsculas figuras aparecían a centenares, a miles, a decenas de miles, surcando el aire hasta ensombrecer la mitad del cielo. Lord Asriel había visto las bandadas compuestas por billones de estorninos azules que revoloteaban al atardecer en torno al palacio del emperador K'ang-Po, pero jamás había visto semejante multitud. Los seres alados se agruparon y luego se alejaron muy lentamente hacia el norte y el sur.

—¡Ah! ¿Y eso qué es? —preguntó lord Asriel—. No es el viento.

La nube se arremolinó sobre el flanco meridional de la montaña y comenzó a soplar un poderoso viento del que brotaban unas largas serpentinas de vapor. Pero lord Asriel estaba en lo cierto: el movimiento procedía del interior, no del exterior. La turbulenta nube se deslizó a través del cielo, y luego se separó durante unos segundos.

Allí había algo más que una montaña, pero sólo pudieron verlo durante un instante, pues la nube se deslizó de nuevo hacia atrás, como si tirara de ella una mano invisible, y lo ocultó de nuevo.

El rey Ogunwe dejó los prismáticos.

—Eso no es una montaña —dijo—. He visto emplazamientos de cañones...

—Yo también. Todo eso es muy complicado. Me pregunto si Metatron podrá ver a través de la montaña. En algunos mundos disponen de unos aparatos para hacerlo. Pero por lo que se refiere a su ejército, si sólo cuenta con esos ángeles...

El rey lanzó una exclamación de asombro y exasperación. Lord Asriel le sujetó del brazo con violencia.

—¡No tienen esto! —dijo zarandeando violentamente el brazo de Ogunwe—. ¡No tienen carne!

Luego apoyó la mano en la áspera mejilla de su amigo.

—Aunque seamos pocos —prosiguió—, y vivamos pocos años, y tengamos la vista débil en comparación con ellos, somos más fuertes. ¡Ellos nos envidian, Ogunwe! Eso es lo que alimenta su odio, estoy convencido de ello. ¡Ansían nuestros preciados cuerpos, sólidos y poderosos, perfectamente adaptados a la buena tierra! Y si les atacamos con empuje y determinación, lograremos eliminar esa infinita cantidad de seres como quien elimina un mosquito de un manotazo. ¡No son más poderosos que nosotros!

—Tienen aliados en miles de mundos, Asriel, unos seres vivos como nosotros.

—Los venceremos.

—¿Y si Metatron ha enviado a esos ángeles en busca de su hija?

—¡Mi hija! —exclamó Asriel exultante—. ¿No es maravilloso traer al mundo a una niña como ésa? No contenta con ir sola a entrevistarse con el rey de los osos acorazados y arrebatarle su reino de las patas, ha descendido al mundo de los muertos y ha liberado a todos los fantasmas. Y ese chico... Quiero conocerlo, estrecharle la mano. ¿Sabíamos lo que se nos venía encima cuando iniciamos esta rebelión? ¡No! ¿Pero acaso sabían ellos, la Autoridad y su Regente, Metatron, lo que se les venía encima cuando mi hija se incorporó a ella?

—Lord Asriel —dijo el rey—, ¿comprende usted la importancia del futuro de su hija?

—Francamente, no. Por eso quiero ver a Basilides. ¿Adónde ha ido?

—A hablar con la señora Coulter. Pero ese hombre está rendido, no puede hacer nada hasta que haya descansado.

—Debió descansar antes. Mande que venga, haga el favor. Y otra cosa: tenga la bondad de pedir a madame Oxentiel que acuda a la torre tan pronto como pueda. Deseo presentarle mis condolencias.

Madame Oxentiel había sido la subjefe de los gallivespianos. Ahora tendría que asumir las responsabilidades de lord Roke. El rey Ogunwe hizo una inclinación y se marchó, dejando a su comandante escrutando el horizonte gris.

El ejército se estuvo agrupando a lo largo de todo el día. Los ángeles de la fuerza de lord Asriel volaron sobre la montaña nublada, buscando una abertura, pero sin éxito. Nada cambió; ni salían ni entraban ángeles; las altas ventanas rozaban las nubes, y las nubes se renovaban continuamente, sin separarse ni un instante. El sol surcó el frío cielo azul y luego se desplazó hacia el suroeste, dorando las nubes y tiñendo el vapor que rodeaba la montaña de una tonalidad cremosa y escarlata, albaricoque y naranja. Cuando el sol se puso, del interior de las nubes surgió un leve resplandor.

Acudieron guerreros de todos los mundos en los que la rebelión de lord Asriel contaba con partidarios; mecánicos y artificieros llenaban los depósitos de combustible de las aeronaves, cargaban el armamento, calibraban miras y medidas. Al anochecer aparecieron unos oportunos refuerzos: desde el norte, avanzando en silencio sobre el gélido terreno, llegaron por separado numerosos osos acorazados, entre los que se encontraba su rey. Poco después llegó el primero de los clanes de brujas; el murmullo del aire a través de sus ramas de pino permaneció suspendido en el cielo nocturno durante largo tiempo.

A lo largo de la planicie, al sur de la fortaleza, relucían miles de luces que marcaban los campamentos de los que habían llegado de lejos. Más allá, en las cuatro esquinas del compás, unos grupos de ángeles-espías patrullaban infatigables, vigilantes.

A medianoche lord Asriel se hallaba reunido en la torre inexpugnable con el rey Ogunwe, el ángel Xaphania, la gallivespiana madame Oxentiel y Teukros Basilides. El aletiometrista acababa de hablar, y lord Asriel se levantó, se acercó a la ventana y contempló el lejano resplandor de la montaña nublada que se alzaba por poniente. Los demás guardaron silencio; acababan de enterarse de algo que había hecho palidecer y temblar a lord Asriel. Ninguno sabía cómo reaccionar ante la noticia.

Por fin lord Asriel rompió el silencio.

—Señor Basilides —dijo—, debe de estar muy fatigado. Le agradezco sus esfuerzos. Beba una copa de vino con nosotros.

—Gracias, milord —respondió el aletiometrista.

Las manos le temblaban. El rey Ogunwe sirvió el dorado Tokay y le entregó una copa.

—¿Qué repercusiones tendrá esto, lord Asriel? —inquirió madame Oxentiel con voz clara.

Lord Asriel se sentó de nuevo a la mesa.

—Cuando comience la batalla —contestó—, tendremos un nuevo objetivo. Mi hija y ese niño han sido separados de sus daimonions, pero han conseguido sobrevivir. Sus daimonions se encuentran en este mundo, en un lugar que desconocemos, corríjame si me equivoco, señor Basilides, sus daimonions se hallan en este mundo y Metatron está empeñado en capturarlos. Si atrapa a los daimonions de los niños, no tardará en capturarlos a ellos; y si consigue controlar a esos dos niños, mantendrá para siempre el futuro en sus manos. Nuestra misión es clara: debemos hallar a los daimonions antes de que lo haga él, y mantenerlos a buen recaudo hasta que la niña y el niño se reúnan con ellos.

—¿Qué aspecto tienen esos dos daimonions que se han perdido? —preguntó la jefe de los gallivespianos.

—Aún no poseen una forma fija, madame —respondió Teukros Basilides—. Pueden presentar cualquier forma.

—En resumidas cuentas —dijo lord Asriel—: nuestra república, el futuro de cada ser consciente, todos nosotros dependemos de que mi hija permanezca viva y de que su daimonion y el del niño no caigan en manos de Metatron, ¿no es así?

—En efecto.

Lord Asriel suspiró satisfecho; tenía la impresión de que había llegado al fin de un largo y complejo cálculo y de que había alcanzado una respuesta que, curiosamente, tenía sentido.

—Muy bien —dijo, extendiendo las manos sobre la mesa—. Esto es lo que haremos cuando comience la batalla. Rey Ogunwe, usted asumirá el mando de todos los ejércitos que defiendan la fortaleza. Usted, madame Oxentiel, enviará de inmediato a sus gentes a explorar todos los rincones en busca de la niña, el niño y los dos daimonions. Cuando los encuentren, deberán custodiarlos con sus vidas hasta que los niños y sus daimonions vuelvan a reunirse. A partir de entonces, según tengo entendido, el niño podrá escapar a otro mundo y ponerse a salvo.

La dama asintió con la cabeza. La luz de la lámpara arrancaba destellos a su pelo crespo y gris, que relucía como el acero inoxidable, y el halcón azul que ella había heredado de lord Roke, y que estaba posado en una percha junto a la puerta, extendió un instante las alas.

—Bien, Xaphania —continuó lord Asriel—. ¿Qué sabes de ese Metatron? Antiguamente era un hombre. ¿Aún posee la fuerza física de un ser humano?

—Se convirtió en un personaje importante mucho después de que me exiliaran —contestó el ángel—. Nunca le he visto de cerca. Pero él no habría conseguido dominar el Reino a menos que fuera muy fuerte, en todos los aspectos. Casi todos los ángeles evitan un enfrentamiento cuerpo a cuerpo con él; Metatron disfrutaría con el combate y ganaría.

Ogunwe intuyó que a lord Asriel se le había ocurrido una idea. Durante unos instantes parecía distraído, con la mirada ausente, pero enseguida reaccionó con vivacidad.

—Entiendo —dijo—. Xaphania, el señor Basilides nos ha dicho por fin que su bomba no sólo abrió un abismo debajo de los mundos, sino que quebró la estructura de las cosas tan profundamente que hay grietas y fisuras por doquier. Debe de existir algún camino cerca de allí para descender al borde de ese abismo. Quiero que lo localices.

—¿Y usted qué hará? —inquirió el rey Ogunwe con brusquedad.

—Destruir a Metatron. Pero mi papel prácticamente ha concluido. Es mi hija quien ha de vivir, y nuestro deber es mantener a todas las fuerzas del Reino alejadas de ella para que consiga trasladarse a un mundo más seguro, ella, ese niño y sus respectivos daimonions.

—¿Y la señora Coulter? —preguntó el rey.

Lord Asriel se pasó una mano por la frente.

—No quiero que la molesten —contestó—. Déjenla en paz, y protéjanla si pueden. Aunque... Quizá cometa una injusticia con ella. A pesar de lo que haya hecho, nunca ha dejado de sorprenderme. Pero todos sabemos lo que debemos hacer, y por qué: debemos proteger a Lyra hasta que encuentre a su daimonion y huya. Tal vez nuestra república se creó con el solo propósito de ayudarla a conseguirlo. Bien, pues nosotros haremos cuanto podamos en ese sentido.

La señora Coulter yacía en la cama de lord Asriel. Al oír voces en la habitación contigua, se despertó en el acto de su agitado sueño, inquieta y ansiosa de recuperar a su hija.

Su daimonion se incorporó junto a ella, pero la señora Coulter no quería acercarse a la puerta; más que lo que dijeran deseaba oír la voz de lord Asriel. Creía que ambos estaban condenados. Que todos ellos estaban condenados.

Al cabo de un rato oyó cerrarse la puerta en la otra habitación y se levantó de la cama.

—Asriel —dijo la señora Coulter al entrar en la estancia iluminada por la cálida luz de queroseno.

El daimonion de lord Asriel gruñó quedamente. El mono dorado agachó la cabeza para apuntar a la señora Coulter lo que debía decir. Lord Asriel estaba enrollando un enorme mapa, y no se volvió.

—¿Qué será de todos nosotros, Asriel? —preguntó ella, sentándose.

Lord Asriel se restregó los ojos con las manos. En su rostro se observaban huellas de cansancio. Se sentó y apoyó un codo en la mesa. Los daimonions estaban callados: el mono posado en el respaldo de la silla, la onza sentada muy tiesa y alerta junto a lord Asriel, observando a la señora Coulter sin pestañear.

—¿No lo has oído? —contestó él.

—No podía dormir, pero no estaba atenta. ¿Dónde está Lyra? ¿Lo sabe alguien?

—No.

Lord Asriel no había respondido a la primera pregunta de la señora Coulter, y ésta comprendió que no pensaba hacerlo.

—Debimos casarnos y criarla nosotros —dijo la señora Coulter.

El inesperado comentario hizo pestañear a lord Asriel. Su daimonion soltó un gruñido sofocado y casi inaudible y se sentó con las patas extendidas frente a él, como una esfinge, sin decir palabra.

—No soporto la idea de perder la conciencia, Asriel —continuó la señora Coulter—. Cualquier cosa es preferible antes que eso. Yo creía que el dolor era lo peor que podía existir, que te torturen continuamente... Pero mientras uno permanezca consciente es preferible, ¿no crees? Es preferible a no sentir nada, a desvanecerte en la oscuridad, a que todo se apague para siempre.

Lord Asriel se limitaba a prestar oídos. La miraba fijamente, escuchando con profunda atención; no era necesario responder.

—El otro día —prosiguió—, cuando hablaste de ella con tanta amargura... Creí que la odiabas. Comprendo que me odies a mí. Yo no te he odiado nunca, pero puedo comprender que me odies. Pero no comprendo por qué odias a Lyra.

Lord Asriel volvió la cabeza lentamente y miró a sus espaldas.

—Recuerdo que dijiste algo extraño, en Svalbard, en la cima de la montaña, poco antes de abandonar nuestro mundo para siempre —prosiguió la señora Coulter—. Dijiste: ven conmigo y destruiremos para siempre al Polvo. ¿Lo recuerdas? Pero no fuiste sincero. Tu propósito era justamente lo contrario, ¿no es así? Ahora lo comprendo. ¿Por qué no me explicaste lo que pretendías en realidad? ¿Por qué no me dijiste que tratabas de preservar al Polvo? Pudiste decirme la verdad.

—Quería que vinieras conmigo y te unieras a esta empresa —respondió lord Asriel con voz ronca y queda—, y creí que preferirías que te mintiera.

—Sí, eso supuse —dijo ella.

No podía permanecer quieta, pero no tenía fuerzas para levantarse. Durante unos momentos se sintió mareada, la cabeza le daba vueltas, percibía los sonidos amortiguados, la luz mitigada, pero casi de inmediato recuperó los sentidos, incluso con mayor intensidad que antes. La situación no había cambiado en lo más mínimo.

—Asriel... —murmuró.

El mono dorado alargó una mano como para tocar la pata de la onza. El hombre observó sin decir palabra y Stelmaria no se movió; tenía los ojos fijos en la señora Coulter.

—¡Ay, Asriel! ¿Qué será de nosotros? —repitió la señora Coulter—. ¿Es éste el fin de todo?

Él no respondió.

La señora Coulter se levantó, y moviéndose como si estuviera en trance tomó la mochila que yacía en un rincón de la estancia y sacó la pistola. Imposible saber lo que hubiera hecho a continuación, porque en aquel preciso momento se oyeron unos pasos que subían apresuradamente la escalera.

El hombre, la mujer y los dos daimonions se volvieron para mirar al anciano ordenanza que acababa de entrar.

—Disculpad, milord —dijo resollando—. Los dos daimonions... Los han visto no lejos de la puerta oriental... en forma de gatos... El centinela trató de hablar con ellos, de hacerles entrar, pero ellos se negaron a acercarse. Acaba de ocurrir, hace tan sólo un minuto.

Lord Asriel se enderezó en la silla, como hipnotizado. Todas las señales de fatiga desaparecieron de su rostro. Se levantó de un salto. Se echó el abrigo sobre los hombros y dijo al ordenanza:

—Comunícaselo de inmediato a madame Oxentiel. Y transmite la orden siguiente: nadie debe amenazar, atemorizar ni coaccionar a los daimonions bajo ninguna circunstancia. Cualquiera que los vea, en primer lugar deberá...

La señora Coulter no oyó el resto de la frase, porque lord Asriel echó a correr escaleras abajo. Cuando sus precipitados pasos se desvanecieron, sólo se oyó el tenue silbido de la lámpara de queroseno y el ulular del furioso viento que soplaba fuera.

La señora Coulter cruzó una mirada con su daimonion. La expresión del mono dorado era más sutil y compleja de lo que había sido en los treinta y cinco años de existencia que llevaban juntos.

—De acuerdo —dijo la señora Coulter—. No veo otra solución. Creo... creo que nosotros...

El daimonion comprendió en el acto a qué se refería. Saltó sobre su pecho y ambos se abrazaron. Luego la señora Coulter tomó su abrigo forrado de piel, salió sigilosamente de la estancia y bajó por la oscura escalera.

29

La batalla en la planicie

TODO HOMBRE ESTÁ EN PODER DE SU ESPECTRO HASTA QUE LLEGA LA HORA EN QUE SU HUMANIDAD DESPIERTA...
WILLIAM BLAKE

Fue durísimo para Lyra y Will abandonar el maravilloso mundo donde habían dormido la noche anterior, pero si querían encontrar a sus daimonions no tenían más remedio que adentrarse de nuevo en la oscuridad. Tras horas de arrastrarse a través del tenebroso túnel, Lyra se inclinó sobre su aletiómetro por enésima vez, con breves e inconscientes exclamaciones de congoja, gemidos y suspiros entrecortados, que de haber sido más potentes se habrían convertido en sollozos. Will sentía también dolor en el lugar que había ocupado su daimonion, un dolor lacerante como si le clavaran unos garfios de acero cada vez que respiraba.

Lyra se volvió fatigosamente; sus pensamientos se movían con pies de plomo. Las escalas de significado que partían de cada uno de los treinta y seis símbolos del aletiómetro, por las que ella solía moverse con agilidad y seguridad, le parecían ahora frágiles y precarias. Y el hecho de mantener en su mente las conexiones que unas y otras... Antes le resultaba tan fácil como coser y cantar, o contar un cuento, algo natural, pero ahora le costaba un esfuerzo tremendo. Había perdido facultades, pero no podía fallar porque si lo hacía fallaría en todo lo demás.

—No queda lejos —declaró por fin Lyra—. Y está lleno de peligros... Hay una batalla, hay... Pero casi hemos llegado al lugar indicado. Al final de este túnel hay una inmensa roca lisa sobre la que cae agua, en la que podrás abrir una ventana.

Los fantasmas que iban a luchar avanzaron ansiosos, y Lyra sintió que Lee Scoresby estaba a su lado.

—Lyra, niña, ya falta poco —dijo Lee Scoresby—. Cuando veas al viejo oso, dile que Lee peleó hasta el fin. Y cuando la batalla haya concluido, dispondremos de todo el tiempo en el mundo para deslizarnos con el viento y hallar los átomos que constituían Hester, y a mi madre en campos de artemisa y a mis novias... todas mis novias... Lyra, hija mía, cuando esto haya acabado debes descansar, ¿me oyes? La vida es grata, y la muerte es...

Los dos gallivespianos viajaban en el hombro de Lyra y en el de Will. Sus breves existencias casi se habían agotado; ambos sentían una evidente rigidez en sus extremidades y frío alrededor de su corazón. No tardarían en regresar al mundo de los muertos, esta vez como fantasmas; pero ambos se miraron y decidieron permanecer con Will y con Lyra tanto tiempo como les fuera posible, sin decir una palabra de que su muerte estaba próxima.

Los niños siguieron trepando más y más, en silencio. Oían la respiración trabajosa del otro, sus pasos, los guijarros que desprendían con los pies. Frente a ellos la arpía trepaba fatigosamente por el túnel, arrastrando las alas, arañando la roca con las garras, hosca.

De pronto percibieron un nuevo sonido: un plop plop persistente, seguido de un goteo más rápido y de un chorro de agua.

—¡Aquí! —gritó Lyra alargando la mano para tocar una roca que les interceptaba el paso, lisa, fría y húmeda—. ¡Aquí está!

Lyra se volvió hacia la arpía.

—He pensado en cómo me salvaste la vida —dijo—, y en que prometiste guiar a todos los otros fantasmas que pasaran del mundo de los muertos a la tierra en la que dormimos anoche. Y he pensado que no está bien que no tengas un nombre, que vas a necesitar en el futuro. De modo que te impondré un nombre, como el rey Iorek Byrnison me puso a mí el de Lenguadeplata. Te llamaré Alas Airosas. Así es cómo te llamarás a partir de ahora y para toda la eternidad: Alas Airosas.

—Un día volveremos a vernos, Lyra Lenguadeplata.

—Y si sé que estás aquí, no tendré miedo —dijo Lyra—. Adiós, Alas Airosas, hasta que yo muera.

La niña abrazó a la arpía con fuerza y la besó en ambas mejillas.

—¿Es éste el mundo de la república de lord Asriel? —inquirió de improviso el caballero Tialys.

—Sí —respondió Lyra—. Eso dice el aletiómetro. Está cercano a su fortaleza.

—Entonces deja que hable con los fantasmas.

Mientras Lyra lo sostenía en alto, el gallivespiano dijo:

—Escuchad, porque lady Salmakia y yo somos los únicos que hemos visto con anterioridad este mundo. En la cima de una montaña hay una fortaleza, que está defendida por lord Asriel. Ignoro quién es el enemigo. A partir de ahora Lyra y Will sólo tienen una tarea: buscar a sus daimonions. La nuestra es ayudarles. Ánimo y luchad con valor.

Lyra se volvió hacia Will.

—De acuerdo —dijo éste—, estoy listo.

Sacó la daga y miró a los ojos del fantasma de su padre, que se hallaba a su lado. Dentro de poco se separarían, y Will pensó en lo que se habría alegrado de ver a su madre junto a ellos, los tres juntos...

—Will —dijo Lyra, alarmada.

Will se detuvo. La daga había quedado enganchada en el aire. Éste apartó la mano y la daga siguió suspendida en el aire, adherida a la sustancia de un mundo invisible. Will suspiró profundamente.

—Por poco...

—Ya lo he visto —respondió Lyra—. Mírame, Will.

Will contempló aquella luz fantasmagórica, vio su reluciente mata de pelo, sus labios apretados en un gesto de determinación, sus ojos llenos de sinceridad; sintió el calor de su aliento, percibió el grato aroma de su piel.

La daga se desprendió.

—Volveré a intentarlo —dijo Will.

Se volvió de espaldas, procurando concentrarse, y dejó que su mente fluyera hasta el extremo de la daga, palpando el aire, apartándose, buscando, hasta que por fin lo encontró. Hundió la daga y la desplazó hacia un lado, hacia abajo y hacia el otro lado. Los fantasmas se agolparon a su alrededor, aproximándose tanto que Will y Lyra sintieron unas pequeñas punzadas de frío en cada fibra de su cuerpo.

Luego Will practicó el corte definitivo.

Lo primero que percibieron fue un ruido enorme. La luz procedente de la abertura era tan deslumbrante que tanto los fantasmas como los seres vivos tuvieron que protegerse los ojos. Durante unos segundos no vieron nada, pero los golpes, las detonaciones, el estruendo de las armas de fuego, el vocerío y los gritos sonaban con toda claridad y eran aterradores.

El fantasma de John Parry y el de Lee Scoresby fueron los primeros en recuperarse. Dado que ambos habían sido soldados y habían participado en varias batallas, todo aquel pandemónium no les desconcertó como a los otros. Will y Lyra observaron la escena atónitos y espantados.

Unos cohetes explosivos derramaban una lluvia de fragmentos de roca y metal sobre las laderas de la montaña, que se alzaba a escasa distancia. Unos ángeles peleaban en el cielo contra otros, y unas brujas surcaban el aire lanzando los gritos de guerra de sus clanes al tiempo que disparaban flechas contra sus enemigos. Will y Lyra vieron descender en picado a un gallivespiano, montado en una libélula, para atacar una aeronave cuyo piloto humano se enzarzó en un combate con él. Mientras la libélula revoloteaba sobre el aparato, su jinete desmontó de un salto y clavó sus espolones en el cuello del piloto. El insecto regresó al instante y descendió para que el jinete saltara sobre su reluciente lomo verde mientras la aeronave se estrellaba contra las rocas, al pie de la fortaleza.

—¡Ábrela más para que podamos salir! —dijo Lee Scoresby.

—Espera, Lee —intervino John Parry—. Está ocurriendo algo raro... ¡Mirad!

Will cortó otra pequeña ventana en la dirección que indicaba John Parry, y al mirar por ella vieron que se había producido un cambio en el esquema de la lucha. La fuerza atacante empezó a retirarse: unos vehículos blindados, bajo fuego de protección, giraron trabajosamente y retrocedieron. Unos aparatos voladores, que se habían enzarzado en una encarnizada batalla con los girópteros de lord Asriel y habían logrado derribar a varios de ellos, dieron media vuelta en el cielo y pusieron rumbo al oeste. Las fuerzas de tierra del Reino —unas columnas de fusileros, tropas equipadas con lanzallamas, con cañones que disparaban veneno, con unas armas que los observadores jamás habían visto— comenzaron a retroceder y emprendieron la retirada.

—¿Qué ocurre? —preguntó Lee—. ¿Pero por qué abandonan el campo de batalla?

No parecía existir motivo alguno: los aliados de lord Asriel eran inferiores en número a sus enemigos, sus armas menos potentes y muchos de ellos yacían heridos.

Will percibió entonces un repentino movimiento entre los fantasmas. Señalaban algo que se deslizaba a través del aire.

—¡Espantos! —exclamó John Parry—. ¡Ése es el motivo!

Por primera vez Will y Lyra creyeron ver a aquellos entes, semejantes a velos de refulgente gasa, que caían del cielo como vilanos. Pero eran muy tenues, y cuando alcanzaron el suelo apenas resultaban visibles.

—¿Qué hacen? —preguntó Lyra.

—Se dirigen a ese pelotón de fusileros...

Will y Lyra sabían lo que iba a ocurrir y gritaron atemorizados.

—¡Corred! ¡Alejaos!

Al oír las voces de los niños cerca de donde se encontraban, algunos soldados se volvieron sorprendidos. Otros, viendo que los espantos se dirigían hacia ellos, tan extraños, impávidos y codiciosos, se echaron el rifle el hombro y dispararon, por supuesto inútilmente. De pronto los espantos se abatieron sobre el primer hombre.

Era un soldado del mundo de Lyra, un africano. Su daimonion, un gato leonado con manchas negras y largas patas, mostró los dientes y se dispuso a atacar.

Todos vieron al hombre apuntar con su rifle, intrépido, y de pronto vieron al daimonion atrapado en una red invisible, gruñendo y gimiendo, impotente. El soldado soltó el rifle e intentó llegar hasta él, gritando su nombre, pero cayó en tierra semiinconsciente debido al dolor y a las brutales náuseas que le acometieron.

—Vale, deja que salgamos, Will —dijo John Parry—. Podemos vencer a esos seres.

Will abrió más la ventana y salió apresuradamente por ella encabezando el ejército de fantasmas. Acto seguido se inició la batalla más extraña que quepa imaginar.

Los fantasmas salieron de la tierra, unas formas pálidas que parecían aún más pálidas a la luz del mediodía. No tenían nada que temer y se arrojaron contra los invisibles espantos, forcejeando, luchando y tratando de abatir a unos seres que Will y Lyra no alcanzaban a ver.

Los fusileros y demás aliados vivos se quedaron atónitos ante aquella extraña batalla espectral que carecía de sentido para ellos. Will se abrió camino entre los contendientes, esgrimiendo la daga al recordar que en otras ocasiones los espantos habían huido al verla.

Lyra lo seguía a todas partes, lamentando no disponer de algún arma con la que luchar como Will, mirando alrededor, observando atentamente lo que ocurría. De vez en cuando creía ver a los espantos, en un resplandor aceitoso en el aire. Y fue ella quien sintió el primer escalofrío de peligro.

Con Salmakia posada sobre su hombro, Lyra se instaló sobre un pequeño terraplén cubierto de espinos, desde el que pudo contemplar la gran extensión de terreno que los invasores habían arrasado.

El sol estaba en lo alto. Frente a ella, hacia poniente, el cielo se hallaba cubierto de nubes densas y brillantes, surcadas por simas oscuras, cuya parte superior se abría a los vientos. Las fuerzas enemigas aguardaban también en aquella zona de la planicie: sus flamantes máquinas, sus coloridas banderas ondeando al viento, los regimientos agrupados, aguardando.

Detrás de Lyra, a su izquierda, se alzaba una cordillera formada por abruptas colinas que conducían a la fortaleza. Éstas relucían bajo la luz grisácea y mortecina que presagiaba tormenta. En las lejanas murallas de basalto negro, Lyra vio unas pequeñas figuras que se movían afanosamente, reparando las almenas dañadas, acarreando más armas o simplemente observando la contienda.

Fue entonces cuando Lyra sintió el primer ataque de náuseas, dolor y temor del inconfundible toque de los espantos.

Lyra comprendió al instante de qué se trataba, aunque jamás lo había experimentado. Aquella terrible sensación le indicó dos cosas: primera, que era lo bastante mayor para ser vulnerable a los espantos; y segunda, que Pan debía de andar cerca.

—Will... Will —gimió Lyra.

Will se volvió al oírla, empuñando la daga y lanzando chispas por los ojos.

Pero antes de que pudiera decir algo, lanzó una exclamación entrecortada, se llevó las manos al pecho y avanzó unos pasos trastabillando. Lyra comprendió que le había ocurrido lo mismo que a ella.

—¡Pan! ¡Pan! —gritó Lyra, poniéndose de puntillas y mirando desesperada a su alrededor.

Will se dobló hacia delante, tratando de reprimir las náuseas. La sensación se disipó enseguida, como si sus daimonions hubieran logrado escapar. Pero los niños no habían conseguido dar con ellos y la atmósfera estaba saturada de disparos, gritos, exclamaciones de dolor o terror, el distante *youk-youk-youk* de los espectros de acantilado que revoloteaban por el aire, el ocasional silbido e impacto de una flecha y de un nuevo sonido: el alarido del viento que se había levantado.

Lyra lo sintió primero sobre sus mejillas y luego observó que la hierba se doblegaba bajo él y lo oyó agitar las ramas de espino. El cielo presagiaba tormenta: la blancura había desaparecido de las densas nubes, que giraban y se deslizaban teñidas de amarillo sulfúrico, verde mar, gris humo y negro aceitoso, una masa de cúmulos a muchos kilómetros de altura que se extendía a lo largo del horizonte.

El sol brillaba aún a sus espaldas, de forma que cada bosquecillo y cada árbol situado entre ella y la tormenta mostraba un aspecto vívido y refulgente, unos objetos pequeños y frágiles que desafiaban a la oscuridad con sus hojas, ramas, frutos y flores.

Los dos niños que ya no eran tan niños afrontaron con valor

aquella terrible experiencia. Casi podían ver a los espantos con claridad. El viento hacía pestañear a Will y agitaba el pelo de Lyra. Sin duda era lo bastante fuerte para arrastrar consigo a los espantos; pero esos misteriosos entes consiguieron deslizarse a través de él hacia la Tierra. El niño y la niña, tomados de la mano, echaron a andar sorteando a los muertos, los heridos y los vivos; Lyra llamaba sin cesar a su daimonion mientras Will se mantenía alerta por si veía al suyo.

El cielo aparecía surcado de relámpagos y de pronto el primer trueno descargó sobre los tímpanos de los niños con la contundencia de un hacha. Lyra se tapó los oídos, y Will tropezó y a punto estuvo de caer al suelo. Abrazados, alzaron la vista y contemplaron un espectáculo que nadie había visto jamás en ninguno de los millones de mundos que existían.

Unas brujas, el clan de Ruta Skadi y Reina Miti, y media docena de otros clanes, cada bruja portando una antorcha de pino empapada en betún, se dirigían hacia la fortaleza procedentes del este, de los últimos reductos de cielo despejado, volando directamente hacia la tormenta.

Los que estaban en tierra percibieron el rugido y el crepitar de los hidrocarburos volátiles que ardían en el aire. Algunas brujas chocaron contra unos espantos que permanecían en la atmósfera superior, estrellándose contra el suelo envueltas en llamas y profiriendo gritos de terror; pero la mayoría de esos pálidos seres había alcanzado la tierra, y el inmenso cortejo de brujas surcó los aires como un río de fuego dirigiéndose hacia el corazón de la tormenta.

Un numeroso grupo de ángeles, armados con lanzas y espadas, salió de la montaña nublada para enfrentarse cara a cara con las brujas. Tenían el viento de espaldas y volaban más veloces que las lanzas, pero las brujas no les andaban a la zaga. Las primeras se elevaron por los aires para luego caer en picado entre las huestes de ángeles, descargando golpes a diestro y siniestro con sus ardientes antorchas. Un ángel tras otro cayeron dando tumbos y chillando, sus siluetas recortándose sobre el fuego y las alas en llamas.

Entonces empezaron a caer las primeras gotas. Si el comandante de las nubes de tormenta se había propuesto apagar las antorchas de las brujas, se llevó un chasco; las antorchas de pino empapadas en betún seguían ardiendo, silbando y crepitando con fuerza pese al aguacero. Las gotas de lluvia cayeron al suelo como si hubieran sido arrojadas con violencia, disgregándose y salpicando el aire. Al poco rato Lyra y Will estaban calados hasta los huesos y tiritando de frío, mientras la lluvia les golpeaba en la cabeza y los brazos como pequeños guijarros.

Los niños siguieron avanzando torpemente y dando traspiés, enjugándose el agua de los ojos y gritando en medio del tumulto: «¡Pan! ¡Pan!»

Los truenos estallaban de forma constante, produciendo un estruendo que parecía como si todos los átomos estallaran. Will y Lyra echaron a correr a través de la turbulenta atmósfera tratando de reprimir su terror y gritando: «¡Pan! ¡Pantalaimon! ¡Pan!» Will, que sabía lo que había perdido pero no cómo se llamaba, profería exclamaciones sin palabras.

Los dos gallivespianos les seguían por todas partes, advirtiéndoles que miraran hacia uno u otro lado, dispuestos a ahuyentar a los espantos que los niños aún no podían percibir con nitidez. Pero Lyra tuvo que sostener en sus manos a Salmakia, porque la dama apenas tenía fuerzas para sujetarse al hombro de la niña. Tialys no cesaba de escrutar el cielo en busca de congéneres, dando voces cada vez que veía un movimiento reluciente como el acero a través del aire. Pero su voz había perdido potencia y los gallivespianos buscaban los colores de clan de sus dos libélulas: azul eléctrico, y rojo y amarillo. Aquellos colores se habían desvanecido hacía mucho y los cuerpos que habían brillado con ellos yacían en el mundo de los muertos.

Entonces se produjo un movimiento en el cielo distinto del resto. Al alzar la vista, protegiéndose los ojos de la persistente lluvia, Will y Lyra vieron una aeronave, que jamás habían contemplado con anterioridad, de aspecto grotesco, provista de seis patas, oscura y totalmente silenciosa. Procedía de la fortaleza y volaba muy bajo. Pasó sobre ellos en vuelo rasante, a la altura de un tejado, y se alejó hacia el corazón de la tormenta.

Pero Will y Lyra no tuvieron tiempo de reflexionar sobre lo que habían visto, porque otro ataque de náuseas indicó a Lyra que Pan volvía a hallarse en peligro. Will experimentó enseguida la misma sensación. Ambos continuaron avanzando ciegamente a través de los charcos, el lodo y la caótica escena repleta de hombres heridos y fantasmas que combatían, sintiéndose desvalidos, aterrorizados y mareados.

30

La montaña nublada

El artefacto intencional era pilotado por la señora Coulter. Ella y su daimonion se encontraban solos en la cabina de mandos.

El altímetro barométrico servía de poco en una tormenta, pero la señora Coulter podía calcular la altitud aproximada observando los fuegos que ardían en el suelo en los lugares donde caían los ángeles; pese a la furiosa lluvia, las antorchas seguían encendidas. En cuanto al rumbo, tampoco eso era difícil de calcular; los relámpagos que caían en torno a la montaña constituían un espléndido faro. Pero tenía que evitar chocar contra las colinas y contra los diversos seres voladores que seguían peleando en el aire.

La señora Coulter no utilizó las luces porque deseaba aproximarse y hallar un sitio donde aterrizar antes de que los otros la vieran y abatieran a tiros. Al acercarse notó que las rachas de viento eran más violentas, repentinas y brutales. Un giróptero no habría sobrevivido: el feroz viento lo habría estrellado contra el suelo como si se tratara de un mosquito. A bordo del artefacto intencional la señora Coulter podía desplazarse con ligereza propulsada por el viento, ajustando su equilibrio como un surfista en el Pacífico.

Empezó a ascender con cautela, fijando la vista al frente, haciendo caso omiso de los instrumentos y dejándose guiar por su vista y su instinto. Su daimonion saltaba de un lado al otro de la pequeña cabina de cristal, mirando hacia delante, arriba, a la izquierda y a la derecha, aconsejándola continuamente sobre lo que debía hacer. Los relámpagos, unas inmensas lanzas de luz, estallaban y crepitaban en torno al aparato. La señora Coulter tripuló la pequeña nave a través de la tormenta, ganando altura poco a poco, dirigiéndose hacia el palacio cubierto de nubes.

Y a medida que se aproximaba, la señora Coulter se sintió impresionada y sorprendida por la naturaleza de la montaña.

Le recordaba una abominable herejía cuyo autor languidecía merecidamente en las mazmorras del Tribunal Consistorial. Este autor había insinuado que existían más dimensiones espaciales que las tres que todo el mundo conocía, que a una escala muy pequeña existían siete u ocho dimensiones distintas, aunque era imposible examinarlas directamente. Incluso había llegado a construir un modelo para mostrar cómo funcionaban esas dimensiones, que la señora Coulter había contemplado antes de que fuera exorcizado y quemado. Pliegues y más pliegues, esquinas y bordes que contenían y eran contenidos: su interior lo ocupaba todo y su exterior todo lo demás. La montaña nublada la había afectado de forma semejante: no parecía tanto una roca como un campo de fuerzas magnéticas, un espacio que se manipulaba a sí mismo envolviendo, extendiendo y derramándose sobre galerías y terrazas, cámaras, columnatas y torres vigías de aire, luz y vapor.

La señora Coulter experimentó una extraña sensación de júbilo, y al mismo tiempo vio la forma de conducir la nave hasta una terraza envuelta en niebla situada en el lado meridional. La pequeña nave dio una breve sacudida al topar con una turbulencia, pero ella controló el rumbo con mano firme y su daimonion la guió hasta que se posó sobre la terraza.

La luz que ella había visto hasta entonces procedía de los relámpagos, de las ocasionales rendijas en las nubes a través de las cuales penetraba el sol, de las llamas de los ángeles que ardían, de los reflectores ambáricos; pero allí la luz era distinta. Procedía de la sustancia misma de la montaña, que resplandecía y ensombrecía lentamente, al ritmo de la respiración acompasada, irradiando una luminosidad de madreperla.

La mujer y el daimonion se apearon de la nave y miraron alrededor para ver por dónde tenían que tirar.

La señora Coulter tuvo la impresión de que había otros seres que se movían rápidamente por arriba y por abajo, desplazándose a gran velocidad con mensajes, órdenes e información a través de la sustancia de la montaña. No podía verlos; tan sólo veía las complejas y desconcertantes perspectivas de la columnata, la escalera, la terraza y la fachada.

Antes de que hubiera decidido por dónde avanzar, oyó unas voces y se ocultó apresuradamente detrás de una columna. Las voces cantaban un salmo y se aproximaban, y entonces la señora Coulter vio un cortejo de ángeles que portaban un palanquín.

Cuando se acercaron al lugar donde se había ocultado, vieron el artefacto intencional y se detuvieron. El canto se interrumpió, y algunos ángeles miraron alrededor indecisos y temerosos.

La señora Coulter estaba lo bastante cerca como para ver al ser que ocupaba el palanquín: un ángel, según le pareció, increíblemente viejo. No era fácil distinguirlo bien, porque el palanquín estaba cubierto por un reluciente cristal en el que se reflejaba la luz de la montaña, pero la señora Coulter captó una terrorífica decrepitud, un rostro surcado de arrugas, unas manos temblorosas, una boca que farfullaba palabras incoherentes y unos ojos llorosos.

El anciano ser señaló con mano trémula el artefacto intencional, riendo, mascullando y tirándose incesantemente de la barba. De pronto inclinó la cabeza hacia atrás y lanzó tal alarido de angustia que la señora Coulter tuvo que taparse los oídos.

Pero evidentemente los ángeles portadores del palanquín debían cumplir una misión, y haciendo caso omiso de los gemidos y refunfuños del anciano, siguieron avanzando a través de la terraza. Cuando llegaron a un espacio abierto desplegaron las alas, y a una orden de su jefe remontaron el vuelo portando el palanquín hasta que la señora Coulter los perdió de vista entre los remolinos de vapor.

Pero no había tiempo para pensar en aquello. Ella y el mono dorado se movieron con rapidez, subiendo por grandes escalinatas, atravesando puentes, desplazándose siempre en sentido ascendente. Cuanto más ascendían, más intensamente notaban aquella sensación de actividad que bullía a su alrededor. Por fin doblaron un recodo y llegaron a un espacio abierto parecido a una plaza cubierta de niebla, donde se toparon con un ángel armado con una lanza.

—¿Quiénes sois? ¿Qué os trae por aquí? —preguntó.

La señora Coulter lo miró con curiosidad. Hacía mucho tiempo estos seres se habían enamorado de mujeres humanas, hijas de hombres.

—No perdamos tiempo, te lo ruego —contestó ella—. Llévame enseguida ante el Regente. Me espera.

Desconciértalos, se dijo la señora Coulter, hazlos dudar. Dado que el ángel no sabía qué hacer, ella se lo dijo. Lo siguió durante unos minutos a través de aquellas confusas perspectivas de luz, hasta que llegaron a una antecámara. La señora Coulter no habría sabido decir cómo entraron, pero el caso es que estaban allí. De pronto se abrió ante ellos un panel semejante a una puerta.

Su daimonion le clavó sus afiladas garras en el antebrazo, y ella le agarró del pelo para tranquilizarse.

Ante ellos aparecía un ser luminoso. A la señora Coulter le pareció que tenía la forma de un hombre, la estatura de un hombre, pero la luz la deslumbraba y no pudo verlo con claridad. El mono dorado ocultó el rostro en el hombro de su dueña, y ella alzó el brazo para escudarse los ojos.

—¿Dónde está la niña? —inquirió Metatron—. ¿Dónde está su hija?

—Eso es lo que he venido a explicaros, mi señor Regente —respondió ella.

—Si la tuviera en su poder, me la habría traído.

—En efecto, pero tengo a su daimonion.

—¿Cómo es posible?

—Os juro, Metatron, que tengo a su daimonion en mi poder. Ocultaos un poco, os lo ruego, estoy deslumbrada...

Metatron corrió un velo de nube ante él. Era como contemplar el sol a través de un cristal ahumado. Aunque la señora Coulter podía verlo con mayor nitidez, siguió fingiendo que su rostro le deslumbraba. Su aspecto era el de un hombre de mediana edad, alto, poderoso, autoritario. ¿Iba vestido? ¿Tenía alas? No lo sabía, pues estaba fascinada por la fuerza de sus ojos y no veía nada más.

—Escuchadme, Metatron, os lo suplico. Acabo de entrevistarme con lord Asriel. Tiene en su poder al daimonion de la niña, y sabe que ésta no tardará en ir en su busca.

—¿Qué pretende hacer con la niña?

—Impedir que caiga en vuestras manos hasta que cumpla la mayoría de edad. Asriel no sabe que he venido aquí, y tengo que regresar enseguida junto a él. Os juro que es cierto lo que os digo. Miradme, gran Regente, porque yo apenas os veo. Miradme con claridad y decidme lo que veis.

El príncipe de los ángeles la miró, sometiéndola al escrutinio más implacable que Marisa Coulter había soportado jamás. Sus ojos la despojaron de todos sus ropajes de artificio bajo los que se refugiaba y su cuerpo y su espíritu, junto con su daimonion, quedaron desnudos bajo la feroz mirada de Metatron.

Ella sabía que su naturaleza tendría que responder por ella, y le aterrorizaba que lo que él viera en ella no le satisficiera. Lyra había mentido a Iofur Raknison con sus palabras: su madre mentía ahora con toda su vida.

—Sí, ya veo —respondió Metatron.

—¿Qué veis?

—Corrupción, envidia, ambición de poder. Crueldad y frialdad. Una curiosidad malsana. Malicia pura, venenosa, tóxica. Jamás, desde que era niña, ha mostrado el menor rasgo de comprensión, misericordia o bondad sin calcular los beneficios que le reportaría. Ha torturado y matado sin vacilar y sin piedad; ha traicionado, intrigado y alardeado de sus fechorías. Es usted un pozo de corrupción moral.

Aquella voz, que había emitido un juicio tan implacable, conmocionó a la señora Coulter. Sabía lo que se le venía encima, y estaba asustada. Pero al mismo tiempo estaba impaciente por que ocurriera, y tras oír de labios de Metatron el juicio que le merecía, experimentó una sensación de triunfo.

—Como veis —dijo la señora Coulter aproximándose un poco—, soy capaz de traicionar con toda facilidad. Puedo conduciros al lugar donde Asriel ha ocultado al daimonion de mi hija, podréis destruir a Asriel y la niña caerá en vuestras manos.

La señora Coulter notó el movimiento del vapor en torno suyo, que confundió sus sentidos. Las siguientes palabras de Metatron se clavaron en su carne como dardos de hielo perfumado.

—Cuando era un hombre —dijo—, tuve muchas esposas, pero ninguna tan hermosa como usted.

—¿Cuándo fue usted un hombre?

—Cuando era un hombre me conocían como Enoc, hijo de Yáred, hijo de Mahalael, hijo de Kainam, hijo de Enós, hijo de Set, hijo de Adán. Viví en la Tierra durante sesenta y cinco años, hasta que la Autoridad me llevó a su Reino.

—Y tuvisteis muchas esposas.

—Y me deleitaba con su carne. No me sorprendió que los hijos del cielo se enamoraran de las hijas de la Tierra, e intercedí por ellos ante la Autoridad. Pero estaba decidido a destruirlos, y me obligó a profetizar su condenación.

—Y no habéis conocido esposa desde hace miles de años...

—He sido el Regente del Reino.

—¿No creéis que ha llegado el momento de que toméis una esposa?

En ese momento la señora Coulter se sintió muy vulnerable y expuesta al peligro. Pero confiaba en su carne y en la extraña revelación que había averiguado sobre los ángeles, sobre todo los ángeles que antiguamente habían sido humanos: como no poseían carne, la codiciaban y ansiaban tener contacto con ella. Metatron estaba muy cerca de ella, lo suficiente para percibir el perfume de su pelo y admirar la textura de su piel, para acariciarla con sus manos ardientes...

De pronto se oyó un extraño sonido, como el rumor y el crepitar que uno percibe antes de darse cuenta de que su casa se ha incendiado.

—Dígame qué hace lord Asriel y dónde se encuentra —dijo Metatron.

—Ahora mismo puedo llevaros a él —respondió la señora Coulter.

Los ángeles que portaban el palanquín abandonaron la montaña nublada y echaron a volar hacia el sur. Metatron les había ordenado que condujeran a la Autoridad a un lugar seguro, lejos del campo de batalla, porque quería mantenerlo vivo durante un tiempo; pero en lugar de asignarle una guardia compuesta por soldados de varios regimientos, lo cual habría llamado la atención del enemigo, Metatron había confiado en la oscuridad de la tormenta, calculando que en estas circunstancias un reducido número de guardias sería más seguro que un grupo numeroso.

Y así habría sido de no ser porque el azar quiso que un espectro de acantilado que devoraba a un guerrero medio muerto alzara la vista en el preciso momento en que un reflector arrancó unos destellos al cristal del palanquín.

Aquello despertó un recuerdo en la memoria del espectro de acantilado. Éste se detuvo, sosteniendo en una mano el hígado caliente del guerrero, y cuando su hermano lo apartó de un empellón evocó la imagen de un zorro polar charlatán.

De inmediato desplegó sus correosas alas y alzó el vuelo, seguido por el resto de la tropa.

Xaphania y sus ángeles habían explorado diligentemente los alrededores durante toda la noche y parte de la mañana, hasta hallar por fin una minúscula grieta en la ladera al sur de la fortaleza que la víspera no estaba allí. La habían examinado y agrandado, y en aquellos momentos lord Asriel descendía a través de una serie de cavernas y túneles que discurrían bajo la fortaleza.

No estaba totalmente a oscuras, como él había pensado. Había una tenue fuente de luz, semejante a un riachuelo formado por billones de diminutas partículas que relucían débilmente y que fluían a través del túnel como un río de luz.

—Polvo —declaró lord Asriel a su daimonion.

Nunca lo había visto con sus propios ojos, y jamás había imaginado tal cúmulo de Polvo. Siguió avanzando hasta que de repente el túnel desembocó en un espacio abierto y se encontró sobre una gigantesca caverna: una cavidad lo bastante grande para contener una docena de catedrales. No había suelo, sino que los lados descendían vertiginosamente hacia el borde de un inmenso pozo situado varios metros más abajo, y más tenebroso que la propia oscuridad. El Polvo se derramaba de forma incesante en el pozo; sus billones de partículas semejaban estrellas de todas las galaxias del cielo, y cada una de ellas constituía un pequeño fragmento de pensamiento consciente. La luz era tan pobre que apenas se veía nada.

Lord Asriel descendió con su daimonion hacia el abismo. Mientras descendían vislumbraron lo que ocurría en el otro lado del tenebroso abismo, centenares de metros más abajo de donde se encontraban. Lord Asriel creyó detectar un movimiento, y al descender otro trecho lo vio con nitidez: un cortejo de pálidas figuras que avanzaba por una peligrosa pendiente formado por hombres, mujeres, niños, seres de todas las clases que él había visto, y muchas que ni siquiera conocía. Estaban tan preocupados en mantener el equilibrio que ni siquiera se fijaron en él. A lord Asriel se le pusieron los pelos de punta al percatarse de que eran fantasmas.

—Lyra ha estado aquí —dijo en voz baja a la onza.

—Ándate con cuidado —fue lo único que ésta le respondió.

Will y Lyra, empapados hasta los huesos, tiritando, padeciendo unos dolores indecibles, avanzaban a ciegas a través del lodo, las rocas y unas zanjas por las cuales fluían unos sanguinolentos arroyos alimentados por la tormenta. Lyra temía que lady Salmakia se estuviera muriendo: no había pronunciado una palabra desde hacía varios minutos y yacía postrada e inerte en la mano de la niña.

Cuando se refugiaron en el cauce de un río cuyas aguas al menos estaban limpias, se llevaron unos puñados a la boca para saciar la sed. Will observó que Tialys se reanimaba.

—Oigo los cascos de unos caballos que se acercan, Will —dijo—.

Lord Asriel no tiene caballería, así que debe de ser el enemigo. Debemos atravesar el río y ocultarnos. He visto unos arbustos allí.

—Vamos —dijo Will a Lyra.

Atravesaron las gélidas aguas del arroyo y se encaramaron en la orilla opuesta de la zanja poco antes de que aparecieran los jinetes. Éstos bajaron precipitadamente la cuesta y se acercaron a beber: no parecía un regimiento de caballería, sino que se trataba de unos seres de carne cubiertos con un pelaje corto como sus monturas. No portaban ropas ni arneses, pero iban armados con tridentes, redes y cimitarras.

Will y Lyra no se detuvieron para contemplarlos. Continuaron avanzando agachados por el accidentado terreno, tratando de pasar inadvertidos.

Pero tenían que mantener los ojos fijos en el suelo para ver por dónde pisaban y evitar torcerse un tobillo o algo peor. De pronto estalló un trueno y los niños echaron a correr, por lo que no oyeron los alaridos y gruñidos de los espectros de acantilado hasta que se toparon con ellos.

Las criaturas estaban arracimadas alrededor de algo que yacía en el lodo: un objeto algo más alto que ellos, tumbado de costado, parecido a una enorme jaula con paredes de cristal.

Antes de que Will y Lyra pudieran detenerse y echar a correr en sentido contrario, aterrizaron en medio de la banda de espectros.

31

El fin de la Autoridad

EL IMPERIO YA NO EXISTE, Y EL LEÓN Y EL LOBO DEJARÁN DE EXISTIR.
WILLIAM BLAKE

Mirad cómo se esconde, Metatron! —susurró la señora Coulter a la sombra que tenía a su lado—. Se arrastra a través de la oscuridad como una rata...

Se hallaban sobre un saliente en la parte superior de la inmensa caverna, observando cómo lord Asriel y la onza descendían cautelosamente, muchos metros más abajo.

—Podría aniquilarlo ahora mismo —murmuró la sombra.

—Por supuesto —dijo la señora Coulter, aproximándose a su acompañante—. Pero quiero contemplar su rostro, querido Metatron, quiero que sepa que le he traicionado. Vamos, lo seguiremos y atraparemos...

La cascada de Polvo resplandecía como un inmenso pilar de luz tenue al caer de forma suave e incesante por el abismo. La señora Coulter no podía entretenerse en contemplarla, pues la sombra junto a ella temblaba de deseo y tenía que retenerla a su lado, controlándola en la medida de lo posible.

Bajaron en silencio, siguiendo a lord Asriel. A medida que descendían, la señora Coulter sintió que se apoderaba de ella un tremendo cansancio.

—¿Qué ocurre? ¿Qué ocurre? —preguntó la sombra con suspicacia, intuyendo las emociones que experimentaba la señora Coulter.

—Estaba pensando —respondió ella con dulce malicia— en cuánto me alegro de que la niña no crezca y sepa lo que es amar y ser amada. Creí que la quería cuando era un bebé; pero ahora...

—¡En su corazón se lamenta de no verla crecer! —le reprochó la sombra.

—¡Ay, Metatron, cómo se nota que hace mucho que fuisteis un hombre! ¿Es que no veis lo que me duele? No me lamento de que la niña no alcance la madurez, sino de no haberos conocido yo en mi juventud. ¡Con qué pasión me habría consagrado a vos!

La señora Coulter se aproximó más a la sombra, como si no pudiera controlar los impulsos de su cuerpo, y la sombra olfateó y aspiró con avidez el perfume de su piel.

Siguieron avanzando laboriosamente sobre las rocas desprendidas y resquebrajadas hacia el pie de la ladera. Cuanto más descendían, más intenso era el resplandor dorado que el Polvo-luz proyectaba sobre todos los objetos. La señora Coulter no cesaba de alargar la mano hacia el sitio donde habría estado la de su acompañante de haber sido humano en lugar de una sombra.

—Ocultaos detrás de mí, Metatron —dijo por fin—. Esperad aquí. Asriel sospecha de todo. Dejad que lo tranquilice. Cuando esté distraído, os llamaré. Pero debéis aparecer como una sombra, en esta forma reducida, para que él no os vea. De lo contrario dejará que el daimonion de la niña huya volando.

El Regente era un ser cuyo profundo intelecto se había desarrollado y potenciado a lo largo de miles de años, y cuyos conocimientos abarcaban un millón de universos. Pero en aquel momento estaba cegado por dos obsesiones: destruir a Lyra y poseer a la madre de ésta. Metatron asintió con la cabeza y se detuvo, mientras la mujer y el mono avanzaban con el máximo sigilo.

Lord Asriel aguardaba detrás de un inmenso bloque de granito, donde el Regente no alcanzaba a verlo. La onza les oyó aproximarse, y lord Asriel se puso en pie en cuanto apareció la señora Coulter. Todo, cada superficie, cada centímetro cúbico de aire, estaba impregnado por la cascada de Polvo que confería una delicada claridad a los más pequeños detalles. A la luz que emitía el Polvo, lord Asriel observó que la señora Coulter tenía el rostro empapado en lágrimas y apretaba los dientes para reprimir los sollozos.

Lord Asriel la abrazó, y el mono dorado se aferró al cuello de la onza y sepultó su negro rostro en el pelaje de ésta.

—¿Está Lyra a salvo? ¿Ha encontrado a su daimonion? —susurró la señora Coulter.

—El fantasma del padre del chico los protege a ambos.

—¡Qué hermoso es el Polvo! Jamás imaginé...

—¿Qué le has dicho?

—Le mentí descaradamente, Asriel. No perdamos tiempo, no so-

347

porto esta espera... No viviremos, ¿verdad? ¿No sobreviviremos como fantasmas?

—Si caemos en el abismo, no. Hemos venido aquí para conceder a Lyra la oportunidad de hallar a su daimonion y alcanzar la madurez. Si conducimos a Metatron a su extinción, Marisa, la niña tendrá tiempo de conseguir ambas cosas, y si nosotros sucumbimos con él, no tiene importancia.

—¿Y Lyra se salvará?

—Sí, sí —respondió lord Asriel con ternura.

Luego besó a la señora Coulter. Su cuerpo le pareció tan suave y ligero como hacía trece años, cuando Lyra fue concebida.

La señora Coulter rompió a llorar suavemente.

—Le dije que iba a traicionaros a ti y a Lyra —dijo cuando logró dominarse—, y él me creyó porque estoy corrompida y llena de maldad; hurgó tan profundamente en mi interior que yo estaba segura de que vería la verdad. Pero mentí a la perfección. Mentí con cada fibra de mi ser, poniendo de relieve todo el mal que había cometido... No quería que él descubriera ni un ápice de bondad en mí, y lo logré. No hay bondad en mí. Pero quiero a Lyra. ¿De dónde procede este cariño? Lo ignoro; se apoderó de mí con nocturnidad y alevosía, como un ladrón, y ahora sé que la quiero tanto que mi corazón rebosa de amor. Confiaba en que mis crímenes fueran tan monstruosos que ese amor no fuera mayor que una semilla de mostaza a la sombra de aquéllos, deseé haber cometido unos crímenes aún mayores para ocultar ese amor... Pero la semilla de mostaza arraigó y fue creciendo, y el pequeño brote verde me partió el corazón y temí qué él viera...

La señora Coulter se detuvo para recuperarse. Lord Asriel acarició su reluciente cabello, aureolado por el Polvo dorado, y aguardó.

—Temo que se impaciente —siguió ella—. Le dije que apareciera bajo una forma reducida para que no lo vieras. Pero no es sino un ángel, aunque antiguamente fuera un hombre. Mientras forcejeamos con él le conduciremos al borde del precipicio, y ambos nos despeñemos con él.

Lord Asriel la besó.

—Sí. Lyra estará a salvo y el Reino no podrá hacer nada contra ella. Llámalo, Marisa, amor mío.

La señora Coulter exhaló un prologado y estremecido suspiro. Luego se alisó la falda sobre los muslos y se recogió el pelo detrás de las orejas.

—Acércate, Metatron —susurró—. Ha llegado el momento.

Del aire dorado surgió de pronto la sombra de Metatron, envuelta en una capa, y enseguida comprendió lo que ocurría: los dos daimonions, agazapados y alertas, la mujer con la aureola de Polvo, lord Asriel...

Lord Asriel se arrojó en el acto sobre él, aferrándolo por la cintura y tratando de derribarlo. Pero el ángel tenía los brazos libres, y con sus puños y antebrazos le golpeó en la cabeza y el cuerpo, dejándolo sin aliento, con unas cuantas costillas maltrechas y una brecha en el cráneo.

No obstante, lord Asriel consiguió rodear con los brazos las alas del ángel, inmovilizándolas. La señora Coulter saltó entonces entre las alas inmovilizadas y agarró a Metatron del pelo. El ángel poseía una fuerza descomunal: era como asir la crin de un caballo desbocado. Metatron sacudió la cabeza con furia, zarandeando a la señora Coulter de un lado a otro. Ella sintió el poder de las inmensas alas plegadas que pugnaban por liberarse, pero lord Asriel las sujetaba con fuerza.

Los daimonions también atacaron a Metatron. Stelmaria le clavó los dientes en una pierna mientras el mono dorado desgarraba el borde del ala que tenía más cerca, arrancándole las plumas y las barbas. Pero eso sólo consiguió espolear la furia de Metatron. Con un repentino y gigantesco esfuerzo, el ángel se arrojó a un lado, liberando un ala y aplastando a la señora Coulter contra una roca.

Durante unos segundos la señora Coulter se quedó aturdida y le soltó. El ángel se alzó de nuevo, batiendo el ala que tenía libre para desembarazarse del mono dorado. Pero lord Asriel seguía rodeándolo con los brazos, y como el volumen era ahora menor, podía sujetarlo con más fuerza. Empeñado en asfixiar a Metatron, lord Asriel le estrujó las costillas hasta que éstas crujieron, al tiempo que procuraba esquivar los salvajes golpes que le asestaba el ángel en la cabeza y el cuello.

Los golpes comenzaban a surtir efecto. Y mientras lord Asriel trataba de conservar el equilibrio sobre las piedras, sintió un golpe brutal en la parte posterior de la cabeza. Al arrojarse a un lado, Metatron había aprovechado para agarrar una piedra del tamaño de un puño con la que golpeó a lord Asriel en el cráneo. Éste sintió que los huesos de su cabeza crujían y calculó que otro golpe como aquél lo mataría. Aunque perturbado por el dolor —un dolor infinitamente peor que la opresión de su cabeza contra el costado del ángel—, lord Asriel siguió aferrado a Metatron: los dedos de su mano derecha aplastaban los de la izquierda mientras se movía torpemente de un lado a otro tratando de apoyar los pies con firmeza sobre el suelo sembrado de piedras.

Cuando Metatron alzó la piedra ensangrentada para descargar otro golpe, una forma dorada y peluda saltó como una llama sobre la copa de un árbol, y el mono dorado hundió sus dientes en la mano del ángel. Éste soltó la piedra, que cayó al suelo y rodó hasta el borde del abismo. Metatron movió el brazo a izquierda y derecha, tratando de librarse del daimonion; pero el mono siguió aferrado a él con los dientes, las garras y la cola, y de pronto la señora Coulter se arrojó sobre la gigantesca y blanca ala que no cesaba de batir y la sujetó con fuerza.

Habían conseguido inmovilizar a Metatron, pero no herirlo. Y mucho menos conducirlo al borde del precipicio.

Lord Asriel sintió que le abandonaban las fuerzas. Se esforzaba en no perder el conocimiento, pero sangraba en abundancia y con cada movimiento perdía más sangre. Sentía los bordes de los huesos rozar unos con otros y rechinar dentro de su cráneo. Estaba conmociona-do: todo lo que sabía era que debía sujetar al enemigo y derribarlo.

La señora Coulter palpó el rostro del ángel hasta dar con los ojos y hundió los dedos en ellos.

Metatron lanzó un grito. El eco respondió de un extremo al otro de la gigantesca caverna y su voz reverberó entre las colinas, multipli-cándose y disminuyendo. Los lejanos fantasmas se detuvieron en su infatigable procesión y alzaron la cabeza.

Y Stelmaria, el daimonion onza, cuya conciencia comenzaba a desvanecerse junto con la de lord Asriel, hizo un último esfuerzo y se arrojó sobre el cuello del ángel.

Metatron cayó de rodillas. La señora Coulter, que había caído con él, vio los ojos inyectados en sangre de lord Asriel que la mi-raban con gesto implorante. La mujer se levantó apresuradamente, horrorizada y tapándose la boca con la mano, empujó a un lado el ala que seguía batiendo, agarró al ángel del pelo y le estiró la cabeza ha-cia atrás para que la onza pudiera clavarle los dientes en el cuello.

Lord Asriel tiró de él y ambos cayeron hacia atrás, tropezando con las piedras y rodando. El mono dorado cayó con ellos, mordiendo, ara-ñando, desgarrando... Casi habían alcanzado el borde del precipicio, pero de pronto Metatron se incorporó y con un último y descomunal esfuerzo abrió las alas, que parecían una gigantesca marquesina blanca, batiéndolas una y otra vez... Metatron había logrado desembarazarse de la señora Coulter y siguió batiendo las alas con fuerza para conse-guir despegar, hasta que alzó el vuelo mientras lord Asriel seguía aferrado a él pero a punto de desfallecer... El mono dorado tenía los dedos enganchados en el pelo del ángel y estaba decidido a no soltarlo...

Pero habían salvado el borde del abismo. ¡Se elevaban en el aire! ¡Si volaban más alto y lord Asriel caía, Metatron conseguiría escapar!

—¡Marisa! ¡Marisa!

El desesperado grito brotó de labios de lord Asriel, y la madre de Lyra, con la onza a su lado y un rugido en los oídos, se levantó, recuperó el equilibrio y saltó con todas sus fuerzas, derribando al ángel, a su daimonion y a su amante que agonizaba. Aferró aquellas alas que no cesaban de batir, y los arrastró a todos por el precipicio.

Los espectros de acantilado oyeron el grito de espanto de Lyra, y todos volvieron sus cabezas planas simultáneamente.

Will se adelantó de un salto y embistió con la daga al espectro que tenía más cerca. Sintió una patadita en el hombro en el momento en que Tialys saltó y aterrizó sobre la mejilla del espectro más grande, agarrándolo del pelo y propinándole un puntapié debajo del mentón antes de que pudiera zafarse. La criatura comenzó a chillar y a revolcarse en el fango. El espectro que estaba junto a Will observó con mirada estúpida el muñón del brazo de su compañero y luego miró horrorizado su propio tobillo, que su mano amputada había asido al desprenderse. En ese momento la daga se hundió en su pecho: Will sintió que la empuñadura daba tres o cuatro saltos al ritmo de los agonizantes latidos del corazón, y se apresuró a extraerla antes de que el espectro se la arrancara al caer y rodara por el precipicio.

Will oyó a los otros proferir gritos de odio mientras huían despavoridos. Sabía que Lyra estaba a su lado, indemne, pero se arrojó en el fango con un único propósito.

—¡Tialys! ¡Tialys! —gritó, y acto seguido, procurando esquivar los afilados dientes, torció la cabeza del espectro más grande. Tialys estaba muerto, con los espolones clavados en el cuello del espectro. Como éste seguía pataleando y tratando de morderlo, Will le cortó la cabeza y la apartó de un puntapié antes de desprender el cadáver del gallivespiano del correoso cuello del espectro.

—Will —dijo Lyra a sus espaldas—. Mira esto, Will...

Lyra observaba el palanquín de cristal. Se hallaba intacto, pero el cristal estaba manchado y cubierto de barro y sangre de los seres que los espectros habían devorado antes de hallarlo. Yacía de costado entre las rocas, y en su interior...

—¡Fíjate, Will, aún está vivo! ¡Pero el pobre...!

Will vio las manos de Lyra aplastadas contra el cristal, tratando de alcanzar al ángel y tranquilizarlo, porque era muy viejo, estaba aterrorizado y lloraba como un niño, agazapado en el rincón inferior del palanquín.

—Debe de ser muy anciano... Nunca había visto a nadie sufrir de ese modo. ¿No podemos sacarlo de ahí, Will?

Will atravesó el cristal con la daga y metió la mano para ayudar al ángel a salir del palanquín. Demente y desvalido, el decrépito ser no paraba de llorar y mascullar de miedo y dolor, temblando ante aquel nuevo e inesperado peligro.

—No tema —dijo Will—, le ayudaremos a ocultarse. Vamos, no le haremos daño.

El anciano agarró con mano temblorosa la de Will y la sostuvo sin cesar de gemir, de proferir sonidos incoherentes, de rechinar los dientes y de tirarse de la barba con la mano que tenía libre. Pero cuando Lyra trató de ayudarle a salir, el ángel esbozó una sonrisa e hizo una reverencia mientras clavaba en ella sus ancianos ojos rodeados de arrugas y la miraba parpadeando con ingenua perplejidad.

No les resultó difícil a los dos niños ayudar al anciano a abandonar su celda de cristal, pues era tan ligero como el papel. El ángel estaba dispuesto a seguirles a donde fuera, pues no tenía voluntad propia y respondió a la amabilidad de Will y Lyra como una flor al sol. Pero una vez en el exterior nada impidió al viento lastimarlo y, ante la estupefacción de los niños, su forma empezó a disolverse hasta que unos instantes después desapareció del todo. La última impresión que Will y Lyra se llevaron de él fueron sus ojos, pestañeando de asombro, y un suspiro de cansancio y de profundo alivio.

Luego desapareció: un misterio que se disolvió en el misterio. Todo ello no había durado ni un minuto. Will se volvió hacia el caballero, que yacía en tierra. Tomó su diminuto cuerpo, sosteniéndolo con delicadeza en las palmas de las manos, y las lágrimas comenzaron a rodar por sus mejillas.

—Debemos marcharnos, Will —le instó Lyra—. Es preciso... Lady Salmakia ha oído que se aproximan los caballos...

Un halcón azul eléctrico surgió del firmamento y descendió en picado. Lyra lanzó un grito y se agachó, pero Salmakia gritó con todas sus fuerzas:

—¡No, Lyra! ¡Ponte derecha y extiende el puño!

Lyra permaneció inmóvil, sosteniendo un brazo con el otro. El halcón azul describió un círculo, dio media vuelta y pasó de nuevo sobre ella para calcular si los nudillos de Lyra resistirían sus afiladas garras.

A lomos del halcón iba montada una dama de pelo gris y rostro de expresión franca, la cual miró primero a Lyra y luego a Salmakia, que estaba sujeta al cuello de la niña.

—Madame —dijo Salmakia débilmente—, hemos hecho...

—Habéis hecho cuanto debíais hacer. Ahora estamos nosotros aquí —respondió madame Oxentiel, tirando de las riendas del halcón.

El halcón lanzó tres gritos tan potentes que casi dejaron sorda a Lyra. En respuesta a su llamada aparecieron en el cielo uno, dos, tres, centenares de refulgentes libélulas, con unos guerreros en sus lomos. Se movían con tal rapidez que daba la impresión de que fueran a chocar entre sí, pero gracias a sus extraordinarios reflejos y la destreza de sus jinetes, más bien parecía que estuvieran tejiendo sobre y alrededor de los niños un tapiz de ágil, silencioso y brillante colorido.

—Lyra y Will —dijo la dama montada en el halcón—, seguidnos y os conduciremos hasta vuestros daimonions.

Cuando el halcón abrió las alas y despegó de su mano, Lyra sintió el minúsculo peso de Salmakia que pasaba a la otra mano. Sabía que sólo la fuerza de voluntad de la dama la había mantenido con vida hasta entonces. Sosteniendo su cuerpecillo con ternura, Lyra echó a correr con Will bajo la nube de libélulas, tropezando y cayendo al suelo en varias ocasiones, pero sin dejar de estrechar a lady Salmakia contra su corazón.

—¡A la izquierda! ¡A la izquierda! —gritó la dama montada en el halcón azul.

Los niños giraron hacia la izquierda en la oscuridad iluminada de vez en cuando por los relámpagos. Will vio a su derecha un regimiento de hombres ataviados con armaduras de color gris pálido, tocados con yelmos y cubiertos con máscaras, acompañados por sus daimonions lobos grises, que procuraban no quedarse rezagados. De pronto el torrente de libélulas enfiló hacia ellos. Los hombres vacilaron: sus rifles no les servían de nada contra aquel enjambre de insectos, y los gallivespianos se lanzaron sobre ellos en un santiamén. Los jinetes saltaron de sus monturas buscando una mano, un brazo, un cuello desnudo donde clavar sus espolones antes de montarse de nuevo en el insecto mientras éste giraba y volvía a pasar sobre los hombres en vuelo rasante. Eran tan veloces que resultaba casi imposible seguirlos. Con la moral hecha trizas, los soldados dieron media vuelta y huyeron despavoridos.

Pero de pronto los niños oyeron a sus espaldas el estruendo de unos cascos de caballos y se volvieron espantados: los jinetes se disponían a atacarlos al galope. Algunos llevaban en las manos unas redes que hacían girar sobre sus cabezas para atrapar a las libélulas; después hacían restallar las redes como si fueran látigos y arrojaban los destrozados insectos al suelo.

—¡Por aquí! —gritó la dama, apresurándose a añadir—: ¡Agachaos!

Will y Lyra la obedecieron, sintiendo que la tierra temblaba. ¿Era posible que aquella sacudida la produjeran los cascos de los caballos? Lyra alzó la cabeza y al apartar unos mechones húmedos que le caían sobre los ojos vio algo muy distinto de los caballos.

—¡Iorek! —gritó loca de alegría—. ¡Mi querido Iorek!

Will la obligó a agacharse de nuevo, pues además de Iorek Byrnison había aparecido un regimiento de osos acorazados que se dirigían hacia ellos. Lyra se apresuró a agachar la cabeza mientras Iorek ordenaba a sus osos que se desplegaran a derecha e izquierda y aplastaran al enemigo.

Con inusitada agilidad, como si la armadura no pesara más que su pelambre, el rey oso se volvió hacia Will y Lyra, que trataban de enderezarse.

—¡Cuidado, Iorek! ¡A tus espaldas! ¡Tienen redes! —gritó Will, pues tenían a los jinetes casi encima.

Antes de que el oso pudiera reaccionar, la red de un jinete silbó a través del aire y envolvió a Iorek en una tela de araña resistente como el acero. El oso lanzó unos furiosos rugidos y se alzó sobre sus patas traseras, tratando de golpear al jinete con sus inmensas patas. Pero la red era muy tupida, y aunque el caballo lanzó un bufido y se encabritó, atemorizado, Iorek no logró librarse de la red.

—¡No te muevas, Iorek! —gritó Will.

El niño avanzó presuroso a través de los charcos y los montecillos de hierba mientras el jinete trataba de controlar al caballo, y alcanzó a Iorek justo cuando aparecía un segundo jinete blandiendo también una red.

Will conservó la sangre fría, y en lugar de dar palos de ciego y caer también en la trampa, observó el movimiento de la red y la cortó al instante con la daga. La segunda red cayó al suelo. Will se precipitó entonces hacia Iorek, palpando con la mano izquierda y cortando con la derecha. El imponente oso se quedó inmóvil mientras el niño corría de un lado a otro frente a su gigantesco cuerpo, cortando los nudos, despejando el camino, liberándolo.

—¡Aléjate! —gritó Will, apartándose de un salto.

Iorek salió disparado hacia arriba, y más que chocar contra el pecho del caballo que estaba junto a él pareció como que explotaba.

El jinete alzó su cimitarra para descargar un golpe sobre el pescuezo del oso, pero Iorek Byrnison y su armadura pesaban casi dos toneladas, y a aquella distancia nada era capaz de resistir el impacto. Caballo y jinete, ambos destrozados, cayeron inermes al suelo. Cuando hubo recuperado el equilibrio, Iorek miró a su alrededor para tomar nota del terreno y gritó a los niños:

—¡Saltad sobre mi lomo! ¡Rápido!

Lyra se montó sobre él, seguida por Will. Oprimiendo el frío acero entre sus piernas, los niños sintieron el descomunal poder del animal cuando éste comenzó a moverse.

A sus espaldas, los osos luchaban contra la extraña caballería, asistidos por los gallivespianos, cuyos espolones enfurecían a los caballos. La dama montada en el halcón azul descendió en picado.

—¡Seguid adelante! —gritó—. ¡Nos ocultaremos entre los árboles del valle!

Al alcanzar la cima de una pequeña loma, Iorek se detuvo. Frente a ellos, el asolado terreno descendía hacia un bosquecillo situado a medio kilómetro. Más allá, una batería de cañones disparaba un proyectil tras otro, que pasaban silbando sobre sus cabezas, al tiempo que unos hombres disparaban unas bengalas que estallaban debajo de las nubes y se deslizaban hacia los árboles, iluminándolos con una luz fría y verdosa y convirtiéndolos en el blanco perfecto para los cañones.

Media docena de espantos luchaban junto al bosquecillo contra una desastrada banda de fantasmas para hacerse con el control del mismo. En cuanto vieron el bosquecillo, Lyra y Will comprendieron que sus daimonions se encontraban allí y que morirían si no los rescataban enseguida. Con cada minuto que pasaba aparecían más espantos procedentes del cerro que quedaba a la derecha. Will y Lyra los vieron con toda claridad.

De pronto se produjo una explosión sobre el cerro que hizo estremecer el suelo y levantó un remolino de tierra y piedras. Lyra gritó asustada y Will se llevó las manos al pecho.

—Sujetaos bien —dijo Iorek, lanzándose a la carga.

Una bengala estalló en el aire, seguida de otra y otra más, deslizándose lentamente hacia abajo e iluminando el bosquecillo con su resplandor de magnesio. Se oyó otro cañonazo, estaba vez más cerca. Los niños sintieron el impacto en el aire, y unos segundos después les cayó una lluvia de tierra y piedras en la cara. Iorek no aminoró el paso, pero Will y Lyra apenas lograban sostenerse. Como no podían hundir los dedos en su pelambre tenían que sujetarse a la armadura con las rodillas, pero el oso tenía un lomo tan ancho que resbalaban continuamente.

—¡Mira! —exclamó Lyra señalando en el preciso momento en que estalló otro proyectil.

Una docena de brujas volaban hacia las bengalas, portando unas gruesas ramas repletas de hojas con las que apartaban las luces de su camino. La oscuridad cayó de nuevo sobre el bosquecillo, ocultándolo de los cañones.

Faltaban pocos metros. Will y Lyra presentían que sus daimonions estaban cerca, lo cual les produjo una emoción y una alegría mitigadas por el temor, pues el bosquecillo estaba infestado de espantos ocultos entre los árboles y tendrían que moverse entre ellos, y el mero hecho de verlos les provocaba náuseas.

—Tienen miedo de la daga —dijo una voz junto a ellos. El rey oso frenó tan bruscamente que Will y Lyra cayeron al suelo.

—¡Si es mi camarada Lee! —exclamó Iorek—. ¡En mi vida había visto nada parecido! ¿Pero no estabas muerto? ¿Con quién hablo?

—Iorek, querido amigo, nosotros controlaremos ahora la situación. Los espantos no temen a los osos. Lyra, Will, seguidme, y esgrimid esa daga...

El halcón azul se posó de nuevo en el puño de Lyra.

—No perdáis un segundo —les recomendó la dama de pelo gris—. Id a por vuestros daimonions y huid inmediatamente. Se avecina otro peligro.

—¡Gracias, amable dama! ¡Gracias a todos! —respondió Lyra. El halcón remontó el vuelo.

Will distinguió la tenue silueta del fantasma de Lee Scoresby junto a ellos, conminándoles a entrar cuanto antes en el bosquecillo, pero tenían que despedirse de Iorek Byrnison.

—Iorek, querido amigo, no tengo palabras para agradecerte... ¡Que Dios te bendiga!

—Gracias, rey Iorek —apostilló Will.

—No hay tiempo. ¡Entrad de una vez en el bosque! —dijo el oso empujándolos con su cabeza acorazada.

Will echó a correr tras el fantasma de Lee Scoresby a través del sotobosque, esgrimiendo la daga a diestro y siniestro. La luz era tenue e irregular; las sombras densas, confusas y desconcertantes.

—No te alejes de mi lado —le pidió a Lyra. De pronto lanzó un grito cuando una rama le hirió en la mejilla.

A su alrededor percibieron movimiento, ruido, forcejeos. Las sombras se movían de un lado a otro como ramas sacudidas por el vendaval. Tal vez fueran fantasmas; los dos niños sintieron aquellos pequeños toques fríos que conocían tan bien y oyeron unas voces que decían:

—¡Por aquí!

—¡Por allí!

—¡No os detengáis, nosotros los mantendremos a raya!

—¡Ya falta poco!

De pronto oyeron una voz que Lyra conocía y amaba más que a ninguna otra.

—¡Corre, ven! ¡Apresúrate, Lyra!

—¡Pan, cariño mío...! ¡Estoy aquí!

Lyra se precipitó hacia la oscuridad, sollozando y temblando, y Will se abrió camino con la daga entre ramas, parras, zarzas y espinos, mientras alrededor las voces de los fantasmas se alzaban en un clamor de aliento y advertencia.

Pero los espantos habían dado también con su objetivo, y avanzaron en tromba a través del amasijo de arbustos, brezos, raíces y ramas, topándose con menos resistencia que el humo. Una docena de los malignos seres se precipitaron hacia el centro del bosquecillo, donde el fantasma de John Parry reunía a sus compañeros para plantarles batalla.

Will y Lyra temblaban y se sentían débiles a causa del miedo, el agotamiento, las náuseas y el dolor, pero habría sido inconcebible darse por vencidos a aquellas alturas. Mientras Lyra avanzaba apartando las zarzas con las manos y Will asestaba golpes con su daga a diestro y siniestro, el combate de los espectrales seres se intensificaba y hacía más salvaje.

—¡Allí! —gritó Lee—. ¿Los veis? ¡Junto a esa enorme roca!

Dos gatos monteses estaban enzarzados en una pelea a muerte, bufando, silbando y destrozando. Ambos eran daimonions, y Will pensó que si tuviera tiempo de detenerse sabría reconocer a Pantalaimon; pero no había tiempo, porque un grotesco espanto salió de entre las sombras y se deslizó hacia ellos.

Will salvó el último obstáculo, un árbol que yacía en tierra, y hundió la daga en la dúctil y reluciente forma que flotaba en el aire. El impacto le dejó el brazo insensible, pero apretó los dientes al tiempo que apretaba los dedos en torno a la empuñadura y la pálida forma se disolvió y desvaneció de nuevo en la oscuridad.

Casi habían llegado. Los daimonions estaban locos de terror, porque a través de los árboles seguía apareciendo una riada de espantos y sólo los valerosos fantasmas eran capaces de mantenerlos a raya.

—¿Puedes abrir una ventana? —preguntó el fantasma de John Parry.

Will empuñó la daga pero tuvo que detenerse porque le acometió un ataque de náuseas que le hizo estremecerse de pies a cabeza. No tenía nada en el estómago, y el espasmo le provocó un dolor espantoso. Lyra, junto a él, se hallaba en el mismo estado. Al percatarse del motivo, el fantasma de Lee se lanzó hacia los daimonions y comenzó a forcejear con la pálida criatura que había aparecido a través de una roca, detrás de aquéllos.

—Por favor, Will... —le imploró Lyra, retorciéndose de dolor.

Will hundió la daga, la desplazó hacia un lado, hacia abajo y hacia el otro lado. El fantasma de Lee Scoresby miró a través de la abertura y vio una apacible pradera iluminada por una luna resplandeciente, tan semejante a su tierra natal que sintió una alegría inenarrable.

Will saltó a través del claro y asió al primer daimonion mientras Lyra tomaba en brazos al otro.

Incluso en aquella situación crítica, en un momento de máximo peligro, los dos niños sintieron una intensa emoción pues Lyra sostenía al daimonion de Will, el gato montés sin nombre, y Will a Pantalaimon.

Tras mirarse a los ojos durante unos instantes, Will y Lyra se volvieron en busca de los benévolos fantasmas.

—¡Adiós, señor Scoresby! —exclamó Lyra—. ¡Ojalá...! ¡Gracias, muchas gracias! ¡Adiós!

—Adiós, querida niña, adiós, Will. ¡Que la suerte os acompañe!

Lyra pasó a través de la abertura, pero Will se detuvo unos instantes para mirar al fantasma de su padre a los ojos, que relucían en la sombra. Tenía que decirle algo antes de separarse de él.

—Dijiste que yo era un guerrero —le dijo—. Me dijiste que ésa era mi naturaleza, y que debía aceptarlo. Estabas equivocado, padre. Peleé porque no tuve más remedio. No puedo elegir mi naturaleza, pero puedo elegir lo que quiero hacer. Y a partir de ahora lo haré, porque soy libre.

La sonrisa de su padre rebosaba orgullo y ternura.

—Te felicito, hijo mío.

Cuando dejó de verlo, Will pasó a través de la abertura, detrás de Lyra.

Después de haber cumplido su propósito, después de que los niños hubieron hallado a sus daimonions y escapado, los guerreros muertos dejaron por fin que sus átomos reposaran y se disgregaran.

El pequeño retazo de conciencia que constituía Lee Scoresby flotó hacia arriba, elevándose sobre el bosquecillo, dejando atrás a los atónitos espantos, sobre el valle, sobre la imponente forma de su viejo compañero el oso acorazado, al igual que había hecho en tantas ocasiones su espectacular globo. Indiferente a las bengalas y a los cañonazos, sordo a las explosiones, las exclamaciones y los gritos de ira, amenaza y dolor, consciente sólo de su movimiento ascendente, lo último que quedaba de Lee Scoresby atravesó las espesas nubes y salió al encuentro de las rutilantes estrellas, donde le esperaban los átomos de Hester, su amada daimonion hembra.

32

La mañana

DESPUNTA EL DÍA,
DECLINA LA NOCHE,
LOS VIGÍAS
ABANDONAN
SUS PUESTOS...
WILLIAM BLAKE

La amplia y dorada pradera que el fantasma de Lee Scoresby había atisbado a través de la ventana relucía apaciblemente bajo los primeros rayos del sol de la mañana.

Dorada, pero a la vez amarilla, marrón, verde y todos los millones de matices que abarcaban estos colores; y en algunos lugares negra, donde se veían unas líneas y franjas de alquitrán negro; y también plateada, donde el sol arrancaba reflejos a las puntas de una hierba que acababa de florecer; y azul, donde el vasto cielo azul celeste se reflejaba en las aguas de un gran lago situado a escasa distancia y un pequeño estanque cercano.

Y apacible, pero no en silencio, pues la suave brisa agitaba infinidad de pequeños tallos, y millones de insectos y de otras diminutas criaturas que zumbaban y chirriaban sobre la hierba, y un pájaro tan alto en el cielo que no se veía lanzaba al aire pequeñas cascadas de notas entrelazadas y alegres como un cascabel, lejos, cerca, pero nunca la misma nota dos veces.

En aquel amplio panorama los únicos seres vivos que permanecían inmóviles y silenciosos eran el niño y la niña, que yacían dormidos, espalda contra espalda, a la sombra de un saliente en la cima de un pequeño farallón.

Estaban tan quietos, tan pálidos, que parecían muertos. El hambre les daba un aspecto demacrado, el dolor había producido unos surcos profundos alrededor de los ojos; estaban sucios, cubiertos de polvo, barro y no poca sangre. Y a juzgar por la absoluta pasividad de sus extremidades, parecían hallarse en un estado de extremo agotamiento.

Lyra fue la primera en despertarse. Cuando el sol alcanzó el cenit, pasó sobre el farallón y se posó en su cabello. La niña se movió un poco, y cuando el sol tocó sus párpados Lyra se elevó de las profundidades del sueño hasta la superficie de la realidad como un pez, lentamente, resistiéndose.

Pero era inútil discutir con el sol, y a los pocos minutos Lyra volvió la cabeza, se escudó los ojos con el brazo y murmuró:

—Pan... Pan...

Lyra abrió los ojos bajo la sombra de su brazo y se despabiló. Durante unos momentos se quedó quieta, porque le dolían las piernas y los brazos y tenía todos los músculos del cuerpo agarrotados por el cansancio, pero estaba despierta, y sintió la brisa y el calor del sol y oyó el murmullo de los insectos y el alegre canto del pájaro en lo alto. Todo ello le produjo una sensación muy grata. Había olvidado lo maravilloso que era el mundo.

Luego se volvió y vio a Will, que dormía como un tronco. Su mano había sangrado mucho; tenía la camisa rota y sucia, el pelo apelmazado debido al polvo y al sudor. Lyra lo miró durante largo rato, observando el pequeño pulso en su cuello, su respiración acompasada, las delicadas sombras que proyectaban sus pestañas cuando el sol se posó en ellas.

Will murmuró algo y se movió. Como no quería que la sorprendiera mirándolo, Lyra volvió la cabeza y contempló la pequeña sepultura que habían cavado la noche anterior, de un par de palmos de anchura, donde ahora reposaban los cadáveres del caballero Tialys y lady Salmakia. Al ver una piedra lisa no lejos de donde se encontraba, Lyra fue hasta ella, la desprendió de la tierra y la colocó de pie frente a la sepultura. Luego se sentó, se escudó los ojos con la mano y contempló la llanura, que parecía prolongarse hasta el infinito.

No era completamente llana, sino que presentaba unas suaves ondulaciones, y unas lomas y hondonadas modificaban la superficie del terreno. Lyra observó unos grupos de árboles que parecían construidos en lugar de haber crecido de forma natural: sus troncos rectos y sus copas de un verde oscuro desafiaban la distancia, pues eran claramente visibles a varios kilómetros a la redonda.

Más cerca —al pie del farallón, a no más de cien metros de distancia— había un pequeño estanque alimentado por un manantial que brotaba de la roca. Al verlo, Lyra se percató de que estaba sedienta.

Echó a andar hacia el estanque con paso lento y vacilante pues las piernas le temblaban. El manantial borboteaba y caía por entre unas rocas cubiertas de musgo. Lyra sumergió las manos en él una y otra vez para quitarse el barro y la suciedad antes de llevarse el agua a la boca. Estaba tan fría que le produjo dentera, pero bebió con avidez.

En el estanque, rodeado de juncos, croaba una rana. Sus aguas eran poco profundas y más cálidas que las del manantial, según comprobó Lyra cuando se metió descalza en él. Permaneció allí largo rato, sintiendo la caricia del sol en la cabeza y el cuerpo y deleitándose con la frescura del barro bajo sus pies y el helado chorro del manantial en torno a sus pantorrillas.

Lyra se agachó, sumergió la cara en el agua y se mojó el pelo, dejándole flotar unos instantes sobre la superficie antes de alzar de nuevo la cabeza y pasarse los dedos por el cabello para eliminar el polvo y la suciedad.

Cuando se sintió más limpia y hubo saciado la sed, Lyra miró hacia la ladera y vio que Will se había despertado. Estaba sentado con las piernas encogidas y los brazos apoyados en las rodillas, contemplando la llanura como había hecho ella, maravillado de su extensión y de la luz, del calor y del sosiego que reinaba en aquel lugar.

Lyra subió lentamente por la ladera para reunirse con él y vio que Will estaba grabando los nombres de los gallivespianos en la lápida, tras lo cual la fijó en la tierra.

—¿Están...? —preguntó Will, y Lyra comprendió que se refería a los daimonions.

—No lo sé. No he visto a Pan. Tengo la impresión de que no anda muy lejos, pero no lo sé. ¿Recuerdas lo que ocurrió?

Will se frotó los ojos y bostezó con tanta fuerza que Lyra oyó unos ruiditos, como si le crujiera la mandíbula. Luego pestañeó y meneó la cabeza.

—Muy poco —contestó—. Yo tomé a Pantalaimon y tú a... el otro, y pasamos a través de la ventana y todo estaba iluminado por la luna y lo dejé en el suelo, junto a la ventana.

—Y tu... el otro daimonion saltó de mis brazos —dijo Lyra—. Traté de ver al señor Scoresby a través de la ventana, y a Iorek, y dónde se había metido Pan, pero cuando miré habían desaparecido.

—De todos modos, no tuve la misma sensación que cuando penetramos en el mundo de los muertos, cuando nos separamos de ellos.

—Es cierto —convino Lyra—. Sé que están cerca. Recuerdo que cuando éramos más jóvenes jugábamos al escondite, pero la cosa no funcionaba porque yo era demasiado grande para ocultarme de él y siempre sabía exactamente dónde se encontraba, aunque se camuflara como una polilla. Pero esto es muy extraño —añadió Lyra pasándose las manos por la cabeza distraídamente, como si tratara de disipar un encantamiento—. Pan no está aquí, pero no me siento separada de él, me siento a salvo, y sé que él también lo está.

—Creo que están juntos —comentó Will.

—Sí. Seguramente.

Will se levantó de improviso.

—¡Mira! —exclamó, protegiéndose los ojos del sol y señalando a lo lejos. Lyra percibió un movimiento distante y trémulo, muy diferente del rielar producido por la calima.

—¿Animales? —preguntó Lyra.

—Escucha —respondió Will, colocándose la mano detrás de la oreja.

Lyra miró atentamente el punto que señalaba Will y oyó un rumor sordo y persistente, casi como si tronara a lo lejos.

—Han desaparecido —dijo Will.

Las pequeñas y trémulas sombras se habían desvanecido, pero el rumor persistió durante unos momentos. De pronto se hizo un silencio más profundo que antes de producirse aquel fenómeno. Los dos niños siguieron observando el punto lejano, y poco después volvió a iniciarse el misterioso movimiento. Al cabo de unos instantes percibieron el sonido.

—Deben de haberse ocultado detrás de un cerro —dijo Will—. ¿Crees que están más cerca?

—No lo veo bien. ¡Sí, mira, han dado la vuelta, se dirigen hacia aquí!

—Bueno, si tenemos que pelear con ellos, primero tengo que beber —dijo Will. Tomó su mochila y bajó al manantial, donde bebió con avidez y se lavó. La herida le sangraba mucho. Tenía un aspecto espantoso. Sentía unos enormes deseos de darse una ducha caliente, enjabonarse de pies a cabeza y ponerse ropa limpia.

Lyra observaba a aquellos... lo que fueran. Eran muy extraños.

—Fíjate, Will, van montados en unas ruedas.

Pero Lyra no estaba segura de que fuera así. Will subió un trecho por la ladera y se protegió los ojos con la mano para mirar hacia donde señalaba Lyra. Ahora los vio con más claridad. El grupo, manada o pandilla estaba formado por una docena aproximada de individuos que se desplazaban sobre ruedas, como había afirmado Lyra. Parecían un cruce de antílopes y motocicletas, pero tenían una pinta aún más rara: poseían unas trompas como de pequeños elefantes.

Y se dirigían con aire resuelto hacia Will y Lyra. Will sacó la daga mientras Lyra, que estaba sentada junto a él en la hierba, comenzó a girar las manecillas del aletiómetro.

Éste respondió con rapidez, cuando las criaturas se hallaban a pocos metros de distancia. La aguja se movió a la izquierda, a la derecha, a la izquierda, más a la izquierda. Lyra sentía que su mente se desplazaba también hacia los significados indicados por el aletiómetro y aterrizaba sobre ellos con la ligereza de un pajarillo.

—No temas, Will, vienen con intenciones amistosas —dijo—. Nos están buscando, saben que estamos aquí... Qué raro, no acabo de entenderlo... ¿La doctora Malone?

Lyra pronunció el nombre como para sí, porque no podía creer que la doctora Malone estuviera en aquel mundo. No obstante, el aletiómetro indicaba su presencia con claridad, aunque como es lógico no podía indicar su nombre de pila. Lyra guardó el instrumento y se levantó lentamente.

—Creo que deberíamos bajar a recibirlos —dijo—. No nos harán daño.

Algunos se detuvieron. El jefe avanzaba a la cabeza del grupo, con la trompa erguida. Will y Lyra observaron que se propulsaban mediante enérgicos movimientos hacia atrás de las extremidades laterales. Algunas de las criaturas se acercaron al estanque para beber mientras las otras aguardaban, pero no con la pasiva curiosidad de unas vacas congregadas frente a una verja. Aquellos individuos estaban animados por una vívida inteligencia y propósito. Eran personas.

Will y Lyra bajaron por la ladera hasta hallarse lo suficientemente cerca de las criaturas para hablarles. Pese a lo que Lyra acababa de decir, Will no apartó la mano de la daga.

—No sé si me entendéis —dijo Lyra con cautela—, pero sé que vuestras intenciones son amistosas. Creo que deberíamos...

El jefe movió la trompa y respondió:

—Venid a ver a Mary. Montaos. Nosotros os llevaremos. Venid a ver a Mary.

—¡Vaya! —exclamó Lyra, volviéndose hacia Will con una sonrisa en los labios.

Dos de las criaturas iban equipadas con riendas y estribos de cuerda. No portaban sillas de montar; sus lomos en forma de rombo resultaron lo bastante cómodos como para montar en ellos a pelo. Lyra había montado en un oso y Will en bicicleta, pero ninguno había montado en un caballo, que era la comparación más aproximada. No obstante, las personas que montan a caballo suelen controlar a sus monturas, cosa que los niños no consiguieron en ningún momento: las riendas y los estribos estaban destinados a proporcionarles simplemente algo a lo que agarrarse para no perder el equilibrio. Eran las criaturas quienes tomaban todas las decisiones.

—¿Dónde...? —empezó a decir Will, pero se detuvo para recobrar el equilibrio mientras la criatura seguía avanzando.

El grupo dio media vuelta y descendió por una pequeña pendiente, desplazándose con lentitud a través de la hierba. El movimiento era agitado pero no incómodo, porque las criaturas no poseían columna dorsal: Will y Lyra tenían la sensación de estar sentados en unas mullidas poltronas.

Al poco rato llegaron a un lugar que los niños no habían distinguido desde el farallón: una de aquellas zonas donde el terreno presentaba unas franjas de color negro o marrón oscuro. Will y Lyra, al igual que le había ocurrido a Mary hacía algún tiempo, se asombraron al contemplar unas carreteras de basalto que serpenteaban a través de la pradera.

Las criaturas rodaron por la superficie, adquiriendo velocidad a medida que avanzaban. La carretera parecía más un río que una autopista, porque en algunos lugares se ensanchaba y desembocaba en unas zonas amplias como pequeños lagos, y en otros se dividía y formaba unos estrechos canales que más adelante volvían a unirse. No tenía nada que ver con la forma salvaje y racional en que las carreteras del mundo de Will atravesaban laderas y saltaban sobre valles a través de unos puentes de hormigón. Ésta formaba parte del paisaje, no se imponía sobre él por la fuerza.

Las criaturas circulaban a gran velocidad. Will y Lyra tardaron un rato en acostumbrarse a los enérgicos impulsos de los músculos y el estrépito de las duras ruedas sobre el duro asfalto. Al principio a Lyra le costó más que a Will, porque nunca había montado en bicicleta y no conocía el truco de inclinarse, pero al ver que él lo hacía decidió imitarlo, y al poco rato empezó a disfrutar de la velocidad.

Debido al estrépito de las ruedas los niños no oían lo que se decían, de modo que se conformaron con señalar los árboles, maravillados de su tamaño y esplendor; una bandada de aves, las más extrañas que jamás habían visto, con unas alas situadas a babor y estribor que les permitían realizar un movimiento giratorio a través del aire; un enorme lagarto azul, largo como un caballo, tumbado al sol en medio de la carretera (las criaturas con ruedas se separaron para pasar junto al lagarto, que ni siquiera les prestó atención).

El sol estaba en lo alto del cielo cuando las criaturas empezaron a aminorar la marcha. En el aire flotaba un inconfundible olor a mar. La carretera inició el ascenso hacia un farallón, y al cabo de unos minutos las criaturas comenzaron a avanzar al paso de una persona.

—¿Podríais deteneros un rato? —preguntó Lyra, que tenía todos los músculos agarrotados y doloridos—. Quiero desmontar y estirar las piernas.

La criatura sobre la que iba montada notó que tiraba de la rienda y, al margen de que hubiera entendido o no sus palabras, se detuvo. La criatura que montaba Will hizo lo propio y los dos niños desmontaron, molidos por las agujetas, los brincos y traqueteos.

Las criaturas se agruparon para conversar, moviendo elegantemente las trompas al ritmo de los sonidos que emitían. Al cabo de unos minutos reanudaron la marcha. Will y Lyra gozaron caminando entre aquellas criaturas que olían a heno y cálida hierba. Un par de ellas se habían adelantado hasta la cima de la colina, y los niños, como ya no tenían que preocuparse de conservar el equilibrio, observaron cómo se movían, admirando la gracia y potencia con que se propulsaban hacia delante, se inclinaban hacia un costado y giraban.

Cuando llegaron a la cima de la colina, se detuvieron. Will y Lyra oyeron que el jefe les decía:

—Mary cerca. Mary allí.

Los niños miraron hacia abajo y contemplaron el resplandor azulado del mar en el horizonte. Un ancho río discurría perezosamente a través de unos fértiles pastizales situados a poca distancia, y al pie de la empinada ladera, entre unos bosquecillos de pequeños árboles e hileras de hortalizas, se alzaba una aldea de viviendas con techado de paja. Entre ellas se movían unas criaturas semejantes a las que habían transportado a Will y Lyra hasta allí, atendiendo los cultivos o trabajando entre los árboles.

—Montaos otra vez —dijo el jefe.

El trayecto era corto. Will y Lyra volvieron a subir, mientras las otras criaturas observaban si estaban bien sentados y comprobaban con la trompa los estribos, para asegurarse de que no fueran a caerse.

Enseguida partieron, batiendo la carretera con sus extremidades laterales e impulsándose cuesta abajo hasta alcanzar una velocidad de vértigo. Will y Lyra se sujetaron con fuerza con las manos y las rodillas; el aire les azotaba el rostro, les revolvía el pelo y les producía escozor en los ojos. Los mulefa disfrutaban con el estruendo de las ruedas, el inmenso mar de hierba que se extendía a ambos lados, su destreza y potencia al tomar las anchas curvas de la carretera, la emoción de la velocidad... Will y Lyra rieron alegremente al sentirles tan gozosos.

Se detuvieron en el centro de la aldea, y los otros, que les habían visto llegar, se agolparon a su alrededor con las trompas alzadas y pronunciando unas palabras de bienvenida.

—¡Doctora Malone! —exclamó Lyra de pronto.

Mary había salido de una de las chozas. Su falda azul desteñida, su figura rechoncha y sus mejillas cálidas y rubicundas resultaban a un tiempo extrañas y familiares.

Lyra corrió a abrazarla y la mujer la estrechó afectuosamente contra su pecho, mientras Will permanecía en un segundo plano, prudente e indeciso.

Mary besó a Lyra con cariño y luego se adelantó para saludar a Will. A continuación se produjo un curioso baile mental de simpatía y timidez, que apenas duró unos segundos.

Conmovida por el aspecto que presentaban los niños, Mary pensó en abrazar también a Will. Pero ella era una mujer hecha y derecha y Will casi un hombre, y la doctora consideró que ese tipo de efusiones haría que Will pareciera un niño, porque aunque ella habría abrazado a un niño sin dudarlo, jamás habría abrazado a un hombre que no conocía. De modo que se contuvo, deseosa ante todo de mostrarse respetuosa con el amigo de Lyra y no humillarlo.

En vez de abrazarlo le ofreció la mano, que él se apresuró a estrechar, estableciéndose entre ambos una corriente de respeto y simpatía tan poderosa que se hicieron amigos de inmediato.

—Éste es Will —dijo Lyra—. Es de tu mundo. ¿Recuerdas que te hablé de él?

—Me llamo Mary Malone —respondió la doctora—. Debéis de tener hambre, parecéis famélicos.

Mary se volvió hacia la criatura que estaba a su lado y le dijo algo con aquellos melodiosos sonidos al tiempo que gesticulaba con una mano.

Las criaturas se alejaron y poco después aparecieron cargadas con cojines y alfombras pertenecientes a la vivienda más cercana, que colocaron sobre la compacta tierra bajo un árbol cuyas densas hojas y pesadas ramas proporcionaban una sombra fresca y fragante.

En cuanto se hubieron acomodado, sus anfitriones les sirvieron en unos cuencos de madera una leche ligeramente ácida que sabía a limón, pero maravillosamente reconfortante; unas nueces pequeñas parecidas a las avellanas, pero con un marcado sabor a mantequilla; una ensalada que acababan de recoger, compuesta por unas hojas un tanto ásperas y otras más suaves y gruesas que segregaban un cremoso líquido, y unas raíces del tamaño de cerezas que sabían a zanahorias dulces.

Pero los niños apenas probaron bocado. La comida era demasiado fuerte. Will quiso corresponder a la generosidad de sus anfitriones, pero aparte de la bebida sólo consiguió tragar un poco de pan delgado y harinoso, ligeramente tostado, parecido a las chapatas o tortitas. Era sencillo y nutritivo, y fue lo único que comió. Lyra probó un poco de cada cosa, pero también comió muy poco.

Mary procuró no hacer demasiadas preguntas. Los niños habían vivido una experiencia que les había marcado profundamente y no querían hablar todavía de aquello.

Así que Mary respondió a sus preguntas sobre los mulefa y les contó de forma resumida cómo había llegado a aquel mundo. Luego los dejó instalados a la sombra del árbol, porque vio que se les cerraban los ojos y les costaba mantenerse despiertos.

—Lo único que tenéis que hacer es dormir —les dijo.

El aire de la tarde era cálido y apacible, y la sombra del árbol y el canto de los grillos les producía modorra. Cinco minutos después, tras apurar su bebida, Will y Lyra se quedaron dormidos.

—¿Pertenecen a dos sexos? —preguntó Atal, sorprendida—. ¿Pero cómo lo sabes?

—Es muy fácil —respondió Mary—. Sus cuerpos tienen una forma diferente. Se mueven de modo distinto.

—No son mucho más pequeños que tú. Pero tienen menos sraf. ¿Cuándo recibirán el sraf?

—No lo sé —contestó Mary—. Supongo que dentro de poco. No sé cuándo lo recibimos los humanos.

—No tienen ruedas —comentó Atal, como si se compadeciera de ellos.

Ella y Mary estaban escardando las malas hierbas del huerto. Mary había confeccionado un rastrillo para no tener que agacharse; Atal utilizaba su trompa, por lo que la conversación era intermitente.

—Pero tú sabías que vendrían —dijo Atal.

—Sí.

—¿Te lo dijeron los palitos?

—No —respondió Mary, sonrojándose. Ella era científica y le

avergonzaba reconocer que consultaba el I Ching, pero esto era peor—. Fue una imagen nocturna —confesó.

Los mulefa no poseían una palabra que significara sueño. No obstante tenían unos sueños muy vívidos, que se tomaban muy en serio.

—A ti no te gustan las imágenes nocturnas —declaró Atal.

—Sí que me gustan, pero no creí en ellas hasta ahora. Vi al chico y a la niña con toda claridad, y una voz me dijo que me preparara para recibirles.

—¿Qué clase de voz? ¿Cómo es que te habló si no podías verla?

A Atal le costaba imaginar el lenguaje sin los movimientos de trompa que aclaraban y definían su significado. Se paró en medio de una hilera de judías y observó a Mary con fascinada curiosidad.

—Sí la vi —respondió Mary—. Era una mujer, o una sabia, como nosotros, como mi gente. Pero muy vieja y al mismo tiempo joven.

Los mulefa llamaban a sus jefes «sabios». Mary vio que Atal estaba vivamente interesada en la historia.

—¿Cómo podía ser vieja y joven al mismo tiempo? —inquirió Atal.

—Es un como si —le aclaró Mary.

Atal movió la trompa para indicar que lo había entendido.

Mary intentó seguir expresándose con la mayor claridad:

—La mujer me dijo que estuviera dispuesta para recibir a los niños, cuándo aparecerían y dónde. Pero no me explicó el motivo. Dijo que debía cuidar de ellos.

—Están heridos y cansados —dijo Atal—. ¿Impedirán que desaparezca el sraf?

Mary alzó la cabeza, dubitativa. Sabía sin tener que comprobarlo a través del catalejo que las partículas de sombra desaparecían con más rapidez que antes.

—Espero que sí —contestó—. Pero no lo sé.

Al atardecer, cuando encendieron las hogueras para preparar la comida y aparecieron las primeras estrellas, llegó un grupo de forasteros. Mary se estaba lavando. Oyó el estrépito de las ruedas y el agitado murmullo de sus voces y salió apresuradamente de la casa, secándose las manos.

Will y Lyra habían dormido toda la tarde y el ruido acababa de despertarles. Lyra se incorporó, aturdida aún por el sueño, y vio que Mary estaba hablando con media docena de mulefa que formaban un círculo a su alrededor. Parecían muy excitados, pero Lyra no pudo adivinar si se sentían alegres o tristes.

Al verla, Mary se acercó a ella.

—Ha ocurrido algo, Lyra —dijo—. Han encontrado algo que no puedo explicarte... Se trata... No sé qué es...Tengo que ir a echarle un vistazo. Se encuentra a una hora de camino. Regresaré en cuanto pueda. Toma lo que necesites de mi casa... No puedo entretenerme, están impacientes...

—De acuerdo —respondió Lyra, que no se había despabilado del todo.

Mary miró debajo del árbol. Will se estaba frotando los ojos.

—No tardaré, te lo prometo —dijo—. Atal se quedará con vosotros.

El jefe se impacientaba. Mary puso rápidamente la brida y los estribos sobre su lomo, disculpándose por su torpeza, y montó de inmediato. Las criaturas dieron media vuelta sobre sus ruedas y desaparecieron en la oscuridad.

Emprendieron una nueva dirección, a lo largo del cerro que se alzaba junto a la costa, al norte. Mary nunca había viajado en la oscuridad montada en una de aquellas criaturas, y la velocidad le pareció aún más alarmante que de día. Mientras ascendían el cerro, Mary vio el resplandor de la luna reflejado sobre el mar, a lo lejos y a su izquierda. Su luz sepia plateada la envolvió en una maravillosa y fría sensación de escepticismo: la sensación de maravilla estaba dentro de ella, el escepticismo en el mundo y la frialdad en ambos.

De vez en cuando Mary alzaba la vista y palpaba el catalejo que llevaba en el bolsillo, pero no podía utilizarlo hasta que dejaran de moverse. Los mulefa se movían presurosos, dando muestras de no estar dispuestos a detenerse por nada. Al cabo de una hora de fatigoso viaje enfilaron hacia el interior, dejando atrás la carretera de basalto y avanzando lentamente hacia un cerro por un sendero de tierra batida que discurría entre una hierba que alcanzaba a la rodilla y unos árboles de cápsulas-ruedas. El paisaje, formado por unas amplias y desnudas colinas y algunas hondonadas donde unos arroyos fluían perezosamente entre densas arboledas, relucía bajo la luna.

Los mulefa la condujeron hacia una de aquellas hondonadas. Mary había desmontado cuando abandonaron la carretera y anduvo al paso de sus acompañantes por la cima de la colina y ladera abajo, hacia la hondonada.

Oyó el fluir del arroyo y la brisa nocturna que agitaba la hierba. Percibió el sonido amortiguado de las ruedas avanzando sobre la tierra compacta, y a los mulefa que caminaban ante ella charlando entre sí. De pronto se detuvieron.

En la vertiente de la colina, a pocos metros, había una de esas aberturas practicadas por la daga. Parecía la boca de una cueva, pues el resplandor de la luna penetraba un poco en ella, como si justo a la entrada se encontraran las entrañas de la colina, pero no era así. A través de la abertura salía una interminable procesión de fantasmas.

Mary tuvo la sensación de que la tierra cedía bajo sus pies. Estupefacta, se agarró a la rama más próxima para cerciorarse de que aún existía un mundo físico y que ella formaba parte de él.

Al acercarse vio multitud de mujeres, niños, bebés en brazos, humanos y otros seres que desfilaban a través de la oscura boca de la cueva y salían al sólido mundo iluminado por la luna... y luego desaparecían.

Eso era lo más raro. Tras avanzar unos pocos pasos hacia el mundo compuesto de hierba, aire y luz plateada, echaban una ojeada alrededor, con los rostros transformados por la alegría —Mary jamás había visto tal expresión de alegría— y alargaban los brazos como si quisieran abrazar el universo. Y entonces, de improviso, como si estuvieran hechos de niebla o humo, se desvanecían y pasaban a formar parte de la tierra, el rocío y la brisa de la noche.

Algunos se dirigieron hacia Mary como si quisieran decirle algo, con las manos extendidas, y ella sintió su contacto como unas pequeñas y frías sacudidas. Uno de los fantasmas —una anciana— le indicó que se acercara.

—Cuéntales historias —le dijo a Mary—. Necesitan saber la verdad. Cuéntales historias verdaderas, y todo irá bien. No dejes de contarles historias.

Eso fue todo. La anciana desapareció. Fue uno de esos momentos en que de pronto recordamos un sueño que habíamos olvidado, y experimentamos de nuevo el torrente de emociones que habíamos sentido en ese sueño. Era el sueño que Mary había tratado de describir a Atal, la imagen nocturna. Pero cuando Mary trató de evocarlo de nuevo, el sueño se desvaneció, como aquellas presencias al entrar en contacto con el aire libre. El sueño se había esfumado.

Lo único que quedaba era una dulce sensación, y el consejo de la anciana: «Cuéntales historias.»

Mary escrutó la oscuridad. Por lo que podía ver en aquel infinito silencio, seguían apareciendo más fantasmas, miles y miles de extraños seres, como unos refugiados que regresan a su tierra.

«Cuéntales historias», se dijo Mary.

33

Mazapán

DULCE PRIMAVERA, REBOSANTE DE DULCES DÍAS Y ROSAS, UNA CAJA DE BOMBONES DISPUESTOS EN APRETADAS HILERAS...
GEORGE HERBERT

A la mañana siguiente Lyra se despertó tras haber soñado que Pantalaimon había regresado, revelándole su forma definitiva. A ella le había encantado, pero en aquellos momentos no tenía ni remota idea de dónde estaba.

Hacía poco que había amanecido, y el aire poseía una grata frescura. Lyra percibió la luz del sol a través de la puerta abierta de la pequeña cabaña con techado de paja en la que había dormido, la casa de Mary. Permaneció un rato acostada en la cama, escuchando los distintos sonidos. Se oía el canto de los pájaros y una especie de grillos, y Mary dormía cerca, respirando sosegadamente.

Al incorporarse, Lyra comprobó que estaba desnuda. Al principio se sintió indignada, pero enseguida vio en el suelo junto a ella unas ropas limpias y dobladas: una camisa de Mary y una tela suave, ligera y estampada para que se la anudara en torno a la cintura a modo de falda. Al vestirse se dio cuenta de que le sobraba camisa por todas partes, pero al menos presentaba un aspecto decente.

Lyra salió de la cabaña. Estaba convencida de que Pantalaimon andaba cerca. Casi le parecía oír su voz y su risa. Eso significaba que su daimonion estaba a salvo y que seguían conectados. Cuando él la perdonara y regresara junto a ella, pasarían horas y horas charlando y contándoselo todo.

El muy perezoso de Will seguía durmiendo bajo el árbol. A Lyra se le ocurrió despertarlo, pero si estaba sola podría bañarse en el río. Solía disfrutar bañándose desnuda en el río Cherwell, con los otros niños de Oxford, pero con Will sería distinto. Lyra se sonrojó sólo de pensar en ello.

Así pues, se encaminó sola al río. El aire matutino aparecía irisado como las perlas. Entre los juncos que crecían a la orilla vio a un ave alta y esbelta parecida a una garza que se sostenía sobre una pata, inmóvil. Lyra caminó despacio y en silencio para no turbarla, pero el ave le hizo menos caso que si hubiera sido una rama flotando en el agua.

—Vaya —dijo Lyra.

Dejó la ropa en la ribera y se metió en el río. La corriente transportaba agua de mar. Esto le produjo una curiosa sensación, porque nunca se había bañado en agua salada. Nadó un rato para entrar en calor y luego se encaramó a la ribera, tiritando. Normalmente, Pan le habría ayudado a secarse. ¿Se habría convertido en un pez que se reía de ella debajo del agua? ¿En un escarabajo, que se había colado entre su ropa para hacerle cosquillas? ¿En un pájaro? ¿Estaría en otro sitio con el otro daimonion, sin pensar en ningún momento en Lyra?

El sol calentaba, y Lyra no tardó en estar seca. Se enfundó de nuevo la holgada camisa de Mary, y al ver unas piedras lisas fue en busca de su ropa para lavarla. Pero al llegar a la cabaña comprobó que alguien se le había adelantado. Tanto sus prendas como las de Will colgaban de las dúctiles ramas de un fragante arbusto, casi secas.

Will se movió un poco. Lyra se sentó junto a él.

—¡Despierta, Will! —dijo suavemente.

—¿Dónde estamos? —preguntó el niño, incorporándose y alargando la mano en busca de la daga.

—En un lugar seguro —respondió ella, apartando la vista—. Esas criaturas nos han lavado la ropa, o quizá lo haya hecho la doctora Malone. Te voy a traer la tuya. Está casi seca...

Lyra le entregó la ropa y se sentó de espaldas a Will hasta que éste se hubo vestido.

—He ido a nadar al río —dijo Lyra—. He buscado a Pan, pero creo que se oculta de mí.

—¡Buena idea! Me refiero a lo de nadar en el río. Tengo la sensación de no haberme lavado desde hace siglos.... Voy a darme un baño.

Mientras Will bajaba al río, Lyra aprovechó para darse un paseo por la aldea, procurando no mirar nada detenidamente por si violaba algún código de educación de aquellas gentes, aunque le picaba la curiosidad. Algunas casas eran muy viejas y otras nuevas, pero todas estaban construidas de madera, arcilla y paja. No tenían un aspecto tosco; todas las puertas, las ventanas y los dinteles aparecían decorados con vistosos dibujos, pero los dibujos no estaban grabados en la madera sino que parecía como si los mulefa hubieran persuadido a la madera para que asumiera ciertas formas de modo espontáneo y natural.

Le asombró el orden y el esmero con que estaba organizado todo en aquella aldea, al igual que los múltiples significados que ofrecía el aletiómetro. En parte anhelaba descifrar aquel enigma, relacionar una similitud con otra, un significado con otro, como hacía cuando consultaba su instrumento, pero por otra parte se preguntaba cuánto tiempo se quedarían allí antes de verse obligados a trasladarse a otro lugar.

«De todos modos no me moveré de aquí hasta que regrese Pan», se dijo.

Al cabo de un rato, cuando Will regresó del río, Mary salió de la casa y les invitó a desayunar. Poco después apareció Atal, y toda la aldea reanudó su ritmo cotidiano. Los dos niños mulefa, que no tenían ruedas, no cesaban de asomarse por las esquinas de sus casas para observarlos. Cuando Lyra se volvía de repente para mirarlos, los pequeños se sobresaltaban y se echaban a reír del susto.

—Bien —dijo Mary después de que Will y Lyra hubieron comido un poco de pan y fruta y bebido una infusión que sabía a menta y estaba casi ardiendo—, ayer estabais muy cansados y sólo os apetecía dormir. Pero hoy tenéis un aspecto más animado y creo que debemos contarnos todo lo que hemos averiguado. Como nos llevará un buen rato, podemos aprovechar para reparar unas redes. Así nos sentiremos útiles.

Acarrearon hasta la orilla del río una pila de redes tiesas y cubiertas de alquitrán y las extendieron sobre la hierba. Mary les enseñó la forma de anudar un nuevo trozo de cuerda en los sitios donde se había producido un agujero. Estaba preocupada, porque Atal le había dicho que las familias que vivían más arriba, en la costa, habían visto un gran número de tualapi, las aves blancas, congregadas en el mar, y todos estaban preparados para desalojar sus aldeas de inmediato, pero entretanto debían proseguir con sus labores cotidianas.

Mientras trabajaban al sol, sentados junto a las plácidas aguas del río, Lyra relató su historia, desde el momento, hacía mucho, en que Pan y ella decidieran echar un vistazo a la sala de descanso del Colegio Jordan.

La marea subió y retrocedió, pero seguía sin haber señal de los tualapi. A última hora de la tarde Mary llevó a Will y a Lyra a dar un paseo por la ribera. Pasaron frente a los postes de pesca en los que ataban las redes, atravesaron la extensa salina y se dirigieron al mar. No era peligroso ir allí durante la marea baja, porque las aves blancas sólo se dirigían a tierra firme durante la pleamar. Mary los condujo por un camino de superficie dura, por encima del barro. Como tantas cosas que habían construido los mulefa, aunque era antigua estaba en perfecto estado, hasta el extremo de que parecía formar parte de la naturaleza en lugar de constituir un elemento extraño a ella.

—¿Construyeron ellos esas carreteras de basalto? —preguntó Will.

—No. En cierto modo podría decirse que las carreteras los crearon a ellos —contestó Mary—. Quiero decir que los mulefa no habrían desarrollado el uso de las ruedas de no haber dispuesto de estas superficies duras sobre las que circular. Imagino que están formadas por ríos de lava emitidos por antiguos volcanes.

»De modo que las carreteras les permitieron utilizar las ruedas. Muchas otras cosas han contribuido a la existencia de los mulefa, como los árboles de cápsulas de semillas, y la forma de sus cuerpos: no son vertebrados, no poseen una columna dorsal. Hace mucho se produjo en nuestros mundos una feliz casualidad que significó que los seres dotados de espina dorsal teníamos las cosas algo más fáciles, a partir de lo cual aparecieron otras formas, todas ellas basadas en la columna vertebral. En este mundo, el azar quiso que aparecieran unos seres en forma de rombo. Existen algunos vertebrados, desde luego, pero no muchos. Por ejemplo, las serpientes. Las serpientes son importantes aquí. Los mulefa cuidan de ellas y procuran no hacerles daño.

»En resumidas cuentas, su forma, las carreteras y los árboles de cápsulas de semillas hicieron posible que existieran los mulefa. Una serie de pequeñas casualidades que hicieron posible su aparición. ¿Cuándo comenzó tu papel en esta historia?

—En mi caso también se debió a una serie de pequeñas casualidades —respondió Will, pensando en el gato debajo de los carpes. De haber llegado medio minuto más tarde o más temprano, no habría visto al gato, no habría hallado la ventana, no habría descubierto Cittàgazze ni a Lyra; nada de ello habría ocurrido.

Will empezó por el principio, y Mary y Lyra le escucharon mientras caminaban. Cuando llegaron a la zona pantanosa, Will estaba refiriendo el momento en que su padre y él luchaban en la cima de la montaña.

—Y entonces la bruja lo mató...

Will nunca lo había entendido. Les contó lo que la bruja le había revelado antes de matarse: que había amado a John Parry y él la había rechazado.

—Las brujas son feroces —comentó Lyra.

—Pero si ella lo amaba...

—El amor también puede ser feroz —terció Mary.

—Pero él amaba a mi madre —objetó Will—. Y puedo asegurar que mi padre jamás le fue infiel.

Lyra miró a Will y pensó que cuando él se enamorara, también le sería fiel a su esposa.

En la cálida atmósfera que les rodeaba flotaban los apacibles sonidos de la tarde: el incesante goteo y succión del pantano, los chirridos de los insectos, las voces de las garzas. La marea había retrocedido y podía verse toda la playa, clara y reluciente bajo el sol. Millones de diminutas criaturas adaptadas al fango vivían, se alimentaban y morían en la capa superior de la arena, y las minúsculas madrigueras, orificios de ventilación y movimientos invisibles confirmaban que todo el paraje rebosaba de vida.

Sin explicar a los otros el motivo, Mary dirigió la vista hacia el mar, escrutando el horizonte en busca de unas velas blancas. Pero sólo vio el trémulo resplandor donde el azul del cielo palidecía al borde del mar, y el mar adquiría esa palidez y hacía que refulgiera a través de la luminosa atmósfera.

Mary mostró a Will y Lyra cómo conseguir una determinada especie de molusco localizando sus tubos de ventilación que asomaban sobre la arena. A los mulefa les encantaban, pero les resultaba difícil desplazarse sobre la arena para hacerse con ellos. Cuando Mary bajaba a la playa procuraba recoger tantos como podía, y ahora, con tres pares de manos y ojos, se darían un festín.

Mary entregó a Will y a Lyra una bolsa de tela a cada uno y se pusieron manos a la obra al tiempo que escuchaban el siguiente capítulo de la historia. Mientras iban llenando sus bolsas de moluscos, Mary los condujo de nuevo, sin que apenas se dieran cuenta, hasta el borde del pantano porque la marea comenzaba a subir.

La historia era muy larga; aquel día no les daría tiempo de llegar al mundo de los muertos. Cuando se acercaron a la aldea, Will relató a Mary lo que Balthamos le había explicado sobre los orígenes de la vida humana. Mary se mostró muy interesada en la naturaleza compuesta de tres partes de los seres humanos.

—¿Sabéis? —comentó Mary—, la Iglesia católica, a la que yo pertenecía, se negaba a emplear la palabra demonio, pero san Pablo habla del espíritu, el alma y el cuerpo. De modo que el concepto de que la naturaleza humana se compone de tres partes no es tan extraño.

—Pero la mejor parte es el cuerpo —afirmó Will—. Eso fue lo que me dijeron Baruch y Balthamos. Los ángeles anhelan poseer un cuerpo. Me aseguraron que los ángeles no comprenden por qué nosotros no disfrutamos más del mundo. Para ellos sería maravilloso poseer nuestra carne y nuestros sentidos. En el mundo de los muertos...

—Cuéntaselo cuando lleguemos a ese episodio —terció Lyra, dirigiéndole una sonrisa tan dulce que Will se sintió turbado por la alegría y sensatez que traslucía. Él le devolvió la sonrisa, y Mary pensó que jamás había visto en ningún rostro humano una expresión de confianza tan absoluta.

Mary dejó a los dos niños sentados junto al río, observando cómo subía la marea, y fue a reunirse con Atal junto a la hoguera del poblado, pues había que preparar la cena. Su amiga se alegró al ver tal cantidad de moluscos.

—Pero Mary —dijo Atal—, los tualapi destruyeron una aldea situada más arriba, junto a la costa, y otras dos más. No lo habían hecho nunca. Por lo general después de atacar una aldea regresan al mar. Y hoy ha caído otro árbol...

—¡No! ¿Dónde?

Atal respondió que en un bosquecillo, no lejos de un manantial de agua caliente. Mary había estado en aquel lugar hacía unos días, y todo estaba en orden. Tomó el catalejo y observó el cielo: la corriente de partículas de sombra fluía con más fuerza, en más cantidad y a una velocidad infinitamente mayor que la marea que se alzaba ahora entre las riberas.

—¿Qué puedes hacer? —preguntó Atal.

Mary sintió el peso de la responsabilidad que había recaído sobre ella como una pesada mano entre los hombros, pero se enderezó y dijo:

—Contarles historias.

Cuando terminaron de cenar, los tres humanos y Atal se sentaron en unas esteras a la puerta de casa de Mary, bajo las cálidas estrellas. Se recostaron, saciados y a gusto en la atmósfera nocturna saturada del perfume de las flores, y escucharon la historia que les relató Mary.

Empezó desde poco antes de conocer a Lyra y les habló del trabajo que realizaba con el grupo de Investigación de la Materia Oscura y la crisis financiera. El tiempo que había invertido en solicitar fondos y el poco tiempo que le quedaba para la investigación.

Pero la llegada de Lyra lo había cambiado todo en un santiamén. A los pocos días había abandonado su mundo por completo.

—Hice lo que me aconsejaste —dijo Mary—. Elaboré un programa, o sea una serie de instrucciones para que las Sombras pudieran comunicarse conmigo a través del ordenador. Ellas me dijeron lo que debía hacer. Dijeron que eran ángeles, y... bueno...

—Teniendo en cuenta que eres una científica —dijo Will—, cometieron un error al decirte eso. Se exponían a que no creyeras en los ángeles.

—Sí, pero yo había oído hablar de ellos, porque yo había sido monja. Creía que podía practicar la física a mayor gloria de Dios, hasta que comprendí que Dios no existía y que la física era más interesante de lo que había imaginado. La religión cristiana es un error muy poderoso y convincente, eso es todo.

—¿Cuándo dejaste de ser monja? —inquirió Lyra.

—Lo recuerdo con precisión —respondió Mary—. Incluso la hora del día. Como la física se me daba bien, me dejaron que prosiguiera mi carrera universitaria, y cuando terminé mi doctorado decidí dedicarme a la enseñanza. No pertenecía a una de esas órdenes donde te encierran y no tienes contacto con el mundo. De hecho, ni siquiera llevábamos hábito; sólo estábamos obligadas a vestir con austeridad y lucir un crucifijo. De modo que decidí impartir clases en la universidad y realizar trabajos de investigación en la física que se ocupa de las partículas.

»Se iba a celebrar una conferencia en Lisboa sobre ese tema y me pidieron que presentara una ponencia. Yo jamás había estado allí; de hecho, nunca había salido de Inglaterra. La perspectiva del viaje en avión, el hotel, el sol, los idiomas extranjeros, los expertos que participarían en la conferencia, la idea de presentar una ponencia, el temor de que no acudiera nadie a escucharme y de ponerme tan nerviosa que no acertara a articular palabra... En resumen, estaba tan nerviosa que apenas logré pegar ojo.

»Yo era muy inocente. Había sido una niña muy buena, asistía a misa todos los domingos y estaba convencida de que tenía vocación de monja. Deseaba de corazón servir a Dios. Quería ofrecerle mi vida —dijo Mary colocando las manos como si sostuviera una bandeja— para que hiciera con ella lo que quisiera. Confieso que me sentía satisfecha de mí misma. Demasiado satisfecha. No sólo me creía una santa, sino muy inteligente. ¡Ja! Eso duró hasta... las nueve y media de la noche del 10 de agosto, hace siete años.

Lyra apoyó los codos en las rodillas, escuchando a Mary con atención.

—Era la noche después de que hubiera presentado mi ponencia —prosiguió Mary—. Mi intervención había sido un éxito, habían asistido importantes personalidades y yo había respondido a sus preguntas sin cometer torpezas. Me sentí aliviada y feliz... Y orgullosa, sin duda.

»Algunos de mis colegas habían decidido ir a cenar a un restaurante de la costa y me preguntaron si quería ir con ellos. En otras circunstancias habría aducido algún pretexto, pero en aquella ocasión pensé: "Soy una mujer adulta, he presentado una ponencia sobre un tema importante y mis amigos la han acogido bien..." Además hacía una noche cálida, mis colegas hablaban sobre unos temas que me interesaban y todos estábamos alegres y animados, de modo que decidí ir. Había descubierto otra vertiente de mi personalidad, a la que le gustaba el sabor del vino y de las sardinas asadas, sentir el aire cálido sobre mi piel y el son de la música de fondo. Y estaba disfrutando.

»Cenamos en el jardín. Yo estaba sentada a una mesa larga situada debajo de un limonero. Junto a mí había una pérgola cubierta de pasiflora, y mi vecino de mesa charlaba con la persona que tenía al otro lado, y... Frente a mí estaba sentado un hombre que había visto en un par de ocasiones durante la conferencia, aunque no había hablado con él. Era italiano y había hecho unos trabajos que habían sido muy comentados por mis colegas, de modo que pensé que sería interesante que él mismo me hablara de ellos.

»Era algo mayor que yo. Tenía el pelo negro y suave, una piel aceitunada preciosa y los ojos muy oscuros. Sobre la frente le caía un mechón que él apartaba continuamente, así, despacito.

Mary imitó el gesto. A Will le chocó que lo recordara con tal precisión.

—No era guapo —continuó Mary—. No era un mujeriego ni un conquistador. De haberlo sido, yo me habría sentido cohibida, no habría sabido qué decirle. Pero estuvo muy amable, simpático y ocurrente, y me resultó la cosa más fácil del mundo permanecer allí sentada, a la luz de los farolillos debajo del limonero, embriagada por el aroma de las flores, las sardinas asadas y el vino, y charlar y reír con él, confiando en que yo le pareciera bonita. ¡La hermana Malone coqueteando con un hombre! ¿Y los votos que había hecho? ¿Y mi promesa de consagrar mi vida a Jesús y todo eso?

»En fin, no sé si fue el vino, mi ingenuidad, el aire cálido o el limonero... El caso es que poco a poco había logrado convencerme de algo que no era cierto. Me había convencido de que me sentía satisfecha, realizada y feliz sin el amor de otra persona. El amor era como China: sabías que existía, y debía de ser muy interesante, y algunas personas iban allí, pero yo no iría. No iría jamás en la vida a China, pero no importaba, porque podía visitar el resto del mundo.

»Entonces alguien me pasó algo dulce, y de pronto me di cuenta que había estado en China. Por así decir. Y lo había olvidado. Fue el sabor de aquel dulce, creo que era mazapán, una pasta de almendras muy rica, lo que hizo que lo recordara —explicó Mary a Lyra, que la miraba perpleja.

—¡Ah, *marchpane*! —exclamó Lyra, recostándose de nuevo para escuchar el resto de la historia.

—El caso —continuó Mary—, es que recordé el sabor y de golpe evoqué una experiencia que había vivido de jovencita.

»Yo tenía doce años. Fui a una fiesta en casa de una amiga, creo que era su cumpleaños. Tenía una disco, una máquina que toca música grabada en cinta —aclaró Mary al observar la expresión de estupor de Lyra—. Por lo general las chicas bailaban juntas porque a los chicos les daba corte sacarlas a bailar. Pero había un chico, que yo no conocía, que me sacó a bailar, y bailamos aquel baile, y el siguiente, y el otro, y nos pusimos a charlar...Ya sabéis lo que pasa cuando nos gusta alguien, que enseguida nos damos cuenta. A mí me gustó mucho. Así que seguimos charlando y luego trajeron la tarta de cumpleaños. Y él tomó un trocito de mazapán y me lo metió en la boca con delicadeza. Recuerdo que intenté sonreír, y me puse roja como un tomate, y me sentí como una idiota... Y me enamoré de él por lo que hizo, por la delicadeza con la que me tocó los labios con el trocito de mazapán.

Al oír esto, Lyra sintió que algo extraño le estaba ocurriendo a su cuerpo. Notó un cosquilleo en la raíz del pelo, y su respiración se aceleró. Nunca se había montado en una montaña rusa ni nada parecido, pero de haberlo hecho habría reconocido las sensaciones que experimentó en aquellos momentos: eran al mismo tiempo excitantes y aterradoras, y ella no se explicaba el motivo. La sensación se intensificó y fue cambiando a medida que afectaba a otras partes de su cuerpo. Lyra se sintió como si le hubieran entregado la llave de una imponente casa que ella no sabía que existiera, una casa que de algún modo estaba en su interior, y al girar la llave en la cerradura notó que se abrían otras puertas y se encendían unas luces. Permaneció sentada, rodeando las rodillas con los brazos, sin apenas atreverse a respirar, mientras Mary proseguía.

—Creo que fue en aquella fiesta, o quizá fuera en otra, cuando aquel chico y yo nos besamos por primera vez. Ocurrió en el jardín. Me sentí embargada por la música que sonaba en el interior de la casa, y el silencio y el frescor que reinaba entre los árboles... Todo mi cuerpo ansiaba que me abrazara, pero éramos casi demasiado tímidos para dar el primer paso. Casi. Sin embargo uno de nosotros lo dio y acto seguido, como un salto cuántico, súbito nos besamos, y más que en China creí estar en el paraíso.

»Nos vimos media docena de veces, no más. Luego los padres del chico se mudaron y no volví a verlo. Fue una experiencia muy dulce, aunque breve... Pero la había vivido. Había conocido el amor. Había estado en China.

Fue una cosa muy rara: Lyra comprendió exactamente a qué se refería, aunque media hora antes no tenía ni idea. Y en su interior había aquella imponente casa, con todas sus puertas abiertas y todas sus habitaciones iluminadas, como si aguardara, impaciente...

—Y a las nueve y media de la noche en aquel restaurante de Portugal —continuó Mary, sin percatarse del silencioso drama que experimentaba Lyra—, alguien me pasó un pedazo de mazapán y evoqué aquella historia. Entonces pensé: ¿voy a pasar toda mi vida sin experimentar de nuevo esa sensación? Quiero ir a China. Está llena de tesoros y exotismo y misterio y alegría. Pensé: ¿a quién beneficia que yo regrese al hotel, rece mis oraciones, me confiese con un sacerdote y prometa no caer de nuevo en la tentación? ¿A quién beneficia que yo me sienta desgraciada?

»La respuesta no se hizo esperar: a nadie. Nadie se disgustará, nadie me condenará, nadie me bendecirá por ser una buena chica, nadie me castigará por ser mala. El cielo estaba vacío. Yo no sabía si Dios había muerto o si nunca había existido. En cualquier caso, experimenté una sensación de libertad, de soledad, y no sabía si alegrarme o lamentarme, pero lo cierto era que había ocurrido algo muy extraño. Y aquel gigantesco cambio se había producido cuando probé el mazapán, incluso antes de tragarlo. Un sabor... un recuerdo... un hecho que cambia tu vida...

»Cuando lo tragué y miré al hombre que estaba sentado frente a mí, comprendí que algo había ocurrido. Yo no podía explicármelo en aquellos momentos; era una experiencia demasiado extraña y privada, incluso para que yo la asimilara. Pero más tarde dimos un paseo por la playa, en la oscuridad. La cálida brisa nocturna me revolvía el cabello y el Atlántico se comportaba con exquisita cortesía, formando unas pequeñas olas en torno a nuestros pies...

»Y yo me quité el crucifijo que llevaba alrededor del cuello y lo arrojé al mar. Ya está. Se acabó. Punto. En aquellos instantes dejé de ser monja —agregó Mary.

—¿Ese hombre fue el que averiguó lo de las calaveras? —preguntó Lyra con curiosidad.

—No. No. El hombre de las calaveras fue el doctor Payne, Oliver Payne. Apareció mucho más tarde. No, el hombre de la conferencia se llamaba Alfredo Montale. Era muy distinto.

—¿Le besaste?

—Sí —respondió Mary sonriendo—, pero no en aquella ocasión.

—¿Te resultó difícil abandonar la Iglesia?

—En cierto sentido, sí, porque todos se mostraron muy disgustados. Todos me lo reprocharon amargamente, desde la madre superiora hasta los sacerdotes, pasando por mis padres. Era como si todos estuvieran convencidos de que la pervivencia de sus creencias dependía de que yo llevara a cabo una misión que me negaba a cumplir.

»Pero en otro sentido fue fácil, porque fue un acto coherente. Por primera vez tuve la impresión de hacer algo en lo que estaba de acuerdo toda mi naturaleza, no sólo una parte. Durante un tiempo me sentí muy sola, pero acabé acostumbrándome.

—¿Te casaste con ese hombre? —preguntó Lyra.

—No. No me casé con nadie. Viví con un hombre, no Alfredo, otro. Viví con él durante casi cuatro años. Mi familia estaba escandalizada. Pero luego comprendimos que seríamos más felices si no vivíamos juntos. Desde entonces vivo sola. El hombre con el que viví era aficionado al montañismo y me enseñó a escalar. Me gusta practicar el senderismo... Y tengo mi trabajo. Mejor dicho, tenía mi trabajo. De modo que estoy sola pero me siento feliz.

—¿Cómo se llamaba ese chico? —preguntó Lyra—. El que conociste en la fiesta.

—Tim.

—¿Qué aspecto tenía?

—Ah, pues... agradable. Es lo único que recuerdo.

—La primera vez que te vi, en Oxford —dijo Lyra—, me dijiste que uno de los motivos por los que te convertiste en científica fue que no tendrías que pensar sobre el bien y el mal. ¿Pensabas en ello cuando eras monja?

—Hummm... No. Pero sabía que debía pensar en ello, tal como me había enseñado la Iglesia. Cuando me decanté por una carrera científica tuve que pensar en otras cosas. De modo que no era un tema que me quitara el sueño.

—¿Pero ahora piensas en ello? —preguntó Will.

—Creo que debo hacerlo —contestó Mary, tratando de responder con precisión.

—Cuando dejaste de creer en Dios —continuó Will—, ¿dejaste de creer en el bien y el mal?

—No, pero dejé de creer que existían un poder benéfico y un poder malévolo que estaba fuera de nosotros. Y me convencí de que el bien y el mal sólo designan las acciones de las personas, no lo que éstas son. Sólo podemos decir que ésta es una buena acción porque beneficia a alguien, y que esa otra es una mala acción porque perjudica a alguien. Las personas son demasiado complejas para ponerles unas simples etiquetas.

—Es cierto —declaró Lyra con firmeza.

—¿No echabas de menos a Dios? —inquirió Will.

—Sí —respondió Mary—, muchísimo. Y todavía le echo de menos. Pero lo que más echo de menos es la sensación de estar conectada con todo el universo. Antes me sentía conectada con Dios, y puesto que él existía, estaba conectada con toda su creación. Pero si él no existe, entonces...

A lo lejos, en el pantano, un pájaro lanzó su reclamo, una larga sucesión de melancólicas notas descendentes. Las brasas relucían en la hoguera; la hierba se movía ligeramente, mecida por la brisa. Atal yacía amodorrada como un gato, con las piernas recogidas debajo de su cuerpo, los ojos entornados, su atención medio allí y medio en otra parte. Will estaba tumbado boca arriba, con los ojos fijos en las estrellas.

En cuanto a Lyra, no había movido un músculo desde que experimentara aquella extraña sensación. Conservaba su recuerdo en su interior como una frágil copa rebosante de nuevos conocimientos, que apenas se atrevía a tocar por temor a derramar su contenido. No sabía qué era, ni qué significaba, ni de dónde provenía. De modo que continuó en la misma posición, abrazándose las rodillas, tratando de no temblar de excitación. «Pronto lo averiguaré —se dijo—. Muy pronto.»

Mary estaba cansada. Se había quedado sin historias que contar. El día siguiente se le ocurrirían otras.

34

El presente existe

TODO SE MUESTRA
VIVO EN EL MUNDO,
DONDE CADA
PARTÍCULA DE
POLVO EXHALA SU
ALEGRÍA...
WILLIAM BLAKE

Mary no podía dormir. Cada vez que cerraba los ojos, algo le producía vértigo, como si se hallara al borde de un precipicio, y se despertaba bruscamente, atemorizada.

Eso ocurrió tres, cuatro, cinco veces, hasta que Mary comprendió que no iba a conciliar el sueño. De modo que se levantó, se vistió en silencio, salió de la casa y pasó frente al árbol cuyas grandes ramas formaban una especie de tienda de campaña y bajo el cual dormían Will y Lyra.

La luna relucía en el cielo. Soplaba una fuerte brisa y el inmenso paisaje aparecía tachonado de sombras de las nubes que se movían, pensó Mary, como una manada de animales fantásticos que migraran. Pero los animales migraban con un propósito; cuando veías avanzar unas manadas de ciervos a través de la tundra, o unos ñus atravesar la sabana, sabías que se dirigían en busca de comida, o a un lugar propicio para aparearse y tener descendencia. Su desplazamiento poseía un significado. Pero las nubes se movían al azar, como consecuencia de unas caprichosas circunstancias a nivel de átomos y moléculas; el hecho de que sus sombras se extendieran sobre el pastizal no encerraba significado alguno.

No obstante las nubes parecían tensas, como si se desplazaran con un propósito muy concreto. Toda la noche producía esa sensación. Mary ignoraba qué propósito era ése. Pero las nubes parecían saber perfectamente lo que hacían y por qué, al igual que el viento y la hierba... Todo el universo estaba consciente y bullía de actividad.

Mary subió la ladera y se volvió para contemplar el pantano, donde el agua despedía un resplandor plateado a través de la reluciente oscuridad del pantano y los lechos de juncos. Las sombras de las nubes aparecían allí con toda nitidez: daba la impresión de que huían de algo espantoso que las perseguía, o que se apresuraran para abrazar algo maravilloso. Pero Mary nunca averiguaría qué era.

Al cabo de un rato echó a andar hacia el bosquecillo donde se encontraba el árbol con la plataforma. Quedaba a una distancia de veinte minutos a pie. Mary lo vio con claridad, irguiéndose entre los demás árboles, sacudiendo su imponente cabeza en un diálogo con el impetuoso viento. Tenían cosas que decirse, pero ella no podía oírlas.

Mary se dirigió apresuradamente hacia el bosquecillo, impulsada por la excitación de la noche y ansiosa de participar en ella. Esto era lo que había dicho a Will cuando el niño le había preguntado si echaba de menos a Dios: la sensación de que todo el universo estaba vivo, de que todo estaba conectado entre sí mediante unos hilos de significado. Cuando era cristiana, también ella se había sentido conectada al universo, pero al abandonar la Iglesia se había sentido independiente, libre y ligera, en un universo sin propósito.

Luego se había producido el descubrimiento de las Sombras y su viaje a otro mundo. Y ahora, esta vívida noche, Mary había comprendido que todo el universo vibraba con un propósito y un significado, y que ella estaba desligada del universo. Y que era imposible hallar una conexión, porque Dios no existía.

Entre dichosa y desesperada, Mary decidió encaramarse al árbol e intentar perderse en el Polvo.

Pero cuando se hallaba a mitad de camino del bosquecillo percibió un sonido distinto entre las agitadas hojas y el ulular del viento a través de la hierba. Parecía un gemido, una nota grave, sombría, distinta de las notas de un órgano. De pronto oyó un crujido, un ruido como de madera al partirse y chillar de dolor.

¿Sería su árbol? No, era imposible.

Mary se paró en seco, en medio del pastizal, mientras el viento le golpeaba la cara, las sombras de las nubes se deslizaban ante ella y las altas hierbas le azotaban los muslos, y contempló las copas de los árboles. Las ramas gemían, los tallos se partían, grandes masas de madera verde se desprendían como si se tratara de ramas secas y caían al suelo. De pronto la copa —la copa del árbol que ella conocía tan bien— se doblegó y comenzó a desplomarse lentamente.

Cada fibra del tronco, de la corteza, de las raíces parecía gritar protestando contra aquel asesinato. Pero el árbol siguió cayendo; su gigantesco tronco se desplomó entre los demás árboles, inclinándose hacia Mary, antes de estrellarse en el suelo como una ola al chocar con un rompeolas. Por fin, tras un gemido de madera partida, se quedó quieto.

Mary corrió hacia el árbol para acariciar las hojas agitadas por el viento. ¡Su plataforma hecha añicos! Con el corazón latiéndole con violencia, se abrió camino entre las ramas desprendidas e inclinadas en unos ángulos increíbles, y se encaramó lo más alto que pudo.

Tras sujetarse a una gruesa rama, sacó el catalejo. A través de él vio dos movimientos distintos en el cielo.

Uno era el de las nubes, que se deslizaban ante la luna en un sentido, y el otro el de la corriente de Polvo, que cruzaba ante ella en sentido opuesto.

De los dos, el Polvo fluía con mayor rapidez y mayor volumen. Parecía inundar todo el firmamento como si se tratara de un inmenso e inexorable torrente que brotaba del mundo, de todos los mundos, para desembocar en un último vacío.

Lentamente, como si se movieran en la mente de Mary, todos los átomos y moléculas comenzaron a unirse.

Will y Lyra habían dicho que la daga tenía por lo menos trescientos años. Eso les había asegurado el anciano en la torre.

Los mulefa le habían explicado que el sraf, que había alimentado sus vidas y su mundo durante treinta y tres mil años, había comenzado a fallar hacía poco más de trescientos años.

Según Will, los miembros de la Corporación de la Torre degli Angeli, los dueños de la daga, eran muy descuidados pues no siempre cerraban las ventanas que abrían. Bien, pues Mary había hallado una, y seguramente existían muchas más.

¿Y si durante ese tiempo el Polvo se hubiera ido filtrando, poco a poco, a través de las heridas causadas por la daga en la naturaleza...?

Mary se sintió mareada, y no sólo por el balanceo y las sacudidas de las ramas entre las que se había instalado. Guardó el catalejo en el bolsillo, se aferró con ambas manos a la rama que tenía ante ella y contempló el cielo, la luna, las nubes que se deslizaban apresuradamente.

La daga tenía la culpa de ese pequeño, pequeñísimo derrame de Polvo. Era perjudicial, y el universo sufría a causa de él. Mary comprendió lo que debía hacer: tenía que hablar con Will y Lyra y buscar el medio de impedirlo.

Pero la vasta corriente que fluía a través del cielo era un asunto muy distinto. Era una novedad catastrófica. Si no lograban frenarla, toda la vida consciente llegaría a su fin. Tal como le habían explicado los mulefa, el Polvo cobraba vida cuando los seres vivos tomaban conciencia de sí mismos; pero necesitaba algo que lo alimentara, que lo reforzara y lo hiciera invulnerable, al igual que los mulefa disponían de sus ruedas y del aceite de los árboles. Sin ello, todo desaparecería. El pensamiento, la imaginación, el sentimiento... Todo se desvanecería dejando sólo un salvaje automatismo; y esa breve época en que la vida había sido consciente de sí misma se apagaría como una vela en los millones de mundos donde había ardido con vigor.

Mary sintió el peso de su responsabilidad. Tenía la impresión de haber envejecido de golpe, como si fuera una vieja decrépita de ochenta años que anhelara la muerte.

Mary se bajó de las ramas del gigantesco árbol abatido y emprendió el camino hacia la aldea, sintiendo aún el viento que agitaba las hojas, la hierba, su pelo.

Al llegar a la cima de la ladera se detuvo y echó un último vistazo a la corriente de Polvo. El viento y las nubes se deslizaban a través de ella mientras la luna permanecía impertérrita en el centro.

De pronto comprendió lo que hacían, comprendió cuál era su importante y urgente propósito.

¡Trataban de contener la corriente de Polvo, de erigir unas barreras contra aquel nefasto torrente! El viento, la luna, las nubes, las hojas, la hierba, todas aquellas hermosas cosas dejaban sentir su protesta y participaban en la lucha por retener a las partículas de sombra en aquel universo que tanto enriquecían.

La materia amaba el Polvo. No deseaba que desapareciera. Ése era el significado de aquella noche, y el de Mary.

¿Había pensado acaso que la vida carecía de significado y de propósito por haber desaparecido Dios? Sí, lo había pensado.

—¡Pero el presente existe! —exclamó Mary, y repitió más alto—: ¡El presente existe!

Cuando volvió a observar las nubes y la luna resistiéndose a la corriente de Polvo, le parecieron tan frágiles y vulnerables como una presa de ramitas y guijarros que tratara de contener el Misisipí. Pero no cejaban en su intento, y seguirían esforzándose hasta el fin de todo.

Mary no sabía cuánto tiempo estuvo ausente. Cuando la intensidad de sus sentimientos empezó a disiparse y dio paso al cansancio, echó a andar lentamente ladera abajo hacia la aldea.

Pero a mitad de la ladera, cerca de un bosquecillo de centauras, vio algo raro en el pantano: un resplandor blanco, un movimiento, un objeto que subía con la marea.

Mary se detuvo y lo miró fijamente. No podían ser los tualapi, porque siempre se desplazaban en bandadas, y aquel objeto estaba solo; pero todo lo demás era idéntico: las alas que parecían velas, el cuello largo... Pensó que sería una de las aves. Nunca había oído decir que se desplazaran solas y dudó en bajar corriendo para alertar a los aldeanos, pues el extraño objeto se había detenido. Flotaba en la superficie del agua, junto al sendero.

Se estaba deshaciendo... No, algo había bajado de él.

¡Ese algo era un hombre!

Pese a la distancia, Mary lo vio con claridad; la luna brillaba en el cielo, y sus ojos se habían adaptado a la penumbra. Miró a través del catalejo e identificó con toda seguridad la misteriosa aparición: era una figura humana que irradiaba Polvo.

Portaba un objeto largo: un palo o algo parecido. Avanzó con paso firme y ligero por el sendero, no a la carrera como un atleta o un cazador. Vestía un atuendo sencillo, que en circunstancias normales le habría permitido pasar inadvertido; pero el catalejo ponía de relieve cada detalle, como si le iluminara un reflector.

Cuando el hombre se aproximó a la aldea, Mary se percató de que lo que portaba en la mano era un rifle.

De pronto se sintió como si alguien le hubiera arrojado un jarro de agua helada y se le puso la piel de gallina.

Mary estaba demasiado lejos para intervenir: aunque hubiera gritado, el hombre no la habría oído. Observó impotente cómo el hombre entraba en la aldea, mirando a un lado y a otro, deteniéndose de vez en cuando para escuchar, deslizándose de casa en casa.

Con un esfuerzo sobrehumano, como la luna y las estrellas al tratar de contener la corriente de Polvo, Mary dijo en silencio: «No mires debajo del árbol... aléjate del árbol...»

Pero el hombre se fue aproximando cada vez más hasta que por fin se detuvo frente a la casa de Mary. Desesperada, guardó el catalejo en el bolsillo y echó a correr ladera abajo. Cuando se disponía a gritar algo, cualquier cosa, para que los niños se despertaran y advirtieran su presencia, se contuvo.

Entonces, ansiosa de averiguar qué hacía el hombre, se detuvo para mirar a través del catalejo.

El hombre abrió la puerta de la casa de Mary y desapareció dentro, pero dejó una trémula estela de Polvo, como el humo cuando pasamos una mano a través de él. Al cabo de un minuto, que a Mary se le antojó interminable, el hombre apareció de nuevo.

Se detuvo en el umbral, mirando despacio a izquierda y derecha y sin fijarse en el árbol.

Acto seguido avanzó unos pasos y volvió a detenerse, como si no supiera por dónde tirar. Mary era consciente de que el hombre podía verla en la ladera y dispararle con su rifle, pero sólo parecía interesado en la aldea. Un par de minutos después, dio media vuelta y se alejó tranquilamente.

Mary observó con atención cómo avanzaba por el sendero del río, y vio con claridad que se montaba en el ave, acomodándose sobre su lomo con las piernas cruzadas. El ave se alejó rápidamente hacia el mar, y cinco minutos más tarde ambos desaparecieron de la vista.

35

Más allá de las colinas

HA LLEGADO EL CUMPLEAÑOS DE MI VIDA. MI AMOR HA VENIDO A MÍ
Christina Rossetti

—Doctora Malone —dijo Lyra por la mañana—, Will y yo tenemos que ir en busca de nuestros daimonions. Cuando los hayamos encontrado sabremos qué hacer. No podemos seguir sin ellos. Queremos ir en su busca.

—¿Adónde iréis? —preguntó Mary. Estaba ojerosa y le dolía la cabeza porque apenas había pegado ojo. Había bajado con Lyra a la ribera, Lyra para lavarse y ella para buscar disimuladamente las huellas del extraño. Hasta el momento no había encontrado ninguna.

—No lo sé —contestó Lyra—. Pero deben de andar cerca. En cuanto atravesamos la ventana, después de la batalla, huyeron como si ya no se fiaran de nosotros. No se lo reprocho, sinceramente. Pero sabemos que se encuentran en este mundo. Nos pareció verlos en un par de ocasiones, así que confiamos en dar con ellos.

—Escucha —dijo Mary, y empezó a contar a Lyra, aunque de mala gana, lo que había visto la noche anterior.

En ese momento apareció Will, y él y Lyra escucharon a Mary muy serios y con ojos como platos.

—Probablemente se trata de un viajero que halló una ventana y pasó a través de ella desde otro mundo —comentó Lyra cuando Mary hubo terminado su relato. La niña tenía cosas más interesantes que pensar que en aquel hombre—. Como hizo el padre de Will —prosiguió—. A estas alturas deben de existir muchas ventanas. De todos modos, si ese hombre dio media vuelta y se marchó, no debía de venir con malas intenciones, ¿verdad?

—No lo sé. Su presencia no me gustó. Me preocupa que os vayáis solos, aunque sé que habéis hecho cosas más peligrosas que ésta. ¡No sé qué hacer! Por favor, sed prudentes. Mirad siempre alrededor. Al menos en la pradera se ve de lejos si se acerca alguien...

—Si vemos a ese hombre huiremos a otro mundo para que no nos haga daño —declaró Will.

Estaban decididos a marcharse, y Mary no quería discutir con ellos.

—Prometedme al menos que no os adentraréis en el bosque —dijo—. Si ese hombre anda cerca, es posible que se oculte allí y no os dará tiempo de escapar.

—Prometido —contestó Lyra.

—Bien, os prepararé algo de comer por si estáis fuera todo el día.

Mary tomó unas rebanadas de pan, un poco de queso y unas frutas rojas y dulces que calmaban la sed, lo envolvió todo en un paño y lo ató con un cordel para que uno de los niños se lo colgara al hombro.

—Buena suerte —dijo cuando se despidió de ellos—. Tened cuidado.

Mary observó llena de inquietud cómo se alejaban ladera abajo.

—¿Por qué está tan triste? —preguntó Will a Lyra mientras subían por la carretera hacia el cerro.

—Seguramente se pregunta si regresará algún día a su hogar —contestó Lyra—. Y si el laboratorio seguirá siendo suyo cuando regrese. O quizás esté triste porque recuerda al hombre del que se enamoró.

—Hummm. ¿Tú crees que nosotros regresaremos algún día a nuestro hogar?

—Yo ya no creo que tenga un hogar. Es difícil que vuelvan a admitirme en el Colegio Jordan y no puedo vivir con los osos ni con las brujas. Quizá podría vivir con los giptanos. No me importaría, si ellos estuvieran de acuerdo.

—¿No te gustaría vivir en el mundo de lord Asriel?

—No tardará en desaparecer —replicó Lyra.

—¿Por qué?

—Por lo que dijo el fantasma de tu padre, poco antes de que pasáramos a este mundo, de que los daimonions sólo pueden vivir mucho tiempo si se quedan en su propio mundo. Seguramente lord Asriel, mi padre, no pensó en eso, porque nadie sabía gran cosa sobre los otros mundos cuando él comenzó... a hacer de las suyas. ¡Qué derroche de valor y destreza! —exclamó de sopetón—. ¡Y total para nada!

Will y Lyra continuaron subiendo. Resultaba fácil avanzar por la carretera de basalto, y cuando llegaron a la cima del cerro se pararon y miraron hacia atrás.

—¿Y si no los encontramos, Will? —preguntó Lyra.

—Estoy seguro de que daremos con ellos. Lo que no sé es qué aspecto tendrá mi daimonion.

—Tú lo viste. Y yo lo tomé en brazos —contestó Lyra, sonrojándose, porque era de muy mala educación tocar algo tan íntimo como el daimonion de otra persona. No sólo lo prohibía el código de conducta sino algo más profundo... como la vergüenza. Lyra miró a Will a hurtadillas y vio que también él se había ruborizado; eso quería decir que también él estaba enterado. Lo que Lyra no podía adivinar era si experimentaba la misma sensación de susto y excitación que había sentido ella la noche anterior, y que volvía a sentir en aquellos momentos.

Siguieron caminando juntos, turbados. Pero Will no estaba dispuesto a dejarse vencer por la vergüenza.

—¿Cuándo dejará tu daimonion de cambiar de forma? —preguntó de repente.

—Pues... Supongo que cuando alcance nuestra edad, o un poco más. A veces lo hacen de mayores. Pan y yo hablábamos sobre cuándo adquiriría su forma definitiva. Nos preguntábamos qué sería...

—¿Es que las personas no lo saben?

—De jóvenes, no. Cuando crecemos nos ponemos a pensar si nuestro daimonion será esto o aquello... Por lo general acaba asumiendo una forma que encaja con tu verdadera naturaleza. Por ejemplo, si tu daimonion es un perro, eso significa que te gusta que alguien te mande y complacer a la gente que te rodea. Muchos sirvientes tienen unos daimonions perros. Es conveniente saber cómo eres y el trabajo o la profesión que se te da mejor. ¿Cómo averiguan las personas de tu mundo cómo son?

—No lo sé. No sé mucho sobre mi mundo. Lo único que sé es que no hay que llamar la atención, estar calladito y esconderte. No sé mucho sobre... ser mayor, o tener amigos. O novias. Debe de ser complicado tener un daimonion y que todo el mundo sepa cómo eres con sólo mirarte. A mí me gusta pasar inadvertido y que nadie se fije en mí.

—Puede que tu daimonion sea un animal muy hábil a la hora de esconderse. O uno de esos animales que parecen otro..., una mariposa que parece una avispa, para que no la reconozcan. Seguro que en tu mundo existe este tipo de animales, porque en el nuestro sí existen y somos muy parecidos.

Los dos amigos siguieron avanzando en silencio. Hacía una mañana despejada; el aire en las hondonadas presentaba un aspecto límpido, y en la cálida atmósfera superior un matiz azul irisado. La inmensa sabana, que abarcaba una amplia gama de matices pardos, dorados y verdes, rielaba en el horizonte y aparecía desierta. Parecía como si Will y Lyra fueran las dos únicas personas en el mundo.

—Pero en realidad no está desierta —dijo Lyra.

—¿Te refieres a ese hombre?

—No. Ya sabes a qué me refiero.

—Sí. Veo unas sombras en la hierba... Quizá sean pájaros.

De vez en cuando Will observaba unos pequeños y fugaces movimientos. Le resultaba más fácil ver las sombras si no las miraba; estaban más dispuestas a mostrarse al rabillo del ojo.

—Es una facultad negativa —dijo Lyra cuando Will se lo comentó.

—¿Qué es eso?

—El primero que se refirió a ello fue el poeta Keats. La doctora Malone sabe lo que es. Así es como yo leo el aletiómetro y como tú utilizas la daga, ¿no?

—Supongo que sí. Pensé que quizá fueran daimonions.

—Yo también lo pensé, pero...

Lyra se llevó el índice a los labios. Will asintió con la cabeza.

—Fíjate en ese árbol que ha caído —comentó.

Era el árbol de la plataforma en el que se encaramaba Mary. Los niños se acercaron a él con cautela, por si caía algún otro árbol del bosquecillo. En aquella apacible mañana en la que sólo una leve brisa agitaba las hojas, parecía imposible que un árbol tan inmenso se hubiera desplomado, pero ahí estaba.

El gigantesco tronco, sujeto al suelo por sus raíces y con múltiples ramas asomando en la hierba, se elevaba sobre sus cabezas. Algunas ramas, aplastadas y partidas, tenían un diámetro tan grande como los árboles más enormes que Will había visto en su vida; la copa del árbol, cuajada de ramas menos recias y con hojas todavía verdes, se erguía como un palacio en ruinas en la templada atmósfera.

De pronto Lyra asió a Will del brazo.

—Chsss. No mires. Estoy segura de que están ahí arriba. He visto que se movía algo y juraría que era Pan...

Tenía la mano caliente. Will era más consciente de eso que de la gigantesca masa de hojas y ramas que yacía sobre ellos. Fingiendo mirar el horizonte con aire distraído, alzó la vista disimuladamente hacia el confuso amasijo verde, marrón y azul y... ¡Lyra tenía razón! Allí arriba había algo que no era el árbol. Y junto a él, otro.

—Alejémonos —murmuró Will—. Nos dirigiremos hacia otro sitio y veremos si nos siguen.

—Pero ¿y si no lo hacen? Vale, de acuerdo —respondió Lyra en voz baja.

Ambos simularon echar un vistazo a su alrededor; palparon una rama que yacía en el suelo, como si pretendieran trepar por ella, y luego menearon la cabeza, como si hubieran desechado la idea, y se marcharon.

—Ojalá pudiéramos mirar hacia atrás —dijo Lyra cuando se hubieron alejado unos centenares de metros.

—Sigue caminando. Ellos pueden vernos, no se perderán. Acudirán a nosotros cuando quieran.

Dejaron la carretera de basalto y se adentraron en la alta hierba, avanzando entre los largos tallos que les rozaban los muslos, observando los insectos que revoloteaban en el aire o permanecían suspendidos batiendo las alas sin cesar, mientras escuchaban los chirridos de un coro de un millón de voces.

—¿Qué piensas hacer, Will? —preguntó Lyra suavemente después que hubieron caminado un rato en silencio.

—Tengo que regresar a casa —respondió él.

A Lyra le pareció detectar cierta vacilación en su voz. En realidad confiaba en que estuviera indeciso.

—Pero quizás esos hombres aún te persigan —dijo.

—He visto cosas peores —replicó él.

—Ya, pero supón que...Yo quería enseñarte el Colegio Jordan y los Fens. Quería...

—Sí —replicó Will—, y yo quería... Sería agradable volver a Cittàgazze. Era un lugar muy bonito, y si todos los espantos han desaparecido... Pero debo regresar con mi madre y cuidar de ella. La dejé con la señora Cooper, y no es justo para ninguna de las dos.

—Pero tampoco es justo que tengas que hacerlo tú.

—Ya —convino Will—, pero eso no es una injusticia como un terremoto o una tempestad de lluvia. Puede que no sea justo, pero nadie tiene la culpa. Si dejo a mi madre al cuidado de una anciana que también está delicada, eso sí es una injusticia. No estaría bien. Debo regresar a casa. Será difícil volver y que todo siga igual que antes. Seguramente todo el mundo se habrá enterado del secreto. Imagino que la señora Cooper no habrá podido cuidar sola de mi madre si ha pasado por una de esas épocas en que todo la aterroriza, y habrá tenido que pedir ayuda. Así que cuando regrese probablemente me meterán en una institución.

—¿Un orfelinato?

—Creo que eso es lo que hacen en estos casos. No lo sé. Pero debe de ser horroroso estar en uno de esos sitios.

—¡Podrías utilizar la daga para escapar, Will! ¡Podrías venir a mi mundo!

—Debo quedarme donde esté mi madre. Cuando sea mayor podré cuidar de ella, en mi propia casa. Nadie podrá inmiscuirse entonces.

—¿Te casarás?

Will guardó silencio. Lyra sabía lo que estaba pensando.

—Faltan muchos años para eso, no sé lo que haré —respondió Will—. En todo caso, tendré que casarme con alguien que comprenda lo de... No creo que exista una persona así en mi mundo. ¿Y tú? ¿Piensas casarte?

—Me pasa lo que a ti —contestó Lyra con voz ligeramente temblorosa—. Creo que no podría casarme con alguien de mi mundo.

Los niños siguieron avanzando despacio hacia el horizonte. Disponían de todo el tiempo del mundo, todo el tiempo del que dispusiera el mundo.

—Te quedarás con la daga, ¿verdad? —preguntó Lyra al cabo de un rato—. Así podrás visitar mi mundo.

—Desde luego. Jamás se la entregaré a nadie, te lo aseguro.

—No mires... —le pidió Lyra sin aminorar el paso—. Han vuelto a aparecer. A la izquierda.

—¡Nos están siguiendo! —exclamó Will, alborozado.

—¡Chsss!

—Supuse que lo harían. Vale, fingiremos que los andamos buscando y miraremos en los sitios más raros y absurdos.

Eso se convirtió en un juego. Los niños exploraron entre los juncos y el barro cuando se toparon con el estanque, comentando en voz alta que los daimonions seguramente habían asumido la forma de unas ranas, unos insectos acuáticos o unas babosas; retiraron la corteza de un árbol muerto que había en el borde de un bosquecillo, fingiendo haber visto a los dos daimonions asomándose debajo de ésta en forma de tijeretas; Lyra hizo muchos aspavientos al pisar una hormiga, lamentándose de haberla lastimado, afirmando que tenía una cara igualita que la de Pan, preguntándole con fingido tono lastimoso por qué se negaba a hablarle.

Pero cuando creyó que los daimonions no podían oírla, dijo con tono serio a Will, acercándose mucho a él para hablar en voz baja:

—No nos quedó más remedio que abandonarlos, ¿verdad?

—Sí, tuvimos que hacerlo. Fue mucho peor para ti que para mí, pero no tuvimos otro remedio porque tú habías prometido ayudar a Roger y tenías que cumplir tu palabra.

—Y tú querías volver a hablar con tu padre...

—Y teníamos que liberar a los fantasmas de allí...

—Sí. Me alegro de que lo hiciéramos. Algún día, cuando yo muera, Pan también se alegrará. Nadie podrá separarnos. Hicimos lo que debíamos.

Cuando el sol estuvo en lo alto del cielo, Will y Lyra buscaron un lugar sombreado donde refugiarse del calor. Al mediodía llegaron a una ladera que conducía a la cima de un cerro. Cuando la alcanzaron Lyra se tumbó sobre la hierba.

—¡Uf! —exclamó—. ¡Menos mal que hemos encontrado pronto unos árboles que dan sombra!

Al otro lado de la ladera se extendía un valle cubierto de vegetación, y los niños dedujeron que discurriría un arroyo por él. Atravesaron la ladera del cerro hasta llegar a la cabeza del valle, y allí, entre helechos y juncos, vieron un manantial que brotaba de la roca.

Sumergieron la cabeza en el agua para refrescar sus rostros acalorados y bebieron con avidez. Luego siguieron el curso del arroyo, que formaba unos diminutos remolinos y caía sobre pequeños salientes de roca a medida que se hacía más ancho y caudaloso.

—¿Cómo es posible? —se maravilló Lyra—. No entra agua de ningún otro lugar, y el arroyo es mucho más abundante que aquí.

Will observó las sombras por el rabillo del ojo y las vio escabullirse, saltando sobre los helechos, y desaparecer entre unos matorrales más abajo.

—Fluye más lentamente —contestó, señalando en silencio—. No discurre con la rapidez con que brota el agua del manantial, y por eso forma estos charcos... Se han metido allí —susurró, indicando un pequeño grupo de árboles situado al pie de la ladera.

El corazón le latía acelerado. Ella y Will cruzaron una mirada seria, de complicidad, antes de seguir el curso del arroyo. A medida que descendían por el valle, la maleza se iba haciendo más densa; el arroyo se metía entre unos túneles de vegetación y salía a unos claros sombreados por los árboles, para precipitarse sobre un saliente y hundirse de nuevo en la vegetación. En ocasiones los niños lo perdían de vista y tenían que seguirlo guiándose por el oído.

Al pie de la colina, el arroyo discurría a través de un bosquecillo de árboles de corteza plateada.

El padre Gómez los observó desde la cima del cerro. No le había resultado difícil seguirlos; pese a la confianza que le inspiraba a Mary la amplia sabana, había muchos lugares donde ocultarse entre la hierba y algún que otro grupo de matorrales y arbustos. Durante un buen rato Will y Lyra no habían hecho más que mirar alrededor como si sospecharan que les seguía alguien, y el sacerdote se había mantenido a una distancia prudencial. Pero a medida que transcurría la mañana, los niños parecían enfrascados en su conversación y prestaban menos atención al paisaje. Ante todo no quería lastimar al niño. Le horrorizaba lastimar a un ser inocente. La única forma de no errar el tiro era aproximarse lo suficiente para distinguir a Lyra con nitidez, lo cual significaba seguir a los niños hasta el bosque.

Con sigilo y cautela, el padre Gómez siguió el curso del río. Su daimonion, el escarabajo de lomo verde, revoloteaba probando el aire; su vista era menos aguda que la del sacerdote, pero su sentido del olfato, muy desarrollado, captó el olor de la carne de los niños con toda claridad. Se adelantaba un poco, se posaba en un tallo de hierba para aguardar al sacerdote, y después volvía a adelantarse. Cuando el insecto captó el rastro que los cuerpos de los niños habían dejado en el aire, el padre Gómez alabó a Dios por la misión que le habían encomendado, porque estaba claro que el niño y la niña iban a caer en un pecado mortal. Allí estaba: el movimiento rubio oscuro producido por el pelo de la niña. El sacerdote se acercó un poco y sacó el rifle, equipado con un telescopio maravillosamente construido, de forma tal que al mirar por él la imagen no sólo aparecía ampliada sino más nítida. Sí, allí estaba la niña, que se detuvo para mirar atrás. Al ver la expresión de su rostro, al sacerdote le chocó que un ser tan malvado pudiera ofrecer un aspecto tan radiante, confiado y feliz.

El padre Gómez estaba tan próximo a alcanzar el éxito que por primera vez se puso a pensar en lo que haría posteriormente, y si al Reino del Cielo le complacería más que regresara a Ginebra o se quedara en el mundo para evangelizarlo. Lo primero que haría sería convencer a aquellos seres de cuatro patas, que parecían poseer los rudimentos de la razón, de que su costumbre de circular sobre ruedas era abominable, satánica y contraria a la voluntad de Dios. Si lograba que desecharan ese hábito, alcanzarían la salvación.

Al llegar al pie de la ladera, donde comenzaban los árboles, el sacerdote dejó silenciosamente el rifle en el suelo.

Contempló las sombras plateadas-verde-doradas y se puso a escuchar, con ambas manos detrás de las orejas, para captar y localizar las voces humanas a través de los chirridos de los insectos y el murmullo del arroyo. Sí, allí estaban los dos niños. Se habían detenido.

El padre Gómez se agachó para tomar el rifle...

Pero de pronto soltó una exclamación ronca y entrecortada al notar que alguien le arrebataba a su daimonion.

¡Pero allí no había nadie! ¿Dónde estaba el escarabajo? El sufrimiento era atroz. El sacerdote lo oyó gemir y miró desesperado en todas direcciones, tratando de localizarlo.

—No te muevas —dijo una voz desde el aire—, y no digas una palabra. Tengo a tu daimonion en mi poder.

—Pero... ¿dónde estás? ¿Quién eres?

—Me llamo Balthamos —respondió la voz.

Will y Lyra siguieron el arroyo a través del bosque, avanzando con cautela, sin apenas despegar los labios, hasta que estuvieron en el centro.

En medio del bosquecillo había un claro tapizado con mullida hierba y rocas cubiertas de musgo. Las ramas formaban un denso entramado a través del cual se filtraban unas pequeñas cuentas y lentejuelas de sol, de forma que todo aparecía envuelto en un resplandor dorado y plateado. Y todo estaba en silencio. Sólo el murmullo del arroyo y de las hojas agitadas en lo alto por un pequeño remolino de brisa rompía el silencio.

Will dejó el paquete de comida en el suelo y Lyra hizo lo propio con su mochila. No había señal de los daimonions sombras. Estaban solos.

Los niños se quitaron los zapatos y los calcetines, se sentaron en las rocas cubiertas de musgo junto al arroyo y metieron los pies en el agua fría, que estimuló la circulación.

—Tengo hambre —dijo Will.

—Yo también —repuso Lyra. Aparte del hambre, experimentaba una sensación a la vez plácida y apremiante, entre agradable y dolorosa, que no sabía exactamente qué era.

Retiraron el trapo que cubría la comida y tomaron un poco de pan y queso. Sus ademanes eran lentos y torpes y apenas probaron la comida, aunque notaron que el pan que Mary preparaba sobre unas piedras ardientes era harinoso y crujiente y el queso compacto, salado y muy fresco. Luego Lyra se llevó a la boca una de las pequeñas frutas rojas.

—Will... —dijo, sintiendo que el corazón le latía aceleradamente mientras le acercaba la fruta a los labios.

Al mirarlo a los ojos, Lyra comprendió que había captado su intención y que se sentía tan dichoso que no podía articular palabra. Will notó que los dedos de Lyra temblaban sobre sus labios y le sostuvo la mano con una de las suyas. Ninguno de ellos se atrevía a mirar al otro a los ojos; se sentían confundidos, eufóricos.

Sus labios se rozaron, como dos polillas que chocan torpemente entre sí. De pronto, antes de que pudieran percatarse de lo que hacían, se abrazaron y besaron con avidez, ciegamente.

—Como dijo Mary —susurró Will—, enseguida te das cuenta cuando alguien te gusta. Mientras estabas dormida, en la montaña, antes de que ella te raptara, le dije a Pan...

—Ya lo oí —musitó Lyra—. Estaba despierta. Quise decirte lo mismo y ahora sé que esto que siento por ti lo sentí desde el primer momento en que nos conocimos. Te amo, Will, te amo...

Aquellas palabras estimularon los centros nerviosos de Will. Sintió un cosquilleo en todo el cuerpo y respondió con las mismas palabras, besándola en la cara una y otra vez, aspirando con fruición el perfume de su cuerpo, la cálida fragancia de su pelo de color miel y su dulce y húmeda boca que sabía como la pequeña fruta roja.

A su alrededor reinaba un profundo silencio, como si el mundo entero contuviera la respiración.

Balthamos estaba aterrorizado. Echó a correr río arriba para alejarse del bosque, llevando consigo al daimonion insecto, que no cesaba de arañar, morder y picar, al tiempo que hacía todo lo posible por ocultarse del hombre que los perseguía.

No podía dejar que lo atrapara. Sabía que el padre Gómez lo mataría en el acto. Un ángel de su rango no podía medirse con un hombre tan corpulento, aunque estuviera fuerte y sano, que no era el caso de Balthamos. Además, estaba destrozado por la muerte de Baruch y la vergüenza de haber abandonado a Will. Ni siquiera tenía fuerzas para volar.

—Para, para —le rogó el padre Gómez—. Te suplico que te detengas. No te veo... Por favor, hablemos. No hagas daño a mi daimonion, te lo suplico...

En realidad era el daimonion quien lastimaba a Balthamos. El ángel atisbó su minúscula forma verde a través de los dedos de sus manos. El insecto le clavaba una y otra vez sus poderosas mandíbulas en las palmas. Si Balthamos abría las manos aunque fuera tan sólo un instante, el escarabajo desaparecería, de modo que no tenía más remedio que mantenerlas cerradas.

—Sígueme —respondió el ángel—. Aléjate del bosque. Quiero hablar contigo, pero no aquí.

—¿Quién eres? No te veo. Acércate. ¿Cómo puedo saber qué eres si no te veo? ¡Para, no te muevas tan rápidamente!

Pero la única defensa que tenía Balthamos era moverse con rapidez. Procurando no prestar atención al agresivo insecto, avanzó a través de la pequeña hondonada por la que fluía el arroyo, saltando de roca en roca.

Pero cometió un error: al tratar de volverse para mirar hacia atrás, resbaló y metió un pie en el agua.

—¡Ajá! —exclamó el padre Gómez con satisfacción al ver la salpicadura.

Balthamos sacó el pie del agua y continuó avanzando, pero cada vez que apoyaba el pie en las rocas secas dejaba una huella húmeda. El sacerdote reparó en ello y apretó el paso, sintiendo en la mano el roce de unas plumas. Se detuvo, perplejo. La palabra «ángel» reverberaba en su mente. Balthamos aprovechó la oportunidad para avanzar otro trecho. El sacerdote sintió que su daimonion tiraba de él, al tiempo que experimentaba otra brutal punzada de dolor.

—Un poco más adelante, cuando lleguemos a la cima de la colina hablaremos, te lo prometo.

—¡Hablemos aquí! ¡Detente y juro que no te tocaré!

El ángel no respondió. Le costaba concentrarse, pues tenía que repartir su atención en tres frentes: a sus espaldas para no ser atrapado por el hombre, delante para ver donde pisaba y en el furioso daimonion que le devoraba las manos.

En cuanto al sacerdote, su mente discurría a toda prisa. Un adversario realmente peligroso habría matado a su daimonion al instante para zanjar el asunto. Pero aquel contendiente temía atacarlo.

Teniendo esto presente, el sacerdote fingió avanzar torpemente, tropezando un par de veces e implorándole que se detuviera..., sin quitarle ojo de encima, aproximándose cada vez más, calculando su estatura, lo rápidamente que podía moverse y hacia dónde miraba.

—Te lo suplico —dijo con voz entrecortada—, no sabes lo que duele esto... No puedo hacerte ningún daño... Por favor, ¿no podríamos detenernos y hablar?

El padre Gómez no quería perder el bosque de vista. Habían llegado al lugar donde comenzaba el manantial y entrevió los pies de Balthamos oprimiendo levemente la hierba. El sacerdote no le había quitado el ojo de encima y estaba seguro de dónde se hallaba el ángel.

Balthamos se volvió. El sacerdote alzó la vista hacia el lugar donde suponía que se encontraba el rostro del ángel y lo vio por primera vez: un resplandor trémulo pero inconfundible. El sacerdote no estaba lo suficientemente cerca para abatir a su enemigo de un solo movimiento, y el ser arrastrado por su daimonion, aparte de dolerle le había dejado muy debilitado. Quizá debía avanzar unos pasos...

—Siéntate —dijo Balthamos—. Ahí mismo, ni un paso más.

—¿Qué quieres? —preguntó el padre Gómez sin moverse.

—¿Que qué quiero? Matarte, pero me faltan las fuerzas.

—¿Pero no eres un ángel?

—¡Qué más da!

—Quizá cometas un error. Puede que estemos en el mismo bando.

—No. Te he estado siguiendo. Sé muy bien de qué bando estás tú. ¡No se te ocurra moverte!

—Nunca es tarde para arrepentirse. Incluso los ángeles se arrepienten. Puedes confesarte conmigo.

—¡Ayúdame, Baruch! —exclamó Balthamos exasperado, volviéndose de espaldas.

En este momento el padre Gómez se precipitó sobre él. Golpeó a Balthamos con el hombro, derribándolo al suelo. Al alargar la mano para sujetarse, Balthamos soltó al daimonion insecto. El escarabajo se alejó volando en el acto y el padre Gómez experimentó una profunda sensación de alivio y renovado vigor. Paradójicamente, eso fue lo que le mató. Se arrojó con tal ímpetu sobre la tenue forma del ángel, suponiendo que éste opondría una fuerte resistencia, que perdió el equilibrio. Resbaló y cayó rodando hacia el arroyo; y Balthamos, pensando en lo que habría hecho Baruch, propinó una patada a la mano del sacerdote cuando éste la extendió para agarrarse a algo.

El padre Gómez cayó con todo su peso. Se partió la cabeza contra una piedra y cayó de bruces en el arroyo, aturdido. Las gélidas aguas le despabilaron enseguida, pero mientras boqueaba y pugnaba por incorporarse, Balthamos, desesperado y prescindiendo del daimonion que le picaba en el rostro, los ojos y los labios, utilizó su escaso peso para mantener la cabeza del hombre sumergida en el agua, firmemente, sin soltarlo, hasta que éste se ahogó.

Cuando el daimonion desapareció de golpe, Balthamos soltó al sacerdote. Tras cerciorarse de que estaba muerto, sacó el cadáver del arroyo y lo depositó con cuidado sobre la hierba, colocando las manos del sacerdote sobre su pecho y cerrándole los párpados.

Seguidamente se incorporó, agotado y dolorido.

—¡Ay, Baruch, ya no puedo más! —exclamó—. Will y la niña están a salvo y todo irá bien, pero éste es el fin para mí, aunque lo cierto es que morí contigo, mi amado Baruch.

Y en unos instantes desapareció.

En el campo de judías, adormilada en el calor de la tarde, Mary oyó la voz de Atal, pero era difícil adivinar si estaba nerviosa o alarmada. ¿Se habría caído otro árbol? ¿Había aparecido de nuevo el hombre del rifle?

—¡Mira! ¡Mira! —dijo Atal, tocando el bolsillo de Mary con la trompa. Mary sacó el catalejo y lo orientó hacia el cielo.

—¡Dime lo que hace! —insistió Atal—. Noto una diferencia, pero no veo nada.

El temible torrente de Polvo había cesado de fluir a través del cielo, aunque no se había detenido. Al escrutar el firmamento con el catalejo ámbar, Mary vio una corriente aquí, un remolino allí, un vórtice más allá; el flujo de partículas estaba en constante movimiento, pero no se alejaba. Más bien caía como copos de nieve.

Mary pensó en los árboles de cápsulas de semillas. Las flores que se abrían al sol beberían con avidez la dorada lluvia. Mary casi sintió cómo la ingerían con sus gargantas resecas, perfectamente adaptadas a aquella lluvia de la que se habían privado durante tanto tiempo.

—Los niños —dijo Atal.

Mary se volvió, catalejo en mano, y vio a Will y a Lyra, que regresaban. Estaban algo lejos y caminaban sin apresurarse. Pese a la distancia se percató de que iban de la mano, enfrascados en su conversación, ajenos a cuanto les rodeaba.

Mary estuvo a punto de llevarse el catalejo al ojo, pero decidió guardarlo en el bolsillo. No tenía necesidad de utilizar el catalejo; sabía lo que vería a través de él: los niños aparecerían como si estuvieran hechos de oro vivo, la auténtica imagen de lo que los seres humanos podían ser cuando percibían su herencia.

El Polvo que caía de las estrellas había vuelto a hallar un hogar vivo, y ello se debía a aquellos niños, que ya no eran tan niños, colmados de amor.

36

La flecha rota

EL DESTINO CLAVA CUÑAS DE HIERRO Y SE INTERPONE SIEMPRE ENTRE ELLAS.
ANDREW MARVELL

Los dos daimonions atravesaron la silenciosa aldea, deslizándose por entre las sombras, avanzando sigilosamente en forma de gatos a la luz de luna, y se detuvieron frente a la casa de Mary.

Se asomaron con cautela al interior, pero al ver sólo a la mujer que dormía, dieron media vuelta y echaron andar de nuevo bajo la luna hacia el árbol-refugio.

Sus largas ramas cuajadas de fragantes hojas en espiral casi tocaban el suelo. Muy despacio, procurando no rozar las hojas ni pisar las ramas caídas en el suelo, las dos siluetas se deslizaron a través de la cortina de hojas y vieron lo que andaban buscando: el niño y la niña, abrazados y profundamente dormidos.

Se aproximaron a través de la hierba y tocaron a los niños suavemente con el morro, la pata, los bigotes, asimilando el calor vital que exhalaban pero procurando no despertarlos.

Mientras examinaban a sus seres humanos (limpiando con delicadeza la herida de Will que casi había cicatrizado, retirando un mechón de pelo de la frente de Lyra), percibieron un pequeño sonido a sus espaldas.

Al instante, sin hacer el menor ruido, los dos daimonions se volvieron transformados en lobos: ojos claros y feroces, dientes blancos y afilados, una actitud amenazante en cada rasgo de su ser.

Ante ellos apareció la silueta de una mujer que se recortaba sobre la luna. No era Mary, y la oyeron con claridad cuando habló, aunque no profirió sonido alguno.

—Venid conmigo —dijo.

Pantalaimon notó que su corazón de daimonion le daba un vuelco, pero no dijo nada hasta haberse alejado unos metros del árbol bajo el que dormían los niños.

—¡Serafina Pekkala! —saludó alborozado a la mujer—. ¿Dónde estabas? ¿Te has enterado de lo ocurrido?

—Chsss. Volemos a un lugar donde podamos hablar —contestó la mujer, procurando no despertar a los aldeanos.

Cuando ésta tomó su rama de pino-nube que yacía junto a la puerta de la casa de Mary, los dos daimonions se transformaron en aves —un ruiseñor y una lechuza— y juntos volaron sobre los tejados de paja, los pastizales y el cerro hacia el bosque de árboles-ruedas más próximo, tan grande como un castillo, cuyas copas relucían cual virutas de plata a la luz de la luna.

Una vez allí Serafina Pekkala se instaló sobre la rama más cómoda y elevada, entre las flores abiertas que bebían el Polvo, y las dos aves se posaron cerca de ella.

—No seréis aves durante mucho tiempo —comentó la mujer—. Pronto adquiriréis vuestra forma definitiva. Echad una ojeada alrededor para que esta imagen quede grabada en vuestra memoria.

—¿Qué forma adoptaremos? —inquirió Pantalaimon.

—No tardaréis en averiguarlo. Escuchad —dijo Serafina Pekkala—, y os contaré algunas historias de brujas que sólo nosotras conocemos. La razón de que pueda hacerlo es que vosotros estáis aquí conmigo, y vuestros humanos allí abajo, durmiendo. ¿Quiénes son los únicos seres a quienes esto les está permitido?

—Las brujas —respondió Pantalaimon— y los chamanes. De modo que...

—Al dejaros a la orilla del mundo de los muertos, Lyra y Will hicieron una cosa, sin saberlo, que las brujas venimos haciendo desde los primeros tiempos de nuestra existencia. En nuestra tierra septentrional existe una región, un lugar desolado y abominable, donde ocurrió una gran catástrofe en los albores del mundo, y en el que nada vive desde entonces. Los daimonions no pueden penetrar en él. Para convertirse en bruja, una niña debe atravesarlo sola y dejar atrás a su daimonion. Ya sabéis el sufrimiento que ellos les causa. Pero después de hacerlo comprueban que sus daimonions no cayeron bajo la cuchilla y fueron separados de ellas, como en Bolvangar, sino que continúan siendo un solo ser, pero con la particularidad de que pueden vagar libremente, visitar lugares remotos, contemplar cosas curiosas y regresar con los conocimientos que han adquirido. Vosotros no fuisteis separados de vuestros humanos por la cuchilla, ¿verdad?

—No —contestó Pantalaimon—. Seguimos siendo un solo ser. Pero fue muy doloroso y estábamos tan asustados...

—Bien —dijo Serafina—, ellos no volarán como los brujas y no vivirán tanto tiempo como nosotras; pero gracias a lo que hicieron, ellos y vosotros seréis unas brujas en todos los aspectos menos en éste.

Los dos daimonions reflexionaron sobre la extraña revelación.

—¿Significa eso que seremos unas aves, los daimonions de unas brujas? —preguntó Pantalaimon.

—Ten paciencia.

—¿Cómo es que Will se convertirá en una bruja? Creí que todas las brujas eran hembras.

—Esos niños han conseguido que cambien muchas cosas. Todos estamos adquiriendo nuevos hábitos, inclusive las brujas. Pero una cosa no ha cambiado: debéis ayudar a vuestros humanos, no ponerles trabas. Debéis ayudarlos, guiarlos y orientarlos hacia la sabiduría. Para eso están los daimonions.

Los dos daimonions guardaron silencio. Serafina se volvió hacia el ruiseñor.

—¿Cómo te llamas? —le preguntó.

—No tengo nombre. No sabía que había nacido hasta que me arrancaron de su corazón.

—Entonces te llamaré Kirjava.

—Kirjava... —repitió Pantalaimon para comprobar cómo sonaba—. ¿Qué significa?

—No tardarás en averiguarlo. Pero ahora prestad atención —prosiguió Serafina—, porque voy a deciros lo que debéis hacer.

—No —replicó Kirjava con rotundidad.

—Por el tono de tu voz deduzco que ya sabes lo que voy a decir —comentó Serafina.

—¡No queremos oírlo! —declaró Pantalaimon.

—Es demasiado pronto —objetó el ruiseñor.

Serafina guardó silencio, porque estaba de acuerdo y se compadecía de ellos. Pero era la más sabia de los tres y su obligación era señalarles el camino adecuado. No obstante dejó que las dos aves se calmaran antes de proseguir.

—¿Qué lugares habéis visitado durante este tiempo? —preguntó.

—Hemos recorrido muchos mundos —respondió Pantalaimon—. Cada vez que topábamos con una ventana la atravesábamos. Existen más ventanas de lo que imaginábamos.

—Y habréis visto...

—Sí —contestó Kirjava—, observamos con atención y vimos lo que ocurría.

—Vimos muchas otras cosas —se apresuró a añadir Pantalaimon—. Visitamos el mundo del que proceden esos seres diminutos, los gallivespianos. En él viven también seres de talla normal, los cuales pretenden aniquilarlos.

Relataron a la bruja muchas cosas que habían visto, tratando de distraerla. Serafina lo sabía, pero dejó que siguieran hablando, deleitándose al escuchar sus voces.

Al cabo de un rato, cuando le hubieron relatado todas sus aventuras, guardaron silencio. Lo único que se percibía era el incesante murmullo de las hojas.

—Habéis permanecido alejados de Will y Lyra para castigarlos —dijo por fin Serafina Pekkala—. Ya sé por qué lo habéis hecho; mi Kaisa hizo lo mismo cuando yo regresé de esa desolada región. Pero al cabo de un tiempo vino a mí, porque aún nos queríamos. Dentro de poco tendréis que indicar a esos niños lo que deben hacer, porque vosotros debéis decirles lo que sabéis.

Pantalaimon soltó el frío y característico resoplido de una lechuza, un sonido que jamás habían oído en aquel mundo. En los nidos y las madrigueras, a varios kilómetros a la redonda, y en todos los lugares donde una pequeña criatura nocturna se hallara cazando, buscando alimento o devorando los restos de otra criatura, se instauró un nuevo e inolvidable temor.

Serafina observó la escena de cerca y sintió una profunda compasión..., hasta que contempló al ruiseñor Kirvaja, el daimonion de Will. Entonces recordó una conversación que había mantenido con la bruja Ruta Skadi, quien después de haber visto a Will una sola vez, preguntó a Serafina si le había mirado a los ojos, y ésta había respondido que no se había atrevido a hacerlo. Aquel pajarillo pardo irradiaba una implacable ferocidad, palpable como el calor, y Serafina sintió temor.

Por fin, cuando cesaron los furiosos gritos de Pantalaimon, Kirjava dijo:

—O sea que debemos decírselo a los niños.

—En efecto —repuso la bruja suavemente.

Poco a poco la mirada del pajarillo pardo perdió ferocidad, y al mirarlo de nuevo Serafina vio que había dado paso a una infinita tristeza.

—Se aproxima un barco —dijo Serafina—. Lo dejé para acudir volando hasta aquí y dar con vuestro paradero. Zarpé con los giptanos, desde nuestro mundo. Llegarán dentro de un día o dos.

Las dos aves, que estaban sentadas una junto a otra, cambiaron de aspecto y se transformaron en palomas.

—Quizá sea la última vez que voláis —continuó Serafina—. Puedo ver el futuro inmediato: los dos seréis capaces de elevaros hasta aquí mientras existan árboles de esta altura, pero cuando adquiráis una forma definitiva no seréis aves. Asimilad cuanto podáis, y recordadlo. Sé que vosotros y Lyra y Will reflexionaréis con calma y a fondo, y tomaréis la decisión más conveniente. Pero sólo vosotros podéis tomarla.

Los daimonions no respondieron. Serafina tomó su rama de pinonube, se elevó por el aire a gran altura y comenzó a volar describiendo círculos sobre las gigantescas copas de los árboles. Sentía la frescura de la brisa sobre su piel, el cosquilleo del resplandor de la luna y la benévola corriente de aquel Polvo que ella no había visto nunca.

Serafina aterrizó de nuevo en la aldea y entró sigilosamente en la casa de la mujer. No sabía nada sobre Mary, salvo que procedía del mismo mundo que Will, y que su papel en los acontecimientos era crucial. Serafina ignoraba si era agresiva o amable, pero debía despertarla sin que se sobresaltara, para lo cual existía un encantamiento.

Serafina se sentó en el suelo, junto a la cabecera del lecho de la mujer, y observó con los ojos entornados, respirando acompasadamente como Mary. Al cabo de un rato su media visión le mostró las pálidas formas que Mary veía en sueños y Serafina ajustó su mente para sintonizar con ella, como quien afina un instrumento de cuerda. Luego, realizando otro esfuerzo, la bruja se situó entre aquellas formas. Una vez allí podía hablarle a Mary, cosa que hizo con el afecto espontáneo e inmediato que sentimos a veces hacia personas con las que nos encontramos en sueños.

Enseguida entablaron una conversación en apresurados murmullos, de la que más tarde Mary no recordaría nada, mientras paseaban por un absurdo paisaje de lechos de juncos y transformadores eléctricos. Había llegado el momento de que Serafina asumiera el control de la situación.

—Dentro de poco te vas a despertar —dijo—. No te asustes. Me encontrarás junto a ti. Te he despertado así para que sepas que estás a salvo y que nadie va a lastimarte. Luego conversaremos propiamente.

Serafina se retiró, llevándose el Mary-sueño consigo, hasta hallarse de nuevo en la casa, sentada en el suelo de tierra con las piernas cruzadas, al estilo oriental. Mary la observaba con ojos resplandecientes.

—Debes de ser la bruja —comentó.

—Así es. Me llamo Serafina Pekkala. ¿Y tú cómo te llamas?

—Mary Malone. Nunca me habían despertado con tanta delicadeza. Estoy despierta, ¿verdad?

—Sí. Tenemos que hablar, y una conversación-sueño es difícil de controlar y más aún de recordar. Es mejor que hablemos estando tú despierta. ¿Quieres que nos quedemos aquí o prefieres que demos un paseo bajo la luz de la luna?

—Te acompañaré —respondió Mary, desperezándose—. ¿Dónde están Lyra y Will?

—Dormidos debajo del árbol.

Salieron de la casa, pasaron frente al árbol con su cortina de hojas que lo ocultaba todo y echaron a andar hacia el río.

Mary observó a Serafina Pekkala con una mezcla de recelo y admiración: nunca había visto una forma humana tan esbelta y grácil. Parecía más joven que Mary, aunque Lyra le había contado que tenía cientos de años; sólo en su expresión de tristeza se apreciaba cierto indicio de vejez.

Se sentaron en la ribera, frente al agua negra y plateada. Serafina informó a Mary de que había hablado con los daimonions de los niños.

—Hoy fueron en su busca —dijo Mary—, pero ocurrió un imprevisto. Will no había visto nunca a su daimonion de cerca, excepto cuando escaparon de la batalla, y sólo durante unos segundos. No sabía con certeza si tenía un daimonion.

—Pues lo tiene, como tú.

Mary la miró perpleja.

—Si pudieras verlo —prosiguió Serafina—, verías a un ave negra con las patas de color rojo y el pico amarillo vivo, ligeramente curvado. Un ave de las montañas.

—¡Una chova alpina! ¿Cómo la has visto?

—Con los ojos entornados. Si tuviéramos tiempo te enseñaría a verla, y a los daimonions de otros seres en tu mundo. A nosotros nos choca que tú no puedas verlos.

Serafina contó a Mary lo que les había dicho a los daimonions, y lo que significaba.

—¿Y los daimonions tendrán que decírselo a los niños? —inquirió Mary.

—Pensé en despertarlos para decírselo yo misma. También se me ocurrió decírtelo a ti para que tú se lo transmitieras a ellos. Pero al ver a sus daimonions, decidí que lo mejor sería que se lo contaran ellos.

—Están enamorados.

—Lo sé.

—Acaban de descubrirlo...

Mary trató de asimilar las connotaciones de lo que Serafina le había relatado, pero era muy difícil.

Al cabo de unos minutos preguntó a la bruja:

—¿Puedes ver el Polvo?

—No. Jamás lo he visto. Hasta que comenzaron las guerras ni siquiera habíamos oído hablar de él.

Mary sacó el catalejo del bolsillo y se lo entregó. Serafina se lo acercó al ojo.

—¿Ése es el Polvo? ¡Qué maravilla! —exclamó llena de estupor.

—Vuélvete y contempla el árbol refugio.

Serafina hizo lo que le pedía Mary y preguntó:

—¿Ellos propiciaron esto?

—Algo ocurrió hoy, o ayer, si ha pasado la medianoche —respondió Mary buscando las palabras adecuadas para explicárselo, y recordando la visión que había tenido de la corriente de Polvo semejante a un río tan gigantesco como el Misisipí—. Algo minúsculo pero crucial... Si quisieras desviar el curso de un caudaloso río y sólo dispusieras de un guijarro, podrías conseguirlo si lo colocaras en el sitio adecuado para que el chorro de agua se encauzara en un sentido en lugar de otro. Ayer ocurrió algo parecido. No sé exactamente qué. Ellos se vieron con otros ojos... Hasta entonces, no habían experimentado ese sentimiento, pero de pronto lo sintieron. Y entonces atrajeron al Polvo con tan fuerza como un imán, y éste dejó de fluir en sentido contrario.

—¿De modo que fue así como sucedió? —preguntó Serafina, maravillada—. Y ahora está a salvo, o lo estará cuando los ángeles llenen el inmenso abismo del submundo.

Serafina explicó a Mary lo del abismo y cómo lo había averiguado.

—Volaba muy alto —dijo—, buscando un lugar para aterrizar, cuando me encontré con un ángel, un ángel femenino. Era muy extraño, viejo y joven al mismo tiempo —prosiguió Serafina, olvidando que así era como ella le había parecido a Mary—. Se llamaba Xaphania. Me contó muchas cosas... Dijo que la historia de la vida humana ha consistido en una lucha entre la sabiduría y la estupidez. Ella y los ángeles rebeldes, los partidarios de la sabiduría, han tratado de abrir la mente de la gente, mientras que la Autoridad y las Iglesias siempre han procurado mantenerla cerrada. Me expuso varios ejemplos de mi propio mundo.

—En el mío también abundan.

—Y durante buena parte del tiempo, la sabiduría ha tenido que trabajar en secreto, susurrando sus palabras, moviéndose como un espía a través de los lugares humildes del mundo mientras las cortes y los palacios están ocupados por sus enemigos.

—Sí, eso también lo reconozco —afirmó Mary.

—La lucha no ha terminado, aunque las fuerzas del Reino hayan sufrido una derrota. Pero se reagruparán bajo otro comandante y regresarán con renovado ímpetu. Debemos estar preparados para resistir.

—¿Qué ha sido de lord Asriel? —preguntó Mary.

—Peleó con el Regente del Cielo, el ángel Metatron, y durante el forcejeo éste cayó al abismo. Metatron ha desaparecido para siempre. Y lord Asriel también.

La noticia impresionó a Mary.

—¿Y la señora Coulter? —preguntó.

La bruja sacó una flecha de su aljaba. Seleccionó la mejor, la más recta, la más equilibrada, y la partió en dos.

—Hace tiempo, en mi mundo —prosiguió Serafina—, vi a una mujer torturar a una bruja y me juré que le clavaría esta flecha en el cuello. Ya no podré hacerlo. Ella sacrificó su vida y la de lord Asriel para derrotar al ángel y convertir el mundo en un lugar seguro para Lyra. No habrían podido hacerlo cada uno por su cuenta, pero juntos lo han conseguido.

—¿Cómo se lo diremos a Lyra? —preguntó Mary disgustada.

—Espera a que ella te lo pregunte —contestó Serafina—. Quizá no lo haga. En cualquier caso, dispone de ese instrumento que interpreta símbolos; él le informará de cualquier cosa que desee saber.

Permanecieron sentadas en silencio, como dos amigas, mientras las estrellas rodaban lentamente por el firmamento.

—¿Puedes ver el futuro y adivinar lo que Will y Lyra decidirán hacer? —preguntó Mary.

—No, pero si Lyra regresa a su mundo, yo seré su hermana durante el resto de su vida. ¿Y tú qué harás?

—Yo... —empezó a decir Mary, pero no se había detenido a pensarlo—. Supongo que regresar a mi mundo, aunque lamentaré abandonar éste. He sido muy feliz aquí. Ésta ha sido la época más feliz de mi vida.

—Si regresas a casa, tendrás una hermana en otro mundo —dijo Serafina—, al igual que yo. Volveremos a vernos dentro de un día o dos, cuando llegue el barco, y seguiremos conversando durante la travesía a casa. Luego nos separaremos para siempre. Dame un abrazo, hermana.

Mary la abrazó y Serafina Pekkala se alejó volando en su rama de pino-nube sobre los juncos, los marjales, el pantano, la playa y el mar, hasta que Mary la perdió de vista.

En ese mismo momento, uno de los grandes lagartos azules se topó con el cadáver del padre Gómez. Will y Lyra habían regresado aquella tarde a la aldea por otro camino y no lo habían visto. El sacerdote yacía en el lugar donde lo había depositado Balthamos. Los lagartos eran unos animales carroñeros, aunque dóciles e inofensivos, y en virtud de un antiguo pacto que habían hecho con los mulefa, tenían derecho a apoderarse de cualquier criatura que hallaran a partir del anochecer.

El lagarto arrastró el cadáver del sacerdote hasta su nido, donde sus crías gozaron de un opíparo festín. En cuanto al rifle, seguía donde lo había dejado el padre Gómez, sobre la hierba, oxidándose lentamente.

37

Las dunas

ALMA MÍA, NO
PERSIGAS
LA VIDA ETERNA,
AGOTA
EL ÁMBITO
DE LO POSIBLE.
PÍNDARO

Al día siguiente Will y Lyra salieron de nuevo de la casa, sin apenas decir nada, ansiosos de estar solos. Parecían aturdidos, como si un feliz acontecimiento les hubiera robado en parte la razón. Se movían despacio. Sus ojos tenían una expresión ausente.

Pasaron el día en las extensas colinas y al mediodía, cuando apretó el calor, visitaron su bosquecillo dorado y plateado. Charlaron, se bañaron, comieron, se besaron y se tumbaron en la hierba, sumidos en un trance de felicidad, murmurando unas palabras cuyo sonido era tan confuso como sus sentidos, derritiéndose de amor.

Por la noche compartieron la cena con Mary y Atal, sin apenas despegar los labios. Como hacía calor decidieron dar un paseo hasta el mar, donde soplaba una fresca brisa. Caminaron junto al río hasta que llegaron a la extensa playa, iluminada por la luna, donde comenzaba a subir la marea.

Se tumbaron en la mullida arena al pie de las dunas y de pronto oyeron el primer reclamo de un ave.

Se volvieron simultáneamente, porque jamás habían oído aquel sonido en el mundo en el que se encontraban. En lo alto, oculta en la oscuridad, el ave entonó los delicados trinos de una canción, a la que respondió otra desde un lugar distinto. Fascinados, Will y Lyra se levantaron de un salto y trataron de ver a las aves, pero sólo divisaron dos formas oscuras que se deslizaron sobre ellos en vuelo rasante para alzarse de nuevo por los aires sin cesar de entonar las melodiosas y límpidas notas de una canción infinitamente variada.

Luego, batiendo las alas y levantando un pequeño surtidor de arena frente a ellos, la primera ave aterrizó a pocos metros de Will y Lyra.

—¿Pan...? —preguntó Lyra.

Presentaba la forma de una paloma, aunque de un color oscuro y difícil de precisar a la luz de la luna; en cualquier caso, su silueta se recortaba con nitidez sobre la arena blanca. La otra ave siguió revoloteando unos instantes en el aire, cantando sin cesar, antes de aterrizar junto a su compañera: otra paloma, pero de un blanco perlado y provista de un penacho de plumas rojo oscuro.

Will comprendió entonces lo que significaba ver a su daimonion con todo detalle. Cuando éste aterrizó en la arena, el niño sintió que su corazón se contraía y ensanchaba de una forma que jamás olvidaría. Al cabo de más de sesenta años, cuando era un anciano, aún evocaba algunas de las sensaciones que había experimentado de joven con la misma frescura e intensidad: los dedos de Lyra al introducir en su boca la fruta bajo los árboles dorados y plateados; sus labios cálidos en contacto con los suyos; el momento en que le arrancaron cruelmente a su daimonion de su pecho, al entrar en el mundo de los muertos; la dulce sensación de verlo regresar a su lado junto a las dunas bañadas por la luna.

Lyra hizo ademán de acercarse a ellos, pero Pantalaimon la detuvo.

—Lyra —dijo—, Serafina Pekkala estuvo hablando anoche con nosotros. Nos contó muchas cosas. Ha regresado para conducir a los giptanos hasta aquí. Está a punto de llegar Farder Coram, y lord Faa, y...

—¡Qué triste te veo, Pan! —exclamó Lyra disgustada—. ¿Qué ocurre, Pan?

Éste corrió hacia ella a través de la arena transformado en un armiño blanco como la nieve. El otro daimonion asumió la forma de un gato, y Will sintió la transformación como un pequeño pellizco en el corazón.

—La bruja me puso un nombre —dijo el daimonion de Will antes de acercarse a él—. Hasta ahora no lo había necesitado. Me llamó Kirjava. Pero prestad atención...

—Sí, debéis escucharnos —apostilló Pantalaimon—. Esto es difícil de explicar.

Los dos daimonions consiguieron relatarles todo cuanto les había dicho Serafina, empezando por la revelación sobre la auténtica naturaleza de los niños: sobre cómo habían adquirido, sin pretenderlo, la facultad de las brujas de separarse de sus daimonions, y sin embargo seguir siendo una sola entidad.

—Pero eso no es todo —declaró Kirjava.

—Perdónanos, Lyra —terció Pantalaimon—, pero debemos contarte lo que hemos descubierto...

Lyra estaba perpleja. ¿Desde cuándo necesitaba Pan pedirle perdón? Miró a Will y vio que estaba tan perplejo como ella.

—Cuéntanoslo, no temáis —dijo Will.

—Se trata del Polvo —dijo el daimonion gato. A Will le maravilló oír a una parte de su naturaleza referirle algo que él ignoraba—. El Polvo fluía impetuosamente hacia el abismo que visteis vosotros. De repente ocurrió algo que frenó su curso, pero...

—¡Era la luz dorada, Will! —dijo Lyra—. ¡La luz que fluía hacia el abismo y se desvaneció...! ¿Era el Polvo? ¿De veras?

—Sí. Pero siguen produciéndose algunas pérdidas —continuó Pantalaimon—. Debemos impedirlo. Es vital que no se escape todo el Polvo. Tiene que permanecer en el mundo, porque todo se desvanecerá y perecerá si desaparece.

—¿Pero por dónde se escapa el resto del Polvo? —inquirió Lyra.

Los daimonions miraron a Will y luego la daga.

—Cada vez que practicamos una abertura —dijo Kirjava, y Will volvió a sentir un breve estremecimiento de emoción: «Es mío, y yo suyo...»—, cada vez que alguien practicó una abertura entre los mundos, nosotros o los hombres de la Corporación de la Torre degli Angeli, la daga se hundía en el vacío que hay fuera. El mismo vacío que reina en el fondo del abismo. Nosotros no lo sabíamos. Nadie lo sabía, porque el borde era tan fino que no se apreciaba, pero era lo suficientemente grande para que el Polvo se escapara por él. Si volvían a cerrar la abertura se escapaba muy poco, pero hay miles de aberturas que no se han cerrado. De modo que durante todo ese tiempo el Polvo se ha escapado de los mundos y ha fluido hacia el vacío.

Will y Lyra comenzaban a entender el significado de lo que había dicho Kirjava. Por más que se esforzaron en rechazarlo, era como la luz grisácea que se filtra en el cielo y apaga el resplandor de las estrellas: se deslizó a través de cada barrera que erigieron, debajo de cada persiana y por los bordes de cada cortina que trataron de correr para impedirle el paso.

—Cada abertura... —musitó Lyra.

—¿Tenemos que cerrar todas las aberturas? —preguntó Will.

—Absolutamente todas —respondió Pantalaimon musitando como Lyra.

—¡No! —exclamó Lyra—. ¡Es imposible!

—Debemos abandonar nuestro mundo y quedarnos en el de Lyra —dijo Kirjava—, o Pan y Lyra deben abandonar el suyo e instalarse en el nuestro. No hay más remedio.

De pronto despuntaron las primeras y frías luces del día.

Lyra lanzó un alarido. El grito de lechuza que Pantalaimon había soltado la noche anterior había sobrecogido a todas las pequeñas criaturas que lo habían oído, pero no tenía punto de comparación con el apasionado alarido que acababa de emitir Lyra. Los daimonions quedaron estupefactos, y Will comprendió el motivo: no conocían el resto de la realidad, ignoraban lo que Will y Lyra habían averiguado.

Temblando de ira y dolor, Lyra comenzó a pasearse arriba y abajo con los puños crispados y volviendo la cara inundada de lágrimas hacia uno y otro lado como si buscara una respuesta. Will se levantó de un salto y la sujetó por los hombros, sintiendo que tenía todo el cuerpo tenso y que no cesaba de temblar.

—Escucha, Lyra —dijo Will—. ¿Recuerdas lo que dijo mi padre?

—Pues dijo... —respondió ella, sin dejar de mover la cabeza—. Dijo que... ¡Ya sabes lo que dijo! ¡Tú estabas presente y lo oíste tan bien como yo!

Era tal la desazón de Lyra que Will creyó que iba a morir de pena. La niña se arrojó en sus brazos sollozando con amargura, abrazada a él, clavándole las uñas en la espalda, la cara y el cuello.

—No... no... no... —fue lo único que atinaba a decir.

—Escucha, Lyra —repitió Will—, tratemos de recordar lo que dijo exactamente. Quizás hallemos la forma de resolverlo. Quizás exista una solución.

Will se apartó de Lyra con delicadeza y la obligó a sentarse. Asustado, Pantalaimon saltó en el acto sobre su regazo al tiempo que el daimonion gato se aproximaba inseguro a Will. Aún no se habían tocado, pero cuando Will alargó la mano el animalito restregó su cara gatuna contra sus dedos y se encaramó a sus rodillas.

—Tu padre dijo... —empezó a decir Lyra, tragándose las lágrimas— que las personas podían pasar un cierto tiempo en otros mundos sin que ello les afectara. De todos modos, no es nuestro caso. Aparte de lo que tuvimos que hacer para entrar en el mundo de los vivos, seguimos estando sanos, ¿no es cierto?

—Pueden pasar un tiempo, pero no mucho —dijo Will—. Mi padre había permanecido diez años fuera de su mundo, mi mundo. Y cuando me encontré con él estaba casi moribundo. Diez años.

—Pero ¿y lord Boreal? ¿Sir Charles? Estaba sano, ¿no?

—Sí, pero ten presente que él podía volver a su mundo cuando quisiera y recobrar la salud. A fin de cuentas, allí es donde le viste por primera vez, en tu mundo. Debió de hallar una ventana secreta que nadie conocía.

—¡Nosotros podríamos hacer lo mismo!

—Sí, pero...

—Es preciso cerrar todas las ventanas —insistió Pantalaimon—. Absolutamente todas.

—Pero ¿cómo lo sabes? —preguntó Lyra.

—Nos lo dijo un ángel —respondió Kirjava—. Nos encontramos con un ángel femenino y nos lo dijo, aparte de otras cosas. Es cierto, Lyra.

—¿Un ángel femenino? —preguntó Lyra, recelosa.

—Sí —contestó Kirjava.

—Nunca había oído hablar de ángeles femeninos. Quizá mintió.

A Will se le había ocurrido otra posibilidad.

—Supongamos que ellos cerraran todas las ventanas y nosotros tan sólo abriéramos una cuando fuera necesario. Podríamos atravesarla rápidamente y cerrarla en cuanto hubiéramos pasado. Así apenas se escaparía el Polvo.

—¡Sí!

—La abriríamos en un lugar donde no pudiera encontrarla nadie —continuó Will—. Sólo nosotros dos lo conoceríamos.

—¡Estoy segura de que funcionaría! —exclamó Lyra alborozada.

—Y podríamos pasar de un mundo a otro sin que nuestra salud se resintiera...

Pero los daimonions se mostraban acongojados. Kirjava no cesaba de murmurar en señal de desaprobación.

—No, no —murmuró Pantalaimon—. Los espantos... El ángel nos previno también sobre los espantos.

—¿Los espantos? —preguntó Will—. Los vimos por primera vez durante la batalla. ¿Qué ocurre con los espantos?

—Hemos averiguado de dónde provienen —contestó Kirjava—. Y ahora viene lo peor: son como los niños del abismo. Cada vez que abrimos una ventana con la daga, crea un espanto. Es como si un pedacito del abismo saliera flotando y penetrara en el mundo. Por eso el mundo de Cittàgazze estaba repleto de espantos, porque allí dejaban todas las ventanas abiertas.

—Y se alimentan de Polvo —terció Pantalaimon—. Y de daimonions. Porque el Polvo guarda cierta semejanza con los daimonions, al menos con los daimonions adultos. Y los espantos se hacen más grandes y más fuertes...

Will sintió una punzada de horror y Kirjava se acurrucó contra su pecho, tan horrorizado como él y tratando de calmarlo.

—De modo que cada vez que he utilizado la daga —dijo Will— he dado vida a otro espanto.

Recordó que Iorek Byrnison le había dicho en la cueva, donde había reparado la daga: «Lo que no sabes es lo que hace la daga por su cuenta. Tus intenciones pueden ser buenas, pero la daga tiene sus propias intenciones...»

Lyra le observaba con unos ojos llenos de angustia.

—¡Ay, Will, es inútil! —exclamó—. No podemos hacerle eso a la gente... Después de comprobar lo que son capaces de hacer, no podemos permitir que aparezcan más espantos...

—De acuerdo —contestó Will levantándose y estrechando a su daimonion contra su pecho—. Entonces tendremos que... Uno de nosotros tendrá que... Yo pasaré a tu mundo y...

Lyra sabía lo que iba a decir. Le vio sosteniendo al hermoso y sano daimonion al que aún no conocía a fondo. Y pensó en la madre de Will, y comprendió que él también pensaba en ella. Abandonarla para irse a vivir con Lyra, aunque sólo fuera durante unos pocos años... ¿Cómo iba a hacer eso? Quizá pudiera vivir con Lyra, pero no podría vivir consigo mismo.

—¡No! —exclamó Lyra, levantándose también de un salto.

Kirjava se reunió con Pantalaimon sobre la arena mientras los dos niños se abrazaban con desesperación.

—¡Lo haré yo, Will! Pan y yo nos trasladaremos a tu mundo y viviremos allí. No me da miedo enfermar. Somos fuertes, estoy convencida de que viviremos mucho tiempo. Además, seguramente hay unos médicos estupendos en tu mundo. La doctora Malone podrá informarnos. ¡Eso es lo que haremos!

Pero Will meneó la cabeza. Lyra vio el brillo de unas lágrimas en sus mejillas.

—¿Crees que yo lo soportaría, Lyra? —preguntó Will—. ¿Crees que podría vivir dichoso viendo cómo enfermabas y te desmejorabas y morías, mientras yo crecía y me hacía fuerte cada día? Diez años... No son nada. Pasarían en un suspiro. Tendríamos veinte años. Piensa en ello, Lyra, tú y yo seríamos adultos, preparándonos para hacer todas las cosas que siempre hemos querido hacer... Y de repente todo terminaría. ¿Crees que yo podría vivir cuando tú hubieras muerto? ¡No, Lyra, te seguiría hasta el mundo de los muertos sin pensarlo dos veces, como tú seguiste a Roger! ¡Se habrían desperdiciado dos vidas, la tuya y la mía! No, debemos estar juntos toda la vida, una vida larga y provechosa, y si no podemos vivirla juntos, tendremos que... vivir separados.

Lyra se mordió el labio, observando cómo Will caminaba arriba y abajo para calmar su angustia.

De pronto Will se detuvo.

—¿Recuerdas otra cosa que dijo mi padre? —preguntó, volviéndose hacia Lyra—. Dijo que teníamos que construir la república del cielo donde estuviéramos, que para nosotros no existía otro lugar. ¡Ahora comprendo a qué se refería! ¡Es terrible! Creí que se refería a lord Asriel y a su nuevo mundo, pero se refería a nosotros, a ti y a mí. Tenemos que vivir en nuestros propios mundos...

—Voy a consultar al aletiómetro —dijo Lyra—. Él me lo dirá. No me explico cómo no se me había ocurrido antes...

Lyra se sentó, se enjugó las mejillas con la palma de una mano y extrajo el instrumento de la mochila con la otra. Lo llevaba consigo a todas partes: cuando Will la imaginaba de mayor, siempre la veía con aquella bolsita colgada del hombro. Lyra se recogió el pelo detrás de las orejas con aquel gesto apresurado que a él le encantaba, y sacó el aletiómetro envuelto en terciopelo negro.

—¿Los ves? —preguntó Will, pues aunque brillaba la luna los símbolos en la esfera eran muy pequeños.

—Sé dónde está cada uno de ellos —contestó Lyra—. Me los conozco de memoria. Ahora guarda silencio.

Lyra cruzó las piernas y estiró la falda para colocar el instrumento en su regazo. Will se apoyó sobre un codo y la observó. El resplandor de la luna, que se reflejaba en la arena blanca, iluminaba el rostro de Lyra confiriéndole una luminosidad que parecía generar otra luminosidad interior; sus ojos relucían y su expresión era tan seria y solemne que Will habría vuelto a enamorarse de ella si el amor no se hubiera apoderado ya de cada fibra de su ser.

Lyra respiró hondo y empezó a mover las ruedecillas. Pero al cabo de unos momentos se detuvo y giró el instrumento.

—No lo había colocado bien —explicó brevemente, y volvió a intentarlo.

Will, que no le quitaba ojo, vio su tierno rostro con toda claridad. Y como lo conocía tan bien y había estudiado su expresión en momentos de dicha, de desesperación, de esperanza y de dolor, intuyó que algo iba mal. En vez de la intensa concentración en la que Lyra se sumía de inmediato, su rostro traslucía una expresión de congoja y perplejidad. Se mordió el labio, pestañeó varias veces seguidas y sus ojos se desplazaron lentamente de un símbolo a otro, casi de forma aleatoria, en lugar de fijarse en ellos con rapidez y seguridad.

—No sé —dijo Lyra, meneando la cabeza—. No sé qué ocurre... Lo conozco perfectamente, pero no comprendo lo que significa...

Lyra soltó un profundo y angustiado suspiro y giró de nuevo el instrumento. En sus manos ofrecía un aspecto raro y desmañado. Pantalaimon, en versión ratón, se encaramó sobre su regazo y apoyó sus patas negras sobre el cristal, observando los símbolos con atención. Lyra giró una rueda, la otra y luego todo el aparato.

—¡Ay, Will! —exclamó consternada—. ¡No puedo hacerlo! ¡Me ha abandonado!

—Cálmate —contestó Will—, no te inquietes. Sigue conteniendo todos los conocimientos que puedas precisar. No te pongas nerviosa y acabarás encontrando lo que buscas. No lo fuerces. Deja que tus dedos floten sobre él...

Lyra tragó saliva, asintió con la cabeza, se pasó la muñeca bruscamente por los ojos y respiró hondo varias veces. Will observó que estaba tensa, y al apoyar las manos en sus hombros notó que temblaba y la abrazó con fuerza. Ella se apartó y volvió a intentarlo. Fijó los ojos de nuevo en los símbolos mientras giraba las ruedecitas, pero aquellas escalas invisibles de significado por las que solía descender con agilidad y seguridad se le resistían. No comprendía el significado de ningún símbolo.

Lyra volvió la cabeza y se abrazó desesperada a Will.

—¡Es inútil! ¡No puedo interpretarlo! ¡Me ha abandonado! Siempre me sacó de un apuro, cuando rescaté a Roger, cuando tú y yo estábamos en peligro... ¡Me ha abandonado, Will! ¡Lo he perdido! ¡Jamás lo recuperaré!

Lyra rompió a llorar con desesperación. Will sólo era capaz de abrazarla. No sabía cómo consolarla, porque era evidente que tenía razón.

De pronto los dos daimonions se estremecieron y alzaron la vista. Will y Lyra también miraron el cielo y vieron una luz que se dirigía hacia ellos, una luz dotada de alas.

—Es el ángel que vimos —aventuró Pantalaimon.

No se equivocaba. Mientras los dos niños y sus daimonions observaban cómo se acercaba, Xaphania abrió sus alas por completo y aterrizó en la arena. Pese al tiempo que había pasado en compañía de Balthamos, Will no estaba preparado para aquel extraño encuentro. Él y Lyra se tomaron con fuerza de la mano mientras el ángel femenino se dirigía hacia ellos, bañado en una luz procedente de otro mundo. Iba desnudo, pero el detalle carecía de importancia. ¿Qué ropa va a lucir un ángel?, se preguntó Lyra. Era imposible adivinar si era viejo o joven, pero su expresión era austera y amable, y tanto Will como Lyra tuvieron la sensación de que conocía los secretos de sus corazones.

—He venido para pedirte que me ayudes, Will —dijo Xaphania.

—¿Yo? ¿Cómo puedo ayudarte?

—Quiero que me enseñes a cerrar las aberturas que hace la daga.

—De acuerdo —respondió Will tragando saliva—. A cambio, ¿puedes ayudarnos a nosotros?

—No como tú pretendes. Sé de qué habéis estado hablando. Vuestra tristeza ha dejado unos rastros en el aire. Aunque no os sirva de consuelo, os aseguro que todos los seres que conocen vuestro dilema desearían que las cosas fueran distintas: pero hasta los más poderosos deben someterse a su suerte. No puedo ayudaros a modificar la situación.

—¿Por qué...? —empezó a decir Lyra, con voz débil y trémula—. ¿Por qué no puedo leer el aletiómetro? ¿Por qué no puedo hacer una cosa tan sencilla como ésa? Era lo que se me daba mejor, pero se ha desvanecido como si no hubiera existido nunca...

—Lo leías en virtud de una gracia especial —respondió Xaphania observándola—, que recuperarás si te aplicas en ello.

—¿Cuánto tiempo me llevará?

—Toda la vida.

—Eso es mucho...

—Pero cuando recobres esa gracia, después de toda una vida de reflexión y esfuerzo, tus lecturas serán más precisas porque se basarán en una comprensión consciente. La gracia adquirida de este modo es más profunda y rica que la que posees de forma natural, y después de haberla adquirido ya no te abandonará nunca.

—Te refieres a toda la vida, ¿no es cierto? —musitó Lyra—. No a unos pocos años...

—Así es.

—¿Y debemos cerrar todas las ventanas? —inquirió Will—. ¿Sin dejarnos ni una?

—Tened presente que el Polvo no es constante —respondió Xaphania—. No existe una cantidad fija, siempre la misma. Los seres conscientes crean el Polvo, lo renuevan de continuo mediante el pensamiento, el sentimiento y la reflexión, adquiriendo sabiduría y transmitiéndola.

»Y si ayudáis a todos los seres de vuestros mundos a conseguirlo, a aprender y comprender cómo son ellos mismos y otros, y cómo funciona todo, si les enseñáis a ser bondadosos en lugar de crueles, pacientes en lugar de atolondrados y alegres en lugar de ariscos, y sobre todo a mantener la mente abierta, libre y curiosa... De este modo renovarán el Polvo en una cantidad suficiente para reemplazar lo que se haya perdido a través de una ventana. Y podrá quedar una abierta.

Will temblaba de excitación y su mente se fijó en una sola cosa: una nueva ventana situada en el aire, entre su mundo y el de Lyra. Sería su secreto, y podrían atravesar esa ventana tantas veces como quisieran, y vivir una temporada en el mundo de uno y de otro, sin agotar su existencia en uno solo, para que sus daimonions no enfermaran; y crecerían juntos y quizá más adelante tendrían unos hijos que serían en secreto ciudadanos de ambos mundos; y ellos aportarían todos los conocimientos de un mundo al otro, y harían muchas cosas buenas...

Pero Lyra negó con la cabeza.

—No —dijo con tono quedo y apenado—. No podemos, Will...

Él adivinó en el acto su pensamiento.

—Tienes razón —convino con un tono tan triste y angustiado como el de ella—. Los muertos...

—¡Debemos dejarla abierta para ellos! ¡Es preciso!

—Sí, de lo contrario...

—Y debemos crear el Polvo suficiente para ellos, Will, y mantener esa ventana abierta...

Lyra se echó a temblar. En aquel momento, junto a Will, que apretaba su mano con fuerza, se sintió muy joven.

—Y si lo conseguimos —dijo Will con voz temblorosa—, si llevamos una vida ejemplar y pensamos en los otros, de paso tendremos algo que contarles a las arpías. Debemos decírselo, Lyra.

—Sí, pero lo que se les cuente debe ser real —dijo ella—, porque las arpías quieren oír historias reales a cambio. Eso es. De modo que si las personas consumen su vida y cuando acaba no tienen nada que decir de ella, enonces nunca podrán dejar el mundo de los muertos. Tenemos que decírselo, Will.

—Pero solo...

—Sí, solo —dijo ella.

Al oír la palabra «solo», Will sintió que de lo más recóndito de su ser brotaba una ola de intensa rabia y desesperación que se desplazaba hacia el exterior, como si su mente fuera un océano sacudido por una violenta convulsión. Había estado solo toda su vida, y volvería a estarlo, porque iban a arrebatarle el precioso don que le habían otorgado durante breve tiempo. Sintió que la ola de indignación se elevaba más y más hasta ensombrecer el cielo; la cresta de la ola comenzó a temblar y a derramarse, y de golpe la gigantesca masa cayó con todo el peso del océano sobre la costa blindada e inexorable del deber. Desesperado, Will se puso a temblar, a protestar y a gritar con una furia como jamás había experimentado, y sintió que Lyra temblaba también de impotencia en sus brazos. Pero cuando la ola expandió su fuerza y las aguas retrocedieron, las siniestras rocas permanecieron incólumes. Era inútil discutir con la suerte; ni su desesperación ni la de Lyra habían logrado que se movieran un ápice.

Will no sabía cuánto duró su rabia. Poco a poco fue disipándose y el océano aparecía más calmado después de la convulsión. Las aguas seguían agitadas, y quizá no volvieran a remansarse por completo, pero la fuerza había desaparecido.

Los niños se volvieron hacia el ángel y vieron que éste comprendía su desesperación y se sentía tan apenado como ellos. Pero Xaphania veía más allá que ellos y su expresión traslucía una serena esperanza.

Will tragó saliva.

—De acuerdo —declaró—. Te enseñaré cómo cerrar una ventana. Pero primero tengo que abrirla, aunque signifique crear otro espanto. De haber sabido que cada vez que abría una ventana ocurría eso, habría tenido más cuidado.

—Nosotros nos ocuparemos de los espantos —repuso Xaphania.

Will sacó la daga, dispuesto a enfrentarse con el impetuoso océano. Curiosamente, las manos no le temblaban. Cortó una ventana que daba a su mundo y contemplaron una enorme planta química, con un complicado sistema de tuberías que se extendían entre los edificios y los tanques de almacenamiento, con luces encendidas en todos los rincones y con la atmósfera saturada de unas nubecillas de vapor.

—Me choca que los ángeles no sepáis hacer esto —comentó Will.

—El cuchillo es un invento humano.

—De modo que vas a cerrar todas las ventanas menos una —dijo Will—. Todas salvo la ventana del mundo de los muertos.

—Sí, te lo prometo. Pero es una promesa condicional, y ya conocéis la condición.

—Sí. ¿Hay muchas ventanas que cerrar?

—Miles. Existe el terrible abismo creado por la bomba, y la inmensa abertura que creó lord Asriel en su mundo. Ambas deben cerrarse, y lo serán. Pero hay muchas otras aberturas más reducidas, algunas bajo tierra, otras en el aire, que se produjeron de otras formas.

—Baruch y Balthamos me explicaron que utilizaban esas aberturas para desplazarse entre los mundos. Cuando las ventanas estén cerradas, ¿los ángeles ya no podréis pasar de un mundo a otro? ¿Estaréis confinados en uno solo como nosotros?

—No, disponemos de otros medios para viajar entre los mundos.

—¿Podríamos nosotros aprender a hacerlo?

—Sí, como hizo el padre de Will. Se trata de utilizar la facultad que denomináis imaginación. Pero eso no significa inventarse las cosas. Es una forma de ver.

—O sea que en realidad no viajaríamos —dijo Lyra—, sino que fingiríamos...

—No —replicó Xaphania—, no se trata de fingir. Fingir es sencillo. Este sistema es más difícil, pero más auténtico.

—¿Es como el aletiómetro? —preguntó Will—. ¿Tardaríamos toda la vida en aprenderlo?

—Requiere mucha práctica, sí. Tendréis que trabajar duro. ¿O pensasteis que lo lograríais con sólo chascar los dedos, como si se tratara de un don llovido del cielo? Lo valioso siempre exige un esfuerzo. Pero tenéis un amigo que ya ha dado los primeros pasos y que podría ayudaros.

Will no tenía ni remota idea de quién pudiera ser, pero en aquellos momentos no tenía ganas de preguntárselo al ángel.

—Ya —dijo con un suspiro de resignación—. ¿Volveremos a verte algún día? ¿Volveremos a hablar con algún ángel cuando regresemos a nuestros mundos?

—No lo sé —respondió Xaphania—. Pero no perdáis el tiempo esperando que eso ocurra.

—Y yo tengo que romper la daga —dijo Will.

—Así es.

Mientras hablaban, la ventana había permanecido abierta junto a ellos. Las luces estaban encendidas en la planta fabril, el trabajo continuaba; las máquinas giraban, las sustancias químicas se combinaban, la gente fabricaba artículos y se ganaba el sustento. Ése era el mundo al que pertenecía Will.

—Te enseñaré cómo cerrarla —dijo Will.

Enseñó al ángel cómo tentar los bordes de la ventana, tal como Giacomo Paradisi le había enseñado a él, palpándolos con las yemas de los dedos y pellizcándolos para juntarlos. Poco a poco la ventana se fue cerrando y la fábrica desapareció de la vista.

—¿Es necesario cerrar las ventanas que no fueron abiertas por la daga? —preguntó Will—. Porque imagino que el Polvo sólo se escapa a través de las aberturas practicadas por la daga. Las otras debe de hacer miles de años que existen, y sigue habiendo Polvo.

—Las cerraremos todas —contestó el ángel—, porque si supierais que quedaba alguna ventana abierta, os pasaríais la vida buscándola, lo cual sería una pérdida de tiempo. Tenéis otros trabajos mucho más importantes y útiles que realizar en nuestros mundos, y ya no podréis viajar fuera de él.

—¿Qué trabajo tengo que hacer? —inquirió Will, pero se apresuró a agregar—: No me lo digas. Yo decidiré lo que quiero hacer. Si dices que debo ser guerrero, médico, explorador o lo que sea, y termino haciendo ese trabajo tendré la sensación de hacerlo por obligación, y si no lo hago tendré un complejo de culpabilidad. Prefiero ser yo quien decida lo que quiero hacer.

—Eso significa que has dado el primer paso hacia la sabiduría —dijo Xaphania.

—Veo una luz en el mar —intervino Lyra.

—Es el barco en el que viajan vuestros amigos que os conducirán a casa. Mañana estarán aquí.

La palabra «mañana» cayó sobre los niños como una pedrada. Lyra nunca habría imaginado que no tendría ganas de ver a Farder Coram, a John Faa y a Serafina Pekkala.

—Me marcho —dijo el ángel—. Ya he averiguado lo que quería saber.

Abrazó a los dos niños con sus brazos livianos y frescos y les besó en la frente. Luego se inclinó para besar a los daimonions, que se transformaron en pájaros y alzaron el vuelo con el ángel mientras éste desplegaba las alas y se elevaba por el aire. A los pocos segundos había desaparecido.

Lyra soltó una breve exclamación de enojo.

—¿Qué pasa? —preguntó Will.

—No le pregunté por mi padre y mi madre, y ya no puedo preguntárselo al aletiómetro... Me gustaría saber si tendré noticias de ellos algún día...

Lyra se sentó despacio, y Will se sentó junto a ella.

—Ay, Will, ¿qué podemos hacer? —exclamó Lyra—. Quiero vivir siempre contigo. Quiero besarte y acostarme a tu lado y despertarme junto a ti cada día de mi vida, hasta que muera, dentro de muchos, muchísimos años. No quiero tener un recuerdo, un mero recuerdo...

—Yo tampoco quiero conformarme con recuerdos —dijo Will—. Lo que yo deseo es tu pelo, tu boca, tus brazos, tus ojos y tus manos. No sabía que era capaz de amar tanto a una persona. ¡Oh, Lyra, ojalá esta noche no terminara nunca! ¡Ojalá pudiéramos quedarnos aquí para siempre, y que la Tierra cesara de girar, y todo el mundo se sumiera en un sueño!

—¡Todos excepto nosotros! ¡Y que tú y yo pudiéramos vivir aquí eternamente, amándonos!

—Te amaré siempre, pase lo que pase. Hasta que muera y después de que muera, y cuando consiga salir de la tierra de los muertos mis átomos vagarán para siempre, hasta que vuelva a encontrarte...

—Yo te esperaré, Will, cada momento de mi vida. Y cuando volvamos a encontrarnos nos abrazaremos con tal fuerza que nada ni nadie podrá separarnos. Cada átomo de mi ser y cada átomo del tuyo... Viviremos en los pájaros, las flores, las libélulas, los pinos, las nubes y en esas motas de luz que flotan en los rayos de sol... Y cuando utilicen nuestros átomos para crear nueva vida, no podrán tomar uno solo sino que tendrán que tomar dos, uno tuyo y otro mío, porque estaremos unidos para siempre...

Se tendieron en el suelo, tomados de la mano, y contemplaron el firmamento.

—¿Recuerdas cuando entraste por primera vez en aquel café de Cittàgazze y nunca habías visto a un daimonion? —susurró Lyra.

—No sabía lo que era eso. Pero me gustaste en cuanto te vi, por lo valiente que eras.

—No, tú me gustaste antes que yo a ti.

—¡No es verdad! ¡Te peleaste conmigo!

—Bueno, sí —reconoció Lyra—, pero tú me atacaste.

—¡Mentira! Tú saliste como una furia y me atacaste a mí.

—Sí, pero me detuve enseguida.

—No hay peros que valgan —replicó Will con tono burlón.

Will notó que Lyra temblaba, y unos instantes después sintió que los delicados huesos de su espalda se movían de forma convulsa y la oyó llorar quedamente. Will acarició su cálido pelo y sus tiernos hombros y la besó en la cara una y otra vez, hasta que por fin Lyra suspiró con un estremecimiento y se calmó.

Los daimonions descendieron de nuevo por el aire, habiendo cambiado nuevamente de forma, y se dirigieron hacia ellos a través de la mullida arena. Lyra se incorporó para recibirlos. Will se maravilló de poder distinguir en el acto cuál era su daimonion, al margen de la forma que presentara. Pantalaimon se había transformado en un animal cuyo nombre Will no atinaba a recordar: un animal semejante a un enorme y poderoso hurón, de un rojizo dorado, ágil, sinuoso y dotado de una maravillosa gracia. Kirjava era de nuevo un gato. Pero de un tamaño fuera de lo común, con un pelo espeso y lustroso, irisado por mil reflejos y matices de negro azabache, gris humo, azul como el de un profundo lago bajo el cielo al atardecer, lavanda-brumaluz de luna-niebla... Bastaba contemplar su pelaje para comprender el significado de la palabra «sutil».

—Una marta —declaró Will al dar por fin con el nombre del animal que representaba Pantalaimon—, una marta-pino.

—No vas a seguir transformándote continuamente, ¿verdad, Pan? —preguntó Lyra.

—No —contestó el daimonion.

—Es curioso —dijo Lyra—, ¿recuerdas cuando éramos más jóvenes y yo no quería que dejaras de transformarte? Bueno, pues ahora no me importaría. Al menos si conservaras esta forma.

Will apoyó la mano sobre la muñeca de Lyra. Su estado de ánimo había cambiado, se sentía sereno y decidido. Sabiendo exactamente lo que hacía y lo que significaba, retiró la mano de la muñeca de Lyra y acarició el pelo dorado rojizo de su daimonion.

Lyra lo miró estupefacta. Pero su estupor se mezclaba con una sensación de placer tan intenso —como el que había sentido al acercar la fruta a los labios de Will— que no pudo protestar, pues se había quedado sin aliento. Con el corazón acelerado, respondió de la misma forma: apoyó la mano sobre el sedoso y cálido pelo del daimonion de Will, y al acariciarlo con sus dedos comprendió que Will sentía exactamente lo mismo que ella.

Y al mismo tiempo intuyó que ninguno de los dos daimonions, tras sentir la mano de su amor sobre su pelo, volverían a transformarse. Conservarían aquellas formas el resto de sus vidas: no deseaban otra.

Así, preguntándose si habrían existido unos amantes que hubieran realizado antes que ellos aquel maravilloso descubrimiento, permanecieron tumbados en el suelo mientras la Tierra giraba lentamente y la luna y las estrellas resplandecían en lo alto.

38

El Jardín Botánico

Los giptanos llegaron al día siguiente por la tarde. Como no había puerto donde amarrar el barco tuvieron que echar el ancla a cierta distancia de la costa. John Faa, Farder Coram y el capitán se dirigieron a tierra en una lancha acompañados por Serafina Pekkala, que les hizo de guía.

Mary había informado a los mulefa de cuanto sabía, y cuando los giptanos bajaron a tierra en la amplia playa se encontraron con una gran cantidad de curiosos que habían acudido a saludarlos. Cada bando, como es lógico, ardía en deseos de conocer al otro, pero a lo largo de su larga existencia John Faa había tenido oportunidad de aprender modales y paciencia y estaba resuelto a que aquellas extrañas criaturas recibieran un trato amable y cordial del señor de los giptanos occidentales.

De modo que permaneció de pie durante un buen rato mientras el viejo zalif, Sattamax, pronunciaba un discurso de bienvenida, que Mary tradujo como pudo; y John Faa respondió ofreciéndoles saludos de los Fens y los ríos de su patria.

Cuando comenzaron a avanzar a través del pantano hacia la aldea, los mulefa observaron que a Farder Coram le costaba mucho caminar y se ofrecieron para transportarle. Él aceptó agradecido, y por fin llegaron a la explanada donde habían de reunirse con Will y Lyra, que se apresuraron a saludarlos.

¡Había pasado un siglo desde que Lyra había visto a aquellos queridos amigos! La última vez que habían hablado había sido en las nieves del Ártico, cuando se dirigían a rescatar a los niños de los Gobblers. Lyra, que se sentía un tanto cohibida, les tendió la mano con timidez; pero John Faa la abrazó con fuerza y la besó en las mejillas, y Farder Coram hizo lo propio, observándola detenidamente antes de estrecharla contra su pecho.

—¡Hay que ver lo que ha crecido, John! —exclamó—. ¡Es increíble! ¿Recuerdas a la niñita que llevamos a las tierras del norte? ¡Mírala! ¡Querida Lyra, ni con la lengua de un ángel sabría expresarte lo feliz que me siento de volver a verte!

«Pero no parece encontrarse bien —pensó Fardar Coram—. Parece muy débil y cansada.»

Ni a él ni a John Faa les pasó por alto el hecho de que Lyra permaneciera siempre junto a Will, y que aquel chico de cejas rectas y negras estuviera en todo momento pendiente de dónde se encontraba Lyra y procurara no alejarse de ella.

El anciano le saludó respetuosamente, porque Serafina Pekkala le había contado una parte de lo que había hecho Will. En cuanto a Will, admiraba la poderosa presencia de lord Faa, un poder atenuado por su cortesía. Pensó que cuando alcanzara la vejez le gustaría parecerse a aquel hombre; John Faa constituía un poderoso refugio.

—Doctora Malone —dijo John Faa—, necesitamos aprovisionarnos de agua potable y de la comida que sus amigos puedan vendernos. Por otra parte, nuestros hombres llevan mucho tiempo embarcados y hemos participado en numerosas batallas, así que sería una bendición si pudieran ir a tierra y respirar el aire de este lugar, para que puedan explicar a sus familias cuando regresen a casa el maravilloso mundo que han visitado.

—Lord Faa —respondió Mary—, los mulefa me han pedido que les transmita que están dispuestos a proporcionarles cuanto necesiten, y que se sentirán honrados si aceptan cenar con ellos esta noche.

—Será un placer —contestó John Faa.

Aquella noche unas gentes procedentes de tres mundos distintos se sentaron para compartir pan, carne, fruta y vino. Los giptanos ofrecieron a sus anfitriones unos regalos procedentes de todos los rincones de su mundo: tarros de loza, tallas de colmillos de morsa, tapices de seda de Turkestán, copas de plata procedentes de las minas de Suecia, platos esmaltados de Corea.

Los mulefa aceptaron encantados aquellos presentes y a cambio ofrecieron a sus huéspedes objetos confeccionados por ellos mismos: raros recipientes de pino nudoso, cuerdas y sogas de extraordinaria resistencia, cuencos lacados y redes de pescar tan fuertes y ligeras que ni siquiera los giptanos que habitaban en los Fens habían visto nada semejante.

Tras compartir el festín con sus anfitriones, el capitán les dio las gracias y se marchó para supervisar a la tripulación mientras cargaban a bordo las provisiones y el agua que precisaban, pues se proponían zarpar al amanecer. Mientras realizaban la tarea, el viejo zalif dijo a sus invitados:

—Se ha producido un gran cambio en todo. Y como consecuencia, se nos ha asignado una importante responsabilidad. Nos gustaría mostraros lo que significa.

John Faa, Farder Coram, Mary y Serafina acompañaron a los mulefa al lugar donde desembocaba el túnel de la tierra de los muertos, por el que seguía brotando la incesante procesión de fantasmas. Los mulefa habían plantado un bosquecillo en torno a él, porque según dijeron era un lugar sagrado y un motivo de alegría, y aseguraron que lo mantendrían siempre.

—Esto es un gran misterio, y me alegro de haber vivido lo suficiente para verlo —comentó Farder Coram—. Aunque no queramos reconocerlo, a todos nos aterroriza sumirnos en las tinieblas de la muerte. Pero me reconforta saber que la parte de nuestro ser que debe descender a ellas tiene la posibilidad de escapar.

—Tienes razón, Coram —dijo John Faa—. He visto morir a mucha gente; yo mismo he facilitado a más de un hombre el tránsito a las tinieblas, aunque siempre en el fragor de la batalla. El hecho de saber que después de pasar una temporada en la oscuridad saldremos de nuevo a una tierra tan grata como ésta, para volar a través del cielo como los pájaros, es la mejor promesa que cualquiera podría desear.

—Debemos hablar con Lyra sobre esto —declaró Farder Coram—, para averiguar cómo se produjo este fenómeno y lo que significa.

A Mary le resultó muy duro despedirse de Atal y de los demás mulefa. Antes de subirse al barco le entregaron dos regalos: un vial de laca que contenía un poco de aceite del árbol de cápsulas de semillas, y otro regalo aún más valioso, una bolsita de semillas.

—Quizá no crezcan en tu mundo —dijo Atal—, pero siempre tendrás el aceite. No te olvides de nosotros, Mary.

—Jamás —contestó Mary—. Jamás. Aunque viva tanto como las

brujas y olvide todo lo demás, jamás me olvidaré de vosotros ni de la bondad que me habéis demostrado, Atal.

Por fin emprendieron la travesía de regreso a casa. Soplaba un leve viento, el mar estaba en calma, y aunque divisaron varias veces el resplandor de aquellas gigantescas alas blancas como la nieve, las aves recelaban de ellos y no se acercaron. Will y Lyra no se separaron en ningún momento, y la travesía les pasó en un santiamén.

Xaphania había dicho a Serafina Pekkala que cuando todas las ventanas estuvieran cerradas se restaurarían las relaciones entre los mundos, y el Oxford de Lyra y el de Will se solaparían de nuevo, como las imágenes transparentes de dos hojas de película que se aproximan hasta unirse, aunque en rigor nunca llegarían a tocarse.

De momento, sin embargo, mediaba una gran distancia entre ambos, la que debía recorrer Lyra para desplazarse de su Oxford hasta Cittàgazze. El Oxford de Will estaba ahora allí, a la distancia de un corte de la daga. Llegaron por la tarde, y cuando el ancla cayó al agua el sol crepuscular yacía cálidamente sobre las verdes colinas, los techados de teja, el elegante y destartalado muelle y el pequeño café de Will y Lyra. Un largo escrutinio a través del catalejo del capitán no había mostrado la menor señal de vida, pero John Faa decidió llevarse por si acaso a media docena de hombres armados a tierra. No iban en son de guerra, pero si ocurría algo allí estarían.

Compartieron su última comida juntos mientras observaban cómo anochecía. Will se despidió del capitán y de sus oficiales, y de John Faa y Farder Coram. Apenas les había prestado atención durante la travesía, y ellos lo veían con más claridad que él a ellos: veían a una persona joven, pero muy fuerte y profundamente afligido.

Por fin Will, Lyra y los daimonions, junto con Mary y Serafina Pekkala, echaron a andar a través de la ciudad efectivamente desierta. Las únicas sombras y los únicos pasos que percibían eran los suyos. Lyra y Will se adelantaron, tomados de la mano, hasta el lugar donde debían separarse, mientras las mujeres les seguían a cierta distancia, conversando como hermanas.

—Lyra quiere entrar y dar una pequeña vuelta por mi Oxford —dijo Mary—. Algo se trae entre manos. Luego promete regresar a su mundo.

—¿Y tú qué harás, Mary?

—¿Yo? Iré con Will, desde luego. Esta noche nos trasladamos a mi apartamento, a mi casa, y mañana intentaremos averiguar dónde se encuentra su madre y veremos qué podemos hacer para ayudarla a sanar. No te imaginas la de reglas y normas que existen en mi mundo, Serafina; hay que obedecer a las autoridades y responder mil preguntas. Ayudaré a Will a resolver el aspecto legal de ciertos asuntos, los servicios sociales, el tema del alojamiento y todo eso, para que pueda ocuparse de su madre. Es un chico fuerte... Pero debo ayudarle. Además, lo necesito. Me he quedado sin trabajo y tengo poco dinero en el banco, y no me sorprendería que la policía me estuviera buscando... Will es la única persona en mi mundo con quien puedo hablar de estas cosas.

Siguieron caminando por las silenciosas calles. Pasaron frente a una torre cuadrada con un portal que daba acceso a un oscuro pasadizo, a un pequeño café con unas mesas en la terraza, y por fin llegaron a un amplio bulevar con una hilera de palmeras en el centro.

—Fue aquí donde pasé al otro mundo —dijo Mary.

La ventana que Will había visto por primera vez en la plácida calle de un suburbio en Oxford se abría allí, y por el lado de Oxford estaba custodiada por la policía, o al menos lo estaba cuando Mary logró convencerles para que la dejaran pasar. Vio llegar a Will y mover hábilmente las manos en el aire, tras lo cual desapareció la ventana.

—Cuando vuelvan a mirar y se den cuenta de que ya no existe, se quedarán perplejos.

Lyra quería entrar en el Oxford de Mary y mostrar a Will algunas cosas antes de regresar con Serafina. Era evidente que tendrían que extremar las precauciones cuando pasaran por la abertura. Las mujeres les seguían a través de las calles de Cittàgazze iluminadas por la luna. A su derecha vieron un extenso y hermoso parque que conducía a una imponente mansión con un pórtico clásico que relucía bajo la luna como el azúcar glasé.

—Cuando me explicaste la forma que tiene mi daimonion —dijo Mary—, dijiste que si teníamos tiempo me enseñarías a verlo. Ojalá dispusiéramos de tiempo...

—Bien, hemos dispuesto de tiempo suficiente para conversar, ¿no es así? —respondió Serafina—. Te he enseñado algunos hechizos de las brujas, lo cual estaría prohibido según las viejas costumbres de mi mundo. Pero tú regresas a tu mundo, y las viejas costumbres han cambiado. Y yo he aprendido mucho de ti. Veamos, cuando hablaste con las Sombras en tu ordenador, tuviste que sumirte en un estado de ánimo especial, ¿verdad?

—Sí... como Lyra con su aletiómetro. ¿Te refieres a que intente hacerlo?

—No sólo eso, sino que al mismo tiempo debes mirar con normalidad. Prueba a hacerlo ahora.

En el mundo de Mary existía un tipo de imagen que en un principio parecía formada por unas manchas de color aleatorias, pero cuando la mirabas de determinada forma adquiría tres dimensiones: de improvisto veías frente al papel un árbol, o un rostro, o algo sorprendentemente sólido que antes no estaba allí.

Lo que Serafina enseñó a hacer a Mary en aquellos momentos era parecido a eso. Le dijo que mirara de forma normal y que al mismo tiempo se sumiera en una ensoñación semejante a un trance en la que podía ver a las Sombras. Pero debía mantenerse en ambos estados, el cotidiano y el trance, del mismo modo que hay que mirar en dos direcciones al mismo tiempo para ver unas imágenes tridimensionales entre las manchas de color.

Y al igual que en el caso de las imágenes formadas por manchas de color, Mary consiguió por fin su propósito.

—¡Ah! —exclamó sujetando el brazo de Serafina para no caer redonda al suelo. Frente a ella vio un ave posada sobre la verja de hierro que rodeaba el parque, con las plumas negras y lustrosas, las patas rojas y el pico curvado y de color amarillo: una chova alpina, tal como la había descrito Serafina. Estaba a pocos metros de distancia, observándola con la cabeza ligeramente ladeada y expresión divertida.

Pero era tal su asombro que perdió la concentración y el ave desapareció de pronto.

—Lo importante es que has aprendido a hacerlo. La próxima vez te resultará más fácil —le aseguró Serafina—. Cuando te encuentres en tu mundo, podrás ver por el mismo procedimiento a los daimonions de los demás. Pero ellos no verán a tu daimonion ni al de Will, a menos que les enseñes a hacerlo como yo te he enseñado a ti.

—¡Es fantástico!

Mary pensó: «Si Lyra puede hablar con su daimonion, ¿conseguiré yo no sólo ver a esa ave sino oírla?» Tras esta reflexión, siguió caminando alborozada e impaciente.

Frente a ellas vieron cómo Will cortaba una ventana con la daga. Él y Lyra esperaron a que se acercaran las mujeres para volver a cerrarla.

—¿Sabes dónde estamos? —preguntó Will.

Mary echó un vistazo alrededor. Se hallaban en su mundo, en una carretera tranquila y bordeada de árboles desde la que se veían unas imponentes mansiones victorianas rodeadas de frondosos jardines.

—Es un sector del norte de Oxford —contestó Mary—. No lejos de mi apartamento, aunque no sé exactamente qué carretera es ésta.

—Quiero ir al Jardín Botánico —dijo Lyra.

—De acuerdo. Imagino que dista unos quince minutos a pie. Seguidme.

Mary trató de ver de nuevo de las dos maneras. Esta vez le resultó más fácil. ¡Allí estaba la chova, junto a ella en su mundo, instalada en una pesada rama que se inclinaba sobre la acera! Mary alargó la mano para ver qué ocurría y el ave se posó sobre ella sin vacilar. Sintió su peso liviano, la firmeza de sus garras sobre el dedo, y la trasladó con delicadeza a su hombro. La chova se aposentó cómodamente, como si hubiera permanecido todo la vida en aquel lugar.

«Y así ha sido», pensó Mary. Y continuó adelante.

Circulaba poco tráfico por la calle mayor, y cuando bajaron por la escalera frente al Colegio Magdalen y se dirigieron hacia el Jardín Botánico, comprobaron que estaban solos. Junto al ornado portal había unos bancos de piedra, y mientras Mary y Serafina esperaban sentadas allí, Will y Lyra se encaramaron en la verja de hierro y saltaron al jardín. Sus daimonions se deslizaron por entre los barrotes y se adelantaron corriendo.

—Es por aquí —dijo Lyra, tirando a Will de la mano.

Pasaron frente a una fuente situada debajo un gigantesco árbol, giraron a la izquierda y avanzaron entre los macizos de flores hasta llegar a un pino de varios troncos. Allí vieron un recio muro de piedra con una puerta. Más allá, hacia el interior del jardín, los árboles eran más jóvenes y la disposición de las plantas menos formal. Lyra condujo a Will casi hasta el final del jardín, a través de un pequeño puente, hasta llegar a un banco de madera situado bajo un árbol de largas ramas que se inclinaban hacia el suelo.

—¡Sí! —exclamó—. ¡Confiaba en que siguiera aquí! ¡Qué alegría, Will! Yo venía aquí, en mi Oxford, y cuando deseaba estar sola me sentaba en este banco, con Pan. Pensé que si pudieras venir aquí... más o menos una vez al año..., al mismo tiempo que yo, durante una hora, podríamos fingir que volvíamos a estar juntos, y lo estaríamos, si permaneciéramos un rato sentados aquí, tú y yo solos, en mi mundo...

—Regresaré aquí mientras viva —dijo Will—. Esté dónde esté, regresaré a este lugar.

—El día del solsticio de verano —dijo Lyra—, al mediodía. Regresaré mientras viva... Mientras viva... Y más adelante —prosiguió con voz temblorosa—, si conocemos a una chica o un a chico que nos gustan, y nos casamos con ellos, debemos portarnos bien con ellos, y no andar siempre haciendo comparaciones y lamentándonos de no habernos casado el uno con el otro... Pero seguiremos viniendo aquí una vez al año, para estar juntos una hora...

Se abrazaron con fuerza. Transcurrieron unos minutos. Un ave acuática posada sobre el río, junto a ellos, lanzó su reclamo. De vez en cuando pasaba un coche a través del puente Magdalen.

Por fin se separaron.

—¿Y bien? —preguntó Lyra con dulzura.

En aquellos momentos todo en ella era dulzura. Ése sería más tarde uno de los recuerdos favoritos de Will: su atractivo suavizado por la media luz, la infinita dulzura de sus ojos, sus manos y en especial sus labios. Will la besó una y otra vez, y cada beso se aproximaba al último.

Abrumados y embriagados de amor, Will y Lyra regresaron junto a la verja de entrada, donde les aguardaban Mary y Serafina.

—Lyra... —dijo Will.

—Will... —dijo ella.

Will abrió una ventana que daba a Cittàgazze. Se hallaban en el parque que rodeaba la amplia mansión, no lejos del límite del bosque. Will atravesó la ventana por última vez y contempló la silenciosa ciudad, los tejados que relucían bajo la luna, la torre que se erguía sobre ellos, el barco iluminado que aguardaba en el plácido mar.

Luego se volvió hacia Serafina y dijo procurando controlar el temblor de su voz:

—Gracias, Serafina Pekkala, por habernos rescatado en el mirador y por todo lo demás. Te ruego que seas buena con Lyra mientras viva. La amo más de lo que alguien haya sido amado.

En respuesta, la reina de las brujas besó a Will en las mejillas. Lyra murmuró unas palabras a Mary y ambas se despidieron con un abrazo. Acto seguido Mary y Will pasaron a través de la última ventana y regresaron a su mundo, a la sombra de los árboles del Jardín Botánico.

«A partir de ahora tengo que intentar mostrarme alegre», pensó Will, pero era como tratar de aplacar a un lobo enfurecido que sostienes en brazos y pretende arañarte la cara y arrancarte los ojos. No obstante lo consiguió, convencido de que nadie había advertido el esfuerzo que le había costado.

Will sabía que a Lyra le estaba costando el mismo esfuerzo, como confirmaba la expresión forzada y la tensión de su sonrisa.

No obstante, Lyra sonrió.

Un último beso, tan apresurado y torpe que sus mejillas chocaron entre sí y una lágrima pasó de los ojos de Lyra al rostro de Will; sus dos daimonions se despidieron con un beso y Pantalaimon atravesó corriendo el umbral y saltó en brazos de Lyra. Acto seguido Will empezó a cerrar la ventana. Al concluir la operación, la vía de acceso quedó cerrada y Lyra desapareció de la vista.

—Ahora tengo que romper la daga —dijo tratando de quitar hierro al asunto, pero volviendo la cara para que Mary no advirtiera su congoja.

Will tentó el aire como solía hacer hasta dar con una abertura al tiempo que trataba de recordar lo que había ocurrido anteriormente. Se disponía a abrir una ventana para salir de la cueva cuando la señora Coulter, de pronto y sin venir a cuento, le había recordado a su madre y la daga se había partido porque, según creyó Will, había topado con algo que se le resistía: su amor por ella.

Will lo intentó ahora, evocando una imagen del rostro de su madre tal como la había visto por última vez, temerosa y muy alterada en el pequeño recibidor de casa de la señora Cooper.

Pero no dio resultado. La daga traspasó el aire sin ninguna dificultad y salió a un mundo donde había estallado una tormenta: unas gruesas gotas de lluvia salpicaron a Will y a Mary, sobresaltándolos. Will cerró rápidamente la ventana, desconcertado.

Su daimonion sabía lo que había que hacer.

—Lyra —dijo simplemente.

¡Pues claro! Will asintió con la cabeza y, sosteniendo la daga en la mano derecha, oprimió con la izquierda la mejilla donde yacía todavía la lágrima de Lyra.

Esta vez la daga se partió con un sonoro crac y cayó al suelo hecha añicos; los fragmentos relucían sobre las piedras humedecidas por la lluvia de otro universo.

Will se arrodilló para recogerlos con cuidado mientras Kirvaja, con sus ojos de gato, le ayudaba a reunirlos.

Entretanto, Mary se colgó la mochila en la espalda.

—Escucha, Will —dijo—. Apenas hemos tenido ocasión de hablar y... Puede decirse que aún no nos conocemos. Pero Serafina Pekkala y yo nos hicimos una promesa, y acabo de hacerle una promesa a Lyra, y aunque no hubiera hecho esas promesas quiero prometerte que seré tu amiga durante el resto de nuestras vidas, si tú me lo permites. Nos hemos quedado solos y creo que a los dos nos conviene...

Quiero decir que no podemos hablar con ninguna otra persona sobre esta experiencia... Y los dos tenemos que acostumbrarnos a vivir con nuestros daimonions... Y ambos tenemos problemas, así que ya tenemos algo en común...

—¿Tienes problemas? —preguntó Will fijando sus ojos francos, amables e inteligentes en los suyos.

—Antes de marcharme destrocé material del laboratorio, falsifiqué un carné de identidad y... Pero todo tiene solución. Y tus problemas también tienen solución. Daremos con tu madre y conseguiremos que reciba un tratamiento adecuado. Y si necesitas un lugar donde alojarte y no te importa vivir conmigo, puedes instalarte en mi casa, para que no tengas que ir a un orfanato o como lo llamen. Tendremos que ponernos de acuerdo en la versión de los hechos, pero eso lo resolveremos enseguida, ¿verdad?

Mary era su amiga. Will comprendió que tenía una amiga. Nunca había pensado en ello.

—¡Sí!

—Pues vamos a ello. Mi apartamento queda a menos de un kilómetro de aquí. ¿Sabes lo que más me apetece en estos momentos? Una taza de té. Venga, me ayudarás a preparar el té.

Tres semanas después del momento en que observó cómo la mano de Will cerraba para siempre la ventana que daba a su mundo, Lyra se hallaba sentada de nuevo a la mesa en el comedor del Colegio Jordan, donde había caído por primera vez bajo el influjo de la señora Coulter.

Esta vez el grupo era más reducido: además de ella, estaba presente el director y dame Hannah Relf, la gobernanta de St. Sophia, uno de los colegios femeninos. Dame Hannah también había asistido a aquella primera cena, y aunque Lyra se sorprendió al verla ahora, la saludó educadamente y comprobó que la memoria le fallaba un poco, pues aquella dame Hannah era mucho más lista, más interesante y amable que la estúpida y aburrida mujer que recordaba.

Durante el tiempo que Lyra había estado ausente habían ocurrido muchas novedades: en el propio Colegio Jordan, en Inglaterra, en todo el mundo. Al parecer, el poder de la Iglesia se había incrementado notablemente y se habían aprobado una serie de leyes a cual más salvaje, pero aquel poder se había disipado con la misma rapidez con que había aumentado. Unas sublevaciones en el Magisterium habían derribado a los fanáticos e instaurado en el poder a unas facciones más liberales. El Comité de Oblación se había disuelto; el Tribunal Consistorial de Disciplina estaba desorganizado y carecía de líder.

Los colegios de Oxford, tras una breve y turbulenta época, habían recuperado la calma y reanudado sus clases y ritos. Algunas cosas habían desaparecido: al director le habían robado su valiosa colección de plata; algunos sirvientes del colegio se habían esfumado. Pero Cousins, el mayordomo del director, seguía ocupando su puesto y Lyra estaba preparada para afrontar su hostilidad, pues habían sido enemigos desde el primer momento. Lyra se quedó estupefacta cuando Cousins la saludó con gran afabilidad, estrechando su mano entre las suyas. ¿Era afecto lo que Lyra detectó en su voz? ¡Caramba, qué cambio!

Durante la cena el director y dame Hannah comentaron lo que había ocurrido durante la ausencia de Lyra, la cual los escuchó con asombro, disgusto o admiración. Luego se retiraron a la salita del director para tomar café.

—Apenas hemos sabido nada de ti, Lyra —dijo el director—. Pero nos consta que has visto muchas cosas. ¿Puedes relatarnos algo de tu experiencia?

—Sí —respondió Lyra—, aunque no todo de golpe. Algunas cosas no las comprendo ni yo misma, y otras aún me producen escalofríos y me hacen llorar, pero prometo contarles lo que pueda. A cambio ustedes tienen que prometerme una cosa.

El director se volvió hacia la señora de pelo gris que sostenía al daimonion tití en su regazo y ambos se miraron con expresión divertida.

—¿Qué es? —preguntó dame Hannah.

—Tienen que prometer que me creerán —contestó Lyra muy seria—. Reconozco que no siempre he dicho la verdad, y sólo podría sobrevivir en algunos lugares contando mentiras e inventándome historias. Reconozco mis errores, y sé que ustedes están al tanto de los mismos, pero mi verdadera historia es demasiado importante para mí y no se la contaré si sólo van a creerse la mitad. Así que prometo contarles la verdad a cambio de que ustedes me crean.

—Te lo prometo —respondió dame Hannah.

—Yo también —apostilló el director.

—¿Pero saben lo que deseo más que ninguna otra cosa? —preguntó Lyra—. Poder leer el aletiómetro. La primera vez que lo conseguí fue muy extraño, ¡y de pronto se me olvidó! Un día comprobé que era capaz de desplazarme con toda facilidad entre los significados de los símbolos y realizar las conexiones oportunas. Era como...

—Lyra esbozó una sonrisa y continuó—: Me movía con la rapidez de un mono entre los árboles. Y de pronto... ¡Nada! Los símbolos no tenían ningún sentido para mí. Sólo recordaba los significados básicos, como que el ancla significa esperanza y la calavera significa muerte. Los miles de significados... ¡Se habían esfumado!

—Pero no se han esfumado, Lyra —replicó dame Hannah—. Los libros siguen en la Biblioteca Bodley. La beca para estudiarlos sigue vigente.

Dame Hannah estaba sentada frente al director en una de las dos poltronas junto a la chimenea. Lyra se hallaba sentada en el sofá, entre ambos. La lámpara situada junto a la poltrona del director era la única fuente de luz, pero mostraba con claridad la expresión de los dos ancianos. Lyra escrutó el rostro de dame Hannah. Un rostro amable, perspicaz e inteligente, pero Lyra era tan incapaz de interpretar su significado como el de los símbolos del aletiómetro.

—Bien —prosiguió el director—. Debemos pensar en tu futuro, Lyra.

Sus palabras estremecieron a Lyra, pero enseguida se sobrepuso.

—Durante mi ausencia no pensé en ningún momento en eso —dijo—. Sólo me preocupaba el presente. Más de una vez creí que no tenía ningún futuro. Y ahora... De repente compruebo que tengo toda la vida por delante, pero... no sé qué hacer con ella. Es como tener el aletiómetro y no saber utilizarlo. Tendré que trabajar, supongo, pero no sé en qué. Mis padres debían de ser ricos pero no se les ocurrió otorgar un testamento. De todos modos, imagino que gastaron todo el dinero que tenían, de modo que aunque pudiera no serviría de nada reclamarlo. No sé qué decir, director, he regresado a Jordan porque era mi hogar y no tengo otro sitio donde ir. Supongo que el rey Iorek Byrnison me permitiría vivir en Svalbard, y que Serafina Pekkala me dejaría vivir con su clan de brujas; pero no soy un oso ni una bruja y no encajaría con ninguno de ellos, a pesar de que los quiero mucho. Puede que me acogieran los giptanos... Pero la verdad es que no sé qué hacer. Me siento perdida.

El director y dame Hannah observaron a Lyra: sus ojos relucían más de lo habitual y les miraba con el mentón alzado, en un gesto que había aprendido de Will sin darse cuenta. Dame Hannah pensó que mostraba una expresión tan confundida como desafiante, y la admiró por ello. El director vio algo más. Vio que la gracia espontánea de la niña había desaparecido y que se sentía torpe dentro de su cuerpo de adolescente. Pero la quería mucho y se sintió orgulloso y a la vez impresionado por la hermosa mujer en la que no tardaría en convertirse.

—Nunca estarás perdida mientras este colegio siga en pie, Lyra —afirmó el director—. Éste será tu hogar durante tanto tiempo como desees. En cuanto al dinero, tu padre creó un fondo fiduciario para cubrir todas tus necesidades y me nombró albacea, de modo que no debes preocuparte por eso.

Lord Asriel no había creado ningún fondo fiduciario para su hija, pero el Colegio Jordan era rico y el director, no obstante los recientes disturbios, tenía dinero.

—No, yo me refería a tus estudios —prosiguió el director—. Eres aún muy joven y a partir de ahora tu educación dependerá de... Para decirlo sin rodeos, de los profesores que se sientan menos intimidados por ti —añadió sonriendo—. Francamente, tu trayectoria ha sido un tanto irregular. Es posible que con el tiempo tus dotes te lleven por un camino imprevisto. Pero si conviertes el aletiómetro en el tema central de tu trabajo, y decides aprender con rigor lo que antes hacías de forma intuitiva...

—Sí —afirmó Lyra con rotundidad.

—En tal caso, lo mejor que puedes hacer es ponerte en manos de mi buena amiga dame Hannah. Sus conocimientos en este campo son insuperables.

—Permíteme una sugerencia —terció dame Hannah—. No es necesario que respondas ahora mismo. Piensa en ello. Mi colegio no es tan antiguo como el Jordan, y en cualquier caso eres demasiado joven para ser una universitaria, pero hace unos años adquirimos una espaciosa mansión en el norte de Oxford y decidimos instalar en ella un internado. Si quieres ser una de nuestras alumnas, te presentaré a la directora. Lo que necesitas enseguida, Lyra, es la amistad de otras niñas de tu edad. Muchas cosas las aprendemos de jóvenes de nuestros compañeros y compañeras, y no creo que el Jordan pueda procurarte todo lo que necesitas. La directora del internado es una mujer joven, inteligente, dinámica, imaginativa y amable. Tenemos suerte de contar con su colaboración. Puedes hablar con ella, y si te atrae la idea, St. Sophia se convertirá en tu nuevo colegio mientras el Jordan seguirá siendo tu hogar. Y si quieres empezar a estudiar el aletiómetro de forma sistemática, te daré unas clases particulares. Tienes tiempo para pensarlo y decidirte. No es preciso que respondas ahora mismo. Déjalo hasta que estés preparada.

—Gracias, muchas gracias, dame Hannah —contestó Lyra—. Lo haré.

El director había dado a Lyra una llave de la puerta del jardín para que pudiera entrar y salir cuando le apeteciera. Aquella noche, cuando el portero cerró su garita, ella y Pantalaimon salieron sigilosamente y atravesaron las oscuras calles de Oxford mientras todas las campanas de la ciudad tañían para dar la medianoche.

Una vez en el Jardín Botánico, Pan se puso a perseguir a un gato a través de la hierba, pero al llegar al lugar donde estaba el muro dejó que el animalito escapara y se encaramó de un salto sobre un gigantesco pino. Lyra disfrutaba viéndole brincar de rama en rama, pero tenían que abstenerse de hacer aquello en presencia de otros. La facultad de separarse, semejante a la de las brujas y que habían adquirido tras tantos sufrimientos, debía permanecer en secreto. Tiempo atrás, Lyra se habría complacido exhibiéndolo ante sus compañeros, dejándolos pasmados y aterrorizados, pero Will le había enseñado el valor del silencio y la discreción.

Lyra se sentó en el banco y esperó a que Pan se acercara a ella. Al daimonion le gustaba sorprenderla, pero ella solía verlo antes de que él la alcanzara. Al divisar una sombra escurridiza que se deslizaba por la orilla del río, Lyra volvió la cabeza fingiendo no haberlo visto. Pero en cuanto Pan saltó sobre el banco, lo agarró.

—Casi lo consigo —dijo el daimonion.

—Tendrás que aplicarte. Te he oído acercarte desde la verja.

Pan se sentó en el respaldo del banco y apoyó las patas delanteras sobre el hombro de Lyra.

—¿Qué vamos a decirle a dame Hannah? —preguntó.

—Que sí —contestó Lyra—. Me refiero a lo de hablar con la directora del internado, no a estudiar en su colegio.

—Pero asistiremos a él, ¿no?

—Sí, probablemente.

—Puede que sea bueno.

Lyra pensó en las otras alumnas. Quizá fueran más listas que ella, o más sofisticadas, y seguro que sabían mucho más que ella sobre las cosas que son importantes para las chicas de su edad. Y como ella no podía contarles ni una centésima parte de todo lo que sabía, sus compañeras pensarían que era una idiota y una ignorante.

—¿Crees que dame Hannah sabe realmente interpretar el aletiómetro? —preguntó Pantalaimon.

—Con ayuda de los libros, seguro que sí. Me pregunto cuántos libros habrá en esa biblioteca. Estoy convencida de que podríamos memorizarlos todos para no tener que ir cargados con un montón de libros a todas partes... ¿Pan?

—¿Qué?

—¿Quieres contarme lo que hicisteis tú y el daimonion de Will mientras estuvimos separados?

—Sí, algún día —respondió Pan—. Y el otro se lo contará también a Will algún día. Acordamos decíroslo cuando llegara el momento oportuno, pero no antes.

—De acuerdo —dijo Lyra para no discutir.

Ella se lo había contado todo a Pantalaimon, pero era natural que él estuviera resentido por haberse sentido abandonado y tuviera algunos secretos que no quisiera revelarle.

Era un consuelo pensar que Will y ella tenían otra cosa en común. Lyra se preguntó si algún día dejaría de pensar en él a todas horas, hablar con él en sueños, revivir en su imaginación todos los momentos que habían pasado juntos, anhelar su voz, sus manos, su amor. Jamás había soñado en lo significaba amar a alguien con tal intensidad. De todo lo que le había asombrado en el curso de sus aventuras, ésa era la que más le impresionaba. Lyra pensó que la ternura que quedaba en su corazón era como una herida que nunca se restañaría pero que atesoraría siempre.

Pan se bajó del banco y se acurrucó en su regazo. Estaban a salvo en la oscuridad, ella, su daimonion y los secretos de ambos, pensó Lyra. En algún lugar de la ciudad que dormía estaban los libros que le enseñarían de nuevo a leer el aletiómetro, la bondadosa e instruida mujer que le daría clases, las alumnas del colegio, que sabían infinitamente más que ella...

«Aún lo ignoran —pensó Lyra—, pero serán mis amigas.»

—Eso que dijo Will... —murmuró Pantalaimon.

—¿Qué?

—En la playa, poco antes de que intentaras leer el aletiómetro. Dijo que no existía otro lugar. Eso fue lo que te dijo su padre. Pero había otra cosa...

—Lo recuerdo. Se refería a que el Reino del Cielo había llegado a su fin. Que no debíamos vivir como si fuera más importante que la misma vida, porque lo más importante es siempre el lugar donde nos encontramos.

—Dijo que teníamos que construir algo...

—Por eso necesitamos vivir toda la vida que nos corresponde, Pan. Nuestro deseo era irnos con Will y con Kirjava, ¿no es así?

—Sí. ¡Por supuesto! Y ellos se habrían venido con nosotros. Pero...

—Pero entonces no habríamos podido construir. Nadie es capaz de hacerlo si antepone sus deseos. En nuestros diversos mundos, todos tenemos que esforzarnos en conseguir esas cosas tan difíciles como ser alegres, bondadosos, curiosos, valientes y pacientes, y tenemos que estudiar, pensar y trabajar duro, y entonces lograremos construir...

Lyra apoyó las manos en el lustroso pelo de su daimonion. En ese momento oyó cantar a un ruiseñor en un rincón del jardín y notó que la brisa agitaba su pelo y las hojas de los árboles. Todas las campanas de la ciudad tañían simultáneamente: una más abajo, otra junto a ellos, otra más alejada, una agrietada y arisca, otra grave y sonora, pero todas, con sus distintas voces, se habían puesto de acuerdo en la hora que era, aunque algunas la señalaran con más parsimonia. En aquel otro Oxford donde Will y ella se habían besado en el momento de despedirse también tañían las campanas, cantaba un ruiseñor y la brisa agitaba las hojas del Jardín Botánico.

—¿Y luego qué? —preguntó su daimonion con voz somnolienta—. ¿Qué es lo que debemos construir?

—La república del cielo —respondió Lyra.

Agradecimientos

La trilogía iniciada con *Luces del Norte* no existiría sin la ayuda y el estímulo de amigos, parientes, libros y extraños.

Deseo expresar mi gratitud a las siguientes personas: Liz Cross, por su meticulosa e infatigable labor de revisión en cada fase de la obra, y por su brillante idea sobre unas imágenes en *La daga*; Anne Wallace-Hadrill, por permitir que me asomara por la borda de su pequeña embarcación; Richard Osgood, del Instituto Arqueológico de la Universidad de Oxford, por explicarme cómo se organiza una expedición arqueológica; Michael Malleson, del Trent Studio Forge, en Dorset, por mostrarme cómo se forja el hierro; y Mike Froggatt y Tanaqui Weaver, por traerme papel como el que utilizo (con dos orificios) cuando se me agotaban las existencias. Asimismo, deseo elogiar el café que expenden en el Museo de Arte Moderno de Oxford. Cada vez que me topaba con un problema en la narración, bastaba una taza de su café y una hora sentado en aquella acogedora sala para que se solventara, sin mayor esfuerzo por mi parte.

He robado ideas de todos los libros que he leído. Al documentarme para una novela me he guiado siempre por este principio: «Leerla como una mariposa, escribirla como una abeja», y si esta historia contiene algo de miel, ello se debe enteramente a la calidad del néctar que hallé en la obra de escritores más dotados que yo. Pero deseo destacar ante todo tres deudas de gratitud. La primera con el ensayo titulado *On the Marionette Theatre*, de Heinrich von Kleist, que leí por primera vez en una traducción de Idris Parry en el suplemento literario de *The Sunday Times*, en 1978. La segunda con *El paraíso perdido*, de John Milton. La tercera con las obras de William Blake.

Por último, mis deudas más grandes. A David Fickling y su infinita fe y aliento, así como su certera y nítida intuición sobre cómo mejorar una historia, le debo buena parte del éxito que ha alcanzado esta obra; a Caradoc King le debo más de media vida de amistad y apoyo leal; a Enid Jones, la maestra que me dio a leer hace tiempo *El paraíso perdido*, le debo lo mejor que la educación es capaz de ofrecer, la idea de que la responsabilidad y el placer pueden ir aparejados; a mi esposa Jude, y a mis hijos Jamie y Tom, les debo todo lo demás.

PHILIP PULLMAN

ÍNDICE

1. La niña encantada 9
2. Balthamos y Baruch 17
3. Carroñeros 39
4. Ama y los murciélagos 47
5. La torre inexpugnable 55
6. Absolución preventiva 65
7. Mary, sola 76
8. Vodka 88
9. Río arriba 102
10. Ruedas 111
11. Las libélulas 122
12. La rotura 134
13. Tialys y Salmakia 143
14. Averigua la respuesta que buscas 153
15. La forja 165
16. El artefacto intencional 176
17. Aceite y laca 194
18. Los aledaños de la muerte 206
19. Lyra y su muerte 220
20. Trepar 234
21. Las arpías 240
22. Los susurradores 254
23. Sin salida 264
24. La señora Coulter en Ginebra 278
25. Saint-Jean-les-Eaux 291
26. El abismo 304
27. La plataforma 315

28. Medianoche 320
29. La batalla en la planicie 330
30. La montaña nublada 338
31. El fin de la Autoridad 346
32. La mañana 360
33. Mazapán 372
34. El presente existe 384
35. Más allá de las colinas 390
36. La flecha rota 403
37. Las dunas 412
38. El Jardín Botánico 427

Agradecimientos 443